『十四五』时期国家重点图书出版专项规划

中国考古发掘报告提要

春秋战国卷（上册）

刘庆柱 ◎ 总主编

丁晓山 ◎ 主编

中国文史出版社

序

记得是在 2013 年初夏的一天，首都师范大学丁晓山先生因公事到六里桥中华书局来找我。办完公事后我们就坐在中华书局一楼大厅里聊了会儿天，晓山先生告诉我，他想编《中国考古发掘报告提要》。我深表赞同，但又觉得兹事体大，任务繁重，恐怕会和许多听上去不错的想法一样，最终也只能停留在策划阶段，无疾自终。没有想到时隔不到两年，晓山先生竟抱着十几册书稿来找我写序了。按说考古方面的著述本不该由我来写序的，但我首先是被晓山先生的实干精神所感动，感到没有理由拒绝如此埋头苦干的后辈学者；其次从考古与文献的结合角度，也还确实有些话想说，便欣然答应了下来。

夜深人静，我翻阅着堆满了小半个书桌的书稿，当然最先翻看的是我比较感兴趣的隋唐五代卷。真的是如入宝库，目不暇接。记得曾有学者讲过，考古是坐在前排看戏。的确如此，考古是跟古人直接对话，你会看到古人穿着什么样的盛装出现在社交场合，你会触摸到古人曾经喝过酒的酒盏，你会站立在当年宫女们居住的寝室，你甚至会行走在一千年前古人曾经走过的街道上……借用时下流行的词语讲，真的是让人有"穿越"之感了。这是阅读古代文献很难获得的一种体验。

正是因为考古资料如此无可替代，20 世纪 20 年代王国维先生就提出了"二重证据法"，以考古资料与传世文献相印证，并将此提高到了方法论的高度。20 世纪 60 年代，沈从文先生甚至说过要想做好学问，最好"老老实实去故宫各库房学三五年文物"①的话。然而，结果又如何呢？约 30 年前，张光直先生就指出："考古学与历史学不能打成两截，那种考古归考古，历史归历史，搞考古的不懂历史，搞历史的不懂考古的现象，是一种不应有的奇怪现象，说明了认识观的落后。"②李学勤先

---

① 沈从文：《花花朵朵坛坛罐罐——沈从文文物与艺术研究文集》，外文出版社，1994 年版，第 76 页。
② 见《中国社会科学》杂志社编《未定稿》，1988 年第 4 期。

生在约 20 年前讲："我们学术界的习惯，是把历史学和考古学截然分开。""学历史的专搞文献，学考古的专做田野，井水不犯河水，大多不相往来。我看这对历史学、考古学双方都没有好处。"①10 年前，石兴邦先生还引用张光直先生的话讲："中国古史研究与考古学的发现成果的间距，比海峡两岸的距离还远。"②时至今日，这一状况应该说，有所改观，但恐怕还不好说已有了实质性的改观。

那么，怎么才能让历史学、考古学双方都有好处呢？这就需要沟通。而考古发掘报告，恰恰是双方有望沟通的一个很好的现实选择。从考古学来说，考古发掘报告是发现、发掘、整理、研究这一系列考古活动的最后结晶，是考古发掘过程中必不可少的关键一环。从历史学的角度看，考古发掘报告几乎是认识考古发掘的唯一文字凭证，历史学者不可能老是如同考古学者一样坐在前排看戏，他们在绝大多数情况下，只能通过发掘报告，来了解他们关心的考古事实（或许以后还可以通过网播、专题片等视频来了解）。应该说，考古界、史学界双方都很重视考古发掘报告。

然而，考古发掘报告似乎并不是准备给考古圈以外的人看的，专业词汇触目皆是，叙述过程长篇大论。不用说厚度令人生畏的考古详报，就是所谓考古发掘简报，也是动辄几十页，简报不"简"，难以卒读。李学勤先生曾谈到，早在 1955 年《考古》杂志开第一次编委会时，夏鼐先生就郑重其事地提出办刊的四项任务。头一条任务居然是"普及"③。我理解这个"普及"，不仅仅是向群众普及考古知识，提高文物意识，也理应包括向非考古专业的其他学科学者，介绍考古成果，传播相关信息。也早有学者呼吁，考古发掘报告专业性太强，必须加以改进，"使学科内、学科外的读者都可以直接阅读和使用可靠资料"④。也曾有学者强调"考古界应该更快地从迷恋于资料信息的占有，转入对资料信息的共享、共商、共研"⑤，而《中国考古发掘报告提要》所做的，不正是这样一种"普及"和改进工作吗？不正是这样一种"共享、共商、共研"吗？

说实话，如果说考古学和中国传统的金石学还勉强沾上点边的话，那么考古发掘报告，可就是完完全全、百分之百的舶来品了。中国传统文献里没有这种写法，也难怪国人读起来不太熟悉。而提要，则是我们十分熟悉的写法了，姚名达先生甚至说中国古代目录"优于西洋目录者，仅恃解题一宗"⑥。打个比方，如果说考古发

① 李学勤：《走出疑古时代》，辽宁大学出版社，1994 年版，第 62 页。
② 张得水：《"文明探源：考古与历史的整合"学术研讨会综述》，《中原文物》2006 年第 1 期。
③ 《〈考古〉50 年笔谈》，《考古》2005 年第 4 期。
④ 谢尧亭：《从〈天马——曲村〉谈考古资料的整理和报告的编写》，《考古》2005 年第 3 期。
⑤ 张忠培：《中国考古学：九十年代的思考》，文物出版社，2005 年版，第 5 页。
⑥ 《中国目录学史》，上海古籍出版社，2002 年版，第 346 页。

掘报告是道洋味扑鼻的"西餐",而"提要"则有如"西餐中做"。《中国考古发掘报告提要》煌煌十卷本,收录自1928年至2015年80多年间出版和专业刊物上的考古发掘报告13000多种,超过《四库全书总目》收书10000出头的规模了。而每种发掘报告,又力求用最简洁的语言,讲清楚发现、发掘的时间、地点,发现的过程,发掘出什么,属于什么时代或年代,墓主身份,遗址的性质,遗物的价值等。其实非专业学者,也许只需要了解这些基本信息就够了。其写法,又像是《四库全书简明目录》的路数。考古发掘报告这道"西餐",经过中国传统目录学的改造,终于比较适合国人的胃口,能够满足读者的初步诉求了。

翻阅一过,却又感到《中国考古发掘报告提要》所包含的信息十分丰富。如编者比较注重趣味,一般人感兴趣的信息会予以收录。编者比较注重考证,凡有通过与文献对读并由此得出结论的部分,大多予以保留。编者还比较注重信息,尽可能多地提供了一些相关学术信息。在细节上,有些地方也做得很好。如某篇发掘报告是否有照片(彩照还是黑白照片)、拓片,如出土有墓志等是否转录全文,都一一予以交代。这些都是做得不错的地方,是为本书加分的地方。

说完为本书加分的地方,也应说说为本书减分的地方。主要是工程浩大,书出众手,各人取舍标准有宽严之别,难免会出现漏收、误收现象;对内容的把握有高下之分,也会有该"提"的"要"而未"提"或错"提"的情况。至于录校方面的漏网之鱼、分卷方面的可议之处等等,还在其次。但扪心自问,不论是谁来编纂这样一部大书,上述问题几乎可以说是在所难免。

当然,学术型工具书也如同学术专著一样,最大的"加分"还在创新。如《中国丛书综录》(上海古籍出版社1959年版、1982年版),收录丛书2797种,遗漏错讹甚多,以至有阳海清先生的《中国丛书综录补正》(广陵书社1984年版)问世。日后又扩充成《中国丛书广录》(湖北人民出版社1999年版)上、下两册,声称收录《综录》未收或与《综录》有所不同的丛书3279种。施廷镛先生的《中国丛书知见录》(北京图书馆出版社2005年版)6册,共收丛书近2000种,据称其中700种是《综录》失收的。当然这几部书是"知见"性质,与《综录》是依托图书馆藏书的"目睹"性质有所不同。尽管《中国丛书综录》有着种种不足和缺憾,甚至被人讥笑为"大跃进"的产物。但效果如何呢?公道自在人心。可以说,《中国丛书综录》的问世,极大改变了丛书的利用状况。以往即便是学问大家,都很少利用丛书;而此后哪怕是一篇普普通通的毕业论文,都会用到丛书。因为要用什么丛书,一查便知,十分方便。晓山先生和我讲过一个观点,我很赞同。他说学术积累到一定程度,会促使相关工具书的出现;而一部优秀的学术工具书,反过来又会促进学术的发展。

丛书的利用是如此，考古发掘报告呢？我们期待也是如此。

《中国考古发掘报告提要》的创新之处，在我看来，主要就在为中国考古发掘报告算了次总账。台湾"中央研究院"院士周法高先生讲，他研究学问，用的是"结账式的研究方法"。周先生所编《金文诂林》《金文诂林补》和《金文诂林附录》计 22 册，500 万字，就是将容庚《金文编》所收 18000 多个例字原来的出处一一查出，并登录原出处的句子、器名和器号。这是非常费时劳神的工作，等于是替金文研究贡献了一部"算总账"式的著述，且已成为研究金文不可或缺的工具书。据悉已有数位博士、硕士生以此为题来作学位论文。一部工具书居然有人来写学位论文，可见内涵十分丰富。事实上，各个学科、各个门类都应有这种"算总账"的著述才好。而《中国考古发掘报告提要》，不正是在这一领域的一部"算总账"式的工具书吗？

在开学术会议时，我私下曾请教过考古界的朋友：已发表的考古发掘报告到底有多少？结果说法不一，相差甚远，从几千到上万个都有。而《中国考古发掘报告提要》却首次给出了一个数字，这个答案当然还不能说是标准答案，但至少是向最终答案"逼近"和"靠拢"了一大步。在这一点上，编者是有首创之功的。季羡林先生曾讲过："专就学术界而言，编纂目录或者索引，就是积累功德。"①在我看来，这种花了大力气的"算总账"式的工具书，可真是积了大功德了。

对于这部功惠学界的书应如何利用呢？除了通常的查阅和翻阅外，我想至少还有以下几种读法。

其一，通读。即老老实实、认认真真地一本一本、一篇一篇地把《中国考古发掘报告提要》通读一过，这当然要费上一番功夫，花上一点时间。但这么读下来，对全国从史前到明清的主要考古发掘成果都会大致有个印象，这不也算是前辈学者提到的"遇到问题会冒出来"的底子吗？晓山先生有一比，他说《中国考古发掘报告提要》，就好比是地下的《四库全书总目》提要。我倒是很欣赏这个提法。其实，不要说《四库全书总目》提要，如果能够认认真真地把《四库全书简明目录》通读一过，脑子里不就有了 3000 多种书的信息吗？如果再把《中国考古发掘报告提要》通读一过，脑子里不就又有了 13000 多条考古信息了吗？二者相加，差不多是小20000 条信息了，"存储量"不可谓不大。遇到什么问题，"数据库"里总会调出几条相关信息。这也应算是一种学术功底吧。

其二，对读。所谓的"对读"，当然是指传世文献与考古材料的对读。但以往似乎是以传世文献为本的成果多一些，王国维先生的大作、陈直先生的《汉书新证》，

---

① 季羡林：《西文中国学研究图书目录·序》，王树英编。《季羡林序跋集》，新世界出版社，2008 年版，第 757 页。

都是如此。如果把考古材料比作"六经"，把传世文献比作"我"，以往大多是"六经注我"。我们在这里提倡的"对读"，是"我注六经"，即用文献来诠释、印证考古材料。或许还可以借用陈佩斯、朱时茂的小品《主角与配角》来打比方：以往我们一般是以传世文献来充当主角，以考古资料来当配角；而今应该倒过来，让考古资料来当主角，以传世文献来当配角，以传世文献来诠注考古资料。而欲这么做，考古资料总得有个文字凭证才行，而这个文字的凭证，只能是考古发掘报告。

其三，核读。"核"是核校的意思。我们可以拿考古发掘报告原文，甚至用出土遗物原件来核校，我们还可以用其他考古研究成果来核校。攻其过，补其阙。最终也形成如同余嘉锡先生的《四库提要辨证》，胡玉缙、王大隆先生的《四库全书总目提要补正》那样的成果，使《中国考古发掘报告提要》更趋完善。当然在这个过程中，自己的学术水平也终会得到提高。

其四，译读。现在不少青年学子都很重视英语。眼下考古发掘报告，往往都有英文书名或刊名，甚至还有英文的内容简介。这样我们不妨通过译读，一方面学习考古知识，一方面提高英语水平。即一边读一边将书名、篇名和内容译成英语，再与专家译的进行比较，在比较中看到自己的不足，达到学习考古、英文的双重目的。据说英国考古学家格林·丹尼尔（Glyn Daniel）讲过"未来的世界考古学要看中国"①一类的话，中国青年学子要向世界介绍中国考古学成果，当然免不了要谈到考古发掘报告。

其五，解读。《中国考古发掘报告提要》已尽量少用隐晦难懂的专业词汇，但仍然难免有一些词语非专业读者难辨其意。如青铜器名称、墓葬形制等，这就需要解读。可以上网搜一搜图片；还不清楚，有条件的话可以上博物馆看一看实物；如果有点绘画基础的话，可以试着自己画一画复原图、示意图。一个难点一个难点地去克服，一个词语一个词语地去弄懂。学问也会在这个过程中一点一滴地积累起来了。

其六，走读。这个"走读"，不是指改革开放之初"走读大学"那个"走读"，而是指依照《中国考古发掘报告提要》的方位指引，实地去踏察一番。考古仅仅坐在家里是不行的，一定要走出书斋。何况有些事情真的是只可意会无法言传，写得再好的报告，也无从传达。只有去实地看一看，才能更多地理解先民传递给我们的信息。

其七，群读。可以通过兴趣小组、QQ、微信群等方式组织起来，一起来攻读某一类、

---

① 转引自对俞伟超先生的访谈，见《考古与文化续编》，曹兵武编著，中华书局，2012年版，第348页。

某一地甚至某一篇考古发掘报告。这也可以说是一种集体研读。好处是可以互相学习，相互激励。

行文至此，我想到了一个词：落地。考古与文献相结合说得很不少了，历史与文物相对应也喊了很多年了，大方向当然是没有问题的，但为什么一直效果不是那么明显呢？原因之一，恐怕就在于缺少一个"抓手"，而《中国考古发掘报告提要》，不正是这样一个"抓手"吗？它有助于将考古与文献相结合，扎扎实实地落到实处。当然，这还仅是第一步，甚盼日后有《中国考古发掘报告提要补正》《中国考古发掘报告提要·补编》《中国考古发掘报告提要·续编》等陆续推出，如同《四库提要》一样形成一个系列。这就需要众人拾遗补阙，共襄盛举。

最后想到的一个词，在文章开始时已提到过，那就是：感动。这部书的篇幅不小，隐藏在其后的工作量更大。听晓山先生介绍，每篇考古发掘报告，要经过初选、确认、撰写、审定、分卷和汇总共 6 道程序。一篇报告，要翻来覆去地看好几遍，阅读量之大，可以想见。更难能可贵的是，晓山先生没有申报任何一级课题，而是不等不靠，先干起来再说。近日偶然读到兰州大学历史系赵俪生先生的集子，赵先生说："我们这些干了一辈子的人的眼睛是比较清楚的，知道谁在搞腐败，谁在规规矩矩地干活计。"[①]的确，我们这些人是知道的。

拉杂写来，暂且就说这些，是以为序。

傅璇琮[②]

2015 年 1 月于北京

① 赵俪生：《赵俪生文集》第一卷，兰州大学出版社，2002 年版，第 119 页。
② 傅璇琮（1933 – 2016），浙江宁波人，历任中华书局总编辑、国务院古籍整理出版规划小组秘书长、副组长，清华大学古典文献研究中心主任等职，博士生导师。

本书说明

一、编纂《中国考古发掘报告提要》的目的，在于为读者提供了解中国考古成果的简便途径。从这一意义上讲，或可视其为"地下的《四库全书总目》提要"（见本书"序"）。

二、《中国考古发掘报告提要》，收录 20 世纪 20 年代至 2015 年 1 月在中国大陆正式出版的考古详报和考古专业核心期刊登载的考古简报，共计收书 1008 部、文 12242 篇，合计 13250 种。

三、考古发掘报告，包括以书籍形式出版的考古详报，以文章形式发表的考古简报。仅限中文报告，外文报告不收；仅限中国境内，涉及外国不收；仅限出土文物，征集、捐献等无明确出土地点的不收。

四、每一报告，给出作者、出处（出版社及出版年、刊物名称、期数），述其所在地点、发现经过、发掘时间、主要发现、重大价值等。

五、《中国考古发掘报告提要》共计 10 卷：

史前卷

夏商西周卷

春秋战国卷

汉代卷

魏晋南北朝卷

隋唐五代卷

宋·西夏卷

辽金元卷

明清卷

综合卷

六、涉及两个或两个以上时代内容的报告，收入"综合卷"。

七、另有《总目》一册，包括目录汇总、参考文献和后记等内容。

八、详情请参阅各卷前的"本卷说明"。

本卷说明

　　一、此卷为《中国考古发掘报告提要》中的春秋战国卷，共收录以书籍形式出版的考古详报 88 部，以文章形式发表的考古简报 1600 篇，二者合计 1688 种。

　　二、本卷分为上、下编，上编收录考古详报，下编收录考古简报。

　　三、上编下依 34 个省级行政区排列，省级行政区下依出版年为序。同一出版年的，依文物出版社、科学出版社、中国大百科全书出版社及其他出版社的顺序排列。涉及两个或两个以上省市自治区的考古详报，列于 34 个省级行政区之前。

　　四、下编下依 34 个省级行政区排列，每一省、自治区下再列地级市（州、盟）及省、自治区直管市。涉及两个或两个以上地级市（州、盟）的考古简报，列于该省、自治区之首。

　　五、其他相关事宜，请参阅"本书说明"。

目 录

山东省

河南省

湖北省

湖南省

广东省

广西壮族自治区

海南省

重庆市

四川省

贵州省

云南省

西藏自治区

陕西省

甘肃省

青海省

宁夏回族自治区

新疆维吾尔自治区

香港特别行政区、澳门特别行政区、台湾省

下编　考古简报

北京市

天津市

河北省

石家庄市

山西省

内蒙古自治区

吉林省

齐齐哈尔市

鸡西市

鹤岗市

双鸭山市

大庆市

伊春市

佳木斯市

七台河市

牡丹江市

黑河市

绥化市

大兴安岭地区

上海市

江苏省

南京市

浙江省

金华市

衢州市

舟山市

台州市

丽水市

安徽省

合肥市

芜湖市

蚌埠市

淮南市

福建省

河南省

湖南省

广东省

广西壮族自治区

梧州市

北海市

崇左市

来宾市

贺州市

玉林市

百色市

河池市

钦州市

防城港市

贵港市

海南省

海口市

三亚市

三沙市

重庆市

四川省

成都市

南充市

宜宾市

广安市

达州市

眉山市

雅安市

巴中市

资阳市

阿坝州

贵州省

云南省

德宏州

怒江州

迪庆州

西藏自治区

拉萨市

昌都地区

山南地区

日喀则地区

那曲地区

阿里地区

林芝地区

陕西省

西安市

甘肃省

嘉峪关

陇南市

临夏州

甘南州

青海省

西宁市

海东地区

海北州

黄南州

海南州

果洛州

玉树州

海西州

宁夏回族自治区

银川市

石嘴山市

吴忠市

固原市

新疆维吾尔自治区

香港特别行政区、澳门特别行政区、台湾省

参考文献

后记

上编 考古详报

北京市

1.军都山墓地

作　　者：北京市文物研究所　编著

出　　处：文物出版社 2010 年版

该书为 16 开，精装 4 册，系北京市军都山东周墓地的考古发掘详报，包括"玉皇庙""葫芦沟""西梁垙"等分册。共计发掘东周墓葬 594 座，出土各类文物 6 万余件。反映了东周时期聚居在这一带的山戎部落的生活状态。

2.延庆胡家营：延怀盆地东周聚落遗址发掘报告

作　　者：北京市文物研究所　编著

出　　处：科学出版社 2015 年版

该书为 16 开精装一册，系北京市延庆县胡家营东周时期聚落遗址的发掘详报。共清理房址 20 座、沟 3 条、灰坑 17 个、灶址 11 座及大批遗物。年代从战国早期至中期、晚期不等。

该书共分五章，简目如下：

第一章　绪论

第二章　地层堆积

第三章　综述

第四章　分述

第五章　结语

天津市

河北省

3.燕下都发掘报告

作　者：傅振伦　著

出　处：国立北京大学《国学季刊》1932 年版

该书为 16 开一册，仅 8 个页码，原发表于《北大国学丛刊》第 3 卷 1 号，系 1930 年春河北省易县古燕下都老姥台遗址考古发掘工作报告。

4.燕下都

作　者：河北省文物研究所　编著

出　处：文物出版社 1996 年版

该书为 16 开，精装上、下两册。上册为文字，下册为图版，是自 20 世纪 30 年代以来对河北省易县燕下都遗址的考古发掘详报。

简目如下：

第一章　燕下都考古工作概述

第二章　燕下都城址、遗址、墓区的勘察与发掘

第三章　燕下都城外遗存的勘察与发掘

第四章　燕下都采集的遗物

第五章　结语

附有铁器、钱币、陶范等的检测报告。另有《燕下都文物考古文献目录》。

5.響墓：战国中山国国王之墓

作　　者：河北省文物研究所　编著
出　　处：文物出版社 1996 年版

该书为 16 开，精装上、下两册，是 1974 ～ 1978 年对战国时中山国国王墓的考古发掘详报。上册为文字，下册为图版。附有《中山王響墓青铜器群铸造工艺研究》《中山王響墓青铜编钟的音高测定及相关问题》《春秋玻璃珠和平山战国玻璃的研究》等文，另有《近十七年来关于战国中山国研究文献目录》。

据介绍，该墓位于今河北省平山县。中山王陵的发掘，是我国东周时期考古的重大发现。

今有莫阳先生《考宅惟型：美术史视野下的战国中山王墓》（北京大学出版社 2021 年版）、何艳杰先生《鲜虞中山国史》（科学出版社 2011 年版）等书，均可参阅。

6.战国中山国灵寿城：1975 ～ 1993 年考古发掘报告

作　　者：河北省文物研究所　编著
出　　处：文物出版社 2005 年版

该书为 16 开，精装一册，系 1975 ～ 1993 年河北省平山县三汲乡战国时中山国后期都城遗址的考古发掘详报。该书第 7 页云："初步确定（古城）始建于公元前 380 年左右，至公元前 296 年赵灭中山为止，其时代应属战国中期至战国晚期早段。"

简目如下：

序言
第一章　历史、地理和考古概况
第二章　灵寿城城址位置、布局和城垣
第三章　王陵墓地调查与发掘
第四章　中山王族墓
第五章　城址外一般墓葬
第六章　響王陵外陪葬墓
第七章　结语
附有表格 6 种。

山西省

7.侯马铸铜遗址

作　　者：山西省考古研究所　编著
出　　处：文物出版社 1993 年版

该书为 16 开，上、下两册，分平装、精装两种，系山西省侯马市铸铜遗址的考古发掘详报。遗址位于牛村古城南，遗迹有房屋、水井、灰坑、窖穴、活动面、窑等。发现铸铜陶范 5 万多块，熔炉及鼓风管 2 万多块。可大致了解古代炼铜从选料、制范到合范、浇铸等各道工序，其年代约在公元前 6 世纪初至公元前 4 世纪初。

简目如下：
第一章　概况
第二章　地层堆积与遗址分期
第三章　遗迹
第四章　遗物
第五章　墓葬及弃埋
结语

8.太原晋国赵卿墓

作　　者：山西省考古研究所、太原市文物管理委员会　编著
出　　处：文物出版社 1996 年版

该书为 16 开，精装一册，系太原晋国赵卿墓的考古详报。

1987 年 7 月，太原第一热电厂在太原市南郊的金胜村附近进行厂址的第五期工程扩建，意外地发现了一片古代墓葬。文物部门闻讯，立即组织人员对该地区进行了认真细致的考古调查，又通过查阅历史档案，认定这里是一片历史久远、墓葬集中的古墓葬群，遂进行了抢救性发掘。

该书简目如下：
前言

第一章　墓地的史地情况及发掘经过

第二章　墓葬概况

第三章　随葬遗物

第四章　车马坑

第五章　结语

附有表格、附录、编后记及英文提要。

9.临猗程村墓地

作　者：中国社会科学院考古研究所、山西省考古研究所、运城市文物局、临
　　　　猗县博物馆　编著

出　处：中国大百科全书出版社 2003 年版

该书为 16 开，精装一册，系山西省运城市临猗县程村春秋墓地的考古发掘详报。
1987 ～ 1988 年，共进行了三次发掘，发掘了春秋时期墓葬、车马坑 8 座，出土遗物
6000 余件。这批墓葬完整未被盗，铜、陶礼器原来位置清楚、年代准确，对春秋时
期考古分期与年代、埋葬制度、手工业、车制等的研究，都有重要的学术价值。特
别是车子痕迹相当清楚，多数可以复原，是迄今为止最为完整的古车实物群，首次
解决了古代车制中若干长期争论悬而未决的问题。报告对古车复原作了较深入的探
讨，提出了一些新的见解，是对先秦车制及其工艺研究的突破。

10.晋国赵卿墓

作　者：太原市文物考古研究所　编著

出　处：文物出版社 2004 年版

该书为 16 开一册，系"晋阳考古发现丛书"中之一种。

赵卿为晋国贵族。赵卿墓位于太原市金胜村，是一座大型春秋晚期晋国贵族墓葬。
1988 年进行了发掘，共出土各类文物 3421 件，包括青铜器、玉器、金器、陶器、木器、
骨器、角器、蚌器、贝器等。其中青铜器又包括礼器、乐器、兵器、车马器、工具
及生活用器。该墓的随葬品数量多，种类全，精品多。车马坑规模宏大，保存良好。
书中不少文物精品，系首次披露。附有各类表 11 种、文章 12 篇。

文物出版社 2005 年出版有《晋国赵卿墓》彩图一册，可视为此报告的下册。

11.长治分水岭东周墓地

作　者：山西省考古研究所、山西博物院、长治市博物馆　编著
出　处：文物出版社 2010 年版

本书为 16 开，精装一册，共 406 页，有彩色图版 24 页、黑白图版 163 页。

1954 ~ 1972 年，考古人员在山西长治市八一公路西侧分水岭墓地先后进行了多次钻探和发掘，探明有墓葬 600 余座。2006 年整理了其中的 165 座东周时期墓葬资料，包括 140 座陶器墓（本书列举了其中的 86 座）和 25 座铜器墓。本书将整个墓地分为五个区，逐一介绍了各区中的陶器墓和铜器墓，并在结语部分对陶器墓和铜器墓的年代与分期、墓葬国属与文化性质等问题进行了探讨。该详报的出版为晋文化的研究提供了重要的实物资料。

简目如下：
第一章　概述
第二章　陶器墓
第三章　铜器墓
第四章　结语。
正文后有 2 个附录和 1 个附表。
该报告迟迟没有发表，2006 年，国家文物局将其列入限期整理的积压报告之一，最终于 2010 年问世。

12.侯马白店铸铜遗址

作　者：山西省考古研究所　编著
出　处：科学出版社 2012 年版

本书为 16 开，精装一册，是山西省侯马市白店村晋国东周铸铜遗址 2003 年考古发掘的详报。此次发掘共发现遗迹坑穴 24 座、墓葬 4 座，出土大量日常生活用陶器和铸造青铜器的陶范。

简目如下：
第一章　概况
第二章　层位堆积、遗迹、遗物
第三章　铸铜遗物
第四章　分期与年代
第五章　结束语
附有表格及《对侯马白店陶模陶范的研究》一文。

内蒙古自治区

辽宁省

13.姜女石：秦行宫遗址发掘报告

作　者：辽宁省文物考古研究所　编著

出　处：文物出版社 2010 年版

该书为 16 开，精装上、下册。上册为文字，下册为彩照。该遗址 1982 年发现，1988 年被列为第三批全国重点文物保护单位。学界普遍认为这是秦汉大帝国统一的象征。

简目如下：

序

前言

第一章　石碑地遗址

第二章　止锚湾遗址

第三章　黑山头遗址

第四章　瓦子地遗址

第五章　周家南山遗址

第六章　大金丝屯遗址

附有各类表格 30 种。

吉林省

黑龙江省

14.平洋墓葬

作　者：黑龙江省文物考古研究所　编著

出　处：文物出版社 2011 年版

该书为 16 开精装一册，系黑龙江省泰来县平洋墓地的考古发掘详报。这一墓地包括砖厂、战斗两处，20 世纪 80 年代发掘。

简目如下：

壹　砖厂墓地

一、地理环境及墓地范围、布局

二、埋葬习俗

三、随葬器物

四、与墓地有关的遗迹

贰　战斗墓地

一、地理环境及墓地范围、布局

二、埋葬习俗

三、随葬器物

叁　结语

一、墓葬分期与年代

二、文化特征及其与邻近考古文化的关系

三、经济生活

四、社会结构

五、族属

附有文章及表格 8 种。

《考古》1991 年第 12 期、《中国文物报》1991 年 7 月 14 日，均载有本报告书评。

上海市

江苏省

15.真山东周墓地：吴楚贵族墓地的发掘与研究

作　者：苏州博物馆　编著

出　处：文物出版社 1999 年版

该书为 16 开，精装一册，系 1992～1994 年考古人员对苏州市真山东周墓地进行发掘的考古详报。其中 D9M1 墓主应为春秋中晚期吴王墓，可能是第一代吴王寿梦。D1M1 墓主，可能是楚国贵族春申君。前有李伯谦先生序，后附图表、检测报告多种。

16.淮阴高庄战国墓

作　者：淮安市博物馆　编著

出　处：文物出版社 2006 年版

该书为 16 开，精装一册，系江苏省清江市高庄墓 1978 年战国墓的发掘详报。

简目如下：

序言

一、高庄墓的发现和发掘

二、高庄墓青铜器的保护和修复

附有相关文章 11 篇。

据介绍，该墓曾被盗过，但仍出土文物 291 件，其中青铜器 176 件。遗址具有越文化、楚文化、夷文化等多种风格，是苏北地区发现的最大战国墓群。

17.鸿山越墓发掘报告

作　者：南京博物院、江苏省考古研究所、无锡市锡山区文物管理委员会　编著
出　处：文物出版社 2007 年版

该书为 16 开，精装一册，另有图录三册（《鸿山越墓出土礼器》《鸿山越墓出土玉器》《鸿山越墓出土乐器》），系江苏无锡市鸿山镇北鸿山越墓的考古发掘详报。2004～2005 年，考古人员共计发掘了战国时期越国贵族墓 5 座。连同此前的发掘，一共是 7 座楚墓。

简目如下：

第一章　绪言

第二章　墓葬形制与随葬遗物

第三章　相关问题的讨论

前有李伯谦先生序，后附测定报告两篇。

学界认为，鸿山越墓是与西安兵马俑、安阳殷墟、广汉三星堆、成都金沙一个级别的考古大发现，为研究春秋战国时期越国贵族埋葬制度乃至越国历史，提供了无可替代的一手资料。

文物出版社 2008 年出版的《鸿山越墓文物菁华》一书，也可供参考。

18.淮安运河村战国墓

作　者：淮安市博物馆　编著
出　处：文物出版社 2011 年版

该书为 16 开，精装一册，系江苏省淮安市清浦区清安乡运河村战国墓的考古发掘详报。该墓早年严重被盗，2004 年发掘，仍出土有 130 余件珍贵文物。墓主人应为楚国属下淮夷贵族或地方首领，有 11 人殉葬，下葬时间为战国中晚期之交。

该书简目如下：

前言

一、发现

二、发掘方案

三、封土

四、墓口与墓坑

五、墓道

六、正藏椁

附有相关文章 6 篇。

今有《淮安运河村战国墓木雕鼓车保护与修复报告》（文物出版社 2014 年版）一书，可参阅。

浙江省

19.印山越王陵

作　者：浙江省文物考古研究所、绍兴县文物保护管理所　编著
出　处：文物出版社 2002 年版

该书为 16 开精装一册，系 1996 ～ 1998 年浙江省绍兴县印山越王陵的考古发掘详报。墓主人为春秋末期越国国王。附录有 6 种测试分析报告。李伯谦先生作序。

今有孟文镛先生《越国史稿》（中国社会科学出版社 2010 年版），可参阅。

20.浙江越墓

作　者：浙江省文物考古研究所　编著
出　处：科学出版社 2009 年版

该书为 16 开，精装一册，全四色印刷。全书 230 页，字数约 41.5 万字。

该书介绍了春秋晚期至战国时期的 4 座大型越国贵族墓葬，填补了浙江地区大型越国贵族墓葬的考古空白，为研究探索越国贵族墓葬的葬制、葬俗和内涵特征提供了重要的考古资料，对于推动越文化研究的深入进行也具有十分重要的意义，是从事越国考古、历史等方面研究的不可多得的实物资料。

本书简目如下：

前言

第一章　东阳前山

第二章　长兴鼻子山

第三章　安吉龙山

第四章　温岭塘山

第五章　相关问题的认识与讨论

21.德清亭子桥：战国原始瓷窑址发掘报告

作　　者：浙江省文物考古研究所、德清县博物馆　编著
出　　处：文物出版社 2011 年版

该书为 16 开，精装一册，公布了 2007 ～ 2008 年对浙江省德清亭子桥战国时期原始瓷窑遗址的发掘资料。

此次发掘了 7 条窑炉遗址，是国内首次对原始瓷窑址的考古发掘，证实了德清所在的东苕溪流域在中国瓷器起源中的特殊地位，学界有人称之为"瓷之源"。这是中国瓷窑址考古史上一次重大突破，具有重大的学术意义。

安徽省

22.寿县蔡侯墓出土遗物

作　者：安徽省博物馆、中国科学院考古研究所　编著
出　处：科学出版社 1956 年版

该书为 16 开，精装一册，是 1955 年安徽寿县西门蔡侯墓的考古发掘详报。该墓的时代为春秋末叶，出土的重要铜器达 100 件以上，大多有铭文，为研究当时蔡国与吴、楚等大国的关系提供了重要资料。

该书简目如下：

序言

一、蔡墓的发现与发掘

二、墓葬形制

三、出土遗物

四、结语

后有陈梦家先生"编辑后记"。

饶惠元先生写有书评，载《考古通讯》1958 年第 1 期。

今有尚景熙先生《蔡国史研究》（中州古籍出版社 2016 年版）一书，可参阅。

23.屯溪土墩墓发掘报告

作　者：李国梁　主编
出　处：安徽人民出版社 2006 年版

该书为 16 开一册。1959 ~ 1975 年，考古人员对屯溪土墩墓共进行 4 次发掘，清理 8 座春秋晚期到战国早期墓葬，出土青铜器 107 件、原始青瓷器 311 件。本书发表发掘所获资料和对出土原始青瓷器的认识。

24.凤阳大东关与卞庄

作　者：安徽省文物考古研究所、凤阳县文物管理所　编著
出　处：科学出版社 2010 年版

本书为 16 开，精装一册，正文 36.8 万字，文后有彩色图版 64 版、黑白图版 20 版。

1991 年和 2007 年，考古工作者分别在凤阳县大东关和卞庄基建工地发现两座被破坏的春秋时期的钟离国贵族墓葬，墓内出土了大量的青铜器。本详报即是对上述考古资料及卞庄墓群资料进行的整理和介绍。其中一座是罕见的圆形墓坑结构，出土的 5 件镈钟正、背面钲部和两侧边均有铭文。最重要的是"钟离之公柏季子康"铭文的发现，说明该墓葬是淮河流域钟离国贵族"康"的墓葬，这是首次发现的钟离国的实物资料。这种圆形墓葬形制非常特殊，是我国考古工作中从未见过的墓坑形制，为研究我国古代葬俗提供了新材料。两座贵族墓葬大东关 M1 和卞庄 M1 出土的青铜器组合和器形都具有典型的时代特征，为春秋时期青铜器的断代工作提供了佐证。钟离国墓葬的形制结构和大量的随葬品都具有浓厚的淮河流域地域文化特征，是研究钟离国历史和淮夷文化的重要新资料。

凤阳大东关与卞庄春秋墓葬的发掘及相关研究成果，对于考古学、历史学、地方史和淮河文化、葬俗文化等相关学科的研究均有重要价值。

该书简目如下：

第一章　概况
第二章　大东关的墓葬结构与随葬品
第三章　卞庄的墓葬结构与随葬品
第四章　卞庄墓群
第五章　大东关墓群征集的随葬品
第六章　卞庄墓群采集或征集的随葬品
第七章　结语
附有 5 种登记表及 4 篇文章。

25.钟离君柏墓

作　者：安徽省文物考古研究所、蚌埠市博物馆　编著
出　处：文物出版社 2013 年版

该书为 16 开，精装上、中、下三册，是 2006～2008 年安徽省蚌埠市双墩一号春秋时期钟离君柏墓的考古发掘详报。钟离君柏墓是一座具有典型意义的钟离国国

君的墓葬。该书上册为考古报告，中册为相关研究，下册为图版。

简目如下：

第一章　概况

第二章　发掘经过

第三章　墓葬结构

第四章　遗迹观察

第五章　青铜器

第六章　陶器

第七章　玉、石器

第八章　漆木器及其他

第九章　土偶

第十章　讨论

第十一章　结语

第十二章　考古发掘与科学保护

第十三章　解读考证研究

第十四章　鉴定检测研究

附有登记表两种及"《钟离君柏墓》出版前相关成果目录一览表"。

福建省

江西省

山东省

26.曲阜鲁国故城

作　　者：山东省文物考古研究所等　编著

出　　处：齐鲁书社 1982 年版

该书为 16 开一册，系山东省曲阜市东周时期鲁国故城的考古发掘详报。有文字 228 页，图版 135 页。

据考古发掘可知，曲阜鲁国故城面积约 10.45 平方公里。外城城墙周长约 11.9 公里。东西长而南北略窄。东、西、北各有 3 座城门。内城近方形，东西宽约 550 米，南北长约 500 米。城外有墓葬，已发掘 200 余座。出土遗物以陶器为主。

曲阜鲁国故城为全国重点文物保护单位，已建成国家考古遗址公园。

今有郭克煜先生等著《鲁罗史》（人民出版社 1994 年版）一书，可参阅。

27.临沂凤凰岭东周墓

作　　者：山东省兖石铁路文物考古工作队　编著

出　　处：齐鲁书社 1988 年版

该书为 16 开，精装一册，系 1982 ～ 1983 年对山东临沂凤凰岭东周墓两次发掘的考古详报，介绍了地理形势、发掘经过、墓葬形制、殉人、出土遗物等。

28.临淄齐墓（第一集）

作　　者：山东省文物考古研究所　编著

出　　处：文物出版社 2007 年版

本书为 16 开，精装一册，正文 501 页，文后有彩色图版 24 版、黑白图版 118 版。

《临淄齐墓（第一集）》是临淄考古的第一部发掘报告，主要发表了 20 世纪 80 年代以后为配合基本建设而发掘的 19 座大型战国时期齐墓的资料。报告分上、下两编，上编收入了临淄墓葬和田齐王陵的两篇勘查报告，下编是 4 个墓地 19 座大型齐墓和

1座殉马坑的发掘报告。本书以墓葬为单位分别介绍了勘查和发掘的经过，墓葬的形制与葬俗，随葬品的种类、数量、特征和组合等各方面的情况，在此基础上对墓葬进行分期和断定年代，并对墓葬反映的一些问题作出了初步有益的探讨。这些翔实的资料为研究战国时期的齐国墓葬制度和文化特征等提供了重要的信息。

今有刘斌先生《临淄与齐国》（山东大学出版社 1995 年版）一书，系"齐国文化研究"丛书中的一种，可参阅。

29.新泰周家庄东周墓地

作　　者：山东省文物考古研究所、新泰市博物馆　编著
出　　处：文物出版社 2014 年版

该书 16 开，精装上、下两册，系 2003 年对山东省新泰市市郊周家庄东周遗址考古发掘的详报。共发掘墓葬 78 座，出土有青铜器、铁器、陶器、骨器、玉器、蚌器等随葬品计 1600 余件。时代当为春秋晚期至战国中晚期。

简目如下：
第一章　绪论
第二章　墓葬综述
第三章　墓葬分述
第四章　分期与年代
第五章　周家庄墓葬相关问题的认识
第六章　多学科研究

河南省

30.山彪镇与琉璃阁

作　　者：郭宝钧　著
出　　处：科学出版社 1959 年版

该书为 16 开一册，分精装、平装两种。河南省汲县山彪镇是一处战国墓地，早在 1935 年就进行过发掘。河南省辉县琉璃阁，也是一处战国墓地，1935 年、1937 年曾两次发掘。后发掘资料大多运往台湾。作者"自感既经手两地发掘，有责任把它公布问世，乃取残稿稍事补缀，交出付印"（见该书《引言》）。

该书简目如下：
引言
上篇　山彪镇的发掘
一、纪事
二、第一号墓葬
三、其他各墓
四、小结
下篇　琉璃阁的发掘
一、发掘经过及墓地概述
二、遗物拓纹分墓说明
三、补遗
四、小结
结束语
上篇主要讲战国时一个贵族墓葬，下篇主要讲琉璃阁一个墓地中战国时器物图案的演变。

31.上村岭虢国墓地

作　　者：中国科学院考古研究所　编著
出　　处：科学出版社 1959 年版

该书为 16 开一册，分精装、平装两种。1956～1957 年，考古人员在河南省三门峡市上村岭发掘了一处虢国贵族墓地，共有包括虢国太子墓在内的234座墓、3座车马坑和1处马坑。

该书简目如下：

第一章　序言

第二章　墓葬

第三章　车马坑

第四章　结语

附有"墓葬表""成组串饰登记表"。

这批资料时代属于东周早期（一说为西周晚期至东周早期）。这个墓地属"北虢"，内涵丰富，年代下限明确，是研究西周和东周之际特别是当时虢国文化面貌的一批典型材料，也提供了科学地断定年代的标准。通过对墓地的发掘及其一部分铜器铭文的研究，人们对虢国历史上的某些问题也有了新的认识。

林寿晋先生有书评，载《考古》1961年第6期。

32.信阳楚墓

作　者：河南省文物研究所　编著

出　处：文物出版社1986年版

该书为16开一册，分精装、平装两种，系河南省信阳市长台关两座楚墓的考古发掘详报。这两座楚墓（1号墓、2号墓）分别于1957年、1958年进行了发掘。详报介绍了两墓的墓葬形制、随葬器物，对墓中出土的楚简给出了释文和考释。成组的乐器，成套的车马器、兵器，精美的漆木器，镶嵌金银图案的铜、铁器，种类繁多的陶器，镂雕精巧的玉器，编织细密的竹器、丝织品等等，都是认识和研究楚人物质文化和生活习俗较重要的实物依据，尤其是成组的乐器出土对了解战国时期的音乐史是不可多得的实物资料。顾铁符先生有《信阳一号楚墓的地望与人物》等文，载《夕阳刍稿》（紫禁城出版社1988年出版），可参阅。

33.淅川下寺春秋楚墓

作　者：河南省文物研究所等　编著

出　处：文物出版社1991年版

该书为16开，精装一册，是河南省淅川下寺春秋楚墓的考古发掘详报。全书分为四章：

第一章 墓地的地理环境与墓葬发掘经过

第二章 墓葬

第三章 分期年代和墓主人的推断

第四章 结语

附有《淅川下寺春秋楚墓青铜器铭文考索》等 11 篇文章。

该墓地 1977 年发现，1979 年发掘，共清理发掘春秋中晚期大中型墓 9 座、小型墓 15 座及车马坑 5 座，其中 M2 为楚国令尹子庚墓，M1 为孟縢姬墓，对研究楚文化有着重大的学术价值。《中原文物》1992 年第 2 期载有《楚文化考古的又一丰硕成果——〈淅川下寺春秋楚墓〉简介》一文，对该书予以较高评价，称"该书乃是春秋时期楚文化考古报告中唯一的一本"。

34.三门峡虢国墓（第一卷）

作　者：河南省文物考古研究所、三门峡市文物工作队　编著

出　处：文物出版社 1999 年版

三门峡市区坐落在黄河南岸一个东西狭长、北高南低的台地上。台地紧邻黄河，黄河河道与岸边台地形成高达百余米的峭崖。市区北隔黄河与山西省平陆、垣曲、芮城三县相望；南与河南省西峡县，东南与河南省栾川县，西南与陕西省洛南、丹凤、商南县为邻；西与陕西省潼关县为界；东临河南省宜阳和洛宁两县。独特的地理环境与位置使三门峡自古以来便是东、西部的交通咽喉之地。黄河水系与长江水系哺育了这块土地上的人类。旧石器时代人类的活动地点在今市区会兴镇、青龙涧河，陕县的三岔沟、侯家坡，渑池的南村，灵宝的邢家庄、孟村、朱阳、营里、卫家磨，卢氏的雷家村一带均有发现。进入新石器时代后，人类在此地区的活动范围则更加扩大，6000 年前的裴李岗类型文化遗址，著名的仰韶村遗址和庙底沟遗址，灵宝北阳平大型遗址群都是此时的典型代表。夏、商时期这里是王朝统治的中心及重要活动区域。周人灭殷封邦建国之初，此处成为东西两大统治区域的分界线："自陕以东，周公主之；自陕以西，召公主之。"稍后，这里又先后成为焦国、虢国的属地。春秋早期晋灭虢后（前 655 年）属晋，战国时期隶魏。秦庄襄王元年（前 249 年）设三川郡。公元前 205 年改三川郡为河南郡。西汉元鼎四年（前 113 年）始置弘农郡。魏文帝时改弘农郡为恒农郡。北魏太和十一年（487 年）郡治迁陕城，郡属陕州。唐武德元年（618 年），改弘农为陕州，置虢州。唐贞观八年（634 年）废鼎州、虢州，领弘农、卢氏、朱阳等六县。宋时陕州领七县，虢州领虢略、卢氏等四县。元至正八年（1348 年）陕州属河南府路，废虢州。明时陕州属河南府。清雍正二年（1724

年）升陕州为直隶州。民国二十一年（1932年）设河南省第十一行政督察专员公署，管七县。1945年1月，建立中国共产党领导下的豫西第二专员公署。1957年3月，国务院批准建立三门峡市。

该书简目如下：

第一章　绪言

第二章　虢季墓

第三章　梁姬墓

第四章　太子墓

第五章　四座小型墓

第六章　五座被盗墓

第七章　追缴的虢国墓地被盗遗物

第八章　结语。

书后有编后记、英文提要、日文提要。

今有梁宁森、郑建英先生《虢国研究》（河南人民出版社2007年版）一书，可参阅。

35.新蔡葛陵楚墓

作　者：河南省文物考古研究所　编著

出　处：大象出版社2003年版

本书为大16开精装一册，正文246页，约393千字。文中插图108幅，文末有彩色图版48页、黑白图版196页。

根据对新蔡葛陵楚墓发掘整理后的研究结果，该墓是"平夜君成"的墓葬。其身份等级仅次于楚王，而高于大夫和元士，地位相当于楚国的上卿。而"葛陵故城"，也正是历史上"平夜君"的封邑。

墓中出土的铜戈上铸有鸟虫书，铭文为"平夜君成之用戈"7字，另外出土的铜戟上也铸有"平夜君成之用"6字，此铭文也可作为墓主人身份的旁证。

新蔡葛陵楚墓中还出土了大量竹简，总计1571枚。经整理编缀后发现，竹简纪年资料较为丰富，为墓葬断代提供了重要依据。出土竹简释文作为附录一并发表于文末。

新蔡葛陵楚墓还出土了许多造型精巧、纹饰瑰丽的随葬品，有铜器、漆木器及象牙、骨角类装饰品。人马甲片、盾牌和造型独特的锡器等，也都是不可多得的珍贵文物。大量竹简的出土，为研究古文字学提供了丰富的资料。

今有郭德维先生《楚系墓葬研究》（湖北教育出版社2020年版）一书，可参阅。

36.固始侯古堆一号墓

作　　者：河南省文物考古研究所　编著
出　　处：大象出版社 2004 年版

本书为 16 开精装本一册，有正文 149 页，文后有彩色图版 56 版、黑白图版 40 版。

本书为河南省固始县侯古堆一号墓及陪墓葬的发掘详报。1978 ～ 1979 年，考古人员对侯古堆一号墓及陪葬墓进行发掘。一号墓为"甲"字形长方形竖穴墓，墓上有 7 米高的封土。一号墓和陪葬墓内均出土了大量的器物，不仅有铜礼器、乐器、车马器、杂器和漆木肩舆及玉器、陶瓷器，还有彩绘木雕盘龙和镇墓兽等，一号墓内还有 17 具殉人。根据随葬器物的形制、纹饰和制作工艺以及青铜器上刻有的铭文记载，此墓的年代应在春秋末年。根据墓葬及随葬品特点，墓主人应是宋国国君之妹季子，即吴国伐楚的领兵元帅夫差的夫人。

37.淅川和尚岭与徐家岭楚墓

作　　者：河南省文物考古研究所、南阳市文物考古研究所、淅川县博物馆　编著
出　　处：大象出版社 2004 年版

本书为 16 开精装一册，正文加附录 394 页，文后有彩色图版 86 版、黑白图版 64 版。

淅川和尚岭与徐家岭楚墓位于河南省淅川县南 50 公里、丹江口水库西岸的龙山脚下，是继下寺楚墓之后在河南发现的最大的一批春秋战国时期的楚国贵族墓群。该书详细报道了和尚岭 2 座墓和徐家岭 9 座墓的发掘情况，对墓葬形制和随葬物品进行了细致的报道。又根据每座墓出土青铜器上的铭文及相关材料确定了该墓的年代、墓主身份和相互关系，还对徐家岭墓地的墓葬作了分期。

该书报道的大批精美的青铜器，其中不少上有铭文,对研究楚国历史文化的发展、楚族建都的丹阳城、楚国与周围各诸侯国的关系、当时的礼乐制度以及古文字书法等方面都有着极为重要的参考价值。

最后，本书正文后还附录了和尚岭、徐家岭楚墓铜器铭文简释和青铜铸造技术的研究文章。

顾铁符先生评价淅川楚墓的发现有三点突破：其一，以往发掘的楚墓，多在荆州、长沙为中心的两湖盆地，在楚国的北大门南阳地区,此前几乎没有发掘过；其二，以往发掘的楚墓，绝大多数是战国时期的，而此次发掘的，应是春秋时期的；其三，以往发现的楚墓，大墓并不多，而此次发现的，是楚国贵族墓。详见《夕阳刍稿》第 101 页（紫禁城出版社，1988 年出版）。

38.新郑郑国祭祀遗址

作 者：河南省文物考古研究所　编著
出 处：大象出版社 2006 年版

该书为 16 开精装，上、下两册，是河南省新郑县郑国祭祀遗址的考古发掘详报。1996 ～ 1998 年发掘，共清理春秋青铜礼乐器坑 18 座、殉马坑 45 座、杜壝墙基 30 余米等。简目如下：

前言
第一章　概述
第二章　郑国祭祀遗址
第三章　商代二里岗文化
第四章　西周文化
第五章　东周文化
第六章　春秋铸铜遗址
第七章　战国铸造遗址
第八章　墓葬
第九章　结语
附有相关研究文章、检测报告 11 篇，各类表格 89 种。

39.洛阳王城广场东周墓

作 者：洛阳市文物工作队　编著
出 处：文物出版社 2009 年版

该书为大 16 开精装一册。

王城广场东周墓是在配合洛阳市修建王城广场时发现的。发掘工作从 2002 年 7 月 31 日开始至 2003 年 3 月结束。这批东周墓葬与陪葬坑的发现，是近年来洛阳东周王城考古的重要收获。简目如下：

第一章　概述
第二章　墓葬概述
第三章　墓葬分述
第四章　墓葬结构
第五章　随葬器物
第六章　墓葬分期与年代

第七章　陪葬坑

第八章　陪葬坑出土骨髓研究报告

第九章　王城广场周国东周墓葬的发现

第十章　余论

书后有英文提要及后记。

40.洛阳体育场路西东周墓发掘报告

作　　者：洛阳市文物工作队　编著

出　　处：文物出版社 2011 年版

该书为 16 开精装一册，为洛阳市西工区东周王城遗址东周墓考古发掘详报。2005 年发掘。简目如下：

第一章　综述

第二章　地层堆积与晚期遗迹

第三章　东周遗迹

第四章　东周墓葬结构

第五章　随葬器物

第六章　墓葬分期与年代

附有登记表、统计表 12 种及《车马陪葬坑、墓葬的考古发掘现场保护理论与实践》一文。

41.新郑西亚斯东周墓地

作　　者：河南省文物考古研究所　编著

出　　处：大象出版社 2012 年版

本书为 16 开精装一册，正文 264 页，文后有彩色图版 50 版、黑白图版 24 版。西亚斯墓地是新郑郑韩故城李马墓葬区的一部分。2003 ～ 2008 年，考古人员对墓地进行了发掘，共发掘东周时期墓葬 321 座，墓葬形制有土坑竖穴墓和竖穴土坑空心砖墓两种。本书即是这些墓葬的发掘报告，共分五章：

第一章是"墓葬形制"，书中将土坑竖穴墓分成了二椁一棺墓、双椁墓、一椁一棺墓、单椁墓、单棺墓和无椁无棺墓六类，并选取典型墓例进行介绍。

第二章是"出土遗物"，主要对墓葬出土的铜器、陶器、铁器、铅器、玉器、水晶器、玛瑙器、骨器、料器、石器、蚌器、贝器、牙器和角器进行了介绍。

第三章是"器物组合分析"，主要对出土陶器进行分类，对不同墓葬出土的陶器组合形式进行了研究。

第四章是"分期与年代"，对主要陶器、铜器的器类进行分析，并进而对墓葬进行了分期，对年代进行推断。

第五章主要对墓葬形制和葬具进行了探讨，对出土遗物、仿铜陶礼器的组合形式和特点及用贝、用圭、用玉情况等进行了研究，并对墓主人的身份进行了分析。正文后有墓葬登记表，还有《新郑西亚斯东周墓地出土玉器检测报告》和《新郑西亚斯东周墓地人骨鉴定报告》两个附录及后记。

该书简目如下：

前言

第一章　墓葬形制

壹　竖穴土坑墓

一、甲类墓

二、乙类墓

三、丙类墓

四、丁类墓

五、戊类墓

六、己类墓

贰　竖穴土坑空心砖墓

第二章　出土遗物

壹　铜器

贰　陶器

一、日用陶器

二、仿铜陶礼器

三、陶塞

四、陶饰

叁　铁器

肆　铅器

伍　玉器

陆　水晶器

柒　玛瑙器

捌　骨器

玖　料器

湖北省

42.随县曾侯乙墓

作　　者：湖北省博物馆　编著

出　　处：文物出版社 1980 年版

该书为 16 开精装一册，系湖北省随县曾侯乙墓考古发掘的初步报告，文字仅 16 页，另有图版 108 页。

43.楚都纪南城考古资料汇编

作　　者：湖北省博物馆　编著

出　　处：编者 1980 年自印本

该书 16 开平装一册，计 124 页。收录相关的考古发掘简报及相关文章 10 篇。

楚都纪南城遗址，位于湖北省荆州城小北门外 5 公里处。纪南城是春秋战国时期楚国的都城，自公元前 689 年至公元前 278 年间，约有 20 代楚王在此即位，历时 411 年。据考古发掘，纪南城东西长 4.5 公里，南北宽 3.5 公里，是楚国最大的城市。公元前 278 年，秦将白起攻陷纪南城，此后逐渐废毁。但城中宫殿、城门、作坊等遗址均已得到考古发掘证实，是关于楚国历史研究的一座宝库。

郭德维先生有《楚都纪南城复原研究》（文物出版社 1999 年版）一书，可参阅。

44.云梦睡虎地秦墓

作　　者：《云梦睡虎地秦墓》编写组　编著

出　　处：文物出版社 1981 年版

该书为 16 开精装一册，系湖北省云梦县睡虎地十二座秦墓的考古发掘详报。睡虎地秦墓于 1975 年发现，1975 ~ 1976 年发掘。

简目如下：

前言

第一章　墓葬形制

第二章　随葬器物

第三章　墓葬、葬墓主身份及墓葬文化特征

附有全部竹简照片和释文及"竹简篇名、编排顺序与出土登记号对照表""漆器上的针刻、烙印文字与符号"等图表和文章。

肖隆先生写有书评，见《考古》1982年第6期。

45.江陵雨台山楚墓

作　者：湖北省荆州地区博物馆、中国社会科学院考古研究所　编著

出　处：文物出版社1984年版

本书为16开本一册，分精装、平装两种。

本书是荆州地区1975～1976年在江陵县雨台山发掘的558座楚墓的考古详报。这批楚墓形制清楚，棺椁保存完整，随葬器物的组合及其演变规律可探寻。经整理、研究，这批楚墓的年代大约起于春秋中期，止于战国晚期，历时400年，对于楚文化的研究是极有价值的。

本书计分六章：前言、墓葬综述、墓葬分类、随葬器物、分期和年代、结语。有附表8个、图版78版、插图112幅。

46.江陵马山一号楚墓

作　者：湖北省荆州地区博物馆　编著

出　处：文物出版社1985年版

该书为16开精装一册，系湖北省江陵市马山一号楚墓的考古发掘详报。

简目如下：

一、墓葬形制

二、随葬器物

三、年代和死者身份

四、关于葬俗的几个问题

附有《丝织品色彩的测定》《江陵马山一号楚墓人骨的人类学研究》等文。

47.曾侯乙墓

作　　者：湖北省博物馆　编著
出　　处：文物出版社 1989 年版

该书为 16 开上、下两册，分精装、平装两种。

曾侯乙墓是 1978 年在湖北省随县城关镇西北郊擂鼓墩附近发掘的一座东周墓葬。报告介绍了墓葬的棺、椁结构和墓葬中出土的大量遗物。报告对墓葬遗迹、遗物的研究结果，为东周考古学、湖北地方史、音乐史、科学技术史、工艺美术史、古文字学等方面提供了重要的资料，为战国早期墓葬提供了一个新的断代标尺。

简目如下：
第一章　序言
第二章　墓葬形制
第三章　随葬器物
第四章　墓主和年代
第五章　主要收获
附有《曾侯乙编钟结构的探讨》等文章 23 篇。
据介绍，墓主人应为战国早期曾国的一个君主，出土遗物丰富。
今有郭德维先生著《曾侯乙墓发掘亲历记》（四川教育出版社 1996 年版）一书，可参阅。

48.包山楚墓

作　　者：湖北省荆沙铁路考古队　编著
出　　处：文物出版社 1991 年版

该书为 16 开精装，上、下两册，系 1986 ～ 1987 年湖北省荆门包山楚墓的考古发掘详报。上册为文字，下册为图版。

简目如下：
一、前言
二、一号墓（M1）
三、二号墓（M2）
四、四号墓（M4）
五、五号墓（M5）
六、六号墓（M6）

七、结语

详报确认的下葬年代为公元前 316 年，M1 略早于 M2，M4、M5 年代为战国晚期秦将白起拔郢之前，M6 的年代与 M4、M5 接近。M2 墓主人应为大夫级。

附有 M2 出土的楚简释文与考释等文计 26 篇，表格 52 种。

49.当阳赵家湖楚墓

作　者：湖北省宜昌地区博物馆、北京大学考古系　编著
出　处：文物出版社 1992 年版

该书为 16 开精装一册，系 1973～1979 年湖北省宜昌市当阳县赵家湖楚墓的考古发掘详报，共发掘中小型楚墓 297 座，出土各类遗物 2400 余件，年代为西周晚期至战国晚期之初。

简目如下：

一、地理环境与发掘经过

二、各墓地分布情况

三、墓葬概述

四、墓葬分类及特点

五、随葬器物

六、分期和年代

七、余论

50.江陵九店东周墓

作　者：湖北省文物考古研究所　编著
出　处：科学出版社 1995 年版

该书为 16 开精装一册，报告了湖北省江陵市九店 596 座东周墓和 1 座西周晚期墓的全部资料。遗迹除墓葬外，还有 104 号墓陪葬的车马坑 1 座及同时期井 5 口（发掘 4 口）。墓 55 中出土有内容为"日书"的竹简，为一重要发现。

该书简目如下：

第一章　前言

第二章　墓葬分布

第三章　甲组墓（属姬周文化系统）

第四章　乙组墓（属楚文化系统）

第五章　结语

前有俞伟超先生序，后附竹简释文及有关遗物检测报告。

51.江陵望山沙冢楚墓

作　者：湖北省文物考古研究所　编著
出　处：文物出版社 1996 年版

该书为 16 开精装一册，是 1965～1966 年对湖北省江陵市望山、沙冢楚墓的考古发掘详报。望山、沙冢楚墓地，是楚国郢都纪南故城外重要墓地，共发掘了 3 座中型墓、5 座小型墓。简目如下：

第一章　前言
第二章　望山 1 号墓
第三章　望山 2 号墓
第四章　沙冢 1 号墓
第五章　五座小型墓
第六章　结语

附有《望山楚墓人骨研究》《望山 1 号、2 号墓竹简释文与考释》等文章 11 种。

52.荆州天星观二号楚墓

作　者：湖北省荆州博物馆　编著
出　处：文物出版社 2003 年版

该书为 16 开精装一册，文字共 255 页，文后有彩色图版 48 版、黑白图版 93 版。天星观二号墓位于湖北省荆州市，2000 年由湖北省荆州市博物馆发掘。此墓的发掘，为研究楚文化提供了宝贵的实物资料。该墓虽然数次被盗，但仍出土了一批重要文物，有青铜器、漆木器、竹器、玉器、石器、角器、骨器、银器等各类器物 1430 件。该墓出土的青铜器数量之多，在已发掘的江陵楚墓中是首屈一指的。大批精美的漆木器更是光彩夺目。无论是青铜器，还是漆木器，许多都是首次发现，如青铜器中的炭篓、漆木器中的凤鸟莲花豆等。有些器物尽管以往有很多出土，但都不如此墓内出土的造型精美、体形高大，如虎座鸟架鼓、虎座飞鸟等。

该书共分四章：前言、墓葬形制、随葬器物和结语。结语中对墓葬的年代进行了推断，对墓主人的等级和身份进行了探讨，还对墓葬所反映的文化特征进行了分析。正文后有 7 个附录，分别对墓葬棺椁的木材树种，墓葬内人骨，墓葬内的动物骨骼，8 号铜鼎出土的鱼骨、果核进行了鉴定，还有墓内编钟测音数据报表和编钟音乐性能分析文章等。

53.潜江龙湾：1987～2001年龙湾遗址发掘报告

作　者：湖北省潜江博物馆、湖北省荆州博物馆　编著
出　处：文物出版社 2005 年版

该书为 16 开精装，上、下两册，是湖北省潜江市龙湾遗址 1987～2001 年考古发掘的详报。此地系春秋战国时期楚国的重要宫殿建筑群遗址。邹衡先生为此书作序称："《潜江龙湾》发掘报告，是楚文化考古学研究中第一本遗址发掘报告。"上册为文字，下册为图版。

简目如下：

第一章　概述
第二章　新石器时代（石家河文化）
第三章　西周、春秋、战国时期——楚文化
第四章　结语

附有《I 区明代墓葬》长文一篇。

54.荆门左冢楚墓

作　者：湖北省文物考古研究所、荆门市博物馆、襄荆高速公路考古队　编著
出　处：文物出版社 2006 年版

该书为 16 开精装一册，系湖北省荆门市五里铺镇左冢村楚墓的考古发掘详报。2000 年进行了发掘。

简目如下：

一、前言
二、一号墓（M1）
三、二号墓（M2）
四、三号墓（M3）
五、结语

附录有鉴定报告及专题论文 9 篇。

据介绍，除 M3 外，M1、M2 均已被盗过。三墓的年代均为战国中期偏晚，一号墓墓主人身份最高，为下大夫，二号墓主为士，三号墓主为女性。

55.大冶五里界：春秋城址与周围遗址考古报告

作　　者：湖北省文物考古研究所　编著

出　　处：科学出版社 2006 年版

该书为 16 开精装一册，正文共 312 页，约 50 万字，文后附有彩色图版 10 页、黑白图版 64 页。

该书对位于湖北大冶的五里界城和周围诸遗址，以及鄂王城、草王嘴城的考古资料进行了全面报道。通过对相关考古资料加以系统的整理和研究，判定五里界城为春秋时期的城址，城周围诸遗址的时代为西周至春秋时期，与城址有历时性、共时性关系；鄂王城的时代属战国；草王嘴城的时代为西汉。这三座城址都与采矿和冶炼密切相关，其主要功能是当时采矿、冶炼过程中的管理、仓储、转运中心。该书的出版，为探讨大冶五里界城与周围遗址、城址的关系，探索楚文化进入鄂东南之前当地的考古学文化面貌和楚文化在鄂东南的历史进程与特征，提供了较为系统的珍贵资料。

今有大冶市铜绿山古铜矿遗址保护管理委员会编《铜绿山古铜矿遗址考古发现与研究》（科学出版社 2013 年版）上下两册，可参阅。

56.九连墩：长江中游的楚国贵族大墓

作　　者：湖北省博物馆　编著

出　　处：文物出版社 2007 年版

该书 16 开平装一册，是湖北省枣阳市南吴店镇九连墩楚墓的考古专题图册。
简目如下：
九连墩楚墓发掘纪实
九连墩 1、2 号墓综述
青铜器
玉器
漆器

该遗址 1958 年发现，2002 年发掘。1、2 号墓的下葬年代，应为战国中期晚段。1 号墓墓主人为大夫，2 号墓墓主为女性。两墓应为夫妻异穴同葬。

57.随州擂鼓墩二号墓

作　者：随州市博物馆 编著

出　处：文物出版社 2008 年版

该书为 16 开精装一册，系湖北省随州市曾都区南郊办事处擂鼓墩村二号墓 (M2) 的考古发掘详报。该村发现的 M1，即为著名的曾侯乙墓。M2 于 1981 年当地驻军挖电线杆时发现，当年发掘。简目如下：

一、前言

二、墓葬形制

三、随葬遗物

四、结语

附有登记表、统计表等 3 种。据介绍，该墓的年代，大致在战国早期偏晚至战国中期偏早之间，但应在楚国吞并曾国之后。墓主人应为诸侯一级贵族，规格等级不如 M1。

58.余岗楚墓

作　者：襄阳市文物考古研究所　编著

出　处：科学出版社 2011 年版

该书为大 16 开精装一册，正文共 476 页，约 85.3 万字，文后附有彩色图版 52 页、黑白图版 119 页。

余岗墓地是湖北襄阳古邓城遗址外围的一处大型墓地。2004 年、2005 年，襄阳市文物考古研究所为配合城市建设对该墓地进行了第三次考古发掘，共发掘墓葬 264 座，其中 179 座楚墓集中分布在墓地的中、北部。排列有序。该书对这批楚墓资料进行了全面、系统的报道。余岗楚墓的埋葬时间起自春秋中期晚段，终于战国中期前段，其间没有大的缺环，而这一时段正是楚文化的成熟和繁盛期。因此，该墓地的发掘对于研究楚文化从形成、发展到成熟、繁荣的过程具有重要的学术意义。

该书简目如下：

第一章　概述

第二章　墓葬综述

第三章　随葬品介绍与分析

第四章　分期与时代

第五章　墓葬实际
第六章　余论

59.天门彭家山楚墓

作　　者：湖北省文物考古研究所、天门市博物馆　编著
出　　处：科学出版社 2012 年版

该书为 16 开精装一册，是 2007 年对天门市彭家山楚墓发掘的考古详报。共发掘墓葬 19 座，出土一批陶器、铜器、玉石料器、漆木角器。其中最引人瞩目的是 M18 出土的 4 件铜镇，其中 1 件上有鸟虫书铭文 40 字。

该书简目如下：
第一章　绪论
第二章　墓葬综述
第三章　墓葬分述
第四章　分期
第五章　结语
附有表格两种及《鸟虫书青铜席镇初探》一文。

60.丹江口牛场墓群

作　　者：湖北省文物局、湖北省移民局、南水北调中线水源有限责任公司　编著
出　　处：科学出版社 2013 年版

该书为 16 开精装一册，是为配合南水北调工程对丹江口市牛场墓地进行考古发掘的详报。该墓地以东周楚墓为主，应为贫民阶层墓地。

简目如下：
第一章　概述
第二章　东周墓葬
第三章　两汉墓葬
第四章　结语
附有表格 6 种、文章 4 篇。

湖南省

61.长沙楚墓

作　　者：湖南省博物馆、湖南省文物考古研究所、长沙市博物馆、长沙市文物
　　　　　考古研究所　编著

出　　处：文物出版社2000年版

该书为16开精装上，下两册。上册为文字，下册为彩色、黑白照片。

简目如下：

第一章　前言

第二章　墓葬概况

第三章　墓葬分类与墓例

第四章　随葬器物

第五章　分期与年代

第六章　若干问题的讨论

附有42种表格。

该考古详报，可视为科学出版社1957年出版的《长沙发掘报告》的续编或姊妹篇，共收入1952年夏至1994年间在长沙近郊发掘的楚墓2048座的资料，第六章中与其他地区楚墓的比较尤为精彩。

62.益阳楚墓

作　　者：益阳市文物管理处、益阳市博物馆　编著

出　　处：文物出版社2009年版

该书为16开精装一册，共397页，有彩色图版36幅、黑白图版43幅。

该书是1982～2001年在湖南益阳发掘的653座楚墓的发掘详报。书中对墓葬形制进行了分类和举例说明，并详细介绍了陶器、青铜器、铁器、漆木器等随葬品，还对墓葬进行了分期和断代，共分四期九段。年代大约从公元前500年开始，至楚国被秦灭亡（前223年）前后数年为止，相当于春秋晚期至战国晚期。在此基础上，

将益阳楚墓与长沙楚墓、江陵楚墓等进行研究，并对墓主身份和墓葬所反映的文化因素等相关问题进行了分析。正文后有附表 31 个、附录 2 个。该书的出版为湖南楚墓的研究提供了翔实的新资料。

63.沅水下游楚墓

作　者：湖南省常德市文物局、常德博物馆、鼎城区文物管理处、桃园县文物管理所、汉寿县文物管理所　编著

出　处：文物出版社 2010 年版

该书为 16 开精装本，有正文 1044 页，文后有彩色图版 71 版、黑白图版 216 版。

沅水下游地区的楚墓发掘工作开始于 20 世纪 50 年代。到 2005 年，这一地区发掘的楚墓已经超过 3000 座。该书对其中的 1400 座楚墓进行了分类，并选取有代表性的 172 座墓葬作详尽的报道。共分三编：

第一编对遗址的地理位置、自然地貌及历史背景、沿革和楚文化遗存分布及楚墓发掘、资料整理概况、墓地状况等进行了总述。

第二编是墓葬资料，对墓葬的分类、形制、葬具、葬式、随葬品等进行了概述，并举例介绍了各组各类墓葬。

第三编对出土器物的型式进行了分析，对墓葬进行了分期并推断了其年代及墓主的身份，对部分出土器物进行了科学分析，并对沅水下游楚墓的特点、沅水下游楚墓与周边地区的楚墓的比较、C 组墓、非楚东周墓、沅水下游楚墓的多元文化因素、沅水下游地区出土的战国玺印等进行了论述。

文后有 8 个附录，分别是《沅水下游非楚东周墓》《常德市德山夕阳坡 2 号楚墓竹简初探》《常德夕阳坡楚简考释》《越涌君赢将其众以归楚之岁考》《常德楚镜略谈》《少梁府铜剑小识》《沅水下游东周遗存著录索引》和《沅水下游东周墓发掘情况一览表》。

广东省

广西壮族自治区

64.广西先秦岩洞葬

作　者：广西文物考古研究所、南宁市博物馆　编著
出　处：科学出版社 2007 年版

该书为 16 开一册，报道了广西发现的 18 座先秦时期岩洞葬的资料，其中有 6 处是包含零星先秦时期遗物的岩洞葬。

海南省

重庆市

四川省

65.什邡城关战国秦汉墓地

作　者：四川省文物考古研究所、德阳市文物考古研究所、什邡市博物馆　编著
出　处：文物出版社 2006 年版

该书为 16 开精装一册，有正文 297 页，文后有彩色图版 290 幅。

1988 年，什邡县人民政府在修建县城中心大街时首次发现船棺墓葬，后判定这是一处墓地。经过 23 次发掘，共发掘墓葬 98 座。这 98 座墓葬可分为船棺墓、木板墓、木椁墓和土坑墓等几类，出土的随葬品有陶器、铜器、铁器、漆木器、玛瑙器和料器，还有钱币和兽骨、果核等。通过对墓葬内出土的器物进行分析，将墓地分为六期十段：第一期分两段，时代相当于战国早期；第二期分前后两段，时代为战国中期；第三期分前后两段，时代为战国晚期；第四期分前后两段，时代为战国末期至秦代；第五期时代在西汉早期；第六期的时代为西汉中期偏晚。什邡城关战国秦汉墓葬均属于中小型墓葬，但此墓地延续时间较长，墓葬形制复杂，随葬器物丰富，文化因素多样，为战国秦汉时期的墓葬尤其是船棺葬制的研究、巴蜀文化的研究以及什邡地方史的研究提供了重要的资料。

什邡城关墓地是四川省战国至秦汉时期的重大考古发现，集中展示了战国早期至西汉中晚期成都平原的考古学文化面貌和发展序列。墓地内集中发现的 49 座船棺墓群更是我国迄今为止于一地发现的数量最多、时代跨度最长、文化内涵最丰富、地方特色最浓厚的船棺葬群，从不同的角度反映了战国时期的社会发展状况和文化风貌。

66.老龙头墓地与盐源青铜器

作　者：凉山彝族自治州博物馆、成都文物考古研究所　编著
出　处：文物出版社 2009 年版

该书为 16 开精装一册，公布了 1999 年及 2001 年发掘青藏高原南缘盐源老龙头墓地的成果，以及 2007 年前后征集的盐源地区流失的出土文物。这两次抢救性发掘

取得了重大收获，共发掘墓 6 座、祭祀坑 1 座。墓葬墓室宽大，四周构以木椁，墓顶用巨石覆盖。出土文物以铜鼓、编钟、剑矛等青铜器最为重要，还有鎏金马具、彩绘陶器等。墓地时代应相当于中原地区的战国时期。

67.成都商业街船棺葬

作　者：成都文物考古研究所　编著
出　处：文物出版社 2009 年版

该书为 16 开精装一册，有正文 194 页，文后有彩色图版 68 版。

2000～2001 年，成都文物考古研究所在成都市商业街发掘了一座大型船棺葬墓，该墓面积达 600 余平方米，现存 9 具大小不一、用独根树木所制的楠木船棺，在其西侧还有 8 具殉人的小型木棺。墓主人可能是古蜀王族，甚至可能就是蜀王本人的家族墓。

该书即是对这座船棺葬墓的详报，共分六章：

第一章是绪论，主要对遗址的地理环境和历史沿革、船棺墓葬的发现及研究现状、墓葬发掘和保护工作等进行介绍。

第二章对地层堆积和墓葬形制等进行了概述。

第三章对墓葬内出土的陶器、铜器、漆木器和竹器等进行了介绍。

第四章从葬具形制、保存情况、遗物分布、随葬器物等几方面对墓葬内的 17 具棺进行了详细的介绍。

第五章主要对墓葬的年代和性质进行了分析。

第六章是对相关问题的认识，主要对船棺葬墓葬的族属、墓葬出土漆器及相关问题、墓葬与古蜀开明时期的成都城以及墓葬地面建筑与古代陵寝制度的起源等进行了深入的探讨。

正文之后，有《成都商业街船棺葬出土人骨研究》《出土人骨病理分析报告》《墓主人食性分析研究报告》《出土人骨及兽骨碳十四测试报告》《出土动物骨骼鉴定报告》《出土植物残体鉴定报告》《出土棺木及垫木树种检验报告》《出土青铜器的初步检测分析》《船棺葬微生物研究》以及《出土大型棺木及其他文物的保护工作报告》10 个附录。最后有后记、英文提要和日文提要。

成都商业街船棺葬的时代，发掘报告定为战国早期偏晚，距今约 2500 年。这座大型船棺合葬墓的发掘，是研究古代蜀国晚期历史的重要资料。它以宏大的规模、独特的墓葬形制、大量而丰富的随葬器物等为进一步研究古代巴蜀的历史文化、丧葬制度等提供了极其重要的实物资料，具有重要的学术价值。

68.茂县牟托一号石棺墓

作 者：茂县羌族博物馆、成都文物考古研究所、阿坝藏族羌族自治州文物管
理所 编著

出 处：文物出版社 2012 年版

该书为 16 开精装一册，为四川省茂县南新镇牟托村一组一号石棺墓的考古发掘
详报。该墓葬于 1992 年村民开荒时发现，当时进行了抢救性发掘，1994 年、1998
年又进行了调查与试掘。

该书简目如下：

一、概述

二、一号石棺墓

三、一号器物坑

四、二号器物坑

五、三号器物坑

六、结语

附有相关文章 4 篇。

据介绍，牟托一号墓的时代为战国晚期，是川西北岷江上游地区青铜文化的一
处高等级墓葬。

贵州省

云南省

西藏自治区

陕西省

69.秦陵二号铜车马

作　者：陕西省秦俑考古队、秦始皇兵马俑博物馆　编著

出　处：《考古与文物》1983 年版

此系《考古与文物》以专刊形式出版，收录相关文章 11 篇，介绍了铜车马勘探、发掘情况及修复、装配情况，论及铜车马的结构、马具、系驾方法、造型艺术、装饰彩绘、材质成分、连接技术及秦代车舆制度等。

秦陵二号铜车马，1980 年 12 月出土于秦陵西侧 20 米处一个大型陪葬坑，共一组两乘。每乘车前有四匹马，车上有驭官一人。铜车、铜马、铜驭官的大小，为真车、真马、真人的一半。

瓯燕先生有《评〈秦陵二号铜车马〉》一文，载《考古》1984 年第 7 期。

70.秦始皇陵兵马俑坑一号坑发掘报告（1974 ～ 1984）

作　者：陕西省考古研究所始皇陵秦俑坑考古发掘队　编著

出　处：文物出版社 1988 年版

该书为 16 开精装，上、下两册，上册为文字，下册为彩色、黑白图片，系秦始皇陵兵马俑坑东端五个探方的考古发掘详报。

该书简目如下：

引言

第一章　建筑遗迹

第二章　陶俑、陶马

第三章　车迹和车马器

第四章　兵器

结束语

附录

71.塔尔坡秦墓

作　　者：咸阳市文物考古研究所　编著
出　　处：三秦出版社 1998 年版

该书为 16 开精装一册，系 1995 年陕西省咸阳市塔尔坡秦墓考古发掘的详报，共发掘 381 座战国时期秦墓。前有李学勤先生序。

72.秦始皇陵铜车马发掘报告

作　　者：秦始皇兵马俑博物馆、陕西省考古研究所　编著
出　　处：文物出版社 1998 年版

该书为 16 开精装一册，系 1980 年秦始皇兵马俑遗址发掘出土的两乘铜车马的考古发掘详报。论及铜车马的形制、制造工艺，附有表格 4 种及鉴定报告等。另可参见秦始皇兵马俑博物馆《秦始皇陵铜车马修复报告》（文物出版社 1998 年版）一书。

73.陇县店子秦墓

作　　者：陕西省考古研究所　编著
出　　处：三秦出版社 1998 年版

该书为 16 开精装一册，系 1991 ～ 1993 年陕西省陇县店子秦墓的考古发掘详报。共发掘了 287 座墓，公布了其中 224 座墓的资料。时代为东周时期。

74.秦始皇帝陵园考古报告（1999）

作　　者：陕西省考古研究所、秦始皇兵马俑博物馆　编著
出　　处：科学出版社 2000 年版

该书为 16 开精装一册，回顾了历年来秦始皇陵园的考古工作，叙述了陵园建筑遗址、陪葬坑、陵区墓葬的发现与研究，着重介绍了 1998 ～ 1999 年的重要考古发现及初步研究成果，包括陵园考古勘探情况、K9801 陪葬坑试掘情况等。

75.秦西垂陵区

作　　者：礼县博物馆、礼县秦西垂文化研究会　编著

出　　处：文物出版社 2004 年版

该书为 16 开精装一册，是甘肃省天水市礼县秦国最早的陵区西垂陵区的考古专题报告。李学勤先生作序。

该书简目如下：

前言

一、嬴秦与西垂

二、大堡子山秦公陵园

三、圆顶山秦贵族墓地

四、结语

图版一　大堡子山秦公陵园出土器物

图版二　圆顶山秦贵族墓地出土器物

附录：礼县境内所出秦文化相关器物收录表。

76.秦都咸阳考古报告

作　　者：陕西省考古研究所　编著

出　　处：科学出版社 2004 年版

该书为 16 开精装一册，系 1959 ～ 1989 年陕西省咸阳市秦咸阳故城考古考察、发掘详报，共分上、下两篇。上篇介绍了调查、钻探和遗物采集情况，涉及秦都咸阳的城市建筑、宫殿布局、手工业作坊的分布和生产等。下篇介绍了一、二、三、四号宫殿遗址的发掘和中小型秦墓的清理情况。

77.西安南郊秦墓

作　　者：西安市文物保护考古所　编著

出　　处：陕西人民出版社 2004 年版

本书为 16 开精装本，正文 762 页，文后有彩色图版 16 版、黑白图版 102 版。

《西安南郊秦墓》共分三编，分别介绍了茅坡光华胶鞋厂、茅坡邮电学院和潘家庄世家星城三个地方的 317 座秦代墓葬。每编在对典型墓葬进行详细记述的基础上，采用制作墓葬形制统计表与出土器物统计表的方法，对非典型墓葬进行了介绍，

并进行了一些初步的研究。另外还通过前言、结语对三处墓地所处的自然地理环境、历史背景等具有共性的问题及某些明显的差异进行了探讨。本书的出版，为研究陕西秦代平民墓葬提供了一批重要的资料。

78.任家咀秦墓

作　　者：咸阳市文物考古研究所　编著

出　　处：科学出版社 2005 年版

该书为 16 开精装一册，是 1990 ～ 1991 年秦咸阳都城以西任家咀秦人墓地的考古发掘详报。242 座秦墓的年代从春秋中期一直延续至秦统一前后。

该书简目如下：

第一章　前言

第二章　墓葬形制

第三章　随葬器物

第四章　分期

第五章　结语

最后附有 5 种表格。

79.秦始皇帝陵园考古报告（2000）

作　　者：陕西省考古研究所、秦始皇兵马俑博物馆　编著

出　　处：文物出版社 2006 年版

该书为 16 开精装一册，全书有正文 287 页，文后有彩色图版 95 幅。

该书是 2000 年度秦始皇帝陵园考古工作各项科研成果的详报，由四部分组成：

第一部分详细报告了考古勘探与发掘的资料，主要包括考古勘探报告、内城南垣试掘报告、内城南部石道试掘报告、K0006 陪葬坑第一次发掘报告、K0006 陪葬坑出土陶俑的制作工艺和 K9801T2G2 甲 4 整理报告等。

第二部分是对出土遗迹、遗物进行文物保护的成果汇报，主要包括 K0006 陪葬坑陶俑彩绘成分分析与保护、K0006 陪葬坑霉菌的区系调查及防治、陵墓附近地下青灰泥研究、K9801 陪葬坑石铠甲材料来源地研究、秦陵石铠甲的表面清洗及保存情况分析和 K0006 陪葬坑出土马骨研究等。

第三部分是对出土石甲胄遗迹彩绘陶俑进行修复的研究报告，主要包括 K9801T4G 胄 1 的制作实验、K9801T2G2 甲 4 的修复及对 K9901T1G3 出土的 4 号

陶俑的修复等。

第四部分是研究与探讨，主要从秦陵陪葬坑焚毁系葬仪说质疑、秦陵封土高度、秦陵地宫阻排水系统、K0006陪葬坑性质及秦陵外葬系统等几方面对秦始皇帝陵园进行探讨。

该书的出版，为解决构成秦始皇帝陵园遗址陵园陵寝制度的因素在空间布局中的分布问题提供了重要的实物资料，是研究秦汉历史不可或缺的重要文献。

刘庆柱先生在序中称，该书"是以年度为时间单位编写的考古专刊，虽然这在国外'大遗址'考古中并不鲜见，但在我们国内尚属首见"。

80.西安北郊秦墓

作　　者：陕西省考古研究所　编著
出　　处：三秦出版社2006年版

该书为16开精装一册，有正文399页，文后有彩色图版12版、黑白图版82版。

该书是陕西省考古研究所1998～2001年在陕西省西安市北郊发掘的123座秦墓的考古发掘详报。这批秦墓分布在西安北郊的尤家庄、北康村、翁家庄等村落的周围，西距汉长安城2～3公里，北距渭河约10公里。中小型墓占绝大多数，墓葬形制主要有竖穴土圹墓、竖穴墓道土洞墓和瓮棺葬等。墓葬出土遗物较为丰富，且不乏具有较高研究价值的珍贵文物，尤其是西安M34铸铜工匠墓的发掘，出土了25件陶模具以及16件铜器、铁器、石器和陶器，其中的5件人物纹及动物纹饰牌模图案，具有浓郁的鄂尔多斯式青铜文化风格，在全国范围内属首次发现，具有重要的研究价值。这批秦墓的时代主要集中在战国晚期至秦代，墓葬的形制特征以及出土遗物的发展变化规律比较清晰，基本上构建了一个战国晚期至秦代墓葬的时代框架，为研究战国、秦代考古文化以及秦人在西安地区的历史轨迹等提供了重要的实物资料，对研究秦国和秦王朝在渭河南岸地区的大规模营建活动以及秦都咸阳的城市发展史也具有重要的参考价值。

81.丹凤古城楚墓

作　　者：陕西省考古研究所、商洛市博物馆　编著
出　　处：三秦出版社2006年版

该书为16开精装一册，正文199页，文后有黑白图版84版。

该书是陕西省丹凤县古城村东周楚墓的考古发掘详报。该墓地位于陕西省东南

隅的秦岭南麓，地处丹江上游。1996年经勘探共发现墓葬100座，同年对其中的72座进行了发掘，发掘出土了大量的陶器。报告共分五章。

第一章为绪言。

第二章对墓葬进行了概述，并选取了典型墓葬进行介绍。

第三章为随葬品介绍与分析，对墓葬内出土的陶器、铜器、石器等进行了报道。

第四章为关于分期与年代等问题的探讨，对墓葬进行了分期，并对其年代进行了断定，同时对其文化属性及相关问题进行了探讨。

第五章为结语。

文后有丹凤古城楚墓的墓葬登记表和两个附录。

丹凤古城出土的这批墓葬应系楚人墓葬，其时代约自春秋中期至战国中期。东周时期楚墓的集中发现在陕西地区尚属首次，这不仅为研究楚文化的分布地域提供了新资料，而且对进一步研究当时楚国与秦、晋、魏等邻国的疆域划分也提供了重要的实物资料。

82.秦始皇帝陵园考古报告（2001～2003）

作　者：陕西省考古研究院、秦始皇兵马俑博物馆　编著

出　处：文物出版社2007年版

该书为16开精装一册，前有袁仲一先生序，称"该考古报告是2001～2003年间对秦始皇陵园所开展的考古调查、勘探和发掘等多项成果的总集"。

简目如下：

第一编　考古勘探与调查

一、2002年陵园考古勘探

二、"秦始皇帝陵园国家遗址公园"砖房移民点考古勘探

三、代王汉代墓葬勘探

四、2002年陵区考古调查

五、秦始皇帝陵考古遥感与地球物理综合探查

第二编　考古发掘与整理

一、K0007陪葬坑发掘

二、山任窑址发掘

三、新丰井址清理

四、2001年、2003年秦始皇帝陵园内、外城墙发掘

五、石质铠甲K9801T2G2甲5、甲6整理

六、石胄 K9801T2G2 胄 2、胄 3 整理

第三编　相关研究

一、秦始皇帝陵区 K0007 陪葬坑性质研究

二、秦始皇帝陵区 K0007 陪葬坑出土陶俑的制作工艺

三、秦始皇帝陵区 K0007 陪葬坑出土木炭的鉴定

四、秦始皇帝陵区山任窑址出土人骨的研究

五、秦始皇帝陵区山任窑址出土人骨牙齿磨耗状况的分析

附有《山任窑址出土人骨测定数据》等 4 篇文章。

83.西安尤家庄秦墓

作　者： 陕西省考古研究所　编著

出　处： 陕西科学技术出版社 2008 年版

该书有正文 341 页，文后有彩色图版 12 版、黑白图版 56 版。

1998 ～ 2001 年，陕西省考古研究院在西安市北郊尤家庄及其附近发掘了 197 座秦代墓葬，本书即是这 197 座墓葬的发掘详报。197 座墓葬均为中小型墓，墓内出土遗物比较丰富，以陶器为主，器类有鼎、盒、壶、釜、盂等。这几类陶器发展演变的规律比较清晰，基本上构建了尤家庄秦墓从战国中晚期到秦统一时期的时代框架。其中最重要的发现是明珠花园小区出土的 19 座乱葬墓和 1 座殉人墓。乱葬墓有单人乱葬、双人乱葬和多人乱葬，墓主以青少年女性为主。这在全国范围内还是首次发现，而对乱葬墓墓主身份、死因等问题的研究，具有非常重要的考古价值。

这批秦墓的时代主要集中在战国中晚期至秦代，它们的发掘，为研究战国、秦代考古文化以及秦人在西安活动的历史轨迹提供了丰富的实物资料，对研究秦国、秦王朝在渭河南岸地区的大规模营建活动以及秦都咸阳的城市发展史等也具有重要的参考价值。

84.秦始皇陵二号兵马俑坑发掘报告（第一分册）

作　者： 秦始皇兵马俑博物馆　编著

出　处： 科学出版社 2009 年版

该书为 16 开一册，正文 315 页，彩版 72 页。

该书是秦始皇陵二号兵马俑坑第一阶段的考古发掘成果，报告了二号坑的俑坑形制、建筑结构及棚木层以上发现的重要遗迹和遗物。重点介绍了秦始皇陵二号兵

马俑坑的土方工程、木构工程及相关建筑遗迹，阐释了二号坑的建筑构造、意义、修建年代、盗扰与焚烧等问题，是秦俑学的重要研究成果。

简目如下：

第一章　概述

第二章　地层关系与俑坑形制

第三章　二号坑建筑结构

第四章　出土器物

第五章　主要收获

85.秦始皇帝陵园考古报告（2009～2010）

作　者：秦始皇帝陵博物院　编著

出　处：科学出版社 2012 年版

该报告是 2009～2010 年秦始皇帝陵园考古工作的阶段性成果。主要内容包括对前期成果的总结与认识、2009～2010 年田野考古工作收获以及研究与探讨等部分。报告的重要考古内容有陵园的暴露遗迹、陵园的城垣遗存、陵园内外城的北门、陵园内城北部西区的陵寝建筑以及新发现的陪葬坑等。

该书简目如下：

序

第一章　回顾与总结

　第一节　2009 年前秦始皇帝陵园考古成果的回顾与总结

　第二节　秦始皇陵基础文献的整理与认识

　第三节　关于秦始皇陵研究思路与方法的讨论

　第四节　秦始皇陵园考古规划与工作方案

第二章　2009～2010 年度秦始皇帝陵园考古工作收获

　第一节　曝露遗迹调查报告

　第二节　城垣遗迹调查勘探报告

　第三节　城门调查勘探报告

　第四节　建筑遗迹的勘探与调查

　第五节　陪葬坑的勘探与调查

第三章　研究与讨论

　第一节　秦始皇帝陵园形制的新认识

　第二节　秦始皇帝陵园内城陵寝建筑探析

甘肃省

86.秦直道考察

作　　者：甘肃省文物局　编著

出　　处：兰州大学出版社 1996 年版

该书为 16 开一册，汇集了 1991 ～ 1994 年对秦直道考古考察的全部资料，涉及秦直道的走向、现状、沿线重要遗址等。

87.永昌西岗柴湾岗—沙井文化墓葬发掘报告

作　　者：甘肃省文物考古研究所　编著

出　　处：甘肃人民出版社 2001 年版

该书 16 开平装一册，系永昌县西岗、柴湾岗两处墓地共 565 座墓葬的考古发掘详报。两处墓地的时代，均属沙井文化范畴，大致相当于春秋早期至春秋晚期。

该书简目如下：

第一章　前言

第二章　永昌历史地理沿革

第三章　西岗墓葬

第四章　柴湾岗墓葬

第五章　结语

附表两种及《甘肃永昌沙井文化人骨种属研究》一文。

88.清水刘坪

作　　者：甘肃省文物考古所、清水县博物馆　编著

出　　处：文物出版社 2014 年版

该书 16 开精装一册，系"早期秦文化系列考古报告之二"，甘肃省东南部清水县白驼镇刘坪遗址的考古发掘详报。此次发掘的主要收获，是 160 件（组）生产工

具、兵器、车构件、车马饰、马具、装饰品等。尤以车饰、人用装饰品和服饰为多。该遗址的时代，应是战国时期，族属应是当时生活在这里的西戎诸族中的一支。

简目如下：

第一章　概述

第二章　金银和镀锡铜器的制作工艺研究

第三章　出土遗物

青海省

宁夏回族自治区

新疆维吾尔自治区

香港特别行政区、澳门特别行政区、台湾省

下编　考古简报

北京市

1.周口店区蔡庄古城遗址

作　者：王汉彦

出　处：《文物》1959 年第 5 期

1959 年 1 月，考古人员在周口店区进行文物普查时，发现古城遗址一处。简报配以拓片予以介绍。

简报介绍，城址位于北京市周口店区西南与河北省涞水县交界处。遗址西北距原房山县城约 30 公里，在顺拒马河分支后的右支向下二三公里远的一块高起的台地上。现城内早已成为耕地，城北墙已不存，其余三面墙尚有痕迹清晰可寻；东南、西南两城角，现存尚完整，高约 5.5 米。推测城为正方形。该古城墙为版筑，上有版筑时所留柱孔一排，柱孔与柱孔之间相距 1.5 米左右，柱孔直径为 6 厘米。夯窝、夯层异常明显，每夯层之间留有铺草痕迹，夯窝呈圆锥状。墙内夹杂有大量的碎陶片和碎石块等。采集到的有青石制石镰残段一件；战国末期半瓦当一件，正面阳文兽面图案；夹砂红色鬲足一件；陶质汉五铢钱半枚。根据当地人介绍，当地人在古城上挖坑取土时，曾发现过瓮棺和捡拾过大量的铜铁箭镞。从散在地表上的陶片多为战国至西汉初期的遗物，同时在采集到的标本中又有一件石器和陶鬲足，因而初步认为此地可能在西周时期就有人居住，而筑城时期简报推断可能晚到战国末期和西汉时期。

2.北京昌平区松园村战国墓葬发掘记略

作　者：苏天钧

出　处：《文物》1959 年第 9 期

松园村在昌平镇东 1 公里许，据文献记载，这里是明代培育松树的苗圃。1956 年 10 月和 1957 年 8 月，当地农业生产合作社挖白薯窖和取土，先后发现了两个较大的战国墓葬，一个在村西南角，一个在东北角，两座墓葬相隔约 250 米。据当地老乡谈，过去耕种和挖土时，经常发现残破的陶器。考古人员估计这可能是墓葬被破坏后出土的。除此之外，附近东山口一带，也发现有战国墓，据测可能是一个墓葬区。墓简报分为一、墓葬形制，二、随葬器物，三、结语，共三个部分，有手绘图、照片。

据介绍，两座墓葬（东南角的简称"一号墓"，东北角的简称"二号墓"）都是南北向长方形竖穴式，口部比底部稍大，四壁倾斜。一号墓有壁龛。二号墓坑底棺椁四周都有二层台，棺椁已腐朽。二号墓随葬品放棺椁的前头，一号墓随葬品放在壁龛内，人骨已腐朽，但还可看出轮廓。两座墓葬出土的器物，大体相仿，以陶器为主，有些陶器的花纹、陶质、器型、所绘图案，可以说是一个窑制作出来的，器型重要的有鼎、豆、壶、盘、匜、鬲、盨、簋等。两座墓葬都出土有石璜、珪，二号墓石璜最多，包括残碎的在内有 120 片，石料的质量很差，都是砂石的。在两座墓葬中未见铜器，北京其他地区的战国墓出土的铜器也为数不多。这个问题是否与产铜地区有关，还须要进一步研究。关于墓葬年代，把出土的陶器器型、花纹和贾各庄铜器比较，简报推断应当属于战国初期，在个别的器型上甚至还可以提前一些。

简报称，北京地区战国墓的发掘工作，将来准备作全面的勘察，因为它不仅对研究燕国文化非常重要，同时对于寻找战国遗址也是有力的线索。

3.北京朝阳门外出土的战国货币

作　者：北京市文物工作队　于　柯
出　处：《考古》1962 年第 5 期

1957 年 3 月 12 日，北京朝阳门外呼家楼出土了大批战国时代货币，共 3876 件。据现场清理人员谈，货币出土时是有次序地重叠放置在土穴中的，一捆捆地绑扎在一起，并未发现人骨和其他器物，土穴的构造已被推土机破坏不清。简报配以拓片予以介绍。

据介绍，这批战国货币分刀、布两种。布币共出 992 件，皆小型平首布；刀币共出 2884 件，有明刀和甘丹刀两种。刀币和布币的捆绑方法是没有一定规格的。根据记载，自秦汉以来所行之圆形方孔钱，常用丝绳贯穿，以便携带贮藏，而这次发现的战国刀布都是用麻绳捆绑。虽然土穴的结构已不可辨认，但根据这批刀布聚集埋藏在一起的现象，简报推论其应是当时的一个"库房"。大批战国刀布堆集在一处出土的现象，在河北易县城南的东固安村（即古燕下都城内）、锦州市西大泥洼都有发现。

简报称，这批古币币面所标的城邑名称都是分布在韩、赵、魏范围之内，同时也没有发现周秦用的圜钱、楚国用的饼钱和蚁鼻，地方局限性非常明显，充分地说明了战国货币制度的地方局限性特点。

4.北京外城东周晚期陶井群

作　者：不详

出　处：《文物》1972 年第 1 期

1949 年以来，北京外城西部零星发现了不少由陶井圈组成的陶井，它的时代和用途一直没有搞清楚。"文化大革命"中，在宣武门外东西一线、广安门内外、法源寺东北清理了大批陶井，因为配合工程工期紧急，没有进一步追踪与陶井有关的各种遗迹，但对陶井的分期和各期陶井大体上的分布情况作了初步探讨。

简报称，陶井的结构是先挖一直径大于井圈的土井，然后将井圈在土井中套叠起来砌成筒状，土井与井圈外壁之间用土或碎陶片填塞。当土井下及流沙层，挖除流沙效果不大时，即放下井圈，在井圈内部挖沙，使井圈逐步下降，以达水层。可以推知，大约战国中期的陶井使用的井圈径小圈高，西汉初则径大圈低。和战国中期同时又出现一种用三块三分之一圆的陶壁板拼合成的新式陶井圈，使用这种陶井圈，井径更加增大了。再后，井圈组成的陶井就让位给砖井。

这个地区也发现了东汉迄辽金时代的砖井。发现陶井的主要区域，正在唐幽州、辽南京的范围内，其中最为集中的地段，在今宣武门外以西迄白云观往西一线。而这里又正处于疑似蓟丘的附近。蓟丘是战国以来燕都蓟城中的一个著名高地。这样就给唐幽州沿用战国西汉蓟城旧址的说法，增加了有力证据。

5.北京丰台区出土战国铜器

作　者：北京市文物管理处　张先得

出　处：《文物》1978 年第 3 期

1977 年 10 月，北京市第二轻工业局机械厂在基建施工中发现一批青铜器，经北京市文物管理处调查清理，确定是一座战国墓葬中出土的青铜礼器。简报配以照片予以介绍。

墓葬位于永定门外沙子口东南 5 公里的贾家花园，为竖穴土坑墓，南北向。在战国墓出土的青铜器有铜钫、铜鼎、异形铜鼎、铜灯各 1 件，圆漆盒错金银铜扣一组 4 件。简报推断这座墓葬时代属于战国燕国的晚期。

简报称，丰台区战国墓出土的这组青铜器，似有独特的地方色彩，异形鼎较为罕见。虽然这座墓出土铜器数量不多，但为研究战国时代的燕国铜器提供了一些实物资料。

6.北京又发现燕饕餮纹半瓦当

作　者：北京市文物管理处　张　宁

出　处：《考古》1980 年第 2 期

1972 年 5 月，宣武区韩家潭图书馆院内挖洞取土，在距地表 7 米以下，发现一些铜刀币。简报配以拓片予以介绍。

据介绍，在距地表 6 米深处，考古人员首先发现一面断壁。在断壁底部南侧，发现有腐朽的人骨，估计是一唐代墓葬的残垣。在断壁右下方，发现很多瓦砾堆积，两面饕餮纹半瓦当就是在这陶片堆积中发现的。出土的刀币多已残断，完整的仅有 1 枚，估计总数在 10 枚以上。刀面上有模印"明"字。从刀币形制及铭文来看，应为燕国货币"明刀"。

简报称，1955 年，在北京广安门外曾发现过饕餮纹半瓦当。这次在宣武区韩家潭发现的燕"明刀"和饕餮纹半瓦当，又为寻觅燕上都的地理位置提供了新的实物资料。

7.北京发现商龟鱼纹盘及春秋宋公差戈

作　者：程长新

出　处：《文物》1981 年第 8 期

北京发现的龟鱼纹盘和戈，简报配以拓片、照片予以介绍。

1980 年 12 月 12 日，北京市文物工作队于北京市物资回收公司安定门外小关收购站拣选出一件颇为完整的商代龟鱼纹盘，这是北京地区少见的青铜艺术精品之一。此盘造型、纹饰古朴简练，简报推断它是商代中期作品。据回收公司说，此盘是在朝阳区太阳宫公社附近收进，估计有可能是朝阳区附近出土的。这说明北京地区商代墓葬不仅限于平谷县刘家河一带。

1980 年 4 月间，北京铜厂的工人在即将回炉的废铜堆里发现春秋宋公差戈一件，经北京市文物工作队鉴定收藏。戈铭之"宋公差"应即宋元公佐。元公佐在公元前 531 年即位，在位 15 年，此戈应是当时所造。新发现的这件戈较完整，故其发现是十分可喜的。

8.北京市通县中赵甫出土一组战国青铜器

作　者：程长新

出　处：《考古》1985 年第 8 期

1981 年 12 月，通县中赵甫公社砖瓦厂工人在中赵甫村西 500 米处取土，当挖至

4米深时发现一批青铜器。经了解，这批青铜器出自一座中型葬墓，墓已破坏，详情不明。该墓所出部分青铜器和全部漆器已经散失。简报配以拓片予以介绍。

据介绍，青铜器有豆、盖顶、腹底、钮、铜鼎、匜、勺、匕、戈、马衔、軎辖、削、环、刻刀、镞、玛瑙环、带钩等。中赵甫墓葬出土的这批青铜器，就其形制与纹饰，简报推断当属战国中晚期。中赵甫位于战国时燕国的范围内，这批青铜器的发现为研究燕国的历史提供了有价值的资料。

9.北京市顺义县龙湾屯出土一组战国青铜器

作　者：程长新

出　处：《考古》1985年第8期

1982年3月，北京市顺义县龙湾屯村农民在山坡下取土时，发现了一组青铜器。考古人员赶到时，现场已被破坏。经了解，铜器是出自一座墓葬。收集到青铜器17件。简报配以手绘图、拓片予以介绍。

据介绍，此墓铜豆高柄圈足、扁圆腹、环耳的形制与属于战国时期的唐山贾各庄18:8号铜豆相同。大附耳、高蹄足、大圆底是战国中晚期鼎的主要形制，颈带宽于腹带亦为主要纹饰特征。簋有盖，上有三鸟钮，深圆腹，环耳圈足，亦与唐山贾各庄战国墓的簋（18:3）形制近似，唯盖上三钮不同，贾各庄墓的簋乃三兽钮。因此，三鸟簋也是战国之器。此墓的车軎、辖比以往所见新颖，辖孔浮雕兽身、兽尾，辖一端浮雕人面或兽面，在战国器中亦属罕见。该墓器物的纹饰皆为战国时期典型纹样。简报推断龙湾屯墓器物的年代可以认为是战国时期，亦属燕文化范畴。这对研究燕国文化有一定的参考价值。

10.北京延庆军都山东周山戎部落墓地发掘纪略

作　者：北京市文物研究所山戎文化考古队　靳枫毅等

出　处：《文物》1989年第8期

20世纪50年代始，北京市延庆县境不断发现东周时期直刃匕首式青铜短剑等具有北方少数民族文化特点的青铜遗物，但囿于认识的局限，一直未引起重视。1985年7月，北京市文物研究所成立以后，组建了山戎文化考古队。同年8月，会同延庆县文物管理所，赴军都山地带进行了田野考古调查。调查发现，在延庆盆地北部边缘地带军都山南麓方圆50公里范围内，蕴藏着以直刃匕首式青铜短剑为代表的丰富的北方青铜文化遗存。迄今已在延庆县城关米家堡，大柏老（旧县）乡古城村葫芦沟、西梁垗、小西坡、常里营，靳家堡乡玉皇庙，永宁乡新华营、东灰岭，清泉铺乡马蹄湾，康庄乡大营村，以及西拨子乡东河滩 7 个乡 10 余处地点，收集到各类富有北方少数民族文化特色的东周青铜遗物 200 余件，包括形式多样的直刃匕首式青铜短剑、削刀、镞、镦、鼎、豆、舟、锛、凿、斧、锥，以及马具、各式牌饰、带饰等。在考古调查的基础上，选择其中大柏老（旧县）乡古城村葫芦沟、西梁垗和靳家堡乡玉皇庙 3 处山戎部落墓地，进行了有限的发掘。简报分为：一、地理位置与地层堆积，二、墓葬形制与埋藏习俗，三、随葬器物，四、结语，共四个部分。有照片、手绘图。

据介绍，葫芦沟、西梁垗、玉皇庙 3 处墓地 500 余座墓出土遗物包括陶器、青铜器、骨器、石器、玉器、蚌器 6 大类近万件。其中以陶器、青铜器为主。

简报称，3 处墓地的年代上限，可能在西周、东周之际或春秋初期；年代下限，根据葫芦沟和玉皇庙两处墓地晚期阶段墓葬出现的泥质灰陶折肩罐、高柄浅盘豆和高领壶的制法及型式，以及数座墓葬出土的尖首刀币等情况，推测可能已至春秋晚期或春秋、战国之际。应为《史记·匈奴列传》中所记载的"山戎"部分墓地。

简报指出，古文献关于山戎史迹的记载比较简略，但仍可确认：山戎作为北方少数部族的一支，以畜牧为生；它不但曾与东胡部族并存于"燕北"，而且在春秋时期，或至少在齐桓公时代（前 685～前 643 年），还一度强盛，并曾多次冒犯或攻伐燕、齐等北方诸侯国家。北京延庆县军都山地带直刃匕首式青铜短剑文化遗存的发现和 3 处部落墓地的发掘收获及其文化性质的确定，为考察和研究已经消逝了两千三四百年的山戎部族的历史面貌、文化源流、经济类型、军事能力、宗教意识、生产力发展水平、氏族组织、社会性质以及与邻近地区诸文化的关系等问题，积累了大量宝贵的实物资料。

11.北京房山区出土燕国刀币

作　者：柴晓明、龚国强

出　处：《考古》1991 年第 11 期

1988 年 10 月，北京市房山区东营乡西营村农民在翻地时起出许多刀币。现场已遭破坏，据农民回忆，这些刀币埋藏于距地表 0.3 米之处，分几排层层叠放，有些刀币已锈结成块，未见陶瓮等遗物的迹象。考古人员推测，这些刀币原都用绳线串在一起，埋于窖坑中。简报配以拓片予以介绍。

据介绍，刀币共计 752 枚，其中较完整的有 512 枚，残损的有 240 枚。它们正面均铸有"明"字，表明为燕国刀币，可分为弧背和折背两种。简报称，北京地区在春秋战国时期为燕国要地，故燕国刀币屡有出土。这次出土的刀币达 752 枚，为燕国货币历史的研究增添了新的珍贵资料。该窖藏的时间，简报推断为不早于战国晚期。

12.北京市窦店古城调查与试掘报告

作　　者：北京市文物研究所拒马河考古队　叶学明、陈　光
出　　处：《考古》1992 年第 8 期

窦店古城位于拒马河支流——大石河东岸，隶属北京市房山区窦店乡，南距董家林古城 3 公里许，东距京广铁路约 1.5 公里，是北京市市级文物保护单位。

1957～1958 年，考古人员首先踏查古城，当时称之为"芦村城址"，了解到大城城墙分为内外两重，时代约在战国至汉代。1959 年 1 月，再次调查此城，改称"窦店土城"，认为大城外墙是"郭"，系堆积而成，大城内设子城。由大城内墙夯土中出土陶片推断，筑城年代"当是战国末期到西汉"，为汉之良乡县。1962 年 3～6 月，又一次调查该城址，对大城内之小城作了建筑年代不早于辽代、与大城年代不同的补充说明。

上述三次调查都只作了地面采集，对古城的全貌及年代的了解毕竟有限。时隔近 30 年，古城经历数次大型农田基本建设动土。为进一步核对前几次的调查成果，了解古城保护情况，1986 年 7 月，考古人员较详细地勘察了古城，以 1961 年北京市城市规划管理局地质地形勘测处的测绘图为底图绘制了实测图，利用现存城墙的取土豁口作了小型试掘，并铲探了城门及城内堆积情况。1990 年 7 月，将以前试掘的第三剖面继续作完。简报分为：一、大城调查与试掘，二、小城调查，三、遗物，四、结语，共四个部分。介绍了试掘收获，有手绘图、照片。

据介绍，窦店古城大城始建于战国早期，战国晚期进行了一次全面的整修，原有城墙夯土尚坚实的部分被保留下来，在其两侧加高加厚。整修时的夯建技术相当成熟，分城墙为内外两块，每块宽 3 米，逐堵夯筑，夯层厚薄均匀，夯打精细，夯窝密集，反复重叠，夯打出来的墙体非常坚硬。为防止夯具黏着，增加夯土强度，夯面屡见垫草痕迹。上述筑墙技术都与燕下都近似。

据《史记·燕召公世家》载，燕王喜"二十九年，秦攻拔我蓟，燕王亡，徙居辽东"。由此看出，战国末年，蓟仍作为燕之国都，即当时燕国上、中、下三都并存。

简报称，窦店古城的试掘成果印证了古文献记载的史实。战国早期，燕国为抵御齐赵，建造了这样一座城池，就其时代、规模、夯筑方法、地理位置推测，都有可能是燕中都，战国晚期又经大规模地整修加筑。汉代在此基础上设置良乡县。北魏时期弃大城，筑小城，作为良乡县治，直至五代的后唐，移治于今良乡镇。千年古城历尽沧桑，终于失去昔日巍峨，逐渐被夷为平地。

天津市

13.天津南郊巨葛庄战国遗址和墓葬

作　　者：天津市文化局考古发掘队　孙培基

出　　处：《考古》1965 年第 1 期

巨葛庄位于天津市东南 20 公里，南距南八里台 4 公里。有一条贝壳堤从西北来，穿过巨葛庄，经南八里台南去。巨葛庄坐落在贝壳堤上，遗址分布在村子内外，面积为 2 万余平方米，以村西北干渠两侧内涵较为丰富。村东和村西北 2 公里的商家岭子均为墓区。1958 年当地不断发现文物，考古人员前往调查，收集了一部分出土遗物，并及时清理了一些墓葬。1959 年 4 月又对村西遗址进行了发掘。

简报分为：一、遗址，二、遗物，三、小结，共三个部分予以介绍，有手绘图。

据介绍，遗迹为灰坑一个，出土遗物主要是陶器，也有一些铁器、铜器以及少量的骨器、蚌器和一些兽骨。陶器 78% 为灰陶，20% 为红陶。年代简报推断为战国晚期，文化面貌具有燕国文化特色。

14.天津东郊张贵庄战国墓第二次发掘

作　　者：天津市文化局考古发掘队　云希正、韩嘉谷

出　　处：《考古》1965 年第 2 期

天津市东郊的张贵庄战国墓群，是 1956 年 12 月发现的。当时正值隆冬，天寒地冻，仅清理了两座墓葬，并将其余已暴露出的墓葬中的随葬器物加以收集，但未作清理。1957 年 3 月，考古人员进行了第二次发掘，继续发现和清理了一批墓葬，还从从墓 3 等两座墓中收集了一些零星遗物。简报配以手绘图予以介绍。

据介绍，两次发掘共清理战国墓 33 座，均为长方形竖穴土圹墓，全为单人葬。骨架多已腐朽，仅有 6 座墓尚可辨认为仰身直肢葬。出土随葬器物的有 18 座墓，其中 11 座随葬有陶器，其余 7 座仅有铜带钩、明刀币、象牙笄、水晶珠等小件器物。年代据简报推断，早的可到战国早期或春秋晚期，晚的可到战国中期或稍晚。

15.天津北仓战国遗址清理简报

作　者：天津市文物管理处　钟嘉谷

出　处：《考古》1980 年第 1 期

1965 年春，在天津北郊北仓发现古遗址一处。遗址位于引河北岸，西距京津公路 1600 米，面积约 1 万平方米。

简报分为：一、地层及遗迹，二、出土遗物，三、小结，共三个部分。有手绘图。

据介绍，遗迹有房子 1 处、灰坑 7 个。房子分为门道和主室两部分，有柱洞。出土遗物 90 余件，有陶、铁、骨、象牙及炭精等，以陶器居多，另有一部分自然遗物。年代简报推断为战国，下限或已进入汉初。

简报称，战国和西汉时期的遗址，在天津滨海平原上已发现 40 余处，这表明当时居民点已相当密集。但这些遗址的年代下限都只延续到西汉前期，文化层上多腐殖质的黑土层，东汉时期的遗物只在南郊窦庄子发现一座瓮棺葬，这一现象是值得注意的。

河北省

16.河北省发现的青铜短剑

作　者：郑绍宗

出　处：《考古》1975年第4期

从1957年以来，河北省曾先后发现了8件属于我国东北地区流行的所谓"曲刃式青铜短剑"。这种具有独特形式的短剑发现最多的是辽宁省。在河北，据不完全统计，有承德市（县）2件、青龙1件、涿县1件、望都1件、新城县高碑店3件。简报配照片予以介绍。

据介绍，出土位置上，前3件接近辽宁的朝阳、锦西和昭盟地区，后5件为保定地区，涿县、高碑店所出几件地点接近易县燕下都。它们都属于河北省的北、西部。这8柄铜剑都是缺T形铜剑柄、石制或铜制的枕状物。其中3件剑身完好，5件残。8件形制和铸造方法又不完全相同，可分五式：Ⅰ式年代相当于春秋末或战国早期，Ⅱ式与Ⅰ式时代相同，Ⅲ式为战国早中期，Ⅳ、Ⅴ式下限为战国中期。

石家庄市

17.河北石家庄市市庄村战国遗址的发掘

作　者：河北省文物管理委员会　孙德海、陈　惠等

出　处：《考古学报》1957年第1期

1955年，在石家庄市市庄村南约250米处，发掘出战国遗址。简报分为：一、市庄村遗址附近地理情况，二、文化层次，三、出土遗物，四、一点认识，共四个部分。有照片、手绘图。

据介绍，此遗址为战国时赵国遗址，出土铁器47件、石器23件、蚌器17件以及陶器、玉器、料器、货币等计248件，有动物骨头、鸡蛋壳、炭化高粱等。

18.行唐县李家庄发现战国铜器

作　者：河北省文化局文物工作队　郑绍宗
出　处：《文物》1963 年第 4 期

李家庄在河北省行唐县西北，距城关 20 公里，属屹嶝头公社。1962 年 3 月，该村农民于本村西北角沟谷断崖处取土时，在离地表 2.8 米的深处，发现了铜器和人骨。4 月中旬，在前发现铜器处西北角继续挖出了铜器。同年 8 月考古人员前往清理，证实此处为一竖穴土坑墓。简报配以照片予以介绍。

据介绍，共出土遗物 16 件，除绿松石串珠、剑首形玛瑙物外均为青铜器。简报推断为战国中期中山国的遗物。

19.河北省平山县战国时期中山国墓葬发掘简报

作　者：河北省文物管理处　刘来成等
出　处：《文物》1979 年第 1 期

平山县三汲公社位于石家庄市西约 75 公里。为了配合三汲公社的农田水利建设，自 1974 年 11 月至 1978 年 6 月，考古人员在三汲公社一带进行了考古调查和发掘工作。调查后发现，三汲公社东部有一处战国时期的城址，东南隔河为春秋战国时期的蒲吾城（现已没入黄壁庄水库中），东面的高岭上有一处战国至北朝时期的古城。此外，还发掘了春秋战国时期墓葬 30 座、墓上建筑遗迹 2 处、车马坑 2 座、杂殉坑 1 座、葬船坑 1 座，出土文物 19000 余件。简报分为"第 1 号墓""第 6 号墓"两部分着重介绍 M1 和 M6 的情况，有拓片、照片、手绘图。

据介绍，三汲公社东部的战国城址，可能是中山国最后一个都城古灵寿城。M1、M6 为中山王墓，M3、M4、M5 也应为中山王的同族近属墓。此次发掘，为全面研究中山国的历史提供了宝贵的实物资料。

20.河北新乐县中同村战国墓

作　者：石家庄地区文物研究所　高英民
出　处：《考古》1984 年第 11 期

1980 年秋，河北新乐县中同村农民在村西发现一座战国墓。考古人员进行了清理工作。简报配以照片予以介绍。

据介绍，墓葬遭到破坏，给清理工作造成了很大困难。墓顶和墓室四壁早年坍塌，随葬品多被砸碎。经综合考察得知，这是一座单室石椁墓。人骨腐朽无存，随葬器物大部分置放墓室前端两侧。器物共计 62 件，质地分陶、铜、金、玉、石等。简报推断，中同村墓的时代应为战国早期。

简报称，历史资料和地下考古表明，中山国的疆域大部分在今石家庄地区和保定地区南部。从地望和时间来看，中同村出土的可能是中山国早期鲜虞文化遗物，其上限不会早于都顾之前，下限不会晚于都灵寿之后。

21. 河北新乐中同村发现战国墓

作　者：河北省文物研究所　文启明等
出　处：《文物》1985 年第 6 期

1980 年春，河北省新乐县中同村一农民在村西挖薯窖时，发现一座积石土坑墓，出土了一批铜器，经调查是一座战国墓（编号 M1）。随后考古人员在此墓的周围进行了探查，发现并清理了另一座积石战国墓（编号 M2）。M2 的有关情况，简报配以拓片、照片、手绘图予以介绍。

据介绍，中同村位于新乐县城东北 6 公里，两个古墓均发现在村中偏西处。M2 是一座长方形的竖穴土坑积石墓，葬具已腐朽无存。从随葬器物放置的位置及残存的板灰遗迹看，此墓原有一棺一椁，由于棺椁腐朽，椁室坍毁，致使积石充填墓室。因人骨架腐朽不见，葬式不明，但从随葬的铜剑、削、带钩看，墓主似为男性。出土遗物共计 30 件，保存完好。此墓从出土铜器的组合、形制和纹饰风格看，年代大约在战国初期。据有关文献记载，这个时期新乐县当属中山国，是春秋晚期鲜虞族活动的中心地区，因而此墓极有可能是中山国早期鲜虞文化的遗存。此墓规模虽然较小，却出有成组青铜礼器，而无一件陶器。这种现象甚为少见，为探讨中山国的葬制和礼俗提供了一些线索。

22. 河北灵寿县西岔头村战国墓

作　者：文启明
出　处：《文物》1986 年第 6 期

1984 年春，灵寿县城西北 30 公里的西岔头村农民在村北山坡上打坯时，发现一座战国墓。有关部门闻讯后前往调查时，墓坑已被破坏，遗物大多散佚，坑内只残留零星松石珠。据调查，此墓为长方形竖穴土坑葬，口略大于底，东西向，长约 2.1 米，宽约 1.5 米，墓口距地表深约 1.1 米。坑内棺木无存，只见残骨碎屑，葬式及随葬品位置不明。遗物收集得金、铜、玉石、骨角等器 36 件，简报配以照片、拓片予以介绍。

简报称，灵寿，古文献记载和考古资料表明，春秋时属鲜虞，战国时属中山。西岔头墓葬当属中山遗存。墓中遗物如金盘丝、玛瑙饰件以及镶嵌松石和饰有绚纹、鸟兽纹的青铜器，都带有鲜明的北方游牧民族文化特色。西岔头墓中出土青铜礼器的形制、纹饰、铸造工艺及器群组合均呈现出战国前期中原华夏文化的特征，表明鲜虞中山在保留北方游牧文化特色的同时，由于受到周围华夏文化的强烈影响，已在许多方面与华夏诸国的传统文化一致，反映出春秋战国之际北方诸国在兼并战争中加速民族大融合的历史进程。所以，此墓的发现，为深入了解中山国的历史和文化以及华夏族与北方游牧族文化的关系，提供了新资料。

此次出土遗物中，4 件金贝值得重视。金贝每件重约 3.14 克，经化验含金量为92%。简报指出，春秋战国时期，只有楚国有贝形币，即蚁鼻钱或鬼脸钱，并且也有铜贝，以前尚未发现过金贝。西岔头墓中出土的金贝为首见。它们形状、大小都与天然海贝近似，而与楚国的蚁鼻钱不同，与中山王陵一号墓中出土的银贝在形制上也有很大区别。后者不仅大金贝一倍，而且背面呈凹槽状。在目前多见铜贝的情况下，金、银贝的出土弥足珍贵。简报认为，西岔头出土的金贝，从数量看，用于装饰、赏赐的可能性较大。

23.河北正定县吴兴墓地战国墓葬发掘简报

作　者：辽宁省文物考古研究所、朝阳市博物馆　万雄飞、尚晓波、韩国祥、
　　　　于俊玉

出　处：《考古》2012 年第 6 期

吴兴墓地位于河北省石家庄市正定县新安镇吴兴村，距正定县城 15 公里。2006年 4 月下旬至 11 月，在河渠范围内共发掘墓葬 121 座，包括战国墓葬 6 座、西汉墓葬 98 座、东汉墓葬 7 座、唐代墓葬 9 座、清代墓葬 1 座，其中 6 座战国墓葬保存较完好。

简报分为：一、墓葬形制，二、随葬品，三、结语，共三个部分。有彩照、手绘图。

据介绍，吴兴墓地 6 座战国墓葬中有中型墓 5 座、小型墓 1 座。随葬品共 55 件，根据随葬品组合，简报初步推断这些墓葬的时代为战国时期，属战国晚期赵国境内中山国遗民墓葬。

唐山市

24.河北省唐山市贾各庄发掘报告

作　者：中国科学院考古研究所　安志敏
出　处：《考古学报》第 6 册

贾各庄在唐山车站东北约 4 公里，自 1950 年秋天起，当地采砂的村民不断发现陶器、铜器。1952 年起考古人员进行了发掘。简报分为：一、引言，二、葬地地形和墓葬分布，三、墓葬形制，四、文化遗物，五、结论，共五个部分。配有照片。

据介绍，遗址共发掘出 36 座墓，其中瓮棺葬 6 座，战国墓 22 座，汉墓 11 座。瓮棺葬的时代应在春秋战国之际，但不会晚于战国。战国墓的年代简报推断为战国初期。汉墓中 3 座砖墓应为东汉墓，其余 8 座土坑墓应为西汉墓。

25.河北滦南县出土一批战国货币

作　者：滦南县文物管理所　张竹林
出　处：《考古》1988 年第 2 期

1978 年滦南县城东南 5 公里麻各庄农民取土时，在距地表 1.2 米处，发现一个残破的夹砂灰陶绳纹罐，内装战国时期的布币、刀币计 40 余公斤，后由县文化馆收藏。这批货币大多黏结在一起，锈蚀严重。简报配以拓片予以介绍。

据介绍，整理出的货币多为燕明刀和赵钝首刀，少量为韩、赵、魏的刀币。简报称，30 多公斤的货币，完全是刀币和布币，没有一个秦代"半两"或其他货币，窖藏货币用的陶罐属战国晚期器皿，因此这批货币应是战国晚期所藏。这批货币的出土为研究战国时期燕国的海岸线提供了新的资料。

26.河北迁西县大黑汀战国墓出土铜器

作　者：唐山市文物管理所　孟昭永、郭景斌等
出　处：《文物》1992 年第 5 期

1989 年，河北迁西县白庙子乡大黑汀村农民在耕种土地时发现一批青铜器。考古人员清理了现场，证实器物出自一座战国墓葬。此墓位于滦河西岸，在大黑汀村

西 200 米的 4 米多的土坎上，为一土坑木椁墓。墓底距地表深 2 米，长、宽及墓向均不明。随葬器物被百姓取出，陶器均已破碎，20 余件青铜器也均有不同程度的损坏。简报配以手绘图予以介绍。

简报介绍，青铜器有鼎、敦、鏂、豆、削、剑等。大黑汀墓葬的年代，简报推断不会晚于战国中期。

27.河北玉田发现战国布币

作　者：河北玉田地方志办公室　张忠勋
出　处：《文物》1992 年第 6 期

1991 年 8 月，河北省玉田县旧城内鼓楼南街供销合作社建筑工地施工时，在距地表深 6 米处发现一座战国土坑墓。简报配以拓片予以介绍。

据介绍，墓葬出土绳纹灰陶罐 5 件。其中一件已残的陶罐内有陶纺轮 4 件、陶圆饼 4 件。另有一件完整陶罐，侈口，方唇，鼓腹，小平底。肩部饰凹弦纹，下部和底部饰细绳纹。罐内盛放 14 枚战国铜布币，可辨认的有"襄平"布币 6 枚。

简报称，玉田县战国时属燕国右北平郡，此墓出土的布币，对研究燕国政治、经济、交通有一定意义。

28.河北遵化出土一批燕国刀币

作　者：遵化县文管所　刘　震、刘大文等
出　处：《文物》1992 年第 11 期

1986 年 9 月，河北省遵化县娘娘庄乡上峪村一农民在挖窖时，于距地表深约 0.52 米处发现一红色陶罐，内装刀币 16 公斤，因腐蚀严重，仅清理出 528 枚。刀币出土时成捆状，每捆数量为 25 枚或 50 枚，环对环排列整齐，估计原由绳穿成捆，绳已腐烂。这批刀币除素面外，还有四种面文，所铸时代简报推断为战国时期燕国早期。

29.河北省遵化县出土一批窖藏燕国刀币

作　者：刘　震、刘大文
出　处：《考古与文物》1994 年第 5 期

1986 年 9 月 8 日，河北省遵化县娘娘庄乡上峪村农民刘庆国在院内挖窖时，距地表 0.52 米深处，发现一个红色陶罐，内装刀币 16 公斤，因腐蚀严重，仅清理出

528 枚。简报配以拓片予以介绍。

据介绍，刀币出土时成捆状，为 25 枚、50 枚一捆，环对环排列整齐，分析当时是用绳穿成捆的，绳已腐烂。这些刀币均属尖首刀，铜制较精细，铸造工艺也较好。简报推断为战国时燕国早期所铸。

简报称，这些刀币的出土为我们研究燕国货币的铸造和使用提供了实物依据。

30.河北省迁西县大黑汀战国墓

作　　者：顾铁山、郭景斌
出　　处：《文物》1996 年第 3 期

1989 年 5 月，迁西县文物管理所征集到一组战国时期青铜器。经调查，这批铜器出自该县大黑汀村西一座墓葬。县文管所即派考古人员前往现场调查，证实为一处战国时期墓葬群，出土铜器墓葬已被破坏，考古人员对墓葬群分别进行了抢救性发掘，共清理墓葬 6 座。简报分为：一、地理位置及墓葬形制，二、出土器物，三、结语，共三个部分。有照片、手绘图。

据介绍，大黑汀战国墓位于迁西县城北 4 公里处的兴城镇大黑汀村西 150 米处，此地为一小沙土丘，其东坡已被用土取走，西北坡即为墓地，墓地南 100 米处为东西向的大秦铁路。墓地南北长 80 米，东西宽 45 米，已清理的 6 座墓葬排列次序不甚规整。6 座墓均为土坑竖穴，单棺单椁，平底，有二层台，其中 M3、M4 两墓保存完好。6 墓共出土遗物 103 件，有铜器、陶器等，绝大多数属中原风格，但避免损伤兽鸟皮毛的平顶箭头等也有地方特色。这批墓葬的年代，简报推断为战国时燕国遗存。

秦皇岛市

31.河北青龙出土燕国圜钱

作　　者：宁　克
出　　处：《考古》1989 年第 3 期

最近，青龙县在文物普查中征集到了燕国遗物——圜钱。这批货币出土于长城脚下的青龙县西双山乡宋丈子村。简报配以拓片予以介绍。

据介绍，1984 年秋，宋丈子村农民在离长城不远的山根下打窖，挖至距地表约

80 厘米处，发现一只小木箱子。木箱子已朽烂，箱子里的古币粘在一起，能看出来似有绳子系于货币的穿中。通过整理发现有完好的圜线 189 枚，残破的约 40 枚。素背，方孔，内外有廓。

简报称，这批古铜币的发现，为研究古货币的流通及经济发展情况，提供了实物资料。

32.河北省抚宁县邴各庄出土战国遗物

作　者：邸和顺、吴环露
出　处：《考古》1995 年第 8 期

河北省抚宁县邴各庄位于县城北约 2.5 公里，地处洋河东岸二级台地上。1986 年 11 月，村民孙清厚在村西台地边挖养鱼池，发现大量陶片以及镂空玉饰和一件石器，立即送交县文物管理所。考古人员前往调查，在鱼池西部的沙层中又发现陶鼎等残片。简报配以手绘图予以介绍。

据介绍，这些出土遗物，经整理有完整器 6 件，可复原的 19 件。其中玉器 10 件。

简报称，这些器物，应属战国时期遗存。此次发现遗物的器形和数量之多在冀东地区尚属首次，对于研究这一地区战国时期的生产技术、文化艺术、生活习俗，以及与中原地区的关系提供了重要的实物资料。

邯郸市

33.邯郸发现一座带殉葬人的战国墓

作　者：程明远
出　处：《文物》1960 年第 2 期

考古人员在配合沁河改道工程中曾发现了几座战国墓，其中一座比较大的（3 号墓）还有殉葬人。此墓位于百家村西约 500 米，在沁河北岸。

简报介绍，此墓的结构为长方形土坑，口大底小，四壁略向外倾，墓室全长 5.2 米，宽 4.14 米，深 4.8 米，墓内填土均经夯打，非常坚实。墓内共有人骨架 4 具，中间一具为墓主人。其脚下横放一具两手抑脸，口部大张，很像殉葬时挣扎恐惧状的表现。右侧上下顺放二具，仰身伸直。从后三具放置情况来看，显然不是合葬，很可能是殉葬人。这三具人架都与墓主人共一木椁，仅墓主人与脚下殉葬人身下有棺灰痕迹，而其他二具没有。随葬品亦仅在其腰部有制作粗糙的铜带钩和箭头。其余如大件的陶器、铜器等都放在椁内右侧,小件装饰品及车马器等放在左侧,随葬品共出土759件。

从这座墓的结构及其出土物,简报推断其具备战国时代的特征。该墓的发现给研究当时社会制度提供了新的资料。

34.河北邯郸百家村战国墓

作　者:河北省文化局文物工作队　孙德海
出　处:《考古》1962年第12期

百家村古墓葬的发掘工作,是在1957年和1959年两年当中进行的。第一次清理了8座战国墓。第二次共清理了战国墓41座、汉墓10座。两次共计发掘战国墓49座、汉墓10座。简报分为:一、墓室形制,二、车马坑,三、殉葬品的放置位置,四、殉葬品,五、结束语,共五个部分。有手绘图、照片及《邯郸百家村战国墓葬出土器物登记表》。

据介绍,百家村位于邯郸市西约4公里,南临沁河。墓群分布在村西一片高低起伏的岗地上。墓室的形制构造基本一致,都是长方形竖井式,仅有大小之别,很难找到早晚分别的依据。墓内所出土的陶器,小墓与大墓有所不同。大墓出土陶器种类繁多,器体较大而敦实厚重。小墓出土陶器器体小而简单。墓中最基本的陶器是鼎、豆、壶三类,几乎墓墓皆有。其次是碗、盘、匜、尊,虽然也较常见,但不是普遍存在于每个墓中。至于鸟柱盘、盂、鸭尊之类,则仅见于少数墓中。铜器、玉器是随着墓主人身份的高低而有无。代表早晚特征的鬲与盒无一发现。简报认为这些战国墓的时代,不会过早或过晚,应同为战国中期。

简报称,这里发现的49座墓就有5座人殉墓葬。凡属大型或较大之墓葬,必有殉人存在。说明仅就战国时代的赵国来说,其贵族死后,仍有殉人的事实。

35.河北邯郸赵王陵

作　者:河北省文管处、邯郸地区文保所、邯郸市文保所　罗　平
出　处:《考古》1982年第6期

公元前386~公元前228年,邯郸是战国时赵国的国都。现在的邯郸市区是当时市民居住的大城,王城在大城的西南,陵墓区在市西北的丘陵地区,有五组,分别筑在五个小山头上。南三组在邯郸县三陵公社的陈三陵村及土程公社的周窑村,北二组在永年县两岗公社的温窑村。虽分属两县,但三个公社地界相连,实为一个

陵墓区。邯郸一带，把一般小墓叫"墓"，大的和比较大的叫"冢"，这5组大墓却叫"陵"，又叫"赵王陵"。邯郸县三组陵周围的几个村也以陵为名，如陈三陵、张三陵等，叫某三陵的共有6个村。简报分为：一、关于五个陵台的调查，二、遗物，三、结语，共三个部分。有照片、手绘图。

简报称，自赵敬侯迁都到邯郸后，传了八代。八代国君的陵墓，《史记》注释中只注明了3个。肃侯的寿陵，徐广说在常州；武灵王的陵，《正义》说在蔚州灵邱县；《正义》引《淮南子》说，赵亡后，赵王迁被流放于房陵，《括地志》说，赵王迁墓在"房州房陵县西九里"。房陵即现在湖北房县。其他5个除地方志外找不到其他记载。邯郸陵区中的陵台恰好是5座，这5座陵台可能是敬侯、成侯、惠文王、孝成王、悼襄王等5人的陵墓。还有一个问题，即五座陵台中有两座上面有两堆封土。简报认为有两种可能性：一是夫妇合葬；二是赵肃侯及武灵王也葬在这一带。后一种可能性较大。因为在赵肃侯时代，常州是中山国的领土，赵肃侯不可能把自己的陵筑在邻国，更正确点说是敌国。武灵王葬于灵邱，《广平府志》作者早已指出"灵邱"之名不是因为武灵王葬于此地而起的，而是在赵敬侯时就叫"灵邱"；武灵王死于沙丘宫，葬在相距一千多里的灵邱，不合情理。如果上面的分析不错，那么这7堆封土，正是赵迁都邯郸后（除赵王迁外）七代国君的陵墓。当然，这只是推测，是否正确，还需将来发掘来证实。

36.河北涉县李家巷春秋战国墓发掘报告

作　　者：邯郸市文物保护研究所、涉县文物保管所　薛玉川、郭禄堂等
出　　处：《文物》2005年第6期

李家巷墓葬群位于涉县涉城镇城里村李家巷西南一块长46米、宽13米的梯田上。东南为韩王山，西北600米处为一条季节性河流，俗称"东枯河"。梯田高出河床约25米，河西岸即县城。1997年8月，村民在李家巷村南梯田拉土垫地时发现鼎、豆、罐、椭形杯等器物，考古人员赶到后发现出土器物的地方原状已不存在，初步断定为两座墓葬所出。简报分为：一、墓葬形制与结构，二、随葬器物，三、结语，共三个部分。有照片、拓片、手绘图。

据介绍，本次发掘的9座墓葬，有3座墓壁部分被破坏。墓葬均为长方形土坑竖穴，墓主人皆为仰身直肢，其中面向上者6座，面向东、西、北的各1座。由于腐蚀严重，多数性别不可辨认。根据板灰痕迹可确定单椁单棺墓3座，单棺棺下铺木板墓2座，单棺墓4座。出土遗物40件，另有征集到的遗物7件，包括陶、金属器、玉石器、骨蚌器、漆器等。这批墓葬的时代据简报推断当为春秋到战国之际。涉县在春秋时

属晋，韩、魏、赵分晋后，先属魏，后属赵。因此，涉县李家巷春秋、战国墓当属晋人墓。

简报称，近年来，在冀南一带发掘的战国及汉代墓葬中，发现一些在棺以上的土圹两侧壁面开槽，横向架置木板（类似椁的盖板）的情况，考古人员称之为"盖顶板"。但是本次发掘的 M5、M6 则在棺下横向铺设木板，这种方法也较为少见。由此简报推测，从源于商周时期的竖穴土坑木椁墓到西汉时期的砖室墓，在其中间应有棺下横向铺木板。M4 在椁外头前端横置一箱，这种头箱置椁外的现象也属少见。另外，在征集的器物中，有一件铜罐，体薄，附环耳。其厚度、环耳的形制与同时征集的铜豆、舟大体相同，应为一同出土的器物。这种铜罐在这一时期非常少见，为我们研究春秋、战国之际青铜器的品种提供了新的实物资料。

37.河北邯郸赵王陵二号陵出土的战国文物

作　者：邯郸市博物馆　赵建朝、李海祥
出　处：《文物》2009 年第 3 期

1997 年 10 月 18 日，赵王陵二号陵北封土墓被盗，公安干警经过缜密侦察，于次年将贩卖到国外的文物追回，并且移交给邯郸市博物馆。简报分为：一、赵王陵二号陵概况，二、赵王陵二号陵北封土墓出土文物，三、结语，共三个部分。有照片、手绘图。

据介绍，赵王陵是战国时期墓群，位于邯郸西北紫山东麓的丘陵地带，东南距邯郸市区约 8 公里。现有五座王陵，坐西朝东，呈西南—东北方向分布。这五座王陵均筑有高大的陵台，以自然山势为基，周围夯筑拦土坝，内填土石筑成。陵台东面有神道，自西向东顺斜坡而下。各陵台顶部中央有封土墓冢，其中一、三、五号陵各有一座，二、四号陵各有两座。赵王陵二号陵位于陈三陵村西北约 1 公里处。赵王陵二号陵北冢是凿于山岩内的竖穴封土墓，平面近似方形。被盗追回的文物中，玉片十分珍贵。另有一刻有"三十一年"铭文的金饰牌，据此简报推测赵王陵二号陵的墓主人很可能是赵惠文王。

简报称，赵国于公元前 386 年迁都邯郸，公元前 228 年为秦国所灭。赵国以邯郸为国都计 158 年，其间传了八位国君。其中赵武灵王的陵，史书上说在蔚州灵邱县。赵国亡国之君赵王迁被流放于房陵，赵王迁墓在今湖北房县。而今在河北邯郸赵王陵，自东北向西南，依次埋葬着赵敬侯、赵成侯、赵肃侯、赵武灵王、赵惠文王、赵孝成王、赵悼襄王。当然，这个结论最后还需考古发掘来印证。

邢台市

38.河北邢台南大汪村战国墓简报

作　者：河北省文化局文物工作队
出　处：《考古》1959 年第 7 期

南大汪村位于邢台市西北约 4 公里许，村东是一片沼泽地区。在该村西南约 500 米外有一片高地，称"西南岗"，岗北有一条小路与通往市内的公路相连。1956 年秋，村民在该村西南岗北边公路的南侧打井时，曾挖出战国铜器、陶器多件，事后考古人员曾作过一次调查。1958 年冬，考古人员又在此进行调查，发现新石器时代遗址一处，并进行了试掘。此外还发掘了战国墓 7 座、汉墓 1 座。汉墓为砖室墓，已残毁，随葬品只剩 1 件陶罐。简报配以手绘图，先行介绍了战国墓的材料。

据介绍，战国墓 7 座，均为长方形直壁竖穴墓。随葬品主要有陶器、铜器、蚌贝、玉石器等，年代简报推断为战国中晚期。

39.河北临城柏畅城发现战国兵器

作　者：刘龙启、李振奇
出　处：《文物》1988 年第 3 期

1984 年，河北省临城县东柏畅村一农民在柏畅城故址东北部挖土时，发现一处兵器窖藏，出土铜戈 4 件、铜矛 14 件、铜柲镦 32 件。1985 年，在窖藏南部发现铸造作坊遗址，出土铜权、铜镞等。随即，县文物保管所到现场进行调查并征集了出土文物。1986 年文物普查中，对柏畅城又进行了重点复查。简报配以照片、手绘图予以介绍。

据介绍，柏畅城位于临城县治西略偏南 6.5 公里东柏畅村南 200 米处，又称"柏畅侯城"，为战国古城遗址。故址北部断崖处战国至汉代陶片暴露较多，俯拾皆是。据当地百姓反映，故址内过去曾出土许多青铜兵器、铁剑及石镞范、铜印玺等物。1958 年在西南城垣外 800 米处修乱木水库时发现战国墓群，出土铜鼎、铜剑等物。现乱木村周围尚存汉墓 6 座，村名可能由"乱墓"演变而得。近年两次兵器发现地点都位于城池东北部靠城垣处。1984 年发现的兵器窖藏，在距地表 1 米深处的一个长方形坑内。戈、矛摆放整齐，木柄均已腐朽。1985 年烧砖取土时，在距兵器窖藏南 50 米距地表 2.1 米处，发现冶炼作坊遗址。遗址内铜渣木炭堆积厚约 10 厘米，发现铜权、铜箭镞、残刀币、布币、铜棒、弩机牙等遗物。遗址之下有陶排水管道。通过调查和对出土器物的研究，可证实柏畅城始建于战国，湮废于汉代。

简报称，秦统一六国过程中，必然缴获大量兵器。柏畅城遗址出土的赵国兵器，除铭刻赵国文字外，还加刻秦国文字。赵国灭后，赵器成了秦的战利品，这些兵器可能是秦人作为战利品带入赵地的。如果这一推测成立的话，那么这批兵器的窖藏时间应在公元前226年之后。兵器的出土地点柏畅故城与柏人城相距18公里，战国晚期同为赵地，兵器发现于此，应为秦灭赵、燕后兵士曾驻扎于柏畅城所致。柏畅城兵器的发现，为战国时期的燕、赵兵器资料又增添了一批标准器，对于研究战国历史是很有价值的。

40.河北柏乡县东小京战国墓

作　者：柏乡县文物保管所　史云征、李兰珂、李振奇等
出　处：《文物》1990年第6期

1986年7月，柏乡县东小京村农民取土时挖出一批战国文物。考古人员在现场调查以后，征集了出土文物。简报配以照片、拓片、手绘图予以介绍。

据介绍，柏乡县地处河北南部，县城北17公里处是战国时期赵国的鄗城遗址。文物出土地点在鄗城遗址东2公里的东小京村西400米处。据取土者介绍，文物散布在约10平方米的灰土中，伴有人骨，没有砖石。据现场调查，这批文物出土于离地表深4.2米处，周围地段均为红壤土，未见葬具残迹。但根据此地多古墓的情况，推测这批文物可能是一竖穴土坑墓中的随葬品。这批文物共113件，其中陶器很少，骨器、铜器较多，特别是大量象牙干支筹和矩形饰，有很高的学术价值。该墓的年代，简报推断为战国中晚期。

简报指出，战国中后期，鄗为赵国著名城邑，也常是赵国与中山国的争战之地。周赧王五十七年（前258年）秦、赵两国大战，魏信陵君窃符救赵，赵王感恩，曾以鄗城为汤沐邑相赠，魏公子在此隐居多年。当时战乱频繁，各国人员流动频繁，文化交流广，因此，象牙干支筹出自战国时何国有待深入研究。

41.河北邢台发现一件古代铜镰

作　者：刘顺超
出　处：《文物》1990年第8期

1989年初，邢台市文物管理所收集到1件古代铜镰。简报配以照片予以介绍。

据介绍，铜镰通长 17.4 厘米，呈弯月形，短柄。柄上饰十字纹并有一穿孔，正面饰细齿纹。弧形刃部呈锯齿状，现仍很锋利。年代简报推断应属春秋时期。

42.河北临城县中羊泉东周墓

作　者：临城县文化局　李振奇、张友功、赵秀双
出　处：《考古》1990 年第 8 期

1987 年 12 月，中羊泉西村农民在村西岗动土时发现古墓，并引起附近村民大规模盗掘。被盗掘破坏的墓葬 160 座，除少数为汉墓，其余均为东周墓。简报分为：一、墓葬位置及调查情况，二、出土遗物，三、结语，共三个部分。介绍了东周墓出土器物，有手绘图、照片。

据介绍，中羊泉东周墓出土带钩数量、种类繁多，由此可见，带钩从春秋中至战国早期的始作期发展到战国晚期，已完全进入了它的鼎盛时期，其分布范围广，数量多，工艺制作精细。简报根据中羊泉出土随葬陶形制和特点推断，墓葬的年代是战国。

简报称，战国墓地聚族而葬，这种制度是承继殷周而来。中羊泉东周墓从调查情况看，间距相当小，在 2250 平方米的范围内有战国墓 150 余座，分布整齐，排列有序。除少数几座战国墓被汉墓和现代墓叠压外，同期墓葬没有相互打破的现象。

43.河北临城县临邑古城遗址调查

作　者：河北临城县城建局城建志编写组　李振奇
出　处：《考古与文物》1993 年第 6 期

临邑古城位于河北省临城县治西南 5 公里的南台村南隅，当地村民俗称为"南城子"。城址建于丘陵台地之上，地势平坦。其西、北两面为下河河道，水源自西而东注入泜河；东为无名河道；南依丘陵之巅。其地形三面环水，易守难攻。此城在 1986 年春文物普查中发现，调查中仅获得了一些汉代遗物。为了城建志的编纂，1990 年城建局又对城址作了详细调查，获得了一批实物资料，从而对临邑古城的兴废时代有了新的认识。简报分为：一、城址的建造及规模，二、遗迹，三、遗物，四、几点认识，共四个部分。有手绘图。

据介绍，临邑古城遗址平面呈长方形，南北长 510 米，东西宽 320 米，周长 1660 米，面积 163200 平方米。城垣墙体除东南角一隅尚存外，其余皆不存。出土的早期青瓷器等，简报认为出自内丘邢窑。简报认为此古城为春秋时始建，唐时迁徙而废，使用了一千余年。

44.河北邢台市葛家庄 10 号墓的发掘

作　　者：河北省文物研究所、邢台市文物管理处　贾金标、任亚珊、郭瑞海

出　　处：《考古》2001 年第 2 期

邢台葛家庄两周墓地是 1993 年邢台市河北轮胎厂在扩建工程中发现的。经钻探，该墓地有墓葬近千座，其中包括几座带墓道的大型墓葬。1993 年 11 月至 1994 年 5 月，考古人员对墓地东区的两周墓葬进行了发掘，其中清理春秋时期墓葬 15 座，除一座大型墓外，其余均为小型墓。此次发掘以前有过专文论及，简报分为：一、墓葬形制，二、随葬品，三、结语，共三个部分。介绍其中的大型墓（编号为 M10），有手绘图、照片。

据介绍，从器物的纹饰、部分器物的形制、鸟篆文铜戈等方面综合来看，推断葛家庄 M10 的年代为春秋战国之际。此墓应为一座高级贵族墓葬，其埋藏习俗、随葬品等诸多方面与太原赵卿墓十分接近。简报推测此墓主人和赵氏家族有着千丝万缕的关系，但由于缺乏文字和实物材料，尚待今后的考古工作和研究进一步考证。

简报称，此墓的发掘，对探讨和研究春秋战国之际的埋葬制度、习俗等无疑有着十分重要的意义。

保定市

45.燕下都城址调查报告

作　　者：中国历史博物馆考古组　黄景略

出　　处：《考古》1962 年第 1 期

燕下都城址在河北省易县城东南 2.5 公里，位于中易水和北易水之间，是第一批全国重点文物保护单位之一。早在 1930 年，马衡先生领导的燕下都考古调查团就在这里作了调查，并在城北的老姆台进行发掘，引起了学术界对燕下都城址的重视。1949 年后，考古人员于 1957 年、1958 年两次前往调查并进行了钻探。简报分为：一、城址，二、建筑遗存和文化堆积，三、文化遗物，四、结语，共四个部分。有拓片、照片、手绘图。

据介绍，经过调查和钻探，对燕下都的面貌有了比较清楚的了解。文献上所记燕由上都蓟迁至下都的时期，有燕桓侯、燕文公、燕昭王时等不同说法。从出土遗物看，城址建筑年代不会早于战国初期。燕下都规模很大，据勘测可知其东西长 8 公里，

南北宽约 4 公里，有内城和外郭。城址内的文化遗存主要分布在内城以内。中心地区是武阳台区所发现的大型夯土建筑遗址和大量的砖瓦堆积，这里是当时的宫室所在。宫殿区以武阳台和老姆台为主线，前后排列，部分还采用对称形式，周围配以许多夯土建筑，主次分明。从布局和建筑材料等，可看出当时宫殿建筑的豪华和规模的巨大。除了以武阳台区为中心的宫殿区外，在高陌村附近发现的冶铁、冶铜、铸钱等遗址，可以认为是手工业作坊的所在地。从贯城、沈村一带灰层堆积密集和残存遗物之多来观察，这一地区可能是当时市民的居住区。此外，在外城的东北角还发现了陶窑遗址。简报称，在高陌村区出土的铁工具很多，与兴隆发现的铁范同是研究当时冶炼工业的重要材料。燕下都出土的许多带铭文的陶器中，有纪年铭、工名和职名等，其中工名印记，是生产者对封建主负责的标志（当时官营的产品）。大量出土的明刀等货币，和当时商业交换的发展有密切的关系。

46.燕下都遗址内发现一件战国时代的铜人像

作　者：河北省文化局文物工作队

出　处：《文物》1965 年第 2 期

1964 年 11 月 29 日，易县武阳台公社高陌生产大队第一生产队在村东劳动时，在距地表深约 0.6 米的土层里掘获铜人像一件。简报分为：一、铜人像出土地层与共存遗物，二、铜人像的现状，共两个部分。有手绘图。

据介绍，铜人像保存完好，全身布满一层浅绿色薄锈，身高 25.8 厘米，通宽 13.05 厘米，前后通宽 11.9 厘米，重 4.9 公斤。简报推断它是战国中晚期的遗物。这件铜人像比过去出土流落国外的保存得更完整，为研究战国时期的服饰制度、铸造工艺等，提供了很好的资料。

燕下都遗址还曾出土过一批铜戈。据《文物》1982 年第 8 期介绍，1973 年 4 月，易县百福公社东斗城大队第五生产队在燕下都第 23 号遗址南部挖沟时，挖出铜戈 100 余件。考古人员到现场进行了调查，共收集铜戈 100 余件，铁锄、铁镰、铁削各 1 件。为了弄清这批铜戈出土的层位关系，考古人员对铜戈出土地点进行了发掘。简报分为：一、地层堆积，二、遗迹和墓葬，三、文化遗物，四、铜戈铭文，五、结语，共五个部分。有拓片和照片。

简报介绍，这次发掘基本弄清了铜戈出土地点的地层堆积情况和铜戈出土的层次关系，仅发现灰坑 1 个、灶 2 个、居住面 1 片和人骨架 1 具。战国墓 2 座均系长方形土坑墓。汉墓 2 座，均系单室石墓。出土的铜戈 108 件，其中 6 件戈的内部残缺，1 件仅存戈的内部，1 件仅存戈的胡部，其他 100 件铜戈绝大部分完整。108 件铜戈中，除内部残缺的 7 件外，有铭文的铜戈共计 100 件（其中 4 件的铭文磨泐不清），无铭文的铜戈 1 件。简报附有铜戈铭文内容汇总表。这批铜戈埋藏的年代，简报推断应在战国晚期，约公元前 226 年以前。

47.燕下都遗址外围发现战国墓葬群

作　者：河北省文化局文物工作队
出　处：《文物》1965 年第 9 期

1964 年 12 月，考古人员在燕下都遗址的外围调查中，于易水南岸定兴县的落宝村和易县的周仁村之间发现了一处战国墓葬群。经铲探，共发现 480 余座墓葬，绝大部分是战国时代的长方形露天竖穴土坑墓，填土均经夯打。在调查中，考古人员在靠近周仁村的北部清理了两座小型墓，简报配以照片予以介绍。

据介绍，易周 M1 为长方形露天竖穴土坑墓，葬式为仰身直肢葬。出土陶器有鼎两件，豆两件，小豆两件，壶、罐各一件。

易周 M2 为长方形露天竖穴土坑墓，有棺椁，葬式为仰身直肢葬。出土陶器有鼎两件、豆两件、小豆两件、铜带钩一件。

这两座墓的出土物与唐山市贾各庄战国墓出土遗物极为相似，简报推断当属战国早期。

这一墓葬区范围较大、分布较密。以往对燕下都的墓葬区曾有种种推测，但始终没有找到所在。这一墓区的发现，对解决燕下都遗址的年代及历史情况，将是极其重要的。

48.河北徐水解村发现古遗址和古城垣

作　者：河北省文化局文物工作队　　敖承隆
出　处：《考古》1965 年第 10 期

徐水县位于河北省中部保定地区，解村在县城西北约 22.5 公里处。1958 年 3 月间，在村北约 1.5 公里处发现了古墓，考古人员清理了 4 座小型唐宋墓。同时，对附近地区发现的古遗址和古城垣进行了调查。简报配以照片、拓片、手绘图予以介绍。

据介绍，共调查了三处古代遗址：解村遗址，为西周至东周时遗址；黄山以西遗址，发现不少人为埋葬的战国货币；樊村遗址，有灰坑、窑址，应为商代遗址。另外，在瀑河上游东岸发现残存夯筑土城垣，南起石龙山，北至黄山，简报认为是战国末年燕国南长城中的一段。

49.燕下都第 22 号遗址发掘报告

作　　者：河北省文化局文物工作队　陈应祺

出　　处：《考古》1965 年第 11 期

1964 年 3 月，考古人员为配合农业生产和了解第 22 号遗址边缘部分的地层情况，对燕下都第 22 号遗址进行了发掘。发掘工作至 4 月 1 日全部结束。共出土器物 306 件，其中骨器及加工骨料 70 件（废骨料未统计在内），铁器 64 件，陶器 108 件，石器 30 件，铜器 16 件，角器（料）9 件（废角料未统计在内），明刀币 8 枚，蚌镰 1 件。第 22 号遗址（制骨器址）位于北董村南 1100 米处，在燕下都东城内的北区西部。遗址东约 200 米为第 18 号遗址（铸兵器址），西约 180 米为第 23 号遗址（铸铁址），北约 100 米为第 21 号遗址（铸铁址），南约 170 米为东城"隔墙"。第 22 号遗址的所在地区，可能是当时的手工业作坊区，因此第 22 号遗址东侧的发掘，对于进一步了解燕下都遗址是有重要意义的。简报分为：一、地层情况，二、遗迹，三、遗物，四、结语，共四个部分。有手绘图。

据介绍，通过发掘可以肯定燕下都第 22 号遗址为一制骨器场所，出土有铁器、陶器等。年代简报推断为战国晚期。

50.河北易县燕下都故城勘察和试掘

作　　者：河北省文化局文物工作队　李晓东等

出　　处：《考古学报》1965 年第 1 期

燕下都故城是战国时期有名的都城之一，位于河北省易县城东南。1930 年春，马衡先生领导的燕下都考察团曾对城址进行过调查并对老姆台进行了小型发掘。1949 年以后，对燕下都做的勘察工作比较多，其中主要有：1957 年 2 月谢锡益等的调查；1957 年冬至 1958 年春河北省文管会的勘察；1958 年初由中央文化部文物局组织的燕下都文物工作队，作了比较全面的调查，等等。1961 年 3 月 4 日，国务院公布的第一批全国重点文物保护单位，燕下都是其中之一。自 1961 年 7 月初开始，根据 1958 年调查的线索，采取划分地段、复查和普查相结合的方法，进行了有目的的勘察，到 1962 年底基本上完成了全面勘察任务。同时，对部分遗址和建筑遗迹进行了试掘。这次勘察工作，不仅证实了 1958 年调查的一部分成果，而且新发现了很多遗迹，使人们清楚而较全面地了解到燕下都城址的整个面貌。简报分为：一、城址勘察，二、城内文化遗存分布，三、结语，共三个部分。介绍了 1961 年的勘察与试掘，有照片、手绘图（包括折页平面图）。

据介绍，1958 年调查以后，曾把燕下都城址分为内城和外城两部分。根据这次对燕下都八道城垣实际钻探的结果，简报将其分为东城和西城。另外，还复查和调查了建筑基址（土台）12 座（11 和 12 号为汉以后所筑），勘探了 12 处夯土建筑遗迹、27 处文化遗址、4 条古河道、29 座墓葬（墓 29 是汉墓）。

简报称，燕下都故城平面略呈长方形，东西长约 8 公里，南北宽约 4 公里。西城有战国住址 2 处、古墓 5 处，汉以后建筑基址 1 处。东城有宫殿区、手工业作坊区、市民居住区、墓葬区。故城现存城垣、城门、道路等遗迹。简报认为，西城建筑较晚，应是东城的一个附城。

简报指出，燕下都城址的建筑年代，在古文献中有不同说法。简报认为，东城的营建年代，不会晚于燕昭王时期，即战国中期。但就城内的夯土建筑和手工业作坊而论，也可能是在建城以后逐渐修筑和经营起来的。

简报指出，该城的性质应为燕国一处军事要塞。燕下都城址的位置，北、西和西南有山峦环抱，东南面向华北大平原，正处在从上都到齐、赵等国去的咽喉地带，是燕国南方一个重要的门户和屏障。东城建筑得那样严固，不但四周环水，而且城门亦少，是与它的形势相适应的。东城城内的建筑布局，反映出燕下都为当时燕国一个政治、经济和军事重镇。如武阳台和它东南及西南面的建筑组群周围，北侧有东西横贯的"隔墙"，西侧和南侧有 3 号古河道，东有 2 号城门及加强防卫的一系列建筑，说明了武阳台这个宫殿建筑组群是燕下都的中心建筑。从整个夯土建筑遗迹的分布看，武阳台又成为它们的核心。而武阳台以北，有三座大型的主体建筑前后排列。这些主体建筑和其他建筑组群，又显得主次分明。从此可以看出宫殿区的布局是复杂而庞大的。使用了多种多样的建筑材料，也可想见当时的建筑物是宏伟而豪华的。在宫殿区周围，环绕着铸铁、制兵器、铸钱、制陶和制骨器等这些为国家掌握的官办手工业作坊；而市民居住区则分布于离宫殿区稍远的西南部；墓葬区在城址西北角。像这样规模宏大、规划有条理的、全城布局围绕着一个中心的城市建筑，充分反映了战国中期以后封建政治权力的强盛。同时，城的规模和土方工程的浩大，又是当时社会经济空前发展的一个重要体现。

51.河北易县燕下都第十六号墓发掘

作　　者：河北省文化局文物工作队　孙德海等
出　　处：《考古学报》1965 年第 1 期

燕下都第 16 号墓，是 1961～1962 年勘察燕下都故城址时发现的 28 座古墓中的一座（编号为墓 16），位于东城九女台墓区，西南距百福村约 670 米，是九女台墓区北排五座墓居中的一墓。1964 年 5 月，考古人员对第 16 号墓作了发掘。发掘工作从 5 月 6 日开始，至 6 月 16 日结束。简报分为：一、墓葬形制，二、随葬器物，三、结语，共三个部分。有照片等。

据介绍，这是一座大型的战国墓，墓室构筑及建造方法颇为特殊，为已发掘的战国墓中所少见。墓上有高大的封土，形似土丘，平面略呈长方形，四角缓圆，高出地面约 7.6 米。封土全部系夯筑，墓室便构筑在夯土中。此墓墓室规模较大，结构及筑造方法也甚特殊，墓壁采用夯筑，并经火烧过成为烧土壁。墓室四周均为夯土。墓室下部"二层台"则以白灰羼蚌壳作成，其坚实程度可见一斑。这一墓葬的发掘，丰富了战国时代燕文化的考古资料。所出陶器，不仅器形完全仿于铜器，而且纹饰也都是仿铜器的，颇为罕见。百余件陶器之中，除部分素面、印纹和划纹之外，器身施朱绘纹饰的约占半数以上，而暗纹则无一发现。该墓的年代，简报推断为战国早期。

52.河北易县燕下都 44 号墓发掘报告

作　者：河北省文物管理处　刘世枢
出　处：《考古》1975 年第 4 期

1965 年 10 月 24 日，河北省易县武阳台大队农民在村西耕地时发现铁剑、铁戟各一件，刀币数枚，考古人员赶赴现场调查，发掘工作至 10 月 28 日结束。简报配以手绘图予以介绍。

据介绍，此墓系一长方形竖穴土坑，墓内发现人架 22 具，有的互相叠压，有的断首离肢，显系非正常死亡。墓内出土有铁胄等兵器及生产工具，几乎都是铁制，简报认为应是燕国自制。时代简报推断为战国晚期。同刊同期有北京钢铁学院压力加工专业《易县燕下都 44 号墓葬铁器金相考察初步报告》一文，可参阅。

53.河北省容城县出土战国铜器

作　者：容城县文化馆　孙继安、徐明甫
出　处：《文物》1982 年第 3 期

容城县晾马台公社西北阳村农民，于 1966 年和 1979 年在村西南先后掘出战国时期的铜壶一个、铜鼎一个、铜壶盖两个，现已收集到容城县文化馆。简报配以照片予以介绍。

简报介绍，铜壶、铜鼎出土点相隔 20 米，铜壶出土时少盖。1979 年挖出的铜鼎内，装有铜壶盖大小两个。大盖与铜壶吻合，盖上铭文与壶口处铭文相同。小盖口沿处阴刻"左征"二字。这些文物的年代，简报推断属春秋战国时期，出土地点从地理位置来看，属于燕地易京一带。

简报称，易京在春秋晚期叫"临易"，曾是北燕的国都。铜器上"西宫"等铭文，为我们进一步研究燕文化以及探讨战国时期燕国易京位置，提供了珍贵的实物资料。

54.河北易县燕下都第 13 号遗址第一次发掘

作　者：河北省文物研究所　石永士

出　处：《考古》1987 年第 5 期

燕下都第 13 号遗址位于郎井村西南约 200 米。西距第 10 号遗址约 120 米，东距第 12 号遗址约 450 米。因郎井村村民取土，第 13 号遗址中部已形成长约 190 米、宽约 60 ～ 85 米、高约 2 ～ 3 米的一孤立高地。遗址总面积约 30600 平方米。1965 年秋，配合郎井大队的抗旱修渠工种，在渠道经过的第 13 号遗址中部进行了发掘。简报分为五个部分予以介绍，有手绘图等。

据介绍，发掘墓葬一座(65IYBM1)，无葬具、无随葬品，仰身曲肢葬。出土有陶器、筒瓦、瓦当、铜镞、盔甲片等。第 13 号遗址的时代，简报认为大体经历了春秋早期到战国晚期这一漫长的历史时期。

55.河北徐水大马各庄春秋墓

作　者：河北省文物研究所、保定地区文物管理所、徐水县文物管理所　戴书田、
　　　　吴东风等

出　处：《文物》1990 年第 3 期

1984 年，徐水县广门乡几个村在大马各庄村西台地南侧联合修建砖厂，取土时发现古墓葬区。1986 年 10 月，考古人员进行了清理发掘。在约 400 平方米范围内，共清理古墓葬 37 座。简报分为：一、墓葬形制，二、随葬品，三、小结，共三个部分。有照片、手绘图。

据介绍，在清理的 37 座墓葬中，除 M35 为长方形石板墓暂不论外，其余 36 座均为长方形竖穴土坑墓。墓圹上口均被破坏，开口距地表深 1.2 ～ 1.6 米。多数墓口较墓底略大，少数墓口和墓底大小基本相同，有 2 座墓的四角圆弧。有 10 座墓存留木棺和板条朽迹，其余均无葬具。36 座均为单人葬（M37 残甚未计），除 4 座因破坏严重葬式不详外，有 26 座为屈肢葬，6 座为直肢葬。骨架均已腐朽，

有些头骨和四肢骨存留尚好，但一经移动，即成碎块。出土遗物有陶器、石饰件等。此处墓地的年代，简报推断为春秋，下限为春秋晚期。简报认为此处是一处贫民墓地。

简报指出，屈肢葬是此墓地的主要葬式。36座墓中有26座，占72.2%。一般为仰身，个别微侧。上、下肢皆屈，有上肢屈于下颌骨处的，有互叠于胸前的，有腕骨相叠置于腹部的。下肢屈度较大，股骨与腔骨夹角不足60°。屈肢最甚的，跗骨压于坐骨下，股骨和腔骨叠在一起。这反映了一定的信仰和埋葬礼俗。早期的屈肢葬大多发现在甘肃一带。山西侯马上马村东周墓葬中发现2座屈肢葬。山东新汶县东周墓中也有发现。上村岭虢国墓地共存着屈肢和直肢两种葬式。论地域，陕西是屈肢葬发现较多的地区。屈肢葬在秦墓中颇为盛行。有人认为甘肃一带的屈肢葬是某少数民族的葬式，中原地区商至春秋时期的屈肢葬可能是受少数民族的影响或少数民族内迁带来的葬俗。至于大马各庄屈肢葬的渊源和墓主族属，还有待于今后的考察和研究。

56.河北容城县南阳遗址调查

作　者：孙继安
出　处：《考古》1993年第3期

1981年春季，考古人员在晾马台乡进行考古调查时，在该乡南阳村附近发现几处较大的古代遗址，并征集、清理出铜器、陶器、骨器等文物40多件，其中几件文物上有铭文和陶文。根据这些文物查阅历史文献，发现南阳遗址有为春秋战国时燕国易都迹象。简报配以拓片、手绘图予以介绍。

据介绍，南阳遗址位于容城县城东14公里、雄县县城西北11公里处。这里是华北平原中部，遗址东3.5公里是大清河（古易水）。调查时发现，南阳村南、北、西三面均有古代遗址，村南250米处的遗址较大，遗存丰富，当地人称这里为"燕国城"。南阳遗址为一台地，北面是南阳村，南1500米处是容城至雄县公路，东300米是容城第三排水渠。遗址北坡比周围地表面高2～3米，与南阳村里的平房顶相等，当地人称这里为"城坡"。从城坡起向南700米，台地终了，南坡比一般地表面高0.5米左右。台地东边沿清晰，比一般地表高0.3～2米。自台地东北角开始，向西300米后地势低缓平展，边沿模糊不清。台地表面有很多陶片，器型有鬲、鼎、豆、壶、盘、罐等。台地东部庄稼长势不好，故有200多亩地种了数年苜蓿，其原因可能是下面地质较硬，为夯土所致。因台地东部有些地不长庄稼，早年曾有人在此建窑烧砖，现留废窑和打坯用的取土坑。遗址北侧有故河道，当地人称"后河"，北2.5公里有座土丘高台，当地人叫"晾马台"，调查时发现有铜刀、蚌刀、鹿角制鱼梭镖、陶器等。简报认为南阳及其附近几处遗址的年代，为春秋战国至汉代。铜壶自铭"西宫"，右铺首处又有"匽"字，说明它是燕国器物，并属"西宫"所有。在同一处遗址内还出土了两件铜鼎及其"易市"等文物。遗址地理位置与燕国都城临易、汉时的易京相近，出土的这些"西宫"铜壶、铜鼎等器物，简报认为可能与燕国易都有关。

57.河北容城发现三批燕国货币

作　者：容城县文物保管所　孔继安
出　处：《考古》1994年第5期

近几年来，河北省容城县连续出土三批燕国货币，其形制、铭文各不相同。简报配以拓片予以介绍。

1985年秋，晾马台乡南阳砖厂取土，露出尖首刀币百余枚。考古人员闻讯赶到后，只征收到3枚，重15.9克。

1985年11月，容城县贾光乡东张楚乡农民在村南一断面上发现罗列有序的刀币245枚，重约4.1公斤。刀币多数面文为"明"字，有10枚的"明"字字体斜长。8枚无背文。这批刀币背文共有40种。形状基本相似。

1978年春，城关乡北城村百姓在村西取土，在距地表0.6米深处挖出小灰陶罐一个，内有燕（折背）刀币8枚。8枚刀币面文相同，7枚无背文。

出土的这三批燕国货币，从形状和伴出物看，其时间有早晚之分。简报推断：南阳遗址出土的无字尖首刀，年代可能为春秋时期，是燕国早期货币；东张楚遗址出土的弧背刀，除伴随露出的有粗绳纹秃袋足鬲外，不见战国晚期遗物，其年代可能为春秋战国之交；北城出土的折背刀，据泥质灰陶罐看，其年代为战国晚期。

简报称，春秋战国时期，容城县位于燕国南边边境。近年来连续出土三种不同的燕国货币，说明当时的货币早晚已有连续性。通过这些发现，可看到当时燕国生产力已很发达，贸易也很繁荣。

今有河北省文物研究所《燕下都东周货币聚珍》（文物出版社1996年版）一书，可参阅。

58.河北唐县洪城遗址的调查

作　　者：保定地区文管所　李文龙

出　　处：《考古》1996 年第 5 期

洪城遗址位于唐县葛公乡北洪村北，东南距唐县县城约 26 公里，是一座夯土城墙的古城遗址，面积约 42 万平方米，平面略近方形，地面遗迹已荡然无存，仅存残余的夯土城墙。简报分为两个部分进行介绍，有手绘图。

简报称：洪城所处位置十分重要，扼守着唐河谷地，这是华北平原通往山区的必经之路。这里应是一处重要的军事驻屯地。建筑时代简报推断为战国时期。

59.河北曲阳县出土战国青铜器

作　　者：曲阳县文物保管所　王丽敏

出　　处：《文物》2000 年第 11 期

1998 年 4 月，河北省曲阳县恒州镇大赵邱村村民在该村东北定阜公路南侧取土时，发现 5 件青铜器，并上交曲阳县文物保管所。这是曲阳首次出土青铜器。经调查这 5 件青铜器出土于距地表约 2 米深处，四周用石块垒砌。从这批青铜器的形制与纹饰看，应属战国早期之物。简报配以照片予以介绍。

据介绍，出土的青铜器有鼎、敦、豆、壶、瓵各 1 件。

60.河北唐县钓鱼台积石墓出土文物整理简报

作　　者：河北省文物研究所　胡金华、冀艳坤

出　　处：《中原文物》2007 年第 6 期

唐县钓鱼台积石墓发现于 1966 年，其出土文物以铜器为主，并有少量金器、石器。其时代简报推断应为春秋中期或略晚。

简报分为：一、发现经过及墓葬形制，二、出土器物，三、结语，共三个部分。有手绘图、照片。

据介绍，钓鱼台位于河北省唐县西南 12 公里的温家庄乡，处于山前平原地带。1966 年 2 月 25 日，唐县温家庄公社钓鱼台村村民于占方在村西 250 米、西距唐河约 300 米处的断崖下平整土地时发现该墓。1966 年 3 月 18 日征集入河北省文物工作队。

简报称，钓鱼台积石墓多数出土器物风格与中原地区同类器相一致，而金盘丝等器则具有鲜明的北方民族特征，应为受中原文化强烈影响的鲜虞文化遗存。

61.燕下都遗址出土铁胄

作　者：河北易县燕下都遗址文物保管所　刘德英、方　华等
出　处：《文物》2011 年第 4 期

1995 年 8 月，在燕下都遗址 10 号夯土建筑基址东北 8 米处的断崖上，发现一暴露的灰坑，暴露出的遗物有铁胄札叶、镞等，考古人员随即进行了发掘清理。简报分为：一、地层堆积，二、出土遗物，三、结语，共三个部分。有照片。

据介绍，共出土铁胄 1 件及铜剑、刀币、瓦当等遗物。年代简报推断为战国晚期。铁胄发现，为研究我国古代军事史提供了新的实物。

张家口市

62.河北省怀来县北辛堡出土的燕国铜器

作　者：敖承隆、李晓东
出　处：《文物》1964 年第 7 期

1963 年 10 月 2 日，北辛堡村公社农民在村西北打薯窖时发现了 6 件铜器。考古人员前往调查，并暂把文物运至县文化馆，随后即将铜器运到省文物工作队妥善保管。简报配以照片予以介绍。

简报介绍，北辛堡村在怀来县城（即沙城）东约 25 公里，村北有京张公路。铜器出土在村西北约 50 米处的杏树园里。在打薯窖时，发现有马骨、马牙等（窖的周壁上仍有存留）和 1 件铜鉴的边缘，又发现铜鉴 1 件，陆续发现的还有铜殷 1 件、铜壶 1 件、铜缶 2 件等。这 6 件器物，基本上放置在同一个平面上，略成弧形。

简报认为这是一座古墓葬，铜器是殉葬品；出土马骨和马牙的地方，很可能是殉葬马坑；那段土壁，则为墓的西壁。从附近打窖的情形观察，该墓尚未全部遭到破坏。这 6 件铜器，从造型和花纹特征推断，可能是属于战国早期燕国的遗物。

63.河北张家口市泥河子村出土一批青铜器

作　者：张学武、陶宗冶
出　处：《文物》1983 年第 7 期

1981 年春，在整修京张公路时，在张家口市宣化区东南 7 公里处的泥河子村发

现了一批青铜器。考古人员到现场进行了调查。出土地点在村东南一坡地上，地面可见散乱的人骨，有的人骨上带有铜锈痕迹。附近断崖上可见暴露的土坑墓葬。这批铜器应是墓内随葬品，因现场已遭破坏，出土情况已不明。简报配以照片和手绘图予以介绍。

简报介绍，这批铜器有短剑1件、弧背环首刀1件、锛1件、凿1件、人字形饰8枚、马衔1件、牌饰1件、珠饰51件。这批铜器的年代，简报推断上限可能早到春秋末期，下限不会晚于战国初期。

64.河北涿鹿县发现一件春秋晚期有铭铜戈

作　者：陈　信
出　处：《文物》1996年第2期

1986年，涿鹿县矾山镇五堡村农民在挖土时发现1件铜戈，现藏涿鹿县文物保管所。简报配以拓片予以介绍。

据介绍，铜戈援稍上扬，中起脊，前锋弧尖，胡狭阔，三穿；内直，一长穿，末端有两行五字铭文"索鱼王□戈"，第二、四字笔画不全。简报推断其时代应为春秋晚期。

简报称，铜戈出土地点距涿鹿故城约500米。这里曾多次发现战国时期的陶器、铜短剑、镞、刀币、布币等，但有铭戈尚属首次发现。特别是其铭文和形制似带有北方少数民族特色，为研究先秦时期北方少数民族文化增添了实物资料。

65.河北涿鹿县发现春秋晚期墓葬

作　者：陈　信
出　处：《文物》1999年第6期

1996年4月，涿鹿县大堡镇倒拉嘴村砖厂在取土时发现春秋晚期墓葬一座，出土青铜豆、戈、削刀、马形饰及金项饰等10多件文物。考古人员赶赴现场作了调查，因该墓葬已被破坏，其墓向、形制、葬式已无法弄清。简报配以拓片予以介绍。

据介绍，出土的文物有豆（已残）、舟（残）、戈、削刀（残）、金项饰各1件，铜马形饰6件。年代简报推断为春秋晚期。

简报称，墓葬地点附近发现多处西周、春秋、战国遗址，该墓的发现并非偶然。马形饰及青铜豆的纹饰风格极一致，表现出一定的地方少数民族特色。

66.河北张家口宣化战国墓发掘简报

作 者：张家口市宣化区文物保管所 王继红等
出 处：《文物》2010 年第 6 期

2000 年 9 月，在张家口市宣化区春光乡万字会村的住宅楼工地发现了 17 座古代墓葬，考古人员对其进行了发掘清理。这批墓葬位于宣化古城东门外 1 公里、宣赤路北侧。小泡沙河和泡沙河分别从其东、西侧流过，这两条河都属于季节性河流。17 座墓葬中有 8 座清代墓葬、2 座辽金时期墓葬、6 座战国时期墓葬。其中 6 座战国墓均位于一号住宅楼的基槽内，分别编号为 M10 ~ M15。由于施工单位已挖下 2.9 米深的地基槽，地面封土早已无存。简报分为：一、M10，二、M11、M12、M13，三、M14，四、M15，五、结语，共五个部分。先行介绍了这 6 座战国墓的发掘情况，有照片、手绘图。

据介绍，M14 和 M15 的墓主可能为夫妻，属士一级的贵族。M12 墓主缺少头骨和一根小腿骨，可能是 M14、M15 的人殉墓。M10 可能是下层贵族墓。此次出土的随葬器物有陶器、铜器、铁器、玉器等，较为重要的器物有铜提梁壶、玉龙形佩、错金铁带钩、铜六山镜等，为研究战国晚期的北方文化提供了新资料。

承德市

67.承德县八家子南台发现的战国时期刀币

作 者：奠 耳
出 处：《文物》1959 年第 2 期

1954 年秋季，承德县原八区联社在收购杂铜中发现战国时期的"明"字刀钱一批，约重 100 公斤，现已将其中完整部分（约重 10 公斤）转给承德博物馆。简报配以照片予以介绍。

简报介绍，刀钱发现在八家子南台村徐材家中，距地面深 40 厘米处的大灰陶瓮中。刀币成捆地放着，取出后瓮即破碎。陶瓮为细泥灰陶，出土的刀钱表面皆生绿锈，大体可分为六类。

遗物除刀钱外主要是灰色细纹陶器片，这些东西都是各地战国时燕遗址中常见之物。由此简报推断八家子南台应是战国时期的燕国遗址。

68.承德市泺河镇的一座战国墓

作　　者：承德离宫博物馆

出　　处：《考古》1961 年第 5 期

1958 年 5 月，工人在承德市西 20 公里的泺河镇发现一堆陶器。这批陶器出自一坑中，已破碎，经粘对复原，完整的共 19 件。简报配以照片予以介绍。

简报介绍，除以上完整器以外，还有一些红陶鬲、盆的残片，已不能复原。根据这批陶器的形制及出土情况，简报推断该坑为一战国时期墓葬。泺河地区在当时为燕国的辖境，这批燕国陶器的出土，还是比较重要的。

69.河北青龙县抄道沟发现一批青铜器

作　　者：河北省文化局文物工作队　郑绍宗

出　　处：《考古》1962 年第 12 期

1961 年 6 月，河北省青龙县王厂乡抄道沟村农民朱会，在村西后山台地上，掘出了一批较为珍贵的青铜器，其中包括羊首曲柄短剑、鹿首弯刀、铃首弧背刀、曲柄匕形铜器、铜戚各 1 件，环首刀 3 件。1962 年 2 月，河北省文化局文物工作队到现场进行了调查。简报分为：一、出土遗物，二、结语，共两个部分。有照片。

据介绍，抄道沟位于王厂乡北 2.5 公里的山谷中。这批青铜器均出于抄道沟村西约 100 米的阶梯式耕地中。这是一个具有明显特征的青铜器群，无论在造型上、铸造技术上都达到了很高的造诣，而且作风一致，是属同一时期的遗物。8 件青铜器除一件最小的环首刀尖部略有折损外，其余均保存完好。从器物的刃部损耗情况看，都经过很长的使用时间。简报推断，这批青铜器的时代下限，可能不超过战国初年。

70.河北省围场县又发现两件秦代铁权

作　　者：围场县文管会　石枢砚

出　　处：《文物》1979 年第 12 期

继 1976 年围场县朝阳地公社大兴永大队出土秦权后，1977 年 10 月上旬在龙头山公社小锥子山大队又同时出土秦权两件。简报配以拓片予以介绍。

简报介绍，这两件铁权与前一件形制相同，均为扁圆体，上有拱式桥形鼻，下有圆形铸铁锭。沿权表面錾刻秦始皇二十六年（公元前221年）所颁发统一度量衡的40字诏书，简报录有全文。第一件铁权出土时桥形鼻上有一系绳用的铁环，权体通高20.2厘米，腹围74厘米。底部中心有一直径12厘米长的圆形铸铁锭，突出权底平面2.2厘米，铁锭铸造完好，镶嵌牢固，是围场县出土三件铁权中最完整的一件。第二件权体通高20.5厘米、腹围73厘米，底部中心偏外也嵌有一直径11厘米、长不大规整的圆形铸铁锭，突出权底平面4厘米。

71.河北省滦平县发现一批窖藏战国货币

作　者：河北省滦平县文管所　苗济田、赵志厚
出　处：《文物》1981年第9期

1979年10月，河北省滦平县虎什哈公社营坊大队在农田建设时，于地下约60厘米深处发现一个素面夹砂黑陶罐（已碎），内盛铜币800余枚，重约8.5公斤。其中燕明刀币500多枚，赵刀3枚，燕、魏、赵布币54枚，燕一化圜钱280枚。简报配以手绘图予以介绍。

简报称，这批货币，除个别磨损和腐蚀严重外，大部分均能辨清。出土的布币，因锈蚀过重，黏结在一起，有的残缺，钱文不清。经初步整理后，能辨认出来有些布币的面文。出土的一化圜钱，直径2厘米，肉好有郭，面文右边一个"一"字，左边一个"化"字。

简报称，战国时期，滦平县属燕境。这里同时出土燕、魏、赵的货币，说明燕的生产力已经很发达，与邻国的贸易关系已很密切。这批货币的窖藏时间估计在战国时期。

72.河北承德发现燕国刀币范

作　者：李　霖
出　处：《考古》1987年第3期

1962年7月，承德县柳树底乡罗家沟村农民在整地时，于距地表约20厘米深处，发现石刀币范数件，仅保存下来一件，于1983年1月献承德县文物所。币范长18.5厘米，石质为滑石。简报配以拓片予以介绍。

经调查，币范是当地燕国遗址出土。遗址东西长约180米，南北宽约90米，文化层堆积厚度约为36厘米，在文化层内发现夹砂红色陶片和泥质灰陶片较多，可辨器型有瓮、罐、豆等。

73.河北兴隆县发现战国金矿遗址

作　者：王　峰

出　处：《考古》1995 年第 7 期

1984 年 6 月，兴隆县车河堡乡车河岷村西沟庄农民在本庄山坡上开采金矿时意外发现了古代采金遗址，并在采金遗址的矿坑内发现了部分古代采矿时所用的工具。考古人员赴现场进行了调查工作。简报配以手绘图予以介绍。

据介绍，这处古金矿遗址位于兴隆县兴隆镇东北 60 公里深山区的西沟庄东南 500 米处。由于现代采金人开矿时的破坏，古矿遗址原貌已有部分被破坏，但其概貌还可以看出。金矿遗址无矿道，是沿金矿床露天开采的。矿坑两边浅、中部深，东西长约 20 米，南北宽约 0.5～1 米，深约 0.5～3 米。矿坑内出土的遗物包括铁锄、铁斧、苇席、木条簸箕等，其中苇席和木条簸箕未能保存下来。这处矿坑是在矿床较宽、距地表较薄的地段内开采的，开采时除将金矿石采出外，没有加宽开凿基岩。这一开采方法虽然较为不便，但从金矿床较小的情况上看，是很经济实用的。调查时在这处金矿遗址西北 200 米的山坡发现了保存较完好而且还要大一些的另一处古采金矿遗址，其长约 30 米，宽约 0.3～0.5 米，深约 2～3 米（矿坑未完全暴露）。这一矿坑虽没有遗物发现，但从其开采特点分析，两个矿坑应为一个时代的产物。这就证明这处战国金矿遗址非古人偶然开采的孤立矿坑，矿坑所在区域应为战国时期的一处采金矿区。简报称，战国时期采金遗址，在国内属首次发现。

74.丰宁土城东沟道下山戎墓

作　者：丰宁满族自治县文物管理所　白　光等

出　处：《文物》1999 年第 11 期

1990 年 4 月，河北省文物局进行全省重点文物复查工作，在丰宁满族自治县土城镇东窑村东沟道下调查时，发现古代墓葬人为破坏严重。考古人员抢救发掘了其中一座暴露在外的石板墓。简报分为：一、墓葬位置及形制，二、随葬器物，三、小结，共三个部分。有照片、手绘图。

据介绍，石板墓群位于土城镇东窑村东 2000 米、地势由东南向西北倾斜的高山山麓处。墓葬背靠山峰，潮河水从墓葬群西由北向南流过。墓葬群面积约 2500 平方米。发掘的这座石板墓开口距地表 0.3 米。墓为长方形竖穴土坑，四壁用自然石板竖砌，前后堵头各为一完整的石板；两边各用大小不等的 4 块石板为盖，无铺底石。尸骨基本保存完好，仰身直肢，双手交叉于腹部。随葬品有铜器、石器、陶器等。墓地所代表的遗存，与中原文化同时期的遗存有着显著的差别，具有浓厚的北方山戎文化的特点。年代简报推断为春秋晚期。

简报称，近些年，北京延庆军都山，河北张家口宣化小白阳、庞家堡区白庙、承德滦平炮台山、隆化、丰宁等冀北山地，出土了大量的山戎文化遗物。从这一带地望来看，均在燕北，正是山戎盘踞之地。丰宁满族自治县通过四次文物普查，共查出石板墓群 35 处。最大的一处石板墓群的面积约 40000 平方米。出土器物中的陶器有高领壶、折肩罐、夹砂陶钵、附加堆纹鬲、豆等，铜器有剑、镞、锥、凿、斧、刀等，此外还有骨器、饰件、燕币等。而土城镇东沟道下山戎墓出土的器物，主要是多件冶金铸造用具，为进一步研究山戎文化的冶金、铸造等增添了新的材料。据当地人介绍，这一带产有孔雀石。查阅丰宁矿产资料，也证实丰宁有铜矿。因此，推测这里曾有采矿、冶炼、铸造等生产活动。

沧州市

75.河北沧县肖家楼出土的刀币

作　者：天津市文物管理处
出　处：《考古》1973 年第 1 期

1960 年 4 月，在沧县肖家楼村西北的一处战国遗址中，出土了大批刀币和陶器等遗物。考古人员立即前往调查，收集了出土遗物。简报分为四个方面予以介绍，有照片。

据介绍，肖家楼村在沧县城西南约 16 公里，西距南运河约 0.5 公里，其东约 23 公里的旧州，即汉渤海郡治浮阳。南运河在肖家楼村西北有一个向西突出的河湾，遗址就位于河湾的东部。肖家楼遗址一次出土刀币万余枚，当属窖藏，这在迄今的刀币发现史上是较多的一次。甲型历来多出于河北省中部以北，乙型仅见于山东，今二者同出也是较罕见的。尤其是乙型三式前人视为"罕见之品"，及至近年犹有人认作是"铸额盖寡，今世流传不多"，但肖家楼所出这类刀币，竟达 8000 余枚。关于各型刀币的年代，过去说法不一。今统观肖家楼所出，由于其形制、大小、重量和背文规律均相近，再从同地出土的遗物来看，简报推断当属战国遗物。但各型刀币在形制、质地、字体等方面，还是有所差别的。这也就暗示了它们之间在年代上有所差别。

简报称，过去不少人都认为甲型是燕国货币，乙型是齐国货币。被认为是齐刀的和乙型相类的刀币，以往所出"背面文字一般都是地名"，可是在肖家楼出土的 5000 余枚带有背文的乙型刀币中，背文虽多至 300 余种，却未见铸地名的，所有背文和甲型刀币也基本相同，这就为研究这类刀币的铸造国别等问题提供了新的资料。

廊坊市

76.河北三河大唐迴、双村战国墓

作　者：廊坊地区文物管理所、三河县文化馆　王其腾

出　处：《考古》1987 年第 4 期

大唐迴、双村位于三河县灵山乡，南距县城约 5 公里，北依燕山余脉，西有沟河由北向南经双村村西流过，三平公路（三河至平谷）经大唐迴村西。这一带地势东北高、西南低，依山傍水，古遗址和古墓葬分布较密，农民动土时不断有文物出土。1974 年，灵山乡道班的工人在大唐迴村西修筑公路时，于公路西侧发现青铜器 4 件。1975 年双村农民在村南挖土时也发现了青铜器。考古人员对出土地点进行了调查和清理。简报配以手绘图予以介绍。

据介绍，大唐迴村发现墓葬两座：M1 位于西村三平公路西侧，为一土圹竖穴墓，计出土铜簋 1 件、铜鼎 1 件、铜豆 1 件、铜镞 1 件、铜勺 1 件。M3 为长方形土坑竖穴墓，一椁一棺，人骨为仰身直肢，出土陶明器 14 件。双村、北淀也各发现墓葬一座。

简报称，大唐迴、双村墓的年代，可以定在战国早期。从两墓出土的器物来看，大唐迴 M1 早于双村 M1，似乎可以早到春秋战国之交。北淀 M3 不会晚于战国中期。

简报指出，这里出土的器物，既具有中原文化的因素，又具有浓厚的燕文化风格（如簋、鸟首鼎），这对我们研究燕文化的发展有一定的参考价值。

衡水市

山西省

太原市

77.太原市柳子峪有关柳下跖奴隶起义军遗址调查

作　者：山西省文物工作委员会、太原市文物管理组

出　处：《文物》1974 年第 9 期

柳子峪在太原市西南 30 公里晋祠公社牛家口大队以西的群山丛岭中，传说是柳下跖领导奴隶起义的地区之一。南郊区大批判组曾前往勘察、收集资料，进行过一段工作。根据传说和地方志上的记载，于 1974 年 3、4 月间连续两次实地勘察，初步统计共有遗址 15 处。简报配图予以介绍。

据介绍，柳下跖是春秋末领导奴隶武装起义的杰出领袖。简报初步认为，柳子峪可能是柳下跖直接领导的奴隶起义军活动过的地区；也可能是春秋末期在柳下跖影响下的晋国奴隶武装斗争的营地。它的名称和柳下跖直接联系在一起，说明当时柳下跖领导的奴隶起义军和各诸侯国的奴隶起义斗争，本来就是紧密联系，互相呼应的。

大同市

78.山西阳高天桥出土的战国货币

作　者：山西省文物管理委员会　郭　勇

出　处：《考古》1965 年第 4 期

1963 年 4 月，阳高县城城公社天桥村村民在村东北约 250 米处，从地下发现了一批战国货币，计重 102 公斤。发现以后，县里将全部出土货币运回保存。考古人员于 5 月到出土地点作了调查，并整理了全部出土货币。

简报分为：一、出土地点的地理环境和地层，二、出土布币的型式，三、出土布币的数量、国别及其分布，共三个部分。有拓片。

据介绍，阳高县位于大同市东北 60 公里，北界与内蒙古毗邻。长城在县北 7.5 公里处经过。货币出土在天桥村东北小河西岸门湾刘家坟内。这里地势平坦，经过了解，货币埋藏在距地表深 1.7 米的黑土层内。据原发现人说，货币出土时堆放得很整齐，布币的首部还能看出原来用绳捆扎的痕迹，为 67 厘米多长、33 厘米多宽、33 厘米多厚，布币绝大部分尚保存完好。在发现地点的地面上没有发现任何古代陶片和其他遗物。这些货币本身放置规整，时代划一，应是窖藏。这批货币全是布币，可分尖足布（占 5%）、方足布（占 95%）两大类，计 13000 枚，以越国所铸最多。

简报指出，此次出土各种布币，其形制俱属战国晚期。出土地的天桥，在长城之内，为军事上险要之地，所以推测这批藏币与当时驻军有关。

79.山西浑源县李峪村东周墓

作　者：山西省考古研究所　陶正刚
出　处：《考古》1983 年第 8 期

浑源李峪村东周墓地，1949 年前已经出土过数批青铜彝器，大部分被盗，流落在美、法、日等国家，一部分存在上海博物馆。这批青铜彝器造型优美，花纹精细，在国内外享有盛誉。1978 年春天李峪村又有新发现。考古人员前往勘察，并作了少量的钻探和试掘工作。在返回太原，路过大同时，又在大同市博物馆见到该馆于 1975 年 8 月征集到的李峪村墓地出土的两批青铜器。此外，还有 1963 年在李峪村征集回来的 8 件青铜器。简报一并加以介绍，有拓片。

据介绍，浑源县城位于大同盆地中部的浑河谷地。李峪大队位于县城西南约 7.5 公里处。墓地主要分布在李峪大队东湾村附近，小型墓多，中型墓少。简报重点介绍了 1978 年清理的 1 号墓和 1975 年清理的 2 号墓、3 号墓。1 号墓为土圹竖穴，葬具为一椁一棺，一具女性尸骨为俯身直肢葬，在椁内棺外。还有一具未成年人尸骨，也为俯身直肢葬。随葬品很少，仅骨笄 1 件、铜削 1 件。2 号墓葬具、尸骨均已不清楚。出土有铜鼎等 17 件遗物，现藏大同博物馆。3 号墓已遭破坏，出土铜器 6 件，现藏大同市博物馆及浑源县文化馆。

这批墓葬，简报推断为春秋战国时期燕国遗存。

朔州市

忻州市

80.原平县发现大批战国古钱

作　者：原平县文教局　赵文朴
出　处：《文物》1963 年第 10 期

最近在山西省北部的原平县，从地下发现了大批古钱，共有 64 公斤、4400 多个。据山西省文物管理委员会鉴定，这是战国时代的货币，距今已有二千三四百年，这是晋北第一次大量发现古钱。简报配以拓片予以介绍。

简报介绍，这些古钱分刀币和布币两种，大部是用赤铜铸成的。刀币正面铸有"明"字，背面铸有"左"字或"右"字。布币是尖足的，上面铸有地名。地名中有属于现在山西省的"晋阳""离石""中阳""兹氏"以及属于现在山东省的"即墨"和属于现在河南省的"汝阳"等，共有二十多种。

81.山西省原平县出土的战国货币

作　者：山西省文物管理工作委员会　郭　勇
出　处：《文物》1965 年第 1 期

原平县农场于 1963 年 5 月间，在县东北武彦村东，开掘下水渠，从地下发现一批战国货币，计重 64 公斤。考古人员进行了现场勘查，并对出土货币加以初步的整理。简报分为：一、货币出土地点及出土经过，二、货币铸造形式及文字，三、货币被埋藏的原因及年代的推测，共三个部分。有拓片。

据介绍，武彦在县东北 3.5 公里，是太原通往雁北和内蒙古地区的必经古道。货币发现地点据说在 1949 年前是一望无际的大荒滩。旧时人们通常称这里有"三多"，即蛇多、狼多、劫路贼多。1958 年开始大生产，进行垦辟，把荒地变为田畴。货币埋藏在地表以下不到 1 米，出土时已全部浸于水内，置放形式是约长 50 厘米、宽 30 厘米、厚 30 厘米的长方形堆积，颇为整齐，并保留有绳缚残迹。在勘查时未发现灰层和任何遗物，再结合货币堆积情况推测，很像原来是用木箱盛装的窖藏之物。但没有木箱腐朽的痕迹。这批货币中，刀币和布币大约各占一半，完整与残破的又各近一半。经过剔除残破，共整理出完整刀币 2180 枚、布币 2223 枚。刀币中有折刀 1730 枚，直身刀 450 枚。布币绝大部分都属于尖足布，极少部分为圆足布。简报推断这批货币的上限，不会超过晋定公二十一年（公元前 491 年），下限为公元前 301 年左右。

82.原平峙峪出土的东周铜器

作　者：戴遵德
出　处：《文物》1972 年第 4 期

1964 年 9 月，原平峙峪村农民在该村东南赵家垴进行土地整修时，由地下挖出了一批东周的青铜器。考古人员前往勘察清理，得知这批青铜器系出自一座墓葬中。简报配图予以介绍。

据介绍，峙峪村位于原平县城东北约 8 公里，地处滹沱河东岸，南北贯穿一条大道。墓葬位于村东约 0.5 公里的赵家垴台地上（农耕地），为土坑竖穴墓，已无法辨认葬式。在墓底南北两端发现有马头骨 2 个和部分马肢骨，系杀马殉葬的。随葬铜器置于墓底北端。随葬器物除青铜器外，还有砺石 1 件。铜器大多是实用器物，少数是冥器，保存较完整。计有食器 8 件、酒器 1 件、兵器 9 件及工具、车马器等，其中一把吴王阖闾之剑十分珍贵。该墓的年代，简报推断为春秋晚期到战国早期。

83.原平县刘庄塔岗梁东周墓

作　者：山西忻州地区文物管理处　李有成等
出　处：《文物》1986 年第 11 期

1984 年 12 月，山西省原平县阎庄镇刘庄村塔岗梁村民挖土时发现青铜器，考古人员闻讯赶到现场，作了实地勘察。简报配以照片予以介绍。

据介绍，塔岗梁位于滹沱河支流云中河畔、刘庄村西南 0.5 公里。据了解，青铜器出自两座墓葬。在同一地点断崖上还暴露出两座古墓，1985 年 4 月进行了清理。前两座编号为 M1、M2，后两座为 M3、M4。4 座墓葬的方向基本一致，形制大体相同，均为长方形竖穴土坑墓，无墓道，未见有封土堆。墓室上部已遭破坏。4 座墓中以 M3 出土器物最多。青铜器 5 件，皆置于墓室西北角；铁锛 1 件放在壁龛内；玉、骨、金器重叠置于正北偏东处。M1、M2 均为村民挖掘，出土器物位置不详，M4 无随葬品。原平这座墓葬简报推断可能是燕国墓葬。

简报称，原平一带发现这类墓葬还是第一次，目前发掘的墓数和出土器物还很少，认识还很不全面。但这些墓葬的发现，为研究燕国历史及燕晋关系提供了有价值的资料。

84.定襄县中霍村东周墓发掘报告

作　者：山西省忻州地区文物管理处　李有成
出　处：《文物》1997年第5期

1995年8月，山西省定襄县官庄乡中霍村金桥砖厂推土时发现一批青铜器，考古人员进行了清理，同时进行了较大面积的勘查。经钻探又发现古墓葬4座，并进行了发掘（编号M1～M5）。

简报分为"地理位置与墓葬概况""结语"，共两个部分予以介绍，有彩照、拓片、手绘图。

据介绍，中霍村位于定襄县城正南略偏西9公里处，墓地在中霍村正南1公里，北枕滹沱河，南依丛蒙山，牧马水前绕。丛蒙山亦称"丛象山"，海拔约2100米。墓地属丛蒙山北坡山脚丘陵地带，俗称"金桥岗"。墓地周围地表散见有龙山文化遗存。M1与M2位于墓地西侧，两墓一前一后。M3～M5位于东侧，距M2约18米，三墓并列。简报认为这是一处东周戎狄的家族墓地，出土有青铜器等。M1、M2皆为土坑竖穴墓，有殉人。推测M1的墓主人是男性，M2的墓主人是女性，为夫妇异穴合葬。由于缺少直接说明墓主人身份的证据，推测墓主人大约相当于中原地区大夫一级的身份。

简报指出，M1、M2的葬制等有明显的北方戎狄文化特点。出土的青铜器，许多有晋国文化特点，说明这些铜器来自晋国。

85.定襄中霍村出土的一批青铜器

作　者：忻州市文物管理处　郭良堂、李培林
出　处：《文物》2004年第12期

1995年8月，山西省定襄县中霍村砖厂东周墓葬出土了一批青铜器。2000年6月，原忻州地区公安处收缴了3件铜器。经了解，这些铜器出土于霍村的古代墓葬。简报配以彩照予以介绍。

据介绍，三件铜器分别为鼎、甗、豆，其时代基本接近，简报推断为春秋晚期到战国早期。

阳泉市

86.山西盂县东周仇由遗址调查

作　者：刘有祯
出　处：《考古》1991 年第 9 期

1987 年夏，在距盂县县城东北 0.5 公里的北村砖场，考古人员发现了古城垣和遍地绳纹陶片。因文化堆积已大部破坏殆尽，未能按考古程序正式发掘。调查结果表明，遗址早在殷商时已有人居住，春秋末发展到建城立国。秦汉时北村砖场又成为一片墓葬群。简报分为：一、城址范围，二、地层堆积，三、殷商时期，四、西周时期，五、春秋时期，六、战国时期，七、秦汉时期，八、结语，共八个部分。有拓片、手绘图。

据介绍，古城仅存几处断崖，已不能找到对应的四面城墙。只知大约由不很规整的两个长方形组成。城的东部地势高出西部。有墓葬 3 座，出土遗物有陶器、铜镞、半两铜钱、陶纺轮、石斧、圆瓦当等。古城始建年代，简报认为至迟也在公元前 480 年，废弃年代在公元前 450 年左右。使用年限仅为三四十年。结合文献记载，应为"仇由"人遗址。

晋中市

87.祁县下王庄出土的战国布币

作　者：傅淑敏
出　处：《文物》1972 年第 4 期

1961 年冬，祁县子洪镇下王庄村西修公路刨土时发现一个绳纹陶罐，罐内装满了战国货币，共重 24.5 公斤。这批货币都是平首方足布，保存完好，铭文清晰，为研究战国时代货币经济的发展和了解当时社会的历史、地理情况，提供了实物资料。简报分为：一、出土布币的型式和国别，二、几枚布币文字的考释，三、布币埋藏的年代，共三个部分。有图及表格。

据介绍，发现的这批布币中，有赵、韩、魏、燕以及一时无法肯定国属的共 29 种。

简报试释了其中几个前人没有解释或解释有误的字。推断埋藏时间不会晚于赵国占领安阳和在安阳开始铸币之后，即约公元前300年或稍后一些。

88.山西榆次古墓发掘记

作　者：王克林

出　处：《文物》1974年第12期

1971年，山西省榆次市在工业建设中，于王湖岭发现了一处古墓地，考古人员于1971年10月初至11月中旬进行了发掘。墓地位于榆次市东北关的王湖岭地区，地势较高，墓葬分布较为密集。考古人员选择了其中的7座墓葬进行了发掘。简报分为：一、墓葬形制结构，二、随葬器物，三、结语，共三个部分。有手绘图、照片。

据介绍，在每一座墓的墓室内，从墓口向下深2～5.3米的填土中，均埋葬着一个绳纹灰陶罐，或覆盖一件陶盆，有的陶罐内还贮有兽骨，这种现象在山西还是不多见的，是否为某种墓祭或安葬仪式，有待今后的发掘和研究。7座墓葬的形制和结构，基本上是一致的。墓室均呈长方形。有附表，"榆次王湖岭古墓葬表"，介绍各墓的墓制、棺椁、葬式、随葬器物等。这批墓葬时代简报认为定在秦汉之际较为合适。

简报称，榆次这次发掘的墓葬，对古代墓葬断代方面提供了一些材料，尤其是对山西境内秦汉之际的考古研究，具有一定的参考价值。

89.山西榆社出土一件吴王肷发剑

作　者：晋　华

出　处：《文物》1990年第2期

1985年8月，榆社县城关村民在县城东北三角坪取土烧砖时，发现一件青铜剑，后交县博物馆收藏。简报配以照片、拓片预以说明。

此剑保存较完整，锋刃锐利。柳叶形剑身，中起脊，断面呈扁菱形。菱形窄格。柄两端呈喇叭形，圆首。通长45.2厘米，身长36.2厘米，首径3厘米。剑身后半部一面有铭文2行24字，释文为："工吴王肷发訾谒之弟季子所肩后余厥吉金甸曰其元用剑"。刻工精细，书法整齐端庄。字体奇特，与一般金文迥异。简报认为，此剑铭文大意为：吴王诸樊得了疾病，请告弟弟季子为他祈祷福祥，求得永贞，免去灾难，设新俎之礼并陈设肩鼎后，制作了这把剑，甸人读祷辞说，这是他的元用剑。

简报指出，春秋以来，列国分立。战国时期文字的地域性日益明显，汉字形体变化纷繁复杂，有偏旁的省略、增繁和更易，有字形的讹变，有辅助性的笔画等。吴王肵发剑的铭文较为突出地反映了这些特点。

吴称王始于寿梦。公元前561年寿梦卒，翌年，"乃立长子诸樊"。公元前548年，诸樊攻楚，在巢中箭而亡，在位凡13年。由此推断，吴王肵发剑的铸造年代，当在公元前560年至公元前548年之间，即春秋末年。吴器流入山西的可能性有二：一是吴国使臣到晋国时带来的；二是公元前473年越灭吴后，逃亡之人带入晋国的。因榆社离晋国接待宾客的铜鞮宫（位于沁县南12.5公里处）不远，简报倾向于第一种可能性。

90.山西寿阳县上湖村出土东周布币

作　者：寿阳县文物管理所　吴建国
出　处：《考古》1996年第3期

1978年，在寿阳县上湖乡上湖村东面，于石太铁路施工中发现一批春秋、战国时期的大型耸肩尖足空首布。现存71枚，简报配图予以介绍。

据介绍，布币上铸有各种符号和数字，如"∧""十"等。简报认为可能是当时铸币的范号排列标记。

吕梁市

91.山西文水县上贤村发现青铜器

作　者：胡振祺
出　处：《文物》1984年第6期

1981年7月，在文水县上贤村的上贤坡上发现一批铜器，计有铜鼎两件、铜鍪一件、铜壶一件。山西省博物馆派人到现场作了调查。从种种迹象看，铜器可能出自一座古墓。简报配以照片、手绘图予以介绍。

据介绍，铜鍪、铜壶上有铭文。铜壶造型特殊，口小似瓶，短颈丰腹，特别是刻铭错银，疑为特制的容器。用自来水实测，壶容积为11200毫升。至于刻铭含义及容量单位数值，还有待于进一步研究。此地战国时属赵国，简报推断这几件铜器应为赵国遗物。

长治市

92.山西长治分水岭战国墓第二次发掘

作　者：山西省文物管理委员会、山西省考古研究所　边成修、叶学明、沈振中
出　处：《考古》1964 年第 3 期

1959 年 10 月至 1961 年底，考古人员在长治市北分水岭共发掘战国墓 19 座、汉墓 20 座。

简报分为：一、墓葬形制，二、随葬器物，三、结语，共三个部分。配以照片、手绘图，先行介绍 19 座战国墓。

据介绍，19 座墓均为长方形竖穴土坑墓，其中大型墓 7 座、中型墓 9 座、小型墓 3 座。墓室内均用枋木构筑椁室，多数墓内积石积炭。随葬器物以铜器为主，陶器次之，有的已被盗。墓 36 盗洞底部，有一具头向下的人骨架，应是盗墓人，而非殉葬人。简报初步认为这批墓葬分属于整个战国时期。其中代表战国早期的为墓 26，中期的为墓 53、48，晚期的为墓 21、28。大、中型墓均偏早，小型墓偏晚。很可能此地早期为上层人士占用，后期才成为一般人丛葬之地。

93.山西长治分水岭 25 号墓发掘简报

作　者：边成修
出　处：《文物》1972 年第 4 期

1965 年 5 月，考古人员在长治市北郊分水岭发掘了一座大型战国墓，编号为 126 号。

简报分为：一、墓葬结构，二、葬具与葬式，三、随葬器物，四、结语，共四个部分。有手绘图等。

据介绍，此墓为竖穴土圹墓，椁室顶已塌陷，木棺已朽，留有朱漆彩绘及金箔片遗迹。人骨已朽，葬式不明。随葬器物 700 余件，有陶器、铜器、铁器、象牙片、海贝、料珠、琉璃珠等。其中错金豆、铜牺立人擎盘、错金舟等均十分珍贵。时代简报推断为战国时三家分晋后的韩国。墓主应为贵族。

94.长治分水岭 269、270 号东周墓

作　者：山西省文物工作委员会晋东南工作组、山西省长治市博物馆　边成修、
李奉山等

出　处：《考古学报》1974 年第 2 期

1972 年 8 月，考古人员在长治分水岭配合基本建设工程，发掘了 269、270 号东周墓和两个马坑。发掘地点位于分水岭西部，南距城壕 50 多米。两墓东西并列，相距 4.6 米，东边的编为 269 号墓，西边的编为 270 号墓。两个马坑在 270 号墓的西南边约 3.3 米处，分别编为 1 号马坑和 2 号马坑。简报分为：一、269 号墓，二、270 号墓，三、结语，共三个部分。有照片、手绘图。

据介绍，发掘前，墓地地面原有自然堆积土厚 0.3 米余，已在基建工程中被挖掉。墓口距现存地面深 0.5 米。两墓形制相同，均为竖穴土圹。269 号墓墓主为男性，出土遗物 150 余件，以铜器为主。270 号墓为一棺一椁，墓主为女性，出土器物 170 余件，也以铜器为主。年代简报推断为春秋晚期或战国早期。两墓可能是夫妇并穴合葬。

简报指出，长治地区在春秋时属晋，战国时称之为"上党"，为韩、赵、魏三国的交错地带，地势险要，在军事上和交通上居于重要的位置。秦昭王时上党郡守降赵，随后上党尽为秦所有（公元前 259 年），其间一百数十年的时间，长治一带均属韩。因而，分水岭新发掘的两座东周墓葬，为研究三晋地区特别是韩国早期的历史文化，增添了一批新的考古资料。值得指出的是，两位墓主的身份应低于诸侯和太子，可能为一般的大夫一级。尽管如此，这两座墓都出土了原来只有身份较高的贵族才能使用的成套乐器——编钟和编磬。

95.山西屯留武家沟出土战国铜器

作　者：长治市博物馆　王进先、朱晓芳

出　处：《考古》1983 年第 3 期

1970 年 5 月，山西省屯留县西北 18 公里余吾公社武家沟沟西大队，出土了一批青铜器，器物由长治市博物馆收藏。经调查证实，这批铜器出土于一座墓葬。墓为长方形土圹墓，单椁单棺，椁木及棺木均已朽。骨架一具，保存完好，头向南，为仰身直肢葬。棺底铺有木炭层。随葬品置放西侧。简报配以拓片、手绘图予以介绍。

据介绍，遗物计鼎 1 件、豆 1 件、壶 2 件、舟 1 件、戈 2 件、车軎 2 件。未见铭文。年代简报推断为战国中期以前。

96.山西屯留出土一批战国布钱

作　者：王进先

出　处：《文物》1984 年第 12 期

1978 年，山西省屯留县出土一批战国布钱，计 88 枚，分方足布钱与尖足布钱两种，其中方足布 17 种、尖足布 5 种。简报配以拓片予以介绍。

据介绍，屯留春秋时为赤狄邑，谓之"留吁"。鲁宣公十年（公元前 593 年）为晋人所灭，称之"纯留"。屯留得名在赵肃侯以前。此次没有发现"屯留"布钱，或屯留铸币稍晚。这批布钱是韩、赵、魏三国的铸币。

97.山西长子县东周墓

作　者：山西省考古研究所　陶正刚、李奉山等

出　处：《考古学报》1984 年第 3 期

长子县位于晋东南地区长治盆地的西侧，太岳山脉东麓。北有雍河，当地百姓又称之"黑水河"；南有浊漳河南源。20 世纪 70 年代以来在配合农田基本建设和社办企业的建设中，考古人员作了 4 次考古调查和古墓葬的配合发掘。简报分为"7 号墓""1 号墓""2 号墓""3 号墓""10 号墓"和"结语"等几个部分，先行介绍发掘的 8 座东周墓，有照片、手绘图。

据介绍，东周墓地主要分布在今县城西、雍河南岸、东周古城遗址的西侧，北起小河村，经西关同贺、同新、南庄至孟家庄等地。墓地南北约 3 公里，东西约 0.5 公里。1973 年在羊圈沟发掘 1、2、3、6 号墓，1977 年在牛家坡发掘 7 号墓，1979 年又在牛家坡发掘了 10、11、12 号墓。前后共发掘 8 座东周墓，其中以 7 号墓规模最大，出土有较丰富的青铜礼器和玉器。年代可分早、晚两期。早期包括 7 号墓在内，为春秋晚期晋国墓。晚期为战国中、晚期韩国墓。

98.山西省长治市小山头春秋战国墓发掘简报

作　者：长治市博物馆　王进先、朱晓芳

出　处：《考古》1985 年第 4 期

1977 年 10 月 3 日至 12 月 7 日，为配合山西省长治市国营惠丰机械厂的扩建施工，考古人员在厂区范围内进行了选择性的考古发掘。简报分为：一、地理环境与墓葬形制，二、出土遗物，三、结语，共三个部分。有手绘图、照片。

据介绍，墓地位于长治市东南6公里的秋谷山下，墓地东北靠南山头，南临小山头，西面即为宽阔平坦的北董村。根据器物组合，简报将墓葬分为三个组期。第一组墓有M1、M2、M3、M4、M8五座，M1和M8的时代简报推断为西周晚期至春秋早期，M2、M3、M4时代可能比前两座稍晚，但也不晚于春秋中期；第二组墓有M7一座，时代为春秋晚期和战国初；第三组的墓有M6一座，年代为战国中期以前。

99.山西省潞城县潞河战国墓

作　者：山西省考古研究所、山西省晋东南地区文化局　陶正刚、李奉山等
出　处：《文物》1986年第6期

1982年12月底，潞城县西流公社潞河大队社员在院内修建水井时，发现了一座战国墓。1983年1月初，考古人员对墓葬所在的潞河村及邻近的古城村进行了调查、钻探，并对墓葬进行了发掘。简报分为：一、古城址和墓葬区，二、七号墓，三、八号墓，四、结语，共四个部分。有照片、手绘图。

据介绍，古城村居南，潞河村居北，相距约1公里。浊漳河绕潞河村北经古城村东流过。古城村附近为东周古城遗址，潞河村为墓葬区。古城址残存西城墙和北城墙的一部分。西城墙残长358米，北段已夷平，只在地下发现城基，南段延伸到古城村东侧浊漳河畔，呈隆起的小丘状，高约1米。北城墙残长210米，宽6米，地面残高1米。西北城角遗迹保存较少，城址的东半部已被浊漳河冲刷殆尽。从古城址西北角断沟剖面观察，城基厚1.8米左右。城墙为夯筑，很坚硬，夯层明显，夯窝匀称，是典型的东周城的建筑方法。夯土为红褐色花土，夹杂少量沙土。夯层厚10～12厘米。小圆形夯窝，直径5厘米左右。七号、八号墓为战国初期墓，从出土的青铜器看，墓主可能是韩国人。潞城潞河两座战国墓的发掘，为我们研究韩国早期的政治、经济、文化提供了有价值的资料。

100.山西屯留出土一件"平周"戈

作　者：山西省考古研究所　陶正刚
出　处：《文物》1987年第8期

1984年秋，山西省屯留县某工地施工时发现铜戈1件，现收藏于山西省考古研究所。简报配以照片予以介绍。

据介绍，此戈长胡三穿，援细长上翘，凹刃锋利；内细长，上下有刃，内末斜

刃成刀状；戈内正面有铭文 3 行 36 字，背面有正倒两组铭文，均为镌刻。简报有录文。此戈年代，简报推断为秦王政七年（公元前 240 年）。

晋城市

101.长平之战遗址永录 1 号尸骨坑发掘简报

作　者：山西省考古研究所、晋城市文化局、高平市博物馆　石金鸣、宋建忠等
出　处：《文物》1996 年第 6 期

长平，位于今山西省高平市境内。公元前 260 年，秦赵为争夺韩国之上党，在此陈兵近百万，展开了战国史上规模最大的一场战争。结果秦军取得了胜利，并为以后统一中国创造了有利条件；赵军战败，40 万人降秦。秦将白起因赵卒反覆恐为乱，"乃挟诈而尽坑杀之，遗其小者二百四十人归赵，前后斩首虏四十五万人"（《史记》）。两千多年来，农耕移土及自然力的破坏使得一些战场遗骸和遗物时而重见天日，史籍和诗赋亦不乏记载。然真正从考古学角度对长平古战场出土遗物作考证和研究的仅见于张颔先生的《古长平战场资料研究》（《山西师范学院学报》1959 年第 2 期）和郭一峰、张广善先生的《高平县出土"宁寿令戟"考》（《文物季刊》1992 年第 4 期）。1995 年 4 月，永录村村民李珠海修整田地时挖出不少人骨，并发现 17 枚刀币和 1 枚铜镞。同年 10 月下旬至 12 月上旬，考古人员对永录 1 号尸骨坑进行抢救性发掘。简报分为：一、地貌与地层，二、出土文物，三、人骨观察，四、其他地点的遗迹与遗物，五、结语，共五个部分。有彩照、手绘图。

据介绍，永录村位于距高平市约 7 公里处，1 号尸骨坑位于村西北 800 米后沟北侧的最高一级梯田里。据调查与走访，永录村周围已发现尸骨坑十余处，大都分布于河流的第一、二级阶地上。遗憾的是过去因文物保护意识薄弱，大部分均在平整土地和掘挖房基过程中破坏殆尽，残存的断崖上偶尔还可见到人骨残骸。1 号尸骨坑的平面呈不规则长方形，也部分受到破坏。坑中发现有百余具尸骨。

简报认为，1 号尸骨坑的时代应为战国晚期，更进一步讲，应是公元前 260 年长平之战埋葬赵国亡卒之尸骨坑。坑内人骨皆为男性；30 岁左右的最多，20 岁以下者甚少，但 45 岁以上的士卒占有一定比例；平均身高约 170 厘米。根据骨骼排列和创伤观察，死者绝大部分为被杀后乱葬，未发现大量被活埋的证据，这种现象有别于史书关于四十万降卒被坑杀的记载。

简报称，考古人员以永录村为中心进行了 10 天考察和走访，目前已知有 18 个

尸骨坑，能见到骨骼的有 7 处，其中 2 个保存完好，面积为 40 ～ 50 平方米，位于 1 号尸骨坑附近。附近也屡有战国兵器、钱币出土。

102.长平古战场出土三十八年上郡戈及相关问题

作　者：山西大学历史系　郎保利
出　处：《文物》1998 年第 10 期

1989 年，山西高平市北城区凤和村发现战国青铜兵器一批，共有戈 3 件、镞 3 件。简报配以照片予以介绍。

据介绍，兵器的出土地点在长平古战场范围之内，这批文物现收藏于高平市博物馆。3 件戈的形制基本一致，其中 1 件戈有铭文 17 字。此戈长援，长胡，援双面开刃，与胡刃形成完美的曲线，三梯形穿，有阑，内呈匕首形，也开有双刃，内中部一三角形穿。在内一侧刻有铭文 3 行 17 字，为："卅八年上郡守庆造桼工瞥丞秦工隶臣于。"

从此戈的形制和刻铭辞例，简报推断这是一件秦国兵器。

今有苏辉先生《秦三晋纪年兵器研究》（上海古籍出版社 2013 年版）一书，可参阅。

临汾市

103.侯马东周时代烧陶窑址发掘记要

作　者：山西省文管会侯马工作站
出　处：《文物》1959 年第 6 期

侯马东周时代烧陶窑址位于侯马镇以西、西侯马村东南约 2500 平方米的范围内。发掘工作于 1956 年 10 月展开，历时一月。简报配以照片、手绘图予以介绍。

据介绍，遗址共发现 6 座窑址，距离很近，有的几乎连在一起。结构、大小差不多，但均遭破坏，已难窥全貌。陶器以泥质灰陶为主，此外还有不少的纺轮、骨刀、骨铲、铁针等生产工具及少量的烫花骨钗、铜带钩、骨簪、蚌环、琉璃残片、铜范等精美的艺术品出土。其中铁针的出现及烫花火画骨钗值得重视。这个窑址群的年代简报推断为春秋战国间，应是一处使用时间较长的繁荣的制陶基地。

104.侯马北西庄东周遗址的清理

作　　者：山西省文管会侯马工作站　畅文斋、张守中、杨富斗
出　　处：《文物》1959 年第 6 期

北西庄在侯马镇东北 2.5 公里处，这一带地势平坦，地下埋藏文物相当丰富。1956 年冬季为配合基本建设工程，考古人员对北西庄东的东周遗址，进行了重点清理。1957 年春天，又在遗址南边发现了兽坑 40 余座，当时根据工程需要清理了 13 座。

简报分为：一、遗址的清理，二、兽坑的清理，共两个部分。有手绘图、照片。

据介绍，遗址的清理共开探方 7 个，发掘面积达 400 余平方米。遗址的性质很单纯，地层关系也不复杂，遗存比较丰富。在 7 个探方内共发现居室 2 座、窖穴 5 个。居室都是以长方形的土坑为基础而构成的，形制和大小基本相同。窖穴有圆形的、卵圆形的和椭圆形的三种。这些居室和窖穴的出土遗物有陶器、骨器、蚌器、铜器、铁器和铜范六种。其中陶器最多，骨器、铜器、蚌器次之，铜器、铁器和铜范数量极少。

这次清理的兽坑有 13 座，其中马坑 10 座、羊坑 3 座。这些兽坑均是椭圆形，方向正南北，多是两个排列在一起，也有的是四个东西并排在一条直线上，其间相隔最多不过 60 厘米。从这种现象看来，凡两个或四个在一起的，都可能是同时埋葬的。坑底均小于口，羊坑比马坑小而浅。

遗址发掘的面积虽不大，但已可以证明它是一个东周时代的村落遗址。发掘的 13 座兽坑，简报推测可能是当时统治者郊祭的遗留。

105.山西襄汾县发现的两处遗址

作　　者：杨富斗
出　　处：《考古》1959 年第 2 期

1958 年 4 月，为配合水利建设，考古人员在水渠沿线进行调查，发现了两处遗址。简报分为：一、北高村新石器时代遗址，二、赵康镇的东周古城址，共两个部分。有照片。

据介绍，北高村水利工程快结束时，考古人员才赶到调查，农民已将部分遗物交至县文化馆，考古人员也采集到部分石器、陶器。赵康镇古城遗址位于赵康镇东北，四垣残基尚存，平面呈长方形，南北长约 2.5 公里，东西宽约 2 公里。发现有残瓦、陶片等。简报推断该城营建于春秋战国之际。

106.山西侯马上马村发现东周铜器

作　者：杨富斗

出　处：《考古》1959 年第 7 期

1959 年 4 月，上马村东门外发现铜鼎 2 件。考古人员前往调查。简报配以照片予以介绍。

据介绍，铜鼎出自一座土坑竖穴墓，墓已遭破坏。从墓中又出土铜器 17 件，连同已被百姓取出的 2 件，计 19 件。另还有玉片、陶器、骨器、石器等。铜器未提及有无铭文。年代简报推断为春秋时期。

107.侯马东周殉人墓

作　者：山西省文物管理委员会、山西省考古研究所　畅文斋

出　处：《文物》1960 年第 8、9 期合刊

1959 年 11 月上旬，考古队在配合基建工程中，发掘了一组用生人殉葬的古墓。墓位于侯马市的南面，乔村和凤城两村之间靠北，东距曲沃古城遗址数公里，正当浍河北岸。该处地形徐徐隆起，当地人以往呼之为"龙尾"。经过勘探，这里古墓成群，仅在 1 万多平方米的面积内，就有东周至两汉墓葬 200 多座。这组有殉人的墓葬，就是其中之一。

简报分为：一、墓葬形制，二、随葬器物，三、结语，共三个部分。有照片、手绘图。

简报介绍，这组墓是由两座土坑墓与一个环绕的沟组合而成，葬在沟中的 4 具骨架，无疑处于从属的地位。M27 中的葬者对 M26 来说，也可能是处于从属的地位，其墓圹形制虽然与 M26 一样，但埋藏较浅，且随葬物相差悬殊。M26 器物丰富，应是这一组墓葬之主。M27 所葬者可能是其妻妾之辈。这种葬法应是由单人葬向双人葬过渡的形式。墓中所出器物绝大部分是非实用的陶明器，以鼎、豆、壶构成主体，鼎已向釜过渡。另外错金铁带钩和接近小篆的铜印，都是以前少见的。

简报推断，这组墓的时代应在战国。

简报称，以生人殉葬的制度，盛行于奴隶制时代，但在封建社会里，这种残酷的做法仍未绝迹。这组墓的发现，为研究东周社会的殉人制度增添了新的资料。

108.侯马牛村古城南东周遗址发掘简报

作　者：侯马市考古发掘委员会
出　处：《考古》1962 年第 2 期

　　侯马市位于晋南曲沃盆地，四面群山环绕，境内土地肥沃。汾浍二水之间分布着连绵而丰富的东周文化遗址，在侯马镇一带更为密集。据历史文献记载，晋国后期都城新田故址就在这里。从 1960 年 10 月至 1961 年 5 月，考古人员在牛村古城的南面发掘东周遗址共 2300 余平方米，发现了不少遗迹和遗物。其中以铸造铜器的陶范和其他大批的铸铜相关遗物最重要，是研究我国春秋、战国时代青铜铸造的宝贵资料。

　　简报分为：一、文化层堆积，二、遗迹，三、有关铜器铸造的遗物，四、其他遗物，五、结束语，共五个部分。有拓片、照片、手绘图。

　　据介绍，遗址共发现 17 座房屋，可能是当时铜器手工业作坊的一部分。发现有陶牛角状器、铜锭、陶范等有关铜器铸造的遗物。中期出土的陶范，共有 3 万余块，多已残碎。其中有花纹的约 1 万块，能辨认器形的约 1000 块，可以配套又能复原器形的约 100 件。根据初步整理的结果，可以辨认器形的有鼎、豆、壶、簋、匜、鉴、舟、敦、匕、匙、铲、镬、斧、锛、环首刀、剑、镞、镈、镜、带钩、车马饰及各种器物的附件。还出土了陶器、釉陶、骨器、角器、蚌器及玛瑙器以及卜甲。

　　简报将本遗址分为早晚两期，早期约相当于春秋后期，晚期相当于战国前期。

109.翼城发现古代箭镞

作　者：翼城县文化馆　李发旺
出　处：《文物》1963 年第 10 期

　　1963 年 3 月 20 日，翼城小河口公社南卫生产大队农民在村北 40 米处取土垫圈，在距地表约 0.3 米深处，掘出铜镞一捆，集中未散。简报配以照片予以介绍。

　　简报介绍，铜镞计有 22 支。一种是钝箭头，计 15 支，三棱三刃，十分锋利。一种是锐箭头，计 7 支，三棱三刃，每个棱的尾部，有尖而锐利的小钩。这两种箭头重各 45 克。箭头从表面上来看，都经过磨光，锋利尖锐，箭柄都有三道铸印长纹，有使用的痕迹。简报推断是战国时期的兵器。现存翼城文化馆。

110.山西侯马上马村东周墓葬

作　　者：山西省文物管理委员会侯马工作站　王克林

出　　处：《考古》1963 年第 5 期

上马村位于侯马镇南边、浍河南 0.5 公里处。墓葬分布在该村的东、北两面，背水面山。1959 年 4 月，农民在上马村东面偶然发现了十多件铜器。1960 年 4 月，考古人员进行了调查，发现在断崖上暴露出不少墓葬，分布十分稠密，估计墓区面积在 50 万平方米以上。1961 年 12 月，在此进行历时两月的发掘工作。

简报分为：一、墓葬形制结构，二、随葬器物，三、M13，四、结语，共四个部分。有照片、手绘图。

据介绍，共发掘 14 座东周墓葬，一般有棺无椁，较大的墓才有椁。人骨架多腐朽，少数保存尚好。除有侧身屈肢葬、仰身屈肢葬各一座外，其余都是两手垂直或置于腹部的仰身直肢葬。有随葬品的共 12 座墓，出土的器物相当丰富，有铜、陶、玉、骨、石、蚌器等。M13 规模最大，为一长方形竖穴木椁墓，长 5.2 米，宽 3.85 米，出土遗物 360 多件，其中 2 件带铭文铜鼎，1600 多枚铜贝、包金贝以及覆于人骨面部玉面饰值得注意。据铜鼎铭文，作器者为徐王之子庚儿，故铜器可称作"庚儿鼎"，年代当在春秋中叶以后。M13 的年代当在春秋中叶与春秋晚期之际。这批墓葬的年代，从西周晚期或春秋早期开始，一直延续到战国中期。

111.曲沃战国墓

作　　者：不详

出　　处：《文物》1972 年第 1 期

1969 年春，考古人员在曲沃乔村发掘战国中晚期墓 15 座。这批墓葬的特点是，墓室四周附有埋殉奴隶的围墓沟，随葬品极为稀少。以第二号墓为例，有东西两墓室，东大西小。东墓室有棺有椁，人骨头部有随葬小玉器二件，胸部有错金铜带钩一件，左胁外出一"佺"字小铜印，头右侧发现羊上肢骨和肋骨一堆。西墓室随葬品只一玉环、一错金铁带钩。两墓室四周宽、深各约 1 米的围墓沟中杀殉奴隶 18 人，其中 4 人还带有铁钳（铁制颈锁）。奴隶的葬式有仰、有俯、有屈、有侧，还有的作跪的姿态，埋葬的层位也不一致，有上有下，也有上下相叠的，这些都说明了当时是被暴力埋葬的。

112.侯马东周盟誓遗址

作　者：陶正刚、王克林

出　处：《文物》1972 年第 4 期

盟书是周天子、各国诸侯国君、卿大夫、贵族间的约束文书。1965 年冬，考古人员在配合基本建设工程中，又一次发掘了侯马东周盟誓遗址，陆续发现了记载盟誓的盟书。其数量之多和内容之丰富，在过去都是少有的，为研究春秋战国时期的盟誓制度，提供了极为丰富的材料。简报分为五个部分予以介绍，有手绘图等。

据介绍，盟誓遗址位于侯马市东部秦村西北 1.5 公里，相距牛村古城遗址约 2.5 公里，位于古城遗址的东南郊。遗址面积 3800 余平方米，东西长约 70 米，南北宽 55 米。发掘工作由 1965 年 11 月开始，至 1966 年 5 月中旬结束。经过钻探共发现了长方形竖坑 400 余座，发掘了 323 座及椭圆形窖穴 2 处，出土有羊、马、牛等动物骸骨，玉器等。简报试释了盟书的主要内容。侯马盟书的价值还表现在充实了古代文献上记载的我国古代盟誓制度。《左传》记载的盟誓情况，载辞最多的是 8 句，共 32 字，内容极其简单。而侯马盟书内容丰富，文字有多达 220 字者，而且载辞完整无缺，无疑为我国古代盟誓制度提供了比较完整的文字资料。有的文字写法，对研究古文字学很有价值。盟誓遗址的时代，简报认为应当在晋定公以后。

113.山西襄汾县出土一组秦代铜器

作　者：临汾地区丁村文化工作站　陶富海

出　处：《考古》1986 年第 5 期

山西襄汾县司马村在 1977 年 10 月出土了一组秦代铜器，现藏襄汾县博物馆。秦器在山西地区尚不多见，且著录甚少。简报配以照片、手绘图予以介绍。

据介绍，这批铜器共 4 件，计鼎 1 件、蒜头壶 2 件、鍪 1 件，均未见铭文。这组铜器系当地农民在整地时挖出来以后送交襄汾县博物馆的，其来源于墓葬还是窖藏已不得而知，但确系出土文物。

114.晋国石圭作坊遗址发掘简报

作　者：山西省考古研究所侯马工作站　吴振禄等

出　处：《文物》1987 年第 6 期

1962 年，在山西省侯马市牛村古城城南约 150 米处，发现一座晋国石圭作坊遗址。

遗址总面积约 4.9 平方公里，东西、南北各长 70 米。考古人员于 1964 年、1965 年分别对遗址进行了试掘和发掘。

简报分为：一、地层堆积，二、文化遗迹，三、出土遗物，四、结语，共四个部分。并配有照片。

据介绍，发现有铸铜生产遗物、石圭生产遗物和陶器等。简报指出，石圭在商周时常用作礼器，需求量大，故有专门作坊。结合文献记载分析，牛村古城遗址即为晋国晚期都城新绛。从晋景公十五年（公元前 585 年）建都于此到晋静公二年（公元前 376 年）三家分晋后此城被废弃，其间经历了 200 余年。石圭作坊遗址材料表明，石圭生产活动开始于古城遗址中期。古城遗址晚期被废弃，其上限在春秋、战国之交，下限在战国中期。在约 100 年的时间里，石圭生产经历了由初创到发展，又到衰落的过程。

据考古发掘，当时石圭的生产规模相当大。根据出土遗物分析，当时制作石圭可能经过选料、整料、制坯、定型四道工序。在发掘中常发现加工程度不同的产品、残品等混放在一座房中。这说明石圭生产的各工序间并无严格分工。

115.侯马呈王路建筑群遗址发掘简报

作　者：山西省考古研究所侯马工作站　吴振禄
出　处：《考古》1987 年第 12 期

呈王路建筑群遗址，地处侯马市铁路以东呈王路中段，西距晋国新田故城遗址中的呈王古城约 1200 米，南距侯马盟书遗址 1000 米。遗址中部地势稍高，地形较为平坦。由于城市建设，遗址遭到一定程度的破坏。遗址现存南北长 400 米，东西宽 300 余米，面积 120000 平方米。1984 年春至 1986 年 4 月，考古人员对遗址进行了勘察，先后发现夯土建筑基址 78 处，对其中的三处基址（编号为 A1、A13、D26 号地点）进行了发掘。简报分为四个部分，介绍了发掘情况，有照片、手绘图。

据介绍，侯马呈王路建筑群遗址，是一处面积大并由多座建筑组成的建筑群。由于目前仅发掘了其中的三个地点，对整个建筑遗址的布局、结构、时代、性质等问题提出一个结论性的意见为时过早，只能就已掌握的部分勘察与发掘的资料，谈谈初步看法。简报认为其始建时间为公元前 550 年左右，使用下限公元前 480 年左右。具体地说，就是晋景公迁都新田以后不久始建，延续使用 50～60 年左右。遗址性质应属宗庙。在 D26 共发现埋有用马、牛、羊、狗等不同种属作为牺牲的祭祀坑 130 个，已发掘其中的 62 个。祭坑布局有序，形制规整，从祭坑所处地层关系及一部分打破建筑基址情况看，祭祀活动是建筑物废弃后在这里举行的。

简报指出，侯马盟书誓辞中屡见"盟于公宫"。各家对"公宫"如何解释暂且不管，但"公宫"属于宗庙这一点则是无异议的。誓辞中屡见"以事其宗"，"事"是指奉事宗庙的祭祀。又"不守二宫"，"二宫"当指宗庙中的亲庙与祖庙。亲庙称祢，祖庙称祧。所提"晋公大冢"，"大"即太，宗庙亦称"冢祀"（《左传·闵公二年》）。这些誓词文字十分明显地指出它的祭祀活动是在晋公宗庙附近进行的。呈王路建筑群遗址在古城遗址中所处位置与"左祖右社"的古代都城布局记载大体相符。建筑群遗址的面积之广、建筑物基址之宏伟壮观程度等，都较有力地说明呈王路建筑群遗址是属于晋国建都新田时期始建的一处宗庙建筑遗址。呈王路建筑基址的发现为证实侯马新田古城为晋国后期都城址以及中国建筑史研究，都提供了新颖的实物资料。

116.山西曲沃出土青铜剑

作　者：段士朴、杨辰秀

出　处：《考古》1987 年第 12 期

1983 年 4 月至 1984 年 3 月，山西省曲沃县小南关和薛庄，陆续出土了几件青铜剑。简报配以照片、手绘图予以介绍。

据介绍，这批铜剑共计 5 件。小南关在曲沃县城关，位处晋穆侯绛都的南边。据初步勘察，这里可能是一处东周时期的墓地。1983 年 5 月，农民刘永德在小南关砖窑旁取土，挖出一支青铜剑。曲沃县下裴庄乡薛庄，位于绛山脚下、浍水之南，与曲沃古城遗址仅一水之隔。经初步勘察，这里也可能是一东周时期的墓地，面积约 1 万平方米。1974 年秋，薛庄农民叶成家在院里挖薯窖，挖出青铜剑残茎一段。1981 年 3 月，薛庄农民卫传勤在院中取土，挖出一支较完整的青铜剑。1983 年 4 月，薛庄农民张全安在房院里取土，挖出青铜剑一支，已裂为数块。1984 年 3 月，薛庄农民卫传勤在院中植树挖土坑，又挖到一支青铜剑。

简报称，曲沃县小南关和薛庄出土的青铜剑，虽是采集得来，但出土地点十分清楚明确，都是晋国穆侯所居之绛都附近，故简报认为这批青铜剑是春秋晚期晋国器。

117.山西侯马呈王古城

作　者：山西省考古研究所侯马工作站　吴振禄等

出　处：《文物》1988 年第 3 期

呈王古城遗址位于山西省侯马市侯马镇北约 1 公里的坡地上，遗址是原山西省文管会在 1965 年进行晋国古城遗址复查时发现的。当时对古城的范围及平面布局作了初步了解，认为是侯马晋国遗址的一个重要组成部分，因城址在今呈王村附近，故定名为"呈王古城"。1984 年秋，考古人员对呈王古城遗址进行了复查与发掘。通过这次复查、发掘，对呈王古城遗址的范围、城墙的结构及城址的年代等问题有了一个初步认识。

简报分为：一、地层堆积及其分期，二、城墙遗迹，三、文化遗存，四、结语，共四个部分。有照片、手绘图。

据介绍，呈王古城遗址的主要遗迹是城墙基槽，且大部地段只剩下底部残迹，只有极个别处基槽较完整，墙体保存着接近基槽的一小部分。至于城门的布局、数量、形制、结构以及其他有关设施的情况，均已无迹可寻。城内文化遗迹很少，只有可能是一处天井之类遗迹的围墙基础和一处古城中心普通建筑基址。出土遗物以陶片为主。

简报指出，呈王古城面积约 30 万平方米。大量的考古资料及有关文献充分说明，侯马地区的东周古城群落遗址即是晋国晚期都城新田，亦即新绛。呈王古城仅是这一古城群落中的一处附属性城堡，故而没有发现宫殿、官署等。年代简报认为其繁荣时期应在公元前 500 年至公元前 400 年之间的春秋、战国时期。

118.山西侯马上马墓地 3 号车马坑发掘简报

作　者：山西省考古研究所侯马工作站　吴振禄等
出　处：《文物》1988 年第 3 期

上马墓地位于山西省侯马市上马村以东台地上，总面积约 20 万平方米。1959 年至 1986 年，考古人员先后对此墓地进行了 13 次发掘，共发掘古墓葬 1300 余座、古墓地总面积的 90% 以上。1986 年还发掘了 3 座车马坑。简报分为：一、主墓，二、3 号车马坑，三、结语，共三个部分。配以照片、手绘图，先行介绍了 3 号车马坑及其主墓的主要发掘收获。

据介绍，两座墓葬（M1283、M1284）位于墓地北部台地上。两墓呈东西向排列，相距 3 米，M1284 在西。两墓均为长方形土圹竖穴墓，两墓葬具均为重椁单棺。棺内有人骨，头向北偏西，葬式为仰身直肢，上肢垂于躯干两侧。葬具及人骨均已腐朽。经鉴定，M1283 墓主人为女性，M1284 墓主人为男性。出土遗物有铜器、陶器等。简报推断年代为春秋早期偏晚，在公元前 655 年左右。

3 号车马坑中出土有 3 根长杆，以往未见。简报推测是旗杆。

简报指出，上马墓地 3 号车马坑的发掘与资料整理工作，为我们研究从春秋初到战国时期车子结构及车马坑形制的发展变化提供了新资料。

119.山西侯马牛村古城晋国祭祀建筑遗址

作　　者：山西省考古研究所侯马工作站　　吴振禄

出　　处：《考古》1988 年第 10 期

1962 年，在山西省侯马市牛村古城南端正中方位南去约 250 米处发现一处晋国祭祀建筑遗址，北距晋国石圭作坊遗址约 100 米。

考古人员于 1963 年、1964 年对基址进行了两次发掘。1963 年发掘 5 米 ×5 米探方 4 个，面积为 100 平方米。1964 年发掘 5 米 ×5 米探方 63 个，面积为 1545 平方米（自 T1050 起）。

简报分为：一、地层堆积，二、建筑基址的形制和结构，三、祭祀址，四、其他文化遗迹，五、出土遗物，六、结语，共六个部分。有手绘图、照片。

据介绍，建筑基址由主体建筑基址及环绕它的东、西、北三面的垣墙基址构成。在主体建筑基址及东西垣墙基址中间的空旷地带分布着数十座祭祀坑（已发掘部分）遗迹。形成布局规范、结构严谨、有相当规模的一处供祭祀活动的建筑实体。简报初步认为建筑基址属于庙堂建筑的可能性较大。基址压在晚期第四段的 3B 文化层下，本身又叠压着中期二段的灰坑，基址内包含不少属于二段的陶片，由此简报推定基址始建于侯马晋国遗址的中期晚段，而废弃于其晚期早段之前，前后使用 30～40 年。亦即其年代为公元前 450～公元前 420 年。

120.山西侯马晋国遗址牛村古城的试掘

作　　者：山西省考古研究所侯马工作站　　吴振禄

出　　处：《考古与文物》1988 年第 1 期

1985 年春、夏两季，考古人员为配合基建工程在晋国遗址牛村古城南城墙地段进行了试掘。

简报分为：一、地层堆积，二、文化遗迹，三、出土遗物，四、结语，共四个部分。有照片、手绘图。

据介绍，试掘区位于牛村古城东南角西去约 580 米。城墙仅保存基础，墙体已不存。除城墙外，还发现有城壕、道路遗迹。出土遗物以陶器残片为主。此外，还出有范塞、陶器碎块及与冶铜有关的耐火材料等。简报初步认为牛村古城兴建于公元前 6 世纪下半叶，也即晋国新田绛都初期稍晚。废弃时期约在公元前 5 世纪下半叶，也即晋国都新田绛都中期之末。

121.侯马晋国陶窑遗址勘探与发掘

作　　者：山西省考古所侯马工作站
出　　处：《考古与文物》1989 年第 3 期

遗址位于侯马市五一路南，西距牛村古城近 3 公里，1985 年发掘。遗迹有陶窑、制陶场所、灰坑、道路等。可复原的陶器不多，时代为春秋末到战国初。

122.山西翼城出土战国布币

作　　者：王吉文、王道旺
出　　处：《文物》1992 年第 8 期

山西省冀城县文物管理所在清理库存文物时，发现一批战国布币，共 325 枚，分 32 个品种，其中小方足布 321 枚，尖足布 1 枚（已残）。这批布币是 1982 年 9 月冀城县隆化镇上吴村村民建房挖水井时在一座古墓中发现的，同时出土垣字钱、秦半两钱各 1 枚（已残），三棱铜镞 18 个，弩机零件若干，总重 3 公斤，装在一陶罐里。简报配以拓片予以介绍。

据介绍，此批布币有韩国、赵国、魏国等国货币。简报列有表格一一说明。

123.1992 年春天马—曲村遗址墓葬发掘报告

作　　者：北京大学考古系、山西省考古研究所　刘　绪、徐天进、罗　新　张　奎等
出　　处：《文物》1993 年第 3 期

自 1987 年以来，位于山西省南部曲沃、翼城两县境内的天马—曲村遗址中，大批西周至汉代墓葬接连被盗，考古人员对墓地进行抢救性发掘。第一阶段工作自 1992 年 4 月至 6 月，发掘清理了 2 座大型西周墓和 1 座小型汉墓。

简报分为：一、墓葬位置和墓区地层，二、墓葬，三、结语，共三个部分。有照片、拓片、手绘图。

据介绍，此次发掘的墓葬位于天马—曲村遗址的中部偏北处，距北赵村约 500 米。共发现 5 座墓葬（编号 92I12M1 ~ M5），其中 M4 大部分在探方外，暂未发掘；M5 为一空坑；M3 为小型汉代砖室墓；M1 和 M2 为大型西周墓。M1、M2 两墓并列，出土有陶鬲、铜鱼、石鱼等，简报推断为西周晚期。据残留人骨，M2 墓主为 20 岁左右女性。M1 无尸骨，但从有兵器出土推测，墓主为男性。简报推测 M1、M2 为

夫妻异穴合葬。从规模看，墓主应为晋国诸侯一级贵族。简报称，附近还发现有大墓，而无中小型墓，这里应是晋国高级贵族墓地。邹衡先生曾推测这里是晋国早期国都所在，这次发掘，应为这一推测提供了有力的证据。

124.天马—曲村遗址北赵晋侯墓地第二次发掘

作　者：北京大学考古学系、山西省考古研究所　孙　华、张　奎、张崇宁、孙庆伟等

出　处：《文物》1994年第1期

晋侯墓地位于山西曲沃县曲村镇北赵村西南，是天马—曲村遗址重要组成部分。墓地在1984年就已有线索露出，因故一直未能钻探查明。1991年，墓地多座晋国大墓连续被盗，为了抢救这处重要遗址，考古人员于1992年上半年发掘清理了被严重盗掘的1、2号大墓。就在那次发掘工作刚结束不久，墓地的另一座大墓（I11M8）又遭盗掘，数十件青铜器被走私至香港等地。考古人员于1992年下半年对墓地进行了大规模的抢救性发掘。田野发掘工作自1992年10月16日开始至次年1月11日结束，共探明西周时期"甲"字形大墓7座、车马坑2座、限于时间，清理发掘了其中5座大墓以及已经暴露出的8座祭祀坑和6座汉墓。1993年5月10日至6月5日，对在田野发掘阶段未及仔细清理而整体装箱取回的I11M8棺室进行了室内清理，并对墓葬出土器物作了初步整理和修复。

简报分为：一、墓地概况，二、I11M8介绍，三、结语，共三个部分。配以彩照、拓片、手绘图，先以I11M8为主，介绍了这次发掘的主要收获。

据介绍，晋侯墓地位于天马—曲村遗址中部偏北，东为天马，西为曲村，是遗址最重要的组成部分。I11M8为周宣王十六年至四十三年间（公元前812～公元前785年）的大墓。出土有玉器等珍贵文物，墓主人为晋侯及其两位夫人。

简报提到，1992年盗墓分子系从距古墓15米处一个水井横向挖洞进行盗掘的，这为加强对古墓的保护提供了新的思路。

125.天马—曲村遗址北赵晋侯墓地第四次发掘

作　者：山东省考古研究所、北京大学考古学系

出　处：《文物》1994年第8期

1993年下半年，考古人员对北赵晋侯墓地进行了第四次抢救性发掘。发掘工作自9月11日始，至次年1月6日结束。发掘点位于整个墓地的I11区内，主要为一字排开的3座大墓，由东至西依次排列为64号墓、62号墓、63号墓。除3座大墓外，

还发掘了附属于它们的 20 余座祭祀坑及打破大墓的 2 座汉墓。

简报分为：一、64 号墓，二、62 号墓，三、63 号墓，四、结语，共四个部分。配以彩照、拓片、手绘图，先行介绍了这次发掘的主要收获，即 I1164、62、63 号墓的情况。

据介绍，3 墓的时代为西周末年。64 号墓墓主人应为晋侯邦父，62 号墓墓主人为晋侯邦父正夫人，63 号墓墓主人为晋侯邦父次夫人。

简报称，3 座大墓保存完好，出土遗物丰富。如 63 号墓出土遗物多达 4280 件，其中仅玉器就有近 800 件，不乏精品。这是晋侯墓地迄今所见唯一一组未经盗扰并可确知墓主的墓葬。它们对研究西周社会生活及晋国史极富价值。如 64 号墓出土有楚器，将晋、楚交往史提前到了西周晚期。

126.1992 年侯马铸铜遗址发掘简报

作　者：山西省考古研究所侯马工作站　谢尧亭等
出　处：《文物》1995 年第 2 期

1992 年 6～8 月，考古人员配合平阳机械厂基建，发掘清理遗址面积 600 平方米。简报分为：一、文化堆积，二、出土遗物，三、结语，共三个部分。有照片、拓片、手绘图。

据介绍，本发掘区曾受较大破坏，局部遭到彻底破坏。此次发掘共清理灰坑 152 个，夯土 1 块，残窑 1 处，墓葬 4 座，铸铜陶范 27 个。年代简报推断为公元前 600～公元前 376 年间，约相当于春秋中晚期至战国早期。

简报指出，侯马是晋国晚期绛都所在地，作坊遗址多分布于牛村古城以南。此次发掘的铸铜址是 20 世纪 60 年代发掘铸铜遗址的重要组成部分。遗址生产的器类较多，包括礼器、车马器、兵器、工具和日常用器等，是为晋国公室服务的官营手工业作坊遗址，从一个侧面反映了晋国的经济实力和政治地位。其中这批陶范的发现，不仅丰富了侯马铸铜遗址的内容，更重要的是为我们提供了一批年代比较明确的标本，为研究陶范制作工艺、铜器冶铸及其相关问题提供了重要的实物材料。

127.天马—曲村遗址北赵晋侯墓地第五次发掘

作　者：山东省考古研究所、北京大学考古学系　徐天进、孟跃虎、李夏廷、
　　　　张　奎等
出　处：《文物》1995 年第 7 期

继 1993 年北赵晋侯墓地第四次发掘之后，1994 年 5～10 月，考古人员又在这

里进行了第五次较大规模的发掘。本次发掘共清理了晋侯及其夫人的大型墓葬5座(编号：M33、M91、M92、M93、M102)，祭祀坑20余座，汉代墓葬1座。5座大型墓葬中除 M33 因被盗掘而遭破坏外，其余均保存完好，出土了大量的珍贵遗物。

简报分为：一、墓葬的位置及层位关系，二、墓葬介绍，三、几点初步认识，共三个部分。配以彩照、拓片，介绍了第五次发掘的主要收获。

据介绍，北赵村晋侯墓地自1992年发现并进行第一次发掘以来，至今已探明的17座晋侯及其夫人的墓葬已全部清理完毕。其中7座已遭盗掘破坏，其余10座保护完好。收获虽然可谓空前，但损失之惨重亦足使人痛心疾首，悲愤不已。简报把各墓墓主和《史记·晋世家》所载晋侯世系对应排列如下：

M9：? 武侯（宁族）

M7：? 成侯（服人）

M33：（僰马）厉侯（福）

M91：（喜父）靖侯（宜白）

M1：（鞦）釐侯（司徒）

M8：（苏）献侯（籍、苏）

M64：（邦父）穆侯（费王）

M93：? 文侯（仇）

简报称，以上只是初步的推测，尚有待考古发掘证实。

128.天马—曲村遗址 J6、J7 区周代居址发掘简报

作　者：北京大学考古学系、山西省考古研究所　刘　绪、罗　新等
出　处：《文物》1998 年第 11 期

天马—曲村遗址 J6、J7 区位于曲村东北约百米处，东距晋侯墓地 700 余米，属周代居住址。1984 年以来，考古人员在此发掘多次，探知这一带文化堆积较厚，尤以西周早期至春秋初年遗存最为丰富和普遍。1997 年 5～6 月再次进行了发掘。

简报分为：一、概况，二、遗迹，三、出土遗物，四、分期及特征，五、结语，共五个部分。配以照片、手绘图，介绍1992 年及1997 年的发掘收获。

据介绍，所见遗迹均为灰坑，共 44 座，除 8 座因故形状不明外，其余 36 座中 16 座为圆形，5 座为长方形，4 座为椭圆形，11 座为不规则形。前 3 种坑壁或直或坡或呈袋状，坑底多较平整；后一种坑壁与坑底多高低不平。这些灰坑时代属西周和春秋早期，出土有大量骨料、骨器半成品等，简报推测这里是一处手工业作坊区。

129.天马—曲村遗址北赵晋侯墓地第六次发掘

作　者：北京大学考古文博院、山西省考古研究所　高彤流、孙庆伟等

出　处：《文物》2001 年第 8 期

天马—曲村遗址北赵晋侯墓地在 1994 年第五次发掘以后，发掘工作暂告一段落。1998 年春，在晋侯墓地范围内，被盗掘大型墓葬一座，经钻探发现这里有两座墓葬。考古人员于 2000 年 10 月至 2001 年 1 月对这两座墓葬（编号 M113、M114）进行抢救性发掘，清理出大批随葬器物。

简报分为：一、墓葬位置及层次关系，二、墓葬形制和随葬器物，三、结语，共三个部分。有彩照、手绘图。

据介绍，两座墓葬位于晋侯墓地的最东侧，均为单墓道长方形竖穴土坑墓。M114 为一椁一棺，出土有殉车、殉狗及殉人，随葬品包括铜、陶、原始瓷、玉、金、蚌、漆和骨器共 200 多件（组），其中叔夨方鼎有 40 多字的铭文。M113 亦为一椁一棺，主要随葬品有铜、陶、玉、蚌器共 144 件（组）。从两墓出土铜器铭文可以肯定这又是一组晋侯及其夫人墓，而且是墓地中较早的一组墓葬，时代约在西周早中期之际，墓主可能是晋侯燮父或晋武侯及夫人。其中 M114 是晋侯墓，M113 是晋侯夫人墓。在这里发现的晋侯及其夫人墓总数已有 9 组 19 座。而 M114 的殉人在晋侯墓地属首次发现。令人痛心的是 M114 遭到严重盗扰。同刊同期发表有《叔夨方鼎铭文考释》一文，考证了 M114 中出土的一件方鼎的铭文 8 行 48 字。铭文讲述的是某年，王在成周举行盛大祭典，礼毕，王会见与会臣下贵族，王对叔夨进行赏赐，叔夨为纪念此事铸造了这件铜鼎。铜鼎铭文中的王应是成王，叔夨则可能是晋国的始封君唐叔虞。这件方鼎是迄今所知唯一一件晋国第一代封君自作的铜器，具有重要的研究价值。

130.山西侯马西高东周祭祀遗址

作　者：山西省考古研究所侯马工作站　王金平、谢尧亭等

出　处：《文物》2003 年第 8 期

2001 年 3 ～ 9 月，考古人员在配合大运高速公路建设中，在侯马市西高村西南约 0.5 公里的汾河南岸的台地上，发现一处东周时期的祭祀遗址，共清理祭祀坑 733 座。

简报分为：一、祭祀坑及埋牲，二、遗物，三、结语，共三个部分。有彩照、手绘图。

据介绍，此处春秋晚期至战国早期的祭祀遗址，面积约 12 万平方米，共清理祭祀坑 733 座。祭祀坑大多成片，密集分布，均为土坑竖穴，以长方形为主，方向多为南北向。80 余座祭祀坑内有壁龛。祭祀坑中的埋牲以羊为主，其次是马，葬式多样。坑内出土遗物 362 件，一般每坑出土 1 件。其中玉器 256 件，种类有龙形佩、璧、璜、

瑗、环等，制作精美。简报认为祭祀者可能是晋国贵族。此次发掘，为研究东周玉器提供了新资料。

运城市

131.山西芮城永乐宫新址墓葬清理简报

作　者：山西省文物管理委员会、山西省考古研究所　解希恭

出　处：《考古》1960 年第 8 期

1959 年，考古人员为配合永乐宫修复工程，先后在重阳殿、纯阳殿、三清殿三座建筑的下面清理了春秋中、晚期墓 10 座，明代墓 1 座（其中明代土洞墓破坏严重，这里从略），古井 3 眼，灰坑 3 处。

简报分为：一、墓葬，二、古井，三、灰坑，共三个部分。有手绘图等。

据介绍，10 座墓葬中，一般墓底距地表的深度为 3 ～ 6.4 米。古井中遗物不多，主要有陶器、板瓦残片等。灰坑中有的死者是砍了头的，有的是中箭后又砍了头的，有的骨架保存完整而位置零乱，可能是被处死以后随便埋置的。从地层关系来看，它和墓葬、古井都在一层，所以它的年代也应当是春秋中、晚期的。

132.古魏城和禹王古城调查简报

作　者：陶正刚、叶学明

出　处：《文物》1962 年第 4、5 期合刊

魏自晋献公封毕万于魏起，前后曾经在魏、霍和安邑等地建都。据《史记》记载：魏在今芮城县北 2.5 公里，霍在今霍州（古霍县，此地有争论），安邑在今夏县禹王村附近。文献中同类记载甚多。根据这些线索，考古人员对芮城县古魏城和夏县禹王城进行考古调查工作。简报分为：一、芮城县古魏城，二、禹王城，共两部分。有手绘图和照片。

据介绍，古魏城位于中条山南麓，洪水经常冲溢城区，带来了淤土以及卵石块。同时，因南北二城墙的拦阻作用，在两城的北侧淤土更厚，和另一面地面悬殊。只有城南半部的一些地方，还基本保持原来的面貌。城内大部分地方淤土很厚，文化层埋藏于深处。主要遗物有战国时代的筒瓦和板瓦以及鬲、豆类残片等。瓦类饰交错绳纹或直绳纹等，皆泥条盘筑。此外有小口罐、盆、鬲、甗等。泥质灰陶腹部饰

有绳纹或素面。在北城中部，有少量的汉代堆积，粗直绳纹板瓦和筒瓦残片甚多。似乎在汉代，古城的全部或其一部分还在继续使用。在永乐宫新址纯阳殿下曾经发现有几个春秋末战国初的墓葬，压在文化层下面（见《考古》1960年8期），这似乎说明了古城的上限。根据采集的遗物、发掘的墓葬情况和史籍记载相互印证，简报推断这里是毕万所封的魏城。

经实地勘察，禹王城古城由时代先后不同的大、中、小三个古城和一个夯土台四个部分组成。大城时代最早，相当于战国；中城稍晚，相当于秦汉或者更晚一些；小城使用时间最长，可能和大城是同时建造的，为大城的一部分，很可能是宫城，经汉代一直沿用到北魏。郦道元在《水经注》中还称："今城南台基（指禹王台）犹存。"是一例证。据文献记载，夏县禹王城一带在战国属魏，为魏都安邑城；秦汉在此设置河东郡，一直沿用到北魏，才迁移他处。

根据文献和地下实物资料相互印证，简报初步认为，禹王古城的大城可能是魏都安邑，中城是秦、汉时期的河东郡地。魏豹也可能受封于此，后又被韩信擒于此。小城如上述情况，可能曾与大城和中城同时使用，而到北魏时大、中城俱废，只有小城还继续使用。

133.山西闻喜的"大马古城"

作　者：陶正刚
出　处：《考古》1963年第5期

大马古城在闻喜县东北约17.5公里的大马村、官张村和栗村附近。古城遗址保存尚好，基本上能看出城垣的遗迹。古城平面略近正方形。城垣一般残存高度2～5米，北、南城墙则高达6米。根据步测，古城周长3920米，城基宽度8～10米，部分地区达12米。古城的建筑方法为先挖掘基槽，然后再穿杆版筑，夯打填实。简报配以照片、手绘图予以介绍。

结合文献和考古发掘的情况，大马古城当始建于东周时期，简报认为是东周时期的晋国清原城，可能是一座与军事有关的城市，一直到西汉时仍在使用。

134.山西夏县禹王城调查

作　者：中国科学院考古研究所山西工作队　张彦煌、徐殿魁
出　处：《考古》1963年第9期

禹王城在山西省夏县西北约7公里，城东北距胡张镇约6公里。1959年5月、

1961 年 7 月和 1962 年 10 月，考古人员在山西省文物管理工作委员会过去调查的基础上，又对这一古城址进行了三次复查。三次复查都未作详细钻探和试掘，因而对城址的情况了解不多。

简报分为：一、城址，二、遗物，三、结束语，共三个部分。配以手绘图等，介绍了勘察所获。

据介绍，城址北部是鸣条岗，东南和西南部都是平地，故整个城址地势略呈倾斜，北面较高，南面较低。城址共分大城、中城、小城和禹王庙四个部分，小城在大城的中央，禹王庙在小城的东南角，中城在大城内的西南部。大城城垣西接司马村，南临秦寺村。城内的北面有郭里村，西面有庙后辛庄，南面有禹王村、禹王中学和由水头镇至夏县城关的公路。城垣形状略呈梯形，总面积 13 平方公里余。中城位于大城城内的西南部，形状略呈方形，总面积约 6 平方公里。城的西南两墙，分别是大城西墙和南墙的一部分。小城在大城的中央，总面积约 754000 平方米，整体形状是一个缺去东南角的长方形。当地老乡讲，禹王庙民国时毁于兵燹。简报认为：禹王城即古安邑，亦即春秋战国的魏国都城、秦汉及晋的河东郡治。至于夏王城、夏城、禹王城、夏禹台、青台、涂山氏台等，乃是汉以后附会上去的，就不再论述了。

135.山西闻喜邱家庄战国墓葬发掘简报

作　　者：运城行署文化局、运城地区博物馆　张国维
出　　处：《考古与文物》1983 年第 1 期

邱家庄位于闻喜县城东 4 公里。东、西、北三面土岭向村内倾斜，村庄居凹底。村庄里外及三面土岭上遍布墓葬，一直延续到西南 2.5 公里多外的上郭村。1979 年 7～8 月，考古人员对这一带进行了钻探，共发现战国墓葬 13 座，发掘了其中的 5 座，编号为 M1、M2、M10、M11、M13。其中 M10 为农民取土扰乱，棺椁骨架及随葬品杂乱无章，故作采集处理。

简报分为：一、墓葬形制，二、随葬器物，三、墓葬的时代，共计三个部分。有手绘图。

据介绍，4 座墓形制相同，皆为长方形土圹竖穴。葬具全朽。据轮廓观察，M1 为一棺一椁，M2、M11 为一棺，M13 为一棺双椁。四座墓棺椁遗痕皆有黄红色漆绘。M13 棺椁两侧有长 230 厘米、宽 7 厘米痕迹。因骨架腐朽太甚，性别难辨，皆单身葬。葬式为仰身直肢。M1、M2 方向朝北，M11、M13 朝东。5 座墓皆有随葬品。出土铜器 120 件，陶器 59 件，装饰品及其他约 620 件。简报推断这几座墓的时代是战国中晚期。

136.山西芮城东周墓

作　者：山西省考古研究所　邓林秀

出　处：《文物》1987 年第 12 期

1962 年秋，芮城县岭底乡坛道村农民在挖窑洞时，掘出一批铜器和一具人体骨架。铜器由县文化馆保存。考古人员前往发掘。

简报分为：一、一号墓，二、二号墓，三、结语，共三个部分。有照片、手绘图。

据介绍，坛道村位于芮城县东北，距县城约 30 公里，村子地处中条山阳坡，南望黄河，北高南低。村西有一条深沟，铜器即出于深沟东沿的一座古墓（编为一号墓）。在距沟边百米许的梯形台地上，有一座竖穴墓（编为二号墓），当地农民挖土垫厩时已将墓穴填土挖掉一半。

简报称，一号墓为土坑竖穴墓，破坏严重，出土器物（包括被农民自行取出的）有铜器 22 件（其中 10 件明器），石器 2 件。简报认为该墓为春秋早、中期虢国墓。墓主应为士大夫。二号墓也为土坑竖穴墓，略有破坏。简报认为是战国早期魏国墓。

137.山西芮城出土战国铜戈

作　者：杨明珠

出　处：《考古》1989 年第 1 期

1986 年 4 月，山西省芮城县大禹渡乡成村村民张高文在掘土时，发现铜戈一件，遂将其捐送于该县博物馆。简报配以照片予以介绍。

据介绍，此戈援狭长，隆脊有棱，锋部上扬，本部微凹呈弧形，长胡，阑侧有三个长方形穿，内末略上翘，中有一穿，下齿突出，援、胡、内均有利刃。戈内正面镌有铭刻。不论是从时间上看，还是结合戈的形制、铭文格式等特点看，此戈很可能是魏襄王十八年（公元前 301 年）之物，时当战国中期偏晚。简报推断其是战国时期的三晋兵器。

138.山西临猗县程村两座东周墓

作　者：赵慧民、李百勤、李春喜

出　处：《考古》1991 年第 11 期

1987 年 6 月中旬，程村村民取土时发现若干件青铜器。考古人员赶赴现场，发现了古代墓葬，抢救性地清理了其中破坏最严重的两座墓（编号M0001、M0002）。

田野清理工作由8月7日开始，18日结束。程村隶属临猗县庙上乡，位于县城西南22公里处。村西有一历年使用的取土场，形成南北约50米，东西100米，深7米左右的大坑，当地称"土塘"。据村民回忆，数年前土塘内曾发现过青铜器。

简报分为：一、墓葬形制，二、随葬品，三、结语，共三个部分。有手绘图等。

据介绍，两墓均为长方形竖穴土坑墓。考古人员收集到68件遗物，据称均出自M0001墓。M0002墓为一棺一椁，人骨架为仰身直肢，出土有青铜器、骨贝、石圭等，另从村民手中收集到一批出自M0002的随葬品。

简报称，M0001、M0002号所出随葬品多为青铜器，且大部为实用器。生活用器有鼎、簋、敦、簠、簠、甗、铺、鬲、匜、盘、鉴、方壶，兵器有戈、镞，工具有削、凿、锛、斧，车马器有衔、镳、辔、辖、铜泡、骨贝，乐器有钮钟、镈、石磬。尚有少量陶器如豆、鬲、壶，因破损较甚，难以复原。从随葬品看，与侯马上马墓地很接近。事实上，两地直线距离也就80公里。简报认为程村M0001、M0002的年代当在上马墓地的上、下限之内，即春秋早期至春秋晚期之内，具体年代定在春秋中、晚期比较合适。至于M0001、M0002的墓主身份及至墓地族属、地望等相关问题，还有待将来程村墓地详报的问世。

139.山西运城出土魏国布币

作　者：高胜才

出　处：《考古与文物》1992年第1期

1989年5月25日上午，山西运城市东郭镇界村村民王建民在本村村西筛沙时挖出魏国布币7枚。其中安邑一釿4枚，安邑二釿3枚。简报配以拓片予以介绍。

据介绍，这7枚魏国布币的发现，为进一步研究我国历史上韩、赵、魏三家分晋后魏文侯在运城市安邑建都时的封建社会经济文化提供了可靠的实物资料。

140.山西运城出土战国布币

作　者：高胜才

出　处：《考古》1995年第5期

1989年5月25日上午，山西运城市东郭镇界村村民王建民在本村村西筛沙时挖出魏国布币7枚。其中安邑一釿4枚，安邑二釿3枚。于当日下午送到运城市博物馆。简报配以拓片予以介绍。

据介绍，新发现的这7枚魏国布币，属平首、圆肩、方足、弧档形。其中安邑一钫重 13.5 克，安邑二钫重 29 克。每枚货币都是正书，每边各二字，正面铸有"安邑一钫"或"安立又二钫"字样。

简报称，这 7 枚魏国布币的发现，为进一步研究我国历史上韩、赵、魏三家分晋后魏文侯在运城市安邑建都时的封建社会经济文化提供了可靠的实物资料。

内蒙古自治区

呼和浩特市

141.内蒙古和林格尔县出土的铜器

作　者：李逸友
出　处：《文物》1959 年第 6 期

内蒙古和林格尔县范家窑子乡西窑子村农民于 1958 年 5 月间在村西 1 公里多的沙窝子里掘得一批铜器。这批铜器埋藏在一座东西向小山沟的南坡，距地表深约 1 米，同时伴有灰色陶片出土。铜器已于 1959 年 1 月由当地送交内蒙古博物馆保存。简报配以照片予以介绍。

简报介绍，器物有戈 1 件、短剑 1 件、刀 1 件、镶饰 2 件、动物形饰牌 9 件、管状饰 7 件。这批铜器都富有地方特色，短剑、刀和动物形饰牌都是北方斯基泰式的铜器，这次和戈一起出土，对鉴别年代有着重要的参考价值。镶饰和管状饰件曾被人称作"铰具"和马上装饰，但从出土情况来看，则有可能为人的佩带用品。除以上这些铜器外，尚出土有绿松石装饰品 1 件，扁圆形，中穿有细孔，长约 3 厘米。出土文物情况及它们的并存情况，都足以表明它们是一座墓葬内的殉葬物。其年代简报推断可能属于战国时期。这批铜器的出土，为研究内蒙古地区斯基泰式铜器文化，提供了极可贵的材料。

142.内蒙古清水河县拐子上古城发现秦兵器

作　者：乌兰察布盟文物工作站　李兴盛、邢黄河
出　处：《文物》1987 年第 8 期

1983 年 9 月，内蒙古乌兰察布盟清水河县贾浪沟村农民在修筑呼和浩特—准格尔旗公路时，于拐子上古城内发现 10 件青铜兵器，随即送交盟文物工作站。兵器有戈、矛两种，出土于古城西北部的高土台内侧，距地表深 1.18 米。简报配以照片予以介绍。

据介绍，青铜器为戈4件、矛6件。铜矛铭文中"三年""四年"与督造人"相邦吕不韦"相联系。吕不韦从庄襄王元年（公元前249年）至秦王政十年（公元前237年）为秦相。庄襄王在位仅三年。故而这两件矛的制造年代简报推断为秦王政三年和四年（公元前244、公元前243年），其他几件兵器年代也应与此相近。

143.内蒙古和林格尔县新店子墓地发掘简报

作　　者：内蒙古文物考古研究所　曹建恩、孙金松、胡晓农等

出　　处：《考古》2009年第3期

新店子墓地位于内蒙古自治区呼和浩特和林格尔县新店子乡小板申村西北约2公里的一处山坡上，墓地所在区域曾被辟为耕地，现已退耕，中部有一条南北向的冲沟，将墓地分为东、西两区。1997年，当地村民在此处发现古代墓葬。翌年，考古人员对墓地进行了全面的考古勘探。1999年，对新店子墓地进行了正式的考古发掘，共发现墓葬56座（编号为M1～56），出土了大批铜、石、陶、骨、金器等。

简报分为：一、墓葬概况，二、典型墓葬，三、随葬器物，四、结语，共四个部分。有彩照、手绘图，附有《内蒙古和林格尔县新店子墓地人骨研究》一文。

简报重点介绍了M9、M36、M37等墓。墓葬形制可分竖穴土坑、洞室、偏洞室三种，绝大多数存在殉牲现象。墓葬年代为春秋晚期至战国早期。此墓地与岱海、鄂尔多斯地区的同时期考古遗存既有共性，又有一定区别。墓地居民可能从事一种较为发达的游牧经济。人类遗骨与现代北亚人种的颅型极为相近，与内蒙古中南部新石器时代、青铜时代以来土著居民的东亚人种颅型特征存在明显区别。显然，人种学的研究结果对于我们探索该地区人群迁移问题将具有重要的参考作用。

包头市

144.包头市窝吐尔壕发现安阳布范

作　　者：李逸友

出　　处：《文物》1959年第4期

1958年10月中旬，内蒙古文物训练班学员在包头市郊区麻池乡窝吐尔壕水库进行田野实习时，在水库西面台地上发现了三件安阳布范。简报配以拓片予以介绍。

简报介绍，这三件布范均用质地松软的石料制成，灰绿色，内含有石棉。其中

一件较为完整，为布的正面范，范内刻有方足布两枚，并刻有"安阳"两字，布上有浇铸用的流口。范外表刻有不规则的菱形方格纹，系便于缚扎用的。两件都是布的背面范，范内刻有阴纹，已残缺。其一可见有两布；另一只有一布，上有流口，外部都刻有菱形方格纹。在出土布范的附近地表发现许多灰色绳纹陶片，并捡到两件较完好的陶碗。简报推断这是一处战国时期的遗址。这批材料的发现，为研究内蒙古西部战国时期的文化提供了可贵的材料。

145.内蒙古土右旗发现一件战国时期青铜刀

作　者：土右旗志史办　史银堂、闫建国、张　文
出　处：《考古》1997 年第 11 期

1989 年 12 月中旬，土右旗志史办公室三名工作人员调查文物古迹时，在萨拉齐镇西北约 5 公里、西侧靠近阿刀亥沟的大青山一条小沟中，捡得一把青铜小刀。简报配以手绘图、拓片予以介绍。

据介绍，青铜刀通体锈蚀成墨绿色，但刃部仍很锋利。刀通长 19 厘米，刃长 12 厘米，刃宽 1.2 ~ 1.8 厘米，背厚 0.4 厘米，把长 7 厘米。经有关人员鉴定，此刀与 1960 年 6 月土右旗水涧沟门出土的铜刀（郑隆：《大青山下发现一批铜器》，载《文物》1965 年第 2 期）相近似，为战国时期北方游牧民族遗留的兵器。

乌海市

赤峰市

146.内蒙古昭乌达盟出土的铜器调查

作　者：李逸友
出　处：《考古》1959 年第 6 期

1958 年春，昭乌达盟宁城县南山根农业社农民在挖土时，发现了一批铜器。考古人员前往调查。简报配以照片予以介绍。

据介绍，这批铜器共 71 件，有铜盔、铜戈、铜矛、铜斧、铜刀等。据调查均出自一座古墓。

简报指出，这批铜器不仅富有地方的特点，而且对研究中原文化与北方民族文化的关系，有着重要的意义。它们的年代可能相当于东周时期。

147.内蒙古昭盟赤峰市发现战国墓

作　者：王兆军

出　处：《考古》1964 年第 1 期

1961 年 6 月，考古人员于英金河南岸赤峰市六道街箭亭子胡同发现了一座墓葬。简报配图予以介绍。

据介绍，墓葬位于箭亭子胡同以南约 200 米处。据发现该墓的人介绍，从地面挖下约 1.5 米，就发现了陶罐、人骨和已腐朽的木质痕迹，未发现砖、石等物。据此情况分析，这可能是座土圹墓，并置有木质葬具。征集到陶器 3 件、铜带钩 1 件，均为战国墓中常见的东西，故这座墓也应属于战国时代燕国遗存。

148.宁城南山根遗址发掘报告

作　者：中国科学院考古研究所内蒙古工作队　刘观民、徐光冀等

出　处：《考古学报》1975 年第 1 期

南山根村今属辽宁省（原属内蒙古自治区）。村在昭乌达盟宁城县旧治八里罕镇东北约 4 公里处。南山根遗址是 1958 年内蒙古自治区文物工作队在这里调查一批青铜器出土情况时发现的。事后，考古人员作过调查，得知南山根遗址与赤峰夏家店遗址相似，同样有两种文化遗存。1961 年作了发掘。

简报分为：一、遗址概况与文化层堆积，二、夏家店下层文化，三、夏家店上层文化，四、夏家店上层文化墓葬，五、结语，共五个部分。有照片、手绘图。

据介绍，此次发掘了夏家店上层文化墓葬 9 座，年代简报推断上限应在春秋以前。有独特的出土器物，先民应已进入奴隶社会。至于夏家店下层文化，先民应仍在父系氏族社会阶段。出土遗物以石制生产工具为主。

149.敖汉旗老虎山遗址出土秦代铁权和战国铁器

作　者：敖汉旗文化馆

出　处：《考古》1976 年第 5 期

1974 年 10 ~ 12 月和 1975 年秋，敖汉旗四家子公社老虎山大队，发现了一批战

国和秦汉时代文物，其中较重要的有秦权1件。简报配以照片、手绘图予以介绍。

据介绍，老虎山遗址位于老虎山村东约1公里的台地上，南距小凌河约0.5公里，遗址高出河床约10米。遗址面积较大，南北约300米，东西约500米。发现有陶片、石器等遗物和火烧居住面、土坯、石垒墙等遗迹，属于夏家店下层文化堆积。上层及地表分布有大量的战国和秦汉遗物，如板瓦、筒瓦、陶片等，还有少量的鱼骨盆残片。

此遗址多次出土过秦汉遗物。1974年冬出土铁权1件；燕国刀币25公斤（放在一陶罐内）；铁制农用生产工具35件，大多有使用痕迹；铁箭头600余，其中一小部分带有三棱铜镞；半两钱3枚。1975年秋出土铁器3件；半两钱20余斤、2500多枚，似为未使用过的新钱。简报称，此处应为一要塞城堡。农用工具与兵器共存，似乎表明是一处实行耕战政策的军事据点。

150.赤峰县三眼井出土秦铁权

作　者：昭乌达盟文物工作站
出　处：《考古》1983年第1期

1976年11月，赤峰县三眼井公社在农田基本建设中，发现一件完整的秦铁权。简报配以照片予以介绍。

据介绍，这件秦铁权呈扁圆形，实测重量为31.431公斤。平底，底径23.8厘米，底部有两个铸造时留下的小砂眼。权身表面通体铸有秦始皇二十六年（公元前221年）诏书，阳文，共12行，行2～4字。铭文与权身同时铸造，浑然一体，虽有锈蚀，仍可通读。在诏书的末尾处，隐约可见两行文字，可能是指发到某郡某县的刻记。出土地点当时归辽西郡。

简报最后附有"全国各地已发表的秦权统计表"。

151.内蒙古赤峰地区发现的战国钱币

作　者：项春松
出　处：《考古》1984年第2期

近几年来，在内蒙古东南部的赤峰地区多次出土战国货币。这些货币品类较多，形制各异，且均有铸字，为研究战国时期我国北方及其各诸侯国钱币制度的发展和当时各国之间政治、经济方面的相互交往提供了宝贵的考古资料。

简报分为：一、新窝铺发现的窖藏钱币，二、蘑菇山出土的战国货币，三、郭家梁出土的燕国刀币，四、赤峰市出土的燕国明刀，共四个部分。介绍近年来几次重要的新发现，有拓片。

新窝铺村位于赤峰东南平庄区西北2.5公里，是一处面积较大的战国居住址。窖藏货币在遗址的北缘，被装入一个细泥绳纹灰陶罐中，共15公斤，出土时陶罐已破碎，但钱币排列很规整，估计入窖时有绳索贯穿。货币大多锈蚀，面文难辨，完整的方足布计245枚、尖足布12枚、"半两"一枚、"一刀"2325枚、刀币6枚。上述四类货币，除大型"半两"钱为秦统一后所铸造，其余均为战国时所造。

蘑菇山在赤峰县当铺地公社新井村南，地处召苏河南岸，系一处战国古遗址。货币被装入一个战国绳纹灰陶罐中，埋在蘑菇山的北山根，约15公斤，其中完整的方足布68枚、尖足布5枚、刀币108枚。年代均为春秋战国时期。

郭家梁在赤峰县城西北30公里，梁北为一处战国时期遗址。出土的燕国刀币共15公斤，全被装在一个战国灰陶罐中，埋藏在该村的小北山。经整理完整者373枚，分三种类型：直刀型、弦折刀、磬折刀。

简报称，1949年以来，赤峰地区曾多次出土战国货币。据不完全统计，先后在哈拉木头、打粮沟门、砖瓦窑、新窝铺、四楞沟、赤峰市县以及偏南的喀喇沁、宁城县等地，共出土过上千公斤，其中以赤峰市附近最为集中，引起了国内史学界和考古界的关注。赤峰市为西路嘎河、阴河、英金河、锡伯河、半支箭五河汇合的冲积平地。市南30公里为东西横亘的燕国长城，市北20公里有逶迤盘旋的秦代长城。曾多次发现战国货币及秦、汉墓葬及遗物等。1981年发现的货币全为燕国明刀，主要有两种类型：弦折刀、磬折刀。

152.内蒙古敖汉旗四道湾子燕国"狗泽都"遗址调查

作　者：邵国田

出　处：《考古》1989年第4期

四道湾子镇位于敖汉旗旗政府所在地——新惠之西北约30公里，北临老哈河，高出河床约15米。这里是老哈河右岸的第一台地，是很开阔的冲积平原。遗址部分已被盖房所破坏，只在靠河一侧保存较好，但也被河水冲掉一部分。遗址之西南侧曾多次发现战国瓮棺葬，可能为这处遗址的墓地。考古人员在调查时，采集或征集了一些陶器、铁器和铜器。简报配以手绘图、拓片予以介绍。

据介绍，采集豆2件，釜、罐各1件及陶片。铲、镢各1件；镞、环、印章、带勾带扣4件铜器是征集品，据发现者反映，是1979年春发现于一座墓中。另在

1973 年还曾出土过 8.5 公斤的刀币等。

简报称，从这些出土文物和遗址情况可以看出，这里在战国时应是燕的一处很重要的"都"址。

153.内蒙古克什克腾旗龙头山遗址第一、二次发掘简报

作　者：内蒙古自治区文物考古研究所、克什克腾旗博物馆　曹建恩、齐晓光
出　处：《考古》1991 年第 8 期

龙头山遗址位于赤峰市克什克腾旗土城子镇南 6 公里的龙头山北坡，经累年河水冲刷，坡面沟壑纵横，主沟西端沟汊山坡上，尚遗石砌围墙基址一处，形似石城，故石墙下主沟又称之为"城子沟"。遗址即以"城子沟"为中心，面积约 25 万平方米。该遗址是 1986 年秋季为配合平双公路筑路工程，在沿线文物普查时发现的。考古人员于 1987 年 9 月及翌年同月对其进行两次发掘，重点是对位于遗址中心的大型石砌围墙遗址进行试掘。清理出包括房址、墓葬、灰坑、灰沟等较为丰富的遗迹，出土大量陶、铜器和少量石、骨器等。

简报分为：一、文化层堆积，二、遗迹，三、遗物，四、结语，共四个部分。有手绘图。

据介绍，经发掘证实龙头山遗址属夏家店上层文化，规模大、保存好，遗迹遗物丰富。简报推测这里应是一处大型祭祀遗址。其年代上限可追溯到西周以前，下限应已延续到春秋甚至更晚。

154.内蒙古林西县出土战国铜戈

作　者：王　刚
出　处：《文物》1996 年第 4 期

1972 年，内蒙古林西县大水波罗牧场出土铜戈一件。现收藏于林西县文物管理所。简报配以照片予以介绍。

据介绍，铜戈内部稍残，应为战国时期的遗物。这件铜戈形制较为特殊，为研究战国时期这一地区的历史提供了新的资料。

通辽市

鄂尔多斯市

155.桃红巴拉的匈奴墓

作　者：内蒙古自治区文物工作队　田广金
出　处：《考古学报》1976 年第 1 期

1972 年冬，内蒙古自治区伊克昭盟杭锦旗阿门其日格公社桃红巴拉生产队的百姓在桃红巴拉东北 4 公里的阿鲁柴登沙窝子中发现了一批饰以各种动物纹的金银器，及时报告了有关部门。1973 年，考古人员先后两次前往调查。

简报分为：一、地貌和古墓分布，二、墓葬形制，三、文化遗物，四、结语，共四个部分。有照片、手绘图。

据介绍，桃红巴拉（村名，当地俗称沙窝子为"巴拉"）位于杭锦旗东南 4 公里，其西北 6 公里是该公社所在地阿门其日格，往东 11 公里是东胜县界，往东南 6 公里临伊金霍洛旗界，地当杭锦旗、东胜县、伊金霍洛旗的交界地带，再往北越过黄河就是阴山。其地理位置正是秦汉时所称的"河南地"，又叫"新秦中"。此次共发掘墓葬 7 座，均为长方形竖穴土坑墓，仅两墓完好，余皆被破坏。遗物以铜器为主，还有铁器、金器、骨器、陶器、石器等。年代简报推断上限为战国早期或稍早，下限不会到西汉。墓主人当为匈奴族人。考古发掘证实《史记·匈奴传》所载匈奴习俗不虚。出土青铜刀等与中原所出相似，当是与中原交换而来。

156.西沟畔匈奴墓

作　者：伊克昭盟文物工作站、内蒙古文物工作队　郭素新、田广金
出　处：《文物》1980 年第 7 期

1979 年 2 月，准格尔旗布尔陶亥公社西沟畔的农民张先宝在野外牧羊时，发现一批珍贵的匈奴文物，及时报告了当地文化部门。同年 5 月，考古人员到现场进行了调查、清理，发现这是一处匈奴墓地，有三座匈奴古墓先后被风沙破坏。

简报分为：一、墓地环境及墓葬形制，二、文化遗物，三、结语，共三个部分。有照片、手绘图。

据介绍，三墓处于沙漠地带，均为长方形竖穴土坑墓。出土遗物以金器为主，

还有银器、铜器、铁器、铅器、陶器和料珠等。金器除服饰品外，大多为剑鞘装饰金片。金银器上有战国时文字刻款。简报推断此三墓均为战国晚期墓。墓主人应为匈奴人。

157.内蒙古阿鲁柴登发现的匈奴遗物

作　者：田广金、郭素新
出　处：《考古》1980 年第 4 期

1972 年冬，内蒙古自治区伊克昭盟杭锦旗阿门其日格公社桃红巴拉生产队，在冬季副业生产中，于阿鲁柴登以南 3 公里的沙窝子中发现一批极其珍贵的金银器。1973 年春，考古人员前往调查，征集了文物并在出土地点进行了试掘。简报分为：一、发现经过及遗物分布，二、文化遗物，三、结语，共三个部分。有照片。

据介绍，发现的这批遗物，以金器为主，银器次之，此外还有石串珠等装饰品。其中金器共发现 218 件，重 4000 余克。各种金器的制法，有铸、压、锤打及抽丝等工艺技术。所有金银器大都以半浮雕的动物形图案为装饰。简报推断这批金银器或为匈奴某一部落王所有。结合文献记载，有可能属于匈奴河南白羊王或林胡王其中的一支。从这里分布着早期匈奴墓地来看，这一支匈奴人至少从春秋至战国一直生活在这个地方。

简报还指出，出土地点位于毛乌素沙漠北部边缘，当年这里应是水草丰美的草原，沿山一带还有森林。

158.鄂尔多斯高原东部战国时期秦长城遗迹探索记

作　者：陕西师范大学　史念海
出　处：《考古与文物》1980 年第 1 期

简报配以手绘图，介绍了史念海先生亲赴鄂尔多斯高原东部考察战国时期秦长城遗迹的情况。

简报称，根据这次实地的探索，可以看出：鄂尔多斯高原东部战国时期的秦长城乃是循窟野河北，由束会川西岸至纳林塔附近，北向趋铧尖公社，再至脑包梁，然后折而东行，经巴龙梁、神树沟、德胜梁，北至坝梁，又折而东，至点素脑包，最后达到十二连城之北，黄河侧畔。遗迹断断续续，已难尽睹全貌，其北端也已为黄河所冲蚀，旧迹更是不可再见了。这段长城曲折蜿蜒，其最为显著的转折点实际有三处，就是敖包梁、坝梁和公益盖梁上的点素脑包。这三处转折点地势都较高。简报还讨论了这段长城上的束会川、十二连城两个要点。

159.内蒙古准格尔旗出土一件上郡青铜戈

作　者：伊盟准格尔旗文化馆　李　三
出　处：《文物》1982 年第 11 期

1979 年，准格尔旗纳林公社农民在挖土时发现青铜戈一件。青铜戈通体完好无缺，没有锈蚀。胡上阑侧有梯形三穿，内中一穿。戈刃锋利，内两面铭文清晰。简报配以照片予以介绍。

简报介绍，戈内正面铭文："二年，上郡守冰造，高工丞沐庹，工隶臣徒。"背面铭文："上郡武库。"铭文共 20 个字，每字笔画都用小点连接，和已著录的其他"上郡戈"的刻画方法有不同，明显看出是用金属三棱尖铣子鏨刻而成。

根据戈的形制和铭文体制，简报推断为秦国遗物。

160.内蒙古准格尔旗宝亥社发现青铜器

作　者：伊克昭盟文物工作站　王志浩、杨泽蒙等
出　处：《文物》1987 年第 12 期

1984 年 3 月，准格尔旗宝亥社一农民在打柴时发现一批青铜器。简报配以照片予以介绍。

简报称，宝亥社隶属内蒙古自治区伊克昭盟准格尔旗纳林乡刘家渠村，西距纳林镇约 30 公里，西南距准格尔旗政府所在地沙圪堵镇约 40 公里。这次征集到的青铜器共 22 件，种类有容器、工具和饰件等。年代简报推断不会晚于春秋晚期。

简报称，所出土的青铜豆形器，在造型和纹饰上，与中原地区同时期的器物风格相同，为探讨该地区与中原地区青铜文化关系提供了新的资料。

161.内蒙古东胜市碾房渠发现金银器窖藏

作　者：伊克昭盟文物工作站　高　毅
出　处：《考古》1991 年第 5 期

1988 年 6 月，内蒙古东胜市塔拉乡圪碾房渠社农民辛民山，在耕地时发现了一批金银器及玛瑙饰件。考古人员前往现场调查并作了清理，又发现金珠、玛瑙饰件、残陶罐等 20 余件。根据调查清理情况分析，这是一批珍贵的窖藏文物。据了解，十多年前当地村民在这一金银器窖藏地点发现过类似的金器。因时隔久远，出土的文物已全部散失。

简报分为：一、发现经过，二、文化遗物，三、几点认识，共三个部分。有彩照。

据介绍，窖藏位于东胜市东北约 15 公里的塔拉壕乡碾房渠社铸匠炉山北坡。遗物有虎狼咬斗纹金饰牌 1 件、双龙纹金饰片 7 件、金耳坠 2 件等。简报认为该窖藏应为战国晚期为逃避战事而埋藏于地下的。

162.内蒙古伊金霍洛旗匈奴墓

作　者： 伊克昭盟文物工作站、伊金霍洛旗文物保护管理所　高　毅、王志平等
出　处： 《文物》1992 年第 5 期

1988 年 5 月，在内蒙古伊金霍洛旗布尔台格乡东南约 5 公里处的明安木独村一社干渠畔发现 1 座古墓，考古人员前往调查。简报配以照片予以介绍。

据介绍，墓葬受自然破坏较严重，人骨架及随葬的马骨架全部散乱，葬式不明。随葬有斧、铃、刀、衔等 80 件铜器，另有壶等 2 件陶器。古墓的时代，简报推断大致为春秋末期至战国早期。简报称，此墓有殉马，出土铜饰件、刀等又有典型鄂尔多斯式青铜文化风格，应为匈奴墓。

呼伦贝尔市

163.内蒙古海拉尔市谢尔塔拉牧场发现古墓群

作　者： 王　成
出　处： 《考古》1995 年第 3 期

1985 年 7 月 30 日，根据东海拉尔水泥厂铁路专线施工单位的报告，对海拉尔市团结村至海拉尔河北岸谢尔塔拉牧场 12 队约 5 公里地段的施工现场进行了调查，发现古墓群一处。简报配以手绘图予以介绍。

据介绍，这处古墓群位于海拉尔市东北、团结村西北海拉尔河右岸山坡上，东南距哈克乡约 10 公里，此处属海拉尔市谢尔塔拉牧场 12 队南端。经现场调查，此处应是一个较大型的墓群，初步判断可能有上百座墓葬。在施工过程中，已有数十座古墓被推土机破坏，考古人员发掘了两座残墓。均为土坑竖穴单人葬，一座为成人墓，一座为小孩墓，均有木质无底葬具，葬式为仰身直肢葬。两座墓共出土随葬品 23 件，其中陶器 1 件，铜器 2 件，珠饰 19 个及桦皮器残片。两墓的时代，简报推断为公元前 3 世纪前后，约相当于战国时期。

巴彦淖尔市

164.呼鲁斯太匈奴墓

作　者：塔　拉、梁京明
出　处：《文物》1980 年第 7 期

1979 年春，内蒙古乌拉特中后联合旗杭盖戈壁公社呼鲁斯太大队农民李四在放牧时发现一批铜器。同年 5 月，考古人员先后两次前往调查和试掘，发现这是一处匈奴墓地。

简报分为：一、地理环境和古墓分布，二、文化遗物，三、结语，共三个部分。有照片、手绘图。

据介绍，呼鲁斯太匈奴墓位于乌拉特中后联合旗以西杭盖戈壁公社东南 15 公里的呼鲁斯太河左岸，地处乌拉特中后联合旗、潮格旗、五原县和临河县的交界地带。自古以来，为漠北草原通向漠南的重要通道。古墓分布在一个四面环山的沙丘上。沙丘高约 30 米。已发现的古墓三座编号为 M1 ~ M3。三墓均为长方竖穴土坑墓，都遭自然破坏。以 M2 为例，在马头骨的下面和人骨架的上面，发现有马面饰、铜鹤嘴斧、铜刀、铜铃和车马饰件。在人头骨顶部还发现陶罐一件。综合看，出土遗物以铜器为主，还有陶器、石器和料珠等。简报推断三墓年代为战国，墓主人应为匈奴族。

乌兰察布市

165.内蒙古凉城县三道沟遗址的试掘

作　者：内蒙古文物考古研究所、北京大学考古学系　杨　杰
出　处：《北方文物》2004 年第 4 期

三道沟遗址位于凉城县厢黄地乡三道沟村北约 1.5 公里处，曾被称为"马鞍桥山遗址"。遗址地处山地南麓缓坡上。1988 年 9 月，考古人员对该遗址进行了试掘。

简报分为：一、地层堆积，二、遗迹和遗物，三、结语，共三个部分。有手绘图。

据介绍，共清理灰坑 5 个、房址 1 处、墓葬 1 座。墓葬为一长不到 2 米的小墓，

墓内葬一成年男性，骨架保存不好，仰身直肢，头向东北。在头左侧随葬陶罐一件。简报推断该遗址的时代为春秋晚期。简报指出，遗迹、遗物较少，表明此遗址使用的时间较短，也说明当时先民生活的流动性较大，当时这一地区可能处于由农业经济向畜牧乃至游牧经济过渡的阶段。

166.内蒙古凉城县小双古城墓地发掘简报

作　者：内蒙古文物考古研究所　曹建恩、孙金松、党　郁等
出　处：《考古》2009 年第 3 期

小双古城墓地位于内蒙古自治区乌兰察布市凉城县八苏木乡小双古城村东南 1 公里的向阳坡地上。1996 年，考古人员在发掘石虎山遗址时发现了此处墓地，并清理了一座遭到破坏的墓葬（M1）。2003 年 8 月，为配合岱海电厂的工程建设，对该墓地进行了抢救性考古发掘，揭露墓葬 14 座（M2 ~ M15），出土一批陶、铜、骨、石、金、玉器等。

简报分为：一、墓葬概况，二、典型墓葬，三、随葬器物，四、结语，共四个部分。有彩照、手绘图。

据介绍，小双古城墓地共发现 15 座墓葬，按形制可分为两类，即竖穴土坑墓和偏洞室墓。在经过正式发掘的 14 座墓葬中，仅有 2 座竖穴土坑墓，洞室墓则有 12 座，简报重点介绍了其中的 M2、M5、M7、M13 等。简报指出，这是在岱海南岸首次发现的东周时期北方游牧民族墓地。

167.内蒙古丰镇市十一窑子战国墓

作　者：乌兰察布盟博物馆　李兴盛、赵　杰、付国财
出　处：《考古》2003 年第 1 期

墓地位于丰镇市黑圪塔洼乡十一窑子村北约 1.5 公里的向阳山坡上，西邻饮马河，隔河与山西省大同市北郊相望，向西约 500 米处即为明代长城。1994 年 6 ~ 7 月，为配合大准铁路的建设，考古人员在发掘辽代村落遗址时发现了古墓葬。在铁路施工范围内共清理墓葬 8 座，编号 94FhM1 ~ M8。

简报分为：一、墓葬形制，二、出土遗物，三、结语，共三个部分。介绍清理情况，有手绘图。

据介绍，十一窑子墓地经正式发掘的墓葬仅有 8 座，出土遗物数量较少。简报初步推断这 8 座墓葬的年代应为战国时期，其墓主应同属中原华夏族。

168.内蒙古凉城县忻州窑子墓地发掘简报

作　者：内蒙古文物考古研究所　曹建恩、孙金松、杨星宇等

出　处：《考古》2009 年第 3 期

忻州窑子墓地位于内蒙古自治区乌兰察布市凉城县永兴镇板城行政村忻州窑子自然村北约 1 公里处，西距老虎山遗址、毛庆沟墓地仅约 3 公里。墓地所在区域曾被辟为梯田，现在退耕还林，所挖树坑对墓葬造成了严重破坏。2003 年考古人员对该墓地进行了考古发掘，共清理墓葬 69 座（编号为 M1 ～ M69），出土了非常丰富的陶、铜、骨、石器等随葬品。

简报分为：一、墓葬概况，二、典型墓葬，三、随葬器物，四、结语，共四个部分。有彩照、手绘图。

简报重点介绍了 M10、M18、M19、M28、M33、M50 等墓。据介绍，墓葬均为东西向的土坑竖穴墓，流行头龛、二层台和殉牲，年代大致为春秋晚期至战国初期。主要用马、牛、羊为殉牲，用猪为殉牲的很少。据此，墓地居民以从事畜牧业为主，也有一定的农业经济。该墓地的居民由具备北亚和古中原体制特征的两类人群构成，但在文化内涵上已经完全融为一体。简报认为，这是一个非常重要的文化现象。

兴安盟

锡林郭勒盟

阿拉善盟

辽宁省

169.辽宁寺儿堡等地青铜短剑与大伙房石棺墓

作　　者：孙守道、徐秉琨

出　　处：《考古》1964 年第 6 期

"丁"字形青铜短剑，是我国古代青铜文化中一种具有明显特征的文化遗物。这种剑分布极广，类型很多，其形状与制法颇多不同。简报介绍了 1949 年以来在辽宁省锦西寺儿堡、海城大屯、辽阳亮甲山三地发现的青铜短剑。抚顺大伙房的石棺墓出土器物与这种青铜短剑文化有些关系，因此也予以说明。

简报分为：一、锦西寺儿堡的青铜短剑，二、海城大屯的青铜短剑，三、辽阳亮甲山的青铜短剑，四、抚顺大伙房石棺墓，五、问题的讨论，共五个部分。有手绘图。

据介绍，四处有三处出青铜短剑，一处出青铜斧。其中，锦西寺儿堡、海城大屯两处的青铜短剑是零星出土物，无其他文物伴存；辽阳亮甲山两把剑的情况也大体同此。大伙房石棺墓的青铜斧虽和其他遗物共出，但也都是征收回来的，仍不失其一定的学术价值。总体看来，这四把剑的时代大体上属于战国，但不同类型之间又有早晚之别，早期的上限或可到春秋。海城大屯剑应属战国中、晚期。寺儿堡剑当属战国中、早期或更早一些。亮甲山剑当属战国末期，下限则不晚于西汉初。大伙房铜斧为战国中、早期。

170.辽北地区原始文化遗址调查

作　　者：辽宁铁岭地区文物组　马洪路

出　　处：《考古》1981 年第 2 期

考古人员在辽北铁岭地区所调查的地点是：康平县的顺山屯、刀兰套海、文华村、东风村、马莲屯、哈拉户硕、孔家窝堡、八家子、前进大队、瓦房村和柳树屯；西丰县的西大岗子、温家街、福寿村、肇兴村、成府大队、永安村、月牙山和瓮山；开原县的大高力屯、谢家沟、肖家崴子、前马村、威远堡、牧羊政、八道岗子；昌图县的许家、七家子；法库县的叶茂台、登仕堡、半拉山；铁岭县的下峪、熊官屯、树芽屯和三家子等处。此外，还有一些零星发现的线索。

简报分为：一、康平县镇郊遗址，二、法库县地茂台遗址，三、西丰县肇兴村遗址，四、开原县李家台遗址，五、铁岭县树芽屯遗址，共五个部分。有手绘图。

简报称，通过此次调查看到：这一地区的原始文化很多方面与吉林长春地区的原始文化面貌相近或相同，特别是东部地区与吉长接壤，文化遗物几乎完全一致，但与赤峰、朝阳一带及辽南旅大地区的原始文化则差别较大。辽北原始文化所反映的经济状态，是以农业经济为主的，狩猎和畜牧、捕鱼仅起一些辅助作用。同一地区以西部的康平县诸遗址的年代较早，约相当于商代晚期，文化面貌亦自具特色；而东部西丰、开原等地遗址年代偏晚，下限可能到了战国乃至汉初。简报指出，辽北地区的许多原始文化遗址，其相对年代大多属青铜时代，或已属铁器时代，但其文化遗存所表现的面貌，大体和中原新石器时代末期的情况一致，所以称之为"原始文化遗存"。

沈阳市

171.沈阳市南市区发现战国墓

作　者：金殿士

出　处：《文物》1959 年第 4 期

1958 年 5 月，在沈阳市南市区热闹街热爱里一号百姓院内挖脏水井时发现了五件古陶器，辽宁省博物馆前去了解后即行清理。简报配以照片予以介绍。

简报介绍，墓圹四周为原生沙土层，圹内填土呈黄褐色。墓室平面为长方形，南部因伸入房基上部，未能全部发掘。石墓壁有灰色的棺椁朽条痕两道，椁与棺间距 15 厘米，并隐约看出一部分木榫痕迹。椁室后端辟有放明器的土龛。人骨已腐朽不存，葬式无法推断，根据墓室现状推测可能为头北脚南单人葬。出土遗物有壶二件，鼎、匜、盘各一件。以上五件陶器的胎质全是夹砂粗陶，呈红褐色，表面灰褐色，轮范合制，火度不高，当为随葬明器而非实用器。另在墓室右壁木棺与木椁条痕中间还发现灰绳纹长方孔陶甑底三块，在墓底上层还发现有少许木炭渣。

这座墓是东北地区首次发现的战国墓葬。从此墓的形制及随葬品的组合来看，简报推断当为战国晚期墓。

172.沈阳郑家洼子的两座青铜时代墓葬

作　者：沈阳故宫博物院、沈阳市文物管理办公室
出　处：《考古学报》1975 年第 1 期

郑家洼子位于沈阳西南，东距沈阳站约 5 公里，南距浑河 3 公里，地势低洼，多沼泽，故名"洼子"。1958 年春，曾在洼子北边发现一组青铜器，包括短剑等共 27 件，名之为"第一地点"。1962 年在第一地点以南 500 米处，又发现短剑 1 把，名之为"第二地点"。1965 年 8 月，又在第二地点西南 500 米处发掘同类型的墓葬 14 座，名之为"第三地点"。第三地点处于沼泽旁的高地上，整个面积约 2 万平方米。14 座墓葬分为南北两区，北区是 12 座密集的小土坑墓，相距 80 米的南区是单独埋葬的 2 座大型棺椁墓。简报分为"6512 号墓""659 号墓""几点认识"共三个部分，配以照片、手绘图。

据介绍，6512 号墓墓主人为一老年男性。出土遗物多达 797 件，其中兵器引人关注。659 号墓墓主人也为一老年男性，出土遗物不多。右侧骨盆下端，出有颈椎两个，不似混入，用意不明。年代简报推断为公元前 6～公元前 5 世纪，即春秋末至战国初。推测墓主人应属于一个畜牧农耕为主、渔猎为辅，能铸铜制骨，手工业比较发达的处于奴隶制时代的部落。

大连市

173.旅顺口区后牧城驿战国墓清理

作　者：旅顺博物馆　许明纲
出　处：《考古》1960 年第 8 期

1958 年秋，大连第七中学师生在叫作"楼上"的土丘取肥，揭去了丘上 1 米厚的黄沙淤土后，又向下挖到厚 0.5～1.5 米的草炭灰层中时，发现有大石板和石块。他们拆除了一部分石板后，发现了一件青铜有柄短剑、陶罐、明刀钱和饰片等，其后陆续有所获。考古人员前往现场了解情况，将出土遗物全部取回旅顺博物馆，共清理了三座墓葬。

简报分为：一、第一号墓，二、第二号墓，三、第三号墓，共三个部分。有手绘图等。

据介绍，出土地点在旅顺口区东北约 30 公里营城子村以东。均为石板墓，一、二号墓内均有两具人骨，或为夫妇合葬。简报认为此三墓应为战国时东胡民族的遗存。

174.旅大地区发现赵国铜剑

作　者：旅顺博物馆报导组

出　处：《考古》1973 年第 6 期

1970 年秋，庄河县桂云花公社岭西大队九如小队的北山头东侧山下，出土了一件青铜剑。简报配以照片予以介绍。

据介绍，该剑出土地位于桂云花山的主峰北麓。北山头上有辽金时代的遗址，其他山头上还有古代烽火台遗址。据发现人讲，青铜剑是在北山头第一道"淌石流"的山根下面取土垫道时，在约有 2 米深的乱石层的黑土里发现的。剑身通长 28.4 厘米，宽 3.12 厘米，厚 0.81 厘米。该剑乌黑透亮，剑口至今仍很锋利。剑的两面刻有细如发丝的蝇头小字，正面 2 行 19 字："四年，相邦春平侯，邦左军工师岳身，冶匋沥执齐。"背面 1 行 5 字："大攻（工）君（尹）肖（赵）閒"。知为战国赵国兵器。

175.辽宁长海县上马石青铜时代墓葬

作　者：旅顺博物馆、辽宁省博物馆　刘俊勇

出　处：《考古》1982 年第 6 期

1974 年冬，上马石农民在平整土地时，发现了瓮棺墓。1975 年 1 月，考古人员前往调查，并带回了瓮棺内出土的部分陶器。1977 年 3 月，对瓮棺墓地进行了探掘，并在该遗址中首次发现了青铜短剑墓。1978 年 10 ～ 11 月，又对上马石遗址进行了发掘。

简报分为：一、地层堆积情况，二、瓮棺墓，三、青铜短剑墓，四、小结，共四个部分。有照片、手绘图。

据介绍，瓮棺墓共 17 座，其中 1977 年发掘 16 座，编号为瓮 M1 ～ M16；1975 年发掘的一座，编为瓮 M17。瓮棺墓是用大型陶瓮装殓尸骨埋葬的一种葬法。一般是先挖好圆形竖穴，把装有幼童或未成年人的瓮棺放入竖穴内。未成年人都是采用二次葬。值得注意的是有的瓮口朝上（6 座），有的瓮口朝下（11 座）。年代应早于青铜短剑墓。青铜短剑墓一座，距瓮棺墓 15 米左右，为土坑墓，出土青铜短剑 2 件。年代简报推断为战国初期。

今有徐坚先生《时惟礼崇：东周之前青铜兵器的物质文化研究》（上海古籍出版社 2014 年版）一书，可参阅。

176.辽宁新金县王屯石棺墓

作　者：刘俊勇、戴廷德

出　处：《北方文物》1988 年第 3 期

王屯石棺墓位于新金县普兰店镇北约 100 公里处的偏僻山沟里，与瓦房店市万家岭乡相邻，属同益乡。1974 年，王屯农民在平整土地时，先后发现两座石棺墓。两座墓相距约 40 米。同年，考古人员对上述两座墓进行了清理。清理工作结束后，又多次在其附近进行了调查。

两座墓均坐落在王屯西南山山坡上。此处原为坟地，现已辟为村民住房和菜地。据当地人反映，多年来由于深翻土地，这里经常发现石棺墓。由此推测这里原来应是一处石棺墓地。两座墓清理与调查情况，简报配以手绘图予以介绍。

据介绍，两座墓均为石板构筑，距地表深约 50 厘米。随葬品一般较少，目前尚未见到青铜器，只见陶器和石器。

简报推断，王屯石棺墓的时代约在春秋前后。

177.辽宁瓦房店市凤鸣岛出土战国货币

作　者：王嗣洲

出　处：《北方文物》1988 年第 4 期

1984 年 4 月 24 日，驻军某部在瓦房店市交流岛乡凤鸣岛施工时发现一批战国货币，并及时报告了文物部门。同年 5 月 1 日旅顺博物馆派人实地考察，并将货币收入馆藏。简报配以照片予以介绍。

据介绍，凤鸣岛位于交流岛乡南部，岛上山峰连绵起伏。货币就发现在岛的西部海拔 176.2 米的大架山西南坡上。货币锈蚀较严重，有刀币、布币、圆币 3 种，总计 2415 枚，虽然货币出土数量不多，但代表战国时代的 3 种货币——布币、刀币、圆币共同出土，这一现象是少见的。

简报认为燕国货币的发展序列是：刀币——布币——圆币。圆币在战国的出现，当在战国晚期。从刀币形制看，3 式刀币分别相当于燕下都出土刀币的 Ⅲ、Ⅳ、Ⅴ 式，时间相当于战国的早期、中期、晚期。

简报推断，这批窖藏货币的年代上下限，也应与此相当，窖藏很可能与战国末期秦燕战争有关。

178.大连市三处战国货币窖藏

作　者：王嗣洲
出　处：《考古》1990 年第 2 期

1979 年 10 月，旅顺口三涧镇蒋家村出土"匽"刀币 400 枚；1976 年 2 月新金县徐大屯乡北岚村出土布币约 48 斤；1984 年 4 月驻军某部在凤鸣岛施工，发现"匽"刀币、布币、圆钱三种共 2415 枚。

简报分为：一、三处战国货币窖藏，二、战国燕币铸行时间的推断，三、战国货币窖藏性质的分析，共三个部分。有拓片。

简报推断，"匽"刀币时代约当春秋战国之交至战国晚期，布币时代为战国中期偏晚期。简报认为，燕圆钱是受秦东进影响而出现的，是燕王喜徙居辽东之后铸行的，是燕国也是战国时期最晚的一种货币。大连目前出土的战国货币窖藏，属于战乱窖藏。

179.辽宁瓦房店市薛家村青铜时代石器窖藏

作　者：赵去积、燕　戈
出　处：《北方文物》1994 年第 3 期

1991 年 11 月 24 日，瓦房店市阎店乡交通助理丛云述先生在薛家村为小果树松土时，发现一批青铜时代石器。考古人员先后两次去现场作了调查。简报配以手绘图予以介绍。

据介绍，这批石器出土于薛家村东南约 100 米的土坡上。石器出自 2 米 ×2 米的狭小地方，应为窖藏。共 10 件，均为磨制，制作精细。有石斧、石剑、石矛、棍棒头、环刃石器等。器形偏大。简报认为是当礼器使用的，时代下限当不晚于春秋。

鞍山市

抚顺市

180.辽宁抚顺市莲花堡遗址发掘简报

作　者：王增新
出　处：《考古》1964 年第 5 期

莲花堡位于抚顺市东郊浑河南岸河谷平地上，西北距章党车站 8 公里。此地系山区，附近山岭绵延。东社河由南来，经村西北汇入浑河。遗址在莲花堡村东不远的台地上。遗址主要分布在台地阳坡，坡度较缓，地面上零散分布着一些石器和陶器残片。这个遗址是在 1956 年春季考古调查时发现的。同年秋，又进行了复查，1957 年 7 月中旬开始发掘。发掘了石筑墙基址一小段、灶址两处、灰沟一条、灰坑一个。

简报分为：一、发掘经过及文化层堆积，二、遗迹，三、遗物，四、结语，共四个部分。有手绘图、照片。

据介绍，遗物有大量烧土块、木炭渣和少许烧骨。铁器有镢、斧、锄、镐、镰、掐刀、刀、凿、钻、锥形器、鱼钩；石器有斧、刀、研磨器、网坠、小石器；铜器有剑镡、镞；陶器有釜、瓮、盆、罐、壶、钵、豆、纺轮、网坠、弹丸、铃、玩具；装饰品有石珠、琉璃珠、琉璃耳挡；货币有半两钱。遗址中大量铁铸农业生产工具的出土，是这次发掘的重要收获。很难想象在莲花堡这样一处不大的遗址中，会出土如此多样的大量铁农具。这标志着当时农业经济已经有了很大发展，生产水平得到提高。遗址中又出土了相当多的石、陶网坠，发现了铁鱼钩，还有铜镞。可见当时人们除了主要从事农业生产以外，还进行一些渔猎活动，作为一种辅助性的生产。

遗址的年代，简报推断为战国晚期到西汉初期。

181.辽宁清原县门脸石棺墓

作　者：清原县文化局　王运至
出　处：《考古》1981 年第 2 期

1976 年 10 月，清原县土口子公社门脸大队在西堡的团山沟口小山包南坡修梯田时，发现石棺墓两座。墓址均在第三层梯田上，两墓相距 20 米，墓深 1.2 米，离山下地面 35 米。此地过去曾发现过石棺墓，可能是石棺墓群。

清原县位于辽宁省东部偏远山区，在辽河东岸。门脸在县城东北 40 公里。简报配以手绘图、照片予以介绍。

据介绍，墓圹在黄教土层中，长方形。石棺已被毁。石板石质坚硬，经过加工，薄厚均匀，但无雕刻。两墓形制相同。人骨已腐烂，仅见几片骨渣。收回青铜剑、青铜斧、石镞、骨锥（已残）和陶罐各一件。在墓圹边沿找到陶器耳、口沿和器底等 7 件。

简报称，辽宁少数地区曾出土过这类青铜短剑，但在清原还很少发现。它和朝阳十二台营子短剑墓、沈阳郑家洼子青铜时代墓葬、锦西乌金塘东周墓等出土的青铜剑、造型相似，特别与辽阳二道河子石棺墓出土的青铜剑、陶罐，具有很多的共同特征。

182.辽宁抚顺市发现青铜短剑

作　者：抚顺市博物馆
出　处：《考古》1981 年第 5 期

1973 年 4 月，抚顺市针织一厂在该厂西挖管道沟时，在距地表约 0.5 米处发现青铜剑一把，未见其他遗物。简报配以照片、手绘图予以介绍。

据介绍，短剑剑身细长，近似柳叶形，中间有一突起的柱状脊，两边为薄片状的曲刃剑叶，剑叶刃边是直线与弧曲部段相接而成，刃锋利。这种近柳叶形的青铜短剑，辽宁曾多次出土，在抚顺却是首次发现。由于这把短剑出土时现场已遭破坏，无法确定其具体年代，根据器形简报推断可能为战国时代。

183.辽宁抚顺市甲帮发现石棺墓

作　者：抚顺市博物馆　徐家国
出　处：《文物》1983 年第 5 期

1979 年 6 月，抚顺石油二厂运输大队在市东郊前甸公社甲帮村北山坡基建工程中，发现石棺墓一座。考古人员对墓葬作了调查，收集了青铜短剑一件、陶壶两件。

据介绍，墓室修筑在山的阳坡上，墓圹长方形，圹内四周用大小不等的石板砌筑，顶部也用大小不等的石板铺盖，墓底未铺石板。青铜短剑放置在棺北，陶壶放置在棺南，人骨已朽，未见其他遗物。简报推断其年代为春秋时期。

184.辽宁抚顺县巴沟出土燕国刀币

作　者：抚顺市博物馆　佟　达、张正岩
出　处：《考古》1985 年第 6 期

1981 年 8 月 12 日，抚顺县海浪公社巴沟大队出土了 25 公斤燕国刀币。抚顺市博物馆进行了调查，并回收了全部遗物。简报分为三个部分予以介绍，有拓片。

据介绍，巴沟大队位于沈阳市、本溪市、抚顺市交界地区，北距抚顺市区 32 公里。刀币出土地点在巴沟村南一个平坦开阔的沟谷中。刀币经河水冲刷出土。全部刀币装在两个泥质灰陶罐中。陶罐通体饰细绳纹，直领，鼓腹，圜底。因残缺过甚，无法复原。经整理，除去残缺破损者，尚有完整刀币 662 枚，按其形制可分为弧背、折背两种，其中弧背刀 66 枚、折背刀 596 枚。这批刀币大部分面文、背文清晰。面文阳铸"明"字，背文较为复杂，似有文字组合的规律可循。多以"左""右""内"等字作为背文起首，再搭配数字、天干、地支等文字。还有许多单字背文及无文字组合难以辨识的背文，也有大量素背无文的刀币。简报推断其时代为战国末期。

185.辽宁抚顺市发现战国青铜兵器

作　者：抚顺市博物馆　徐家国、刘　兵
出　处：《考古》1996 年第 3 期

1993 年 4 月，抚顺市顺城区李石寨镇河东村村民在浑河北岸（抚顺市列尔屯—沈阳市下伯官村河段）筛砂石时，筛出青铜器 4 件，其中 1 件铜矛被抚顺市博物馆收藏。1993 年 8 月顺城区李石寨镇刘尔屯村村民在村东头砂石场筛砂石时筛出青铜器 3 件，其中铜戈 1 件被市博物馆收藏。

考古人员对铜矛出土地点实地调查发现，文物出土地点未见其他遗迹和遗物，但从现场地形来分析，铜矛应出自抚顺境内。因这段河床是东高西低，河水自东向西流淌，铜矛系因河床变迁被河水冲至筛砂场地。简报配以照片予以介绍。

据介绍，铜矛上刻有小字，计 3 行 19 字，简报录有全文。铜戈未见铭文。据铜矛铭文，应为战国后期至秦初遗物。可能与秦始皇统一中国的历史有关。秦于公元前 222 年灭燕，置郡县，今抚顺地区隶属辽东郡。

简报认为，这两件铜兵器可能是秦灭燕过程中或秦兵戍守辽东时的遗留。

本溪市

186.辽宁本溪发现青铜短剑墓

作　　者：魏海波
出　　处：《考古》1987 年第 2 期

1974 ～ 1975 年，本溪市明山区高台子乡梁家村先后发现了两座青铜时代墓葬，并出土了两把不同形制的青铜短剑和一枚双纽铜镜。1982 年春，考古人员对两座墓进行了调查。

简报分为：一、地理位置，二、出土器物，三、小结，共三个部分。有手绘图、照片。

据介绍，1 号墓地点在山脚下的坡地上，位于高台子乡梁家村西约 1 公里处，南距太子河 0.5 公里许，1974 年发现。据发现人介绍，在距地表约 1 米深处，发现两块石板，在两块石板之间发现了青铜短剑一把、枕状物一件、双纽铜镜一枚。2 号墓与 1 号墓相距 200 余米，位于 1 号墓西部，也是建在山脚下的坡地上。2 号墓是农民 1975 年修温室时发现的。据发现人介绍，推土机推土时，曾推出了一块大石板，同时还发现了一把青铜短剑及一些人骨。调查中，有农民介绍 1964 年在 2 号墓以西也曾发现过一把青铜短剑，形制与 1 号墓的铜剑相近，但这把青铜短剑现已丢失。由此看来此处可能是一处青铜短剑墓地。

1 号墓的年代，简报推断为春秋中晚期。2 号墓的年代，简报推断为战国初期。

187.辽宁本溪刘家哨发现青铜短剑墓

作　　者：梁志龙
出　　处：《考古》1992 年第 4 期

1978 年 9 月，本溪县富楼乡刘家哨村村民在屋前挖菜窖时，发现一批青铜器。1986 年，这批器物捐交本溪市博物馆，该馆先后多次派人前往现场进行调查。

简报分为：一、地理位置及墓葬，二、遗物，三、结语，共三个部分。有手绘图、照片。

据介绍，刘家哨村位于本溪县东北 17 公里，依山临水，坐落于一级阶地，村南 0.5 公里即为太子河，河南有本溪至田师府铁路。遗物出自村西头地下的一座石棺墓中。墓室呈长方形，墓内骨殖当时保存较好，系单人葬。铜器皆置于死者右侧腰至头部处。左侧随葬 6 件陶器，由头至脚依照器形大小排列，可惜出土后即被摔碎，调查时只在地表拾得数件陶片。简报推断，刘家哨青铜短剑墓应属辽东地区第四期遗存，年代约当战国晚期或稍后。简报称，刘家哨青铜短剑墓出土的遗物，有些是首次发现的新资料，对于研究辽东地区青铜短剑文化，将有其价值。

188.辽宁本溪县上堡青铜短剑墓

作　　者：本溪市博物馆　魏海波、梁志龙
出　　处：《文物》1998 年第 6 期

1995 年 7 月，本溪县上堡村小学在砌筑渗水井时发现两座石棺墓（编号 M1、M2），两墓均见人骨。M1 出土青铜短剑、铁凿、陶罐等遗物，M2 出土陶罐。施工人员取出遗物之后，又将人骨移葬它处，随即掘毁了墓葬，未予保留。次年 1 月，本溪市博物馆获知这一消息，当即派人前往现场进行调查，收回墓内出土的全部遗物。10 月中旬，考古人员对该处墓地进行清理，又发现两座墓葬（编号 M3、M4），出土了陶罐，发现若干陶器残片。简报分为三个部分予以介绍，有照片、手绘图。

据介绍，墓地位于本溪县小市镇上堡村南，南距小市镇约 2 公里，西距下堡村约 2.5 公里。墓地南 1 公里许，太子河由西向东流过，对岸为汤河入太子河河口。往北 500 米为洞山南麓。M1、M2 今已不存，M3、M4 也曾遭破坏。4 墓共出土陶器、铜器、铁器、石珠等计 15 件。

年代简报推断为战国末年或稍晚。墓主应为接受燕、汉文化的土著居民。

189.辽宁本溪县朴堡发现青铜短剑墓

作　　者：本溪市博物馆　梁志龙、魏海波等
出　　处：《考古》2005 年第 10 期

1994 年 4 月，辽宁省本溪县山城子乡朴堡村村民在翻整土地时，发现一座石棺墓（编号为 M1），墓中出有铜短剑、陶器等随葬品，但陶器多已散失。考古人员前往调查，收回墓中所出铜短剑等文物。次年 6 月，又前往该地进行调查，由于发现时筑墓石板已被取出，墓葬遗迹已不存，仅在地表采集到一些随葬陶器残片。

简报分为：一、出土地点和墓葬形制，二、出土遗物，三、结语，共三个部分。介绍了相关情况，有手绘图。

据介绍，这座石棺墓位于朴堡村西南部的居民区中。该村坐落在汤河左岸的狭长小平原上。墓葬所在地北距本溪县城 7 公里，南距山城子镇 1.7 公里，东面 150

米处太子河的支流汤河从南向北流去，西北 600 米处为二道河入汤河口，小市镇至汤沟的公路从其西南 100 米左右通过。据发现者介绍，此墓平面为长方形，南北向，墓室四周以石板立砌，墓底亦铺板石，但上无盖石；墓口距地表深约 0.8 米，墓仅见数块人骨，葬式不明。此墓的随葬品被取出后许多已经散失，调查时收回和采集到的仅有数件铜器和部分陶器残片。

简报推测该墓的年代为战国晚期至西汉初期。虽然这座墓葬在发现后即遭到破坏，可确认的随葬品也不多，但其文化内涵却特征鲜明，既包含土著文化因素，也有强烈的中原文化色彩，对研究燕、汉文化和辽东山地土著文化的融合具有重要参考价值。当地主要是貊人的活动区域，简报推测该墓可能就是接受了燕、汉文化影响的貊人晚期遗存。

简报指出，在不多的出土遗物中，此墓的铜短剑引人注目，尽管属于触角式短剑系列，但其独特形制是目前仅见的一例，应是北方民族间文化交流的产物。

丹东市

190.辽宁宽甸发现秦石邑戈

作　者：辽宁省博物馆、丹东市文化局　许玉林、王连春
出　处：《考古与文物》1983 年第 3 期

1975 年，辽宁省宽甸县太平哨公社挂房大队小挂房小队东 300 米东岗山脚下，发现秦代窖藏，出土有两件铜戈、刀币和一化圜钱。戈一件已残。另一件完整，全长 26.5 厘米。戈内和阑部有三处刻铭。简报录有铭文全文并配以拓片等予以介绍。

据铭文，该戈为秦国所造，上有督造者、制造地点、工匠名等信息。简报称，宽甸县下露河公社、红石砬子公社、双山公社黎明大队等都曾出土战国时期燕国明刀钱和农具。从这些出土地点可以看出，宽甸县北部地区已是战国时期燕国北部疆域。这次石邑戈的出土又进一步证明这一地区也是秦北部疆域和秦边防要塞地区。

191.丹东地区出土的青铜短剑

作　者：许玉林、王连春
出　处：《考古》1984 年第 8 期

丹东地区所辖的宽甸县、凤城县、岫岩县、东沟县，近几年来，陆续发现一

些青铜短剑墓。这些墓葬虽已遭到破坏，但从墓中出土的青铜短剑及其共存遗物地点明确，这为研究我国丹东地区青铜短剑的分布、类型以及文化性质等问题，提供了新的资料。丹东地区出土的青铜短剑及其共存的其他遗物简报配以图片予以介绍。

1975 年 8 月 6 日，宽甸县双山子公社利明大队赵家堡子农民在村东南 500 米左右桓仁至灌水公路的南侧、老爷岭河中部的北岸，于距地表 30 厘米深处，发现有两块长约 30 厘米、宽约 18 厘米的搭成人字形状的自然石块。石块下面埋着青铜短剑一把、叠放在一起的双组铜镜 3 个、铜矛 1 件。距出土物不远处，有用自然石块和卵石砌成的长方形墓圹。据此分析，青铜短剑等遗物应是已遭破坏的石墓中的随葬品。

据介绍，丹东地区目前所知出土的青铜短剑，除宽甸县太平哨公社泡子沿出土的青铜短剑残缺不全不好比较以外，其他青铜短剑大体上可分三种形制：

第一种，岫岩县西房身出土的青铜短剑，刃下端圆弧较宽，刃尾作圆弧形收缩，锋较短、柱脊上有脊突。简报推断其时代应在春秋时期。

第二种，宽甸县双山子公社利明大队赵家堡子出土的青铜短剑，剑身较长，锋长，刃前端较窄，后端有明显突出部分，刃尾作折收。凤城县弟兄山公社三家子大队小陈家出土的青铜短剑，形制相同。

第三种，东沟县合隆公社大房身出土的青铜短剑，剑较长，长锋，刃下端作直折，刃尾作折收，柱脊中没有脊突。

第二种和第三种形制的青铜短剑时代上应大体相当，简报推断为战国中期或以后。这种形制的青铜器应有一定分布区域。

锦州市

营口市

阜新市

192.辽宁阜新县代海遗址发掘简报

作　　者：辽宁省文物考古研究所、阜新市文物管理办公室　徐韶钢、高振海、
赵少军

出　　处：《考古》2012 年第 11 期

代海遗址位于辽宁省阜新市阜新蒙古族自治县旧庙镇代海村西代海营子屯北约
500 米的山坡上。2009 年 7 月中旬开始发掘，发掘面积 3350 平方米，共清理墓葬 62
座、灰坑 30 座、灰沟 4 条，出土各类遗物约 200 件。

简报分为：一、地理位置，二、墓葬概况及典型墓葬，三、遗迹，四、结语，
共四个部分。有彩照、手绘图。

据介绍，墓葬平面多呈圆角长方形，少数为长方形。有两座为男女合葬墓，其
余都是单人葬。随葬品有陶器、铜器、蚌壳制品及贝类饰品，多出土于墓坑开口南
侧的器物坑或器物台，其中陶器多为钵、罐（壶）组合，或为钵、罐、鬲组合。简
报推断墓葬年代属青铜时代早期。

辽阳市

193.辽阳二道河子石棺墓

作　　者：辽阳市文物管理所　邹宝库

出　　处：《考古》1977 年第 5 期

二道河子村在辽阳东南 40 公里河栏公社的汤河西岸，河水从村东顺山根由南向
北流入村后的汤河水库。北距亮甲约 2.5 公里。1955 年这一带曾发现过磨制石器和
青铜短剑土坑墓。这次在河的东岸相距约 500 米许岔沟山坡上，又发现石棺墓群一处。
在东西宽约 20 米、南北长约 100 米的墓地内，露出石棺墓 20 余座，多数因开采矿
石被炮崩毁。考古人员于 1975 年 12 月清理了其中两座石棺墓，编为 1、2 号。

简报分为：一、1 号石棺墓，二、2 号石棺墓，三、结语，共三个部分。有照片、
手绘图。

据介绍，墓葬受到不同程度损坏，部分遗物及骨架已被掘至墓外，随葬品有青铜短剑、青铜斧、青铜凿、滑石斧镞范及陶器等。其中陶器在同地区同类墓葬中少见。简报推断其为战国时期墓葬。

194.辽阳出土的战国货币

作　　者：辽阳县文物管理所　邹宝库
出　　处：《文物》1980 年第 4 期

1961 ~ 1965 年，在辽阳下麦窝、沙岭房、头台子、北园、大新庄等地，先后出土了几批战国货币，共重约 50 公斤，达 8000 余枚，主要是明刀和布币。简报配以拓片予以介绍。

据介绍，1961 年 9 月间，辽阳城东下麦窝村前太子河岸被河水冲出一批布币。考古人员得知后，前去进行了调查。在出土地点获得粗褐陶绳纹大罐口沿一片，布币是用此陶罐盛装埋藏的。此外，考古人员又在供销社收回一批一刀圆钱 400 余枚，也是该地附近同时出土的。

这批布币因锈蚀过重，多数黏结在一起，有的钱文不清。经初步整理后，共 4000 余枚。面文能辨认出来的，绝大多数是襄平布，安阳、平阴、匋阳次之，各占几十枚，其形制有所不同。布币所铸地名，经查著录，分布在今山西、河南、河北、内蒙古和辽宁等省区，为赵、魏、韩、燕等国所造，而以燕国的襄平布（即今辽宁辽阳市）为主。

1965 年 8 月，在辽阳城西小北河公社沙岭房村西的浑河内靠近左岸处发现一批刀币，同时还发现新石器时代陶器残片和少数石器。考古人员收集到 200 余枚刀币，全部为明刀：其中磐折刀 90 枚，身较窄；弧折刀 8 枚，身较阔，尾部均成圆环孔，正面有一"明"字，背面有多种文字符号。此外，1964 年，辽阳市西北郊北园生产队社员在村西南路旁曾发现一罐明刀，考古人员收集了 12 枚，均为磐折刀，背文因锈重不清。1963 年，辽阳城西黄泥窑公社头台子生产队农民平地时，曾发现一批明刀，考古人员收集了 92 枚，有磐折刀 83 枚、弧背刀 8 枚、直背刀 1 枚。1964 年，柳条寨公社大新庄村前沙河岸，河水冲出一批战国货币，约 35 公斤，其中有明刀、布币和一刀圆钱，以刀币为多。出土地还发现陶器，估计也是用罐盛装埋藏的。

简报称，辽阳战国时属燕，那时称"襄平"。下麦窝发现的布币中有大量襄平布，正好说明这个问题。以上这些货币，简报认为铸行年代和埋藏时间，应在战国时期。

195.辽阳市接官厅石棺墓群

作　者：辽阳市文物管理所　邹宝库

出　处：《考古》1983 年第 1 期

接官厅石棺墓群是 1965 年 3 月张台子公社农民修灌渠工程取土时发现的。考古人员于同年 3 月 18 日开始清理，23 日结束，共清理了 14 座墓。简报配以照片、手绘图予以介绍。

据介绍，接官厅位于辽阳北 10 公里太子河北岸。墓地位于村东取土场，计有 26 座石棺墓，其中 12 座只存残迹。葬具都是用未经加工、不规则的石块或石板砌立四壁，上下铺盖石板。也有棺底铺石板或土圹上只加盖石的。这 14 座墓，大部为单人葬，只其中一墓内有并排的双棺。14 座石棺墓中，成人墓 10 座，小孩墓 4 座。从保存较好的骨架看，普遍面向左或右，上身仰，下身侧，一臂置于股骨下，一臂放于腹上，两腿相交。个别侧身葬，全身骨架向右弯曲。随葬品有陶器、青铜饰品和猪骨。有两墓随葬铜饰品，一座出在头旁，一座出在肩部。两墓殉猪骨，一殉猪头，一殉猪牙、颌骨。陶器较普遍，一般只出一两个罐。

该批墓葬的时代，简报推断下限不会晚于春秋。

196.释辽阳出土的一件秦戈铭文

作　者：邹宝库

出　处：《考古》1992 年第 8 期

战国时代的青铜戈，在辽阳老城郊外先后出土了 5 件。最近新发现的一件秦戈，1985 年出土于辽阳老城东郊沙坨子村，1985 年 5 月由辽阳博物馆收藏保存。简报配以拓片、照片予以介绍。

据介绍，这件有铭秦戈，胡上三穿，内上一穿，至今仍光泽、黑亮，刃锋利，援部虽断残，但其铭文保存完整无缺，清晰可辨。铭文刻在戈内两面，正面 3 行 17 字，背面铭文共 20 字，简报录有铭文全文。

从戈铭以及所刻工官习语，简报推断此戈应为战国时代秦国所铸。上郡为秦置。此戈应不能早于昭襄王。昭襄王以下秦王有"四十年"的只有昭襄王一世，可知"四十年"是秦昭襄王四十年（前 267 年），即秦始皇统一全国前 47 年所铸。而今此戈又在当时燕境辽东郡襄平（今辽阳）发现，可能与两国战事有关。

盘锦市

铁岭市

197.辽宁西丰县永淳遗址及墓地的发掘

作　者：辽宁省文物考古研究所、铁岭市博物馆、西丰县文物管理所　李龙彬、
　　　　徐　政、梁振晶等

出　处：《考古》2011 年第 3 期

永淳遗址及墓地位于辽宁省铁岭市西丰县安民镇永淳村东约 400 米的两处漫岗上，该遗址在第二次全国文物普查时已经发现，墓地则是配合开原至辽源高速公路建设开展考古勘探时的新发现。考古人员于 2009 年 9 月 3 日至 10 月 10 日，对高速公路所经过的永淳遗址及墓地进行了考古发掘。

简报分为：一、遗址，二、墓地，三、结语。共三个部分。有彩照、手绘图。

据介绍，本次发掘仅限在高速公路建设用地内进行，分为南、北两区，相距约 200 米。南区为遗址区，发现房址 1 座、灰坑 4 座、灶址 2 座。北区为墓葬区，共清理墓葬 11 座，出土遗物有陶器、石器、铜器等。从遗物特征分析，永淳遗址及墓地的文化内涵一致，其时代为战国晚期至西汉初期。此次发掘对于认识辽北地区寇河流域这一时期的文化谱系起到了重要推动作用。

简报指出，古代辽北地区是一个多民族交融混居的军事缓冲地带。在战国晚期至汉初，扶余族逐渐强大，匈奴南下，东胡中的乌桓一支也由于"匈奴冒顿灭其国"而"余类保乌桓山"（《后汉书·乌桓鲜卑列传》），他们势必会在辽北地区产生激烈的文化碰撞。代表草原文化的单竖耳陶壶及螺旋式铜耳环在永淳墓地大量出现。永淳遗址及墓地中新出现的陶豆及侈口罐也可能与扶余"食饮用俎豆"（《后汉书·东夷列传》）的习俗相关。所以，在探讨永淳墓地的族属时，东迁的貊人、扶余、乌桓等民族都是需要考虑的。

朝阳市

198.辽宁朝阳十二台营子青铜短剑墓

作　者：辽宁省博物馆　朱　贵
出　处：《考古学报》1960 年第 1 期

1953 年秋，在辽宁海城县大屯的古墓群中，发现过一柄形式奇异的青铜短剑。剑身很短，圆背起棱，两叶刃部中间凹曲，剑柄部装有一个较重的金属矿石制成的细腰形枕状物。1955 年冬，又在辽阳亮甲山出土的一座单人葬的土坑墓中，发现一柄这种短剑。据老乡们说，在这座墓的人骨架头部还有作"田"字形放置的 4 件陶器。到 1956 年，在锦西县寺儿堡乡的一处断崖里，也发现一柄这种形式的短剑。因而考古人员认为，这种形式较为奇异的青铜短剑，是辽宁一带比较普遍的遗存。

1958 年春，在朝阳县城约 12.5 公里的十二台营子村南约 600 米处又发现有青铜剑墓。考古人员进行了抢救性发掘。

简报分为：一、青铜短剑墓的发现与清理，二、第 1 号墓，三、第 2、3 号墓，四、结语，共四个部分。有照片。

据介绍，一共发现了三座古墓葬，只发掘了一座。其余两座，为工人在挖土工程中无意掘出的。出土遗物有兵器、马具、装饰品、渔猎用具、纺织工具等。先民似过着渔猎游牧为主的生活。简报认为墓主人应为东胡人。年代简报推断为春秋晚期或战国时期。

199.朝阳县七道岭发现战国货币

作　者：金德宣
出　处：《文物》1962 年第 3 期

朝阳县七道岭最近发现了一批战国时期的布币和刀币。这批文物是由朝阳县文物普查组于 1961 年 8 月发现的。发现地点在该县东南 35 公里七道岭公社洪家沟生产队西北塔山的土崖中。简报配以拓片予以介绍。

简报介绍，布币的铜质较纯，有方足和尖足两种。在看到的标本中，属于方足布的有"安阳""平阴""恭昌""梁邑"等字样的数种。以"恭昌"布为多，"安阳"布较少，只十多枚。属于尖足布的仅有"武安"一种。

这批货币全都装在一个大陶罐内，罐体形厚重，泥质较细，色灰，火度强，硬度也较高。掘出时，已经破碎。

简报称，刀币和布币在朝阳地区发现的还很少。朝阳地区在战国时期属于燕国的辽西郡，且在长城以内，是通往东北各地的一个要道，估计今后地下当有更多的发现。

200.辽宁喀左南洞沟石椁墓

作　者：辽宁省博物馆、朝阳地区博物馆
出　处：《考古》1977年第6期

1966年春，喀喇沁左翼蒙古族自治县六官营子公社南洞沟农民在耕地时发现一座石椁墓，墓内出土了簋、戈、短剑、车軎、当卢等青铜器。简配以手绘图予以介绍。

据介绍，南洞沟在喀左县城（大城子）西北约10公里，为一南北向的小山沟，沟外有小河在大城子东南汇入大凌河。沟内西侧有一坡地，南隔冲沟为马蛋山，石椁墓即位于坡地西南边缘。墓圹略外弧，呈圆角长方形，东西长2.9米，南北最宽处2米。后椁内未见棺痕，在椁室东部中央，置一段东西放置的人肢骨，推测死者可能头向西。随葬器物计铜器21件，石器、陶器和骨器各1件。简报推断该墓为春秋晚期至战国早期墓葬。遗物既以具有当时中原文化特点的青铜礼器、兵器、车马器为主，又具有曲刃青铜短剑等地方文化因素。这使我们对辽宁省内燕国青铜文化在其发展过程中同燕国境内其他各地或相邻的各族文化的交流融合有了进一步的认识。

201.辽宁喀左大城子眉眼沟战国墓

作　者：朝阳地区博物馆、喀左县文化馆
出　处：《考古》1985年第1期

地处辽宁省西部地区的大城子镇，是喀左县县政府所在地。1974年11月，大城子农民在此地拦沟搪坝，挖出陶鼎、豆等器物，考古人员立即赶赴现场收集文物。1975年4月，考古人员到现场调查并对已经暴露的墓葬进行了清理和发掘，发现这是一处战国墓地。考古人员除了在土崖内清理了两座木椁墓（编号为眉M1、M2，其中M2仅存棺椁之西南角和一根胫骨）外，还清理了两座露头的瓮棺葬。

简报分为：一、棺椁墓，二、瓮葬墓，三、年代的推断，四、结语，共四个部分。

有手绘图、照片。

据介绍，从墓葬形制和随葬器物分析，眉眼沟墓地为典型的燕国文化遗存。两座瓮棺，通长各不足 1 米，内存部分小孩骨骼，属于未成年孩童葬具。眉 M1，就墓葬形制论，深坑竖穴，墓室内有棺有椁，虽然只是单棺单椁，但葬制不可谓不讲究。就其随葬的陶器类别讲，日常用的烹饪器（高、鼎）、盛储器（壶、豆）、盥洗器（盘）等样样具备，而且出必成双。另外，它用羊的部分肢体为祭，棺盖上又放着许多有某种象征意义的小石板，似都非一般庶民之所能享。这座墓的主人，简报推测较之禹县白沙战国墓中随葬品寒素的"庶民阶级"，显然是要高一等的。若依《荀子·礼论》说的"天子棺椁七重，诸侯五重，大夫三重，士再重"，那么，这座墓的墓主可能为当时统治阶级中的最低一级，即相当于士一级的人物（或眷属）了。从墓葬形制和随葬器物特点及其组合看，简报推断眉眼沟棺椁墓（M1）应属于战国前期，至迟也不晚于战国中期。两座瓮棺当属同时期墓葬。如此，眉眼沟墓地当形成于战国中期前后。

202.辽宁凌源县三官甸青铜短剑墓

作　者：辽宁省博物馆　马云鸿
出　处：《考古》1985 年第 2 期

1976 年 4 月，辽宁省凌源县凌北公社三官甸大队社员在修河时发现一古墓群。1978 年 6 月，考古人员到现场调查，发现墓已无法复原。据当事人回忆，墓葬数目已弄不清楚，出在距地表 1.5 米左右，皆竖穴、单身葬，头东脚西，由南向北排列。

简报分为：一、地理概况和墓葬，二、铜器，三、金器，四、陶器，五、石器，六、结语，共六个部分。有照片。

据当事人讲并介绍，墓的大小、随葬品的多寡悬殊。大型墓有二座，石筑，随葬器物多，但器物归属不敢确认。小型墓则为土圹，随葬品极少，有的墓只葬一把短剑或一、二件箭头，甚或一无所有。这些迹象说明了严格的等级差别和贫富悬殊。鼎和山彪镇出土的列鼎形式相似；戈与南洞沟的戈更近似；马衔与山彪镇、南洞沟马衔接近。因此，简报推断，三官甸墓群应属十二台营子类型第二期遗存，时间约在战国中期，不会早于战国早期。

简报称，从地望看，凌源一带春秋战国时期属燕国辖境，又是民族杂居的地方。墓群既出土具有地方特色的文物，也有显著中原地区特征的文物。因此，简报认为凌源三官甸墓群应属于受中原文化影响较深且具有地方特色的文化。

203.辽宁喀左县出土战国器物

作　者：傅宗德、陈　莉

出　处：《考古》1988 年第 7 期

1977 年 10 月，辽宁省喀喇沁左翼蒙古族自治县市政园林处在挖菜窖时，破坏土坑竖穴石椁墓一座。经主管部门清理，出土铜带钩一件、青铜短剑一把、陶壶两件、陶罐两件、陶鼎一件、陶盆一件，现藏喀左博物馆。两件青铜器腐蚀不甚严重，虽有绿锈，冲洗后仍有光泽。几件陶器为慢轮加工制成，分泥质与泥质加砂两种，均为灰色，火候较低，质地较松，壁厚不匀，外表有擦磨修整迹象。

据介绍，此墓位于喀左县政府所在地大城子镇北山根，实为小土丘，东西走向，距此墓南 1 公里处是西东走向的小凌河（大凌河支流），河床与山根之间是一片开阔地，现已布满建筑物。十几年来，石椁墓在喀左陆续被发现。园林墓虽墓制不清，但出土物尚存，三座墓的墓制有相同点，随葬器物各有特色，器形又有延续关系。南洞沟的铜带钩与园林的铜带钩有同样的特点、风格及构造原理和质地。眉眼沟的陶壶是由园林的陶壶发展演变而来的。

简报称，春秋战国时期，辽西地区居住着高句丽等几个少数民族。此墓出土的几件器物，为研究这些民族的文化以及与中原的关系，研究辽西地区战国文化，或许能起到一点参考作用。简报推断出土器物时代为战国时期。

204.辽宁凌源县五道河子战国墓发掘简报

作　者：辽宁省文物考古研究所　李恭笃

出　处：《文物》1989 年第 2 期

1979 年 5～6 月，辽宁省文化局组织的文物普查训练班凌源队在三道河子乡五道河子村乡办砖厂附近进行了调查。从调查情况和收集到的一批较为珍贵的文物断定，砖厂取土的场地是一处战国墓地。墓地位于凌源县西南，青龙河上游的右岸，五道河子村北猴山下。墓地呈簸箕形，地势由西北向东南逐渐降低，东西长 100 米，南北宽 70 米。地表文化遗物其少，偶尔能发现几件绳纹红陶片和古墓中暴露出来的白色小骨珠和扁圆形绿松石珠等。墓地墓葬遵循一定规律埋葬，中部较密集，四周较稀疏。在调查期间，前后两次清理古墓 11 座，编号为 M1～M11。

简报分为：一、墓葬形制、结构及葬式，二、出土遗物，三、结语，共三部分。配有照片。

据介绍，随葬品主要是铜兵器和装饰品，不见陶器和青铜礼。铜兵器以刀、剑、戈为主，都是中原地区常见的器物。M1 出土的 65 件遗物，其中金质牛牌饰和璜形饰并非一般士卒所能拥有，故简报认为墓主生前地位应较高。五道河子墓葬的时代，简报推断为战国中晚期。

205.辽宁省凌源县刘杖子乡发现战国货币窖藏

作　者：凌源县博物馆　阎　奇
出　处：《文物》1994 年第 6 期

1989 年 10 月，凌源县刘杖子乡洼子店村村民挖菜窖时，在距地表约 0.3 米深处发现一件绳纹灰陶罐，内装战国时期燕国刀币 5 公斤。后陶罐被打碎，大部分钱币损坏，完整的仅存 50 枚。简报配以拓片予以介绍。

据介绍，洼子店村位于凌源县城南 70 公里、清龙河东岸，窖藏发现于距河岸 250 米处的坡地上。经整理均为燕国明字刀币：Ⅰ型 1 枚；Ⅱ型 2 枚；Ⅲ型 47 枚。

据文献记载，武王伐纣以后封召公奭于燕，凌源为燕国北部疆土。所以凌源发现燕国刀币较多。刘杖子乡洼子店燕刀币的出土为研究战国时期货币提供了新的资料。

206.辽宁北票喇嘛洞青铜时代墓葬

作　者：辽宁省文物考古研究所　张克举、赵志伟等
出　处：《文物》2004 年第 5 期

北票喇嘛洞墓地是辽宁省文物考古研究所于 1993 ～ 1998 年正式发掘的，6 年间进行了 5 次发掘，出土了一大批珍贵文物。先后共发掘清理墓葬 435 座，其中三燕时期墓葬 420 座，青铜时代墓葬 12 座，契丹墓葬 1 座，清代墓葬 2 座。

简报分为：一、墓葬形制，二、随葬器物，三、结语，共三个部分。配以照片、手绘图，先行介绍青铜时代的 12 座墓葬发掘整理情况。

据介绍，墓地位于辽宁省北票市南八家乡四家板喇嘛洞村西北坡上，属大凌河的二级台地，坡下为大凌河冲积平地。墓地中部有一自然冲沟，将整个墓地分成两个部分，沟东为Ⅰ区，沟西为Ⅱ区，占地约 1 万平方米。墓葬形制分为四种类型，其中土坑墓 1 座，石椁墓 5 座，木棺墓 5 座，石椁木棺墓 1 座。各种类型墓葬的规格都比较小，随葬器物数量也不多，主要有陶器、石器、铜器、骨器等，其中有的墓无随葬器物。这批墓葬的年代，简报推断为春秋中晚期，下限不会晚到战国中期。

葫芦岛市

207.辽宁锦西县乌金塘东周墓调查记

作　　者：锦州市博物馆　刘　谦
出　　处：《考古》1960 年第 5 期

1958 年锦西县西 40 公里暖池塘乡的李虎氏村，因兴修水利，在东山坳取土时发现了铜器。从 1958 年 11 月 6 日至 1959 年 7 月 8 日，在工程中陆续出土了不少铜器和其他古物。考古人员于 7 月 7 日到现场调查，收回了民工掘获的 80 余件古物，并获悉掘出的人骨架有百余个，得知此地当是古墓葬区。简报配以照片予以介绍。

据介绍，考古人员到东山对残存的三个墓葬进行调查。第一个墓为竖井式，仰身伸肢葬，无葬具，亦无随葬品。第二个墓离前墓北约 6 米，人骨残存肢、腰，其他同前。第三个墓在前墓北 2.6 米处。清理时，在墓的中部靠北处出土铜纽一排 15 枚，铜镞残铤 1 个。据民工说玛瑙珠和铜镞、铜盔、铜剑、甲叶皆出于此。第三墓以及在此墓区出土的器物，以铜器为主。考古人员曾在墓葬区西部进行了小规模的试掘，发现了一个新石器时代遗址。在墓葬区北部，试掘了一个灰坑，出土的陶罐、陶钵等，都和大泥洼战国遗址所出的相似。出土的铜器与中原地区所出略有不同。简报推断墓葬的时代约可定为战国。

208.辽宁锦西县台集屯徐家沟战国墓

作　　者：锦州市博物馆　付俊山
出　　处：《考古》1983 年第 11 期

1982 年 4 月，锦西县台集屯公社工业办公室刘廷海先生，在自己家房后植树时发现铜矛一件，应为一墓葬随葬品。距此墓东侧 2 米处有一土坑竖穴墓，方向一致，排列在一条线上，当是夫妇合葬的异穴墓。在墓里拾到青玉环一件，可能是耳环；灰陶罐一个，已破碎。考古人员出土彩绘灰陶壶一件，绳纹方足红陶鼎一件。据当地人讲，村中动土时出现陶器是经常的事，可想此处是一个墓葬群。考古人员只将西边的一座墓上半部作一清理。

简报分为：一、墓葬位置与结构，二、出土遗物，三、年代推论，共三个部分。有照片等。

据介绍,该墓东距锦州市 23.5 公里,南距锦西县 34 公里,西北距南票镇 10.7 公里,西南距女儿河河床 1 公里,为木椁墓,单人葬,距地表 3 米。在骨骼上半部右侧出土夔龙回纹青铜矛一件,骸部被刨毁,碎片也未找到。在头部木椁外出土黑地描红漆盒一件(腐烂),内装三弦纽单线八连弧铜镜一件、鼻纽方覆斗形银印章一件。木椁前右侧出土弦纹绳纹灰陶壶一件,左侧出土弦纹绳纹灰陶罐一件。

简报称,印章形状较古老,是战国时期之物。战国时期锦州地区为燕国领地,燕国是七国之中最弱小的国家,有这样的印章,墓主人应是当时官级地位较高的。古时王与妃用金印,公卿用银印。镜的发展是由小到大、由简到繁、由薄到厚,据此发展规律判断,此铜镜应是战国时期的。从铜矛来说,矛的发展是由短至长、由粗至细,纹饰也是由简至繁。此矛细而长,通体有纹饰,应是青铜兵器最盛时期之物。秦统一中国,销毁各国的兵器,况且秦以后铁兵器占了上风,铜制兵器罕有精制的了,所以铜矛也应是战国时期之物。陶壶也具战国时期陶器的特征。因此此墓时代应是战国晚期。

209.辽宁绥中县大官帽村发现窖藏古钱币

作　　者:锦州市博物馆　傅俊山
出　　处:《考古》1992 年第 8 期

1981 年 10 月,绥中县网户乡大官帽村在修筑狗河河堤时发现三窖古钱币。每窖重约 250 公斤。三窖中有一窖均为圜钱,95% 以上是五铢钱,有 2 枚圜钱较为特殊。简报配以照片予以介绍。

据介绍,一枚钱径 2.5 厘米,穿径 0.8 厘米,重 3.2 克。钱体较薄,面文较高,无内外廓,穿不甚规整,背平素。穿左右各有一字。另一枚钱径 2.6 厘米,穿径 0.7 厘米,重 3.7 克。钱体较前者厚,面文较前者低,无内外廓,背平素。穿左右各有一字。上述古钱上的字,《古钱大字典》释为"明月"。二枚钱上的字稍有区别。一枚"月"字二画之间是虚的,另一枚是实的;一枚"明"字中的"日"字中间有一点,另一枚无。这种钱简报推断可能是战国时期燕国的。

210.辽宁建昌县东大杖子墓地 2002 年发掘简报

作　　者:辽宁省文物考古研究所、葫芦岛市博物馆、建昌县文物管理所　万雄
　　　　　飞、白宝玉、孙建军
出　　处:《考古》2014 年第 12 期

2002 年 9 ~ 11 月,考古人员对建昌县东大杖子墓地进行了第四次发掘。此次

发掘区东部零星分布有几座待发掘的大型墓葬，北部接近墓地北缘，西部主要为前三次发掘区域。本次发掘 13 座墓葬，编号为 M28～M39、M41。发掘情况简报分为：一、墓地地层，二、墓葬结构，三、出土遗物，四、结语，共四个部分。有照片、手绘图。

据介绍，墓葬为封石墓和竖穴土坑墓，共出土遗物 238 件（套）。结合本次发掘墓葬的位置、形制以及出土遗物同以往发掘墓葬的比较，简报推断墓葬年代可能稍晚于第三次发掘的墓葬，应在战国中期前后，个别墓葬的年代可能会更晚。

211.辽宁建昌县东大杖子墓地 2001 年发掘简报

作　者：辽宁省文物考古研究所、葫芦岛市博物馆、建昌县文物管理所　成琼瑶、孙力楠、华玉冰、韩　洋

出　处：《考古》2014 年第 12 期

墓地及相关遗址所在的建昌碱厂乡东大杖子村，背靠燕山余脉，面临大凌河川。2001 年 10～11 月的发掘区位于东大杖子墓地的南部及西南部区域，被东大杖子村所覆盖，南邻大凌河支流南河，东部为待发掘区域，北邻 2000 年发掘墓葬区，西为耕地。

此次发掘的 12 座墓葬原编号为年度流水号，现统一编号为 M16～M27。简报分为：一、墓地地层，二、墓葬结构，三、出土遗物，四、结语，共四个部分。有彩照、手绘图。

据介绍，发掘的 12 座墓葬为封石墓和竖穴土坑墓。出土遗物种类丰富，数量繁多，保存状况相对较好，有陶器、铜器、玉器、石器等。简报推断，这些墓葬的年代应在战国早期或稍晚阶段。

简报认为，本次发掘的东大杖子墓地 12 座墓葬所代表的群体，应为与中原燕文化有密切联系的当地土著文化。可能因墓主性别、埋葬年代以及身份地位等的差异，其墓葬结构的繁简、随葬品的多寡也都有差别。

212.辽宁建昌县东大杖子墓地 M47 的发掘

作　者：辽宁省文物考古研究所、吉林大学边疆考古研究中心、葫芦岛市博物馆、建昌县文物管理所　高振海、孙建军、华玉冰、徐韶钢

出　处：《考古》2014 年第 12 期

东大杖子墓地位于辽宁省葫芦岛市建昌东大杖子村村内，于 1999 年发现。截至

2011 年，对该墓地共进行了六次发掘。2011 年，在地方政府的支持下，对 M40 土坑竖穴木椁墓进行了发掘。考古人员于 2012 年对已经发现并且亟须保护的 M47 进行了发掘。

简报分为：一、墓葬位置与地层堆积，二、墓葬结构，三、出土遗物，四、结语，共四个部分。有彩照、手绘图。

据介绍，M47 是目前东大杖子墓地已发现等级较高、具有自身特色的一座墓葬。简报推断 M47 应属战国晚期燕国墓葬，在目前已发现墓葬中是年代最晚的墓葬。

213.辽宁建昌县东大杖子墓地 M40 的发掘

作　者：辽宁省文物考古研究所、吉林大学边疆考古研究中心、葫芦岛市博物馆、建昌县文物管理所　徐韶钢、华玉冰、高振海、孙建军

出　处：《考古》2014 年第 12 期

2011 年 8 ～ 12 月，考古人员对东大杖子战国墓地内编号为 M40 的墓葬进行了发掘。此墓是继 2000 年、2001 年（两次）、2002 年、2003 年之后的第六次发掘，也是整个墓地目前发掘规模最大、出土遗物最多的一座墓葬。

简报分为：一、层位关系及墓葬结构，二、出土遗物，三、结语，共三个部分。有彩照、手绘图。

据介绍，M40 是东大杖子墓群已发掘墓葬中规模最大的一座，也是目前发掘的唯一一座带墓道的墓葬，其重要性和特殊性显而易见。墓葬形制特殊，棺椁结构复杂。整个墓葬为四层台，逐层缩收。两椁一棺的形制目前只有 2012 年发掘的 M47 与之同类。出土遗物丰富，种类繁多，尤其是成套的彩绘陶礼器以及大量的石饰件，显示出墓主人特殊而显赫的身份与地位。同时，也体现出地处由中原地区进入东北地区咽喉要地的东大杖子墓地所含文化因素的复杂性。该墓时代，简报推断为战国中晚期。

吉林省

长春市

214.吉林九台市石砬山、关马山西团山文化墓地

作　者：吉林省文物考古研究所　庞志国、宋玉彬
出　处：《考古》1991 年第 4 期

1989 年 5 月，考古人员对已遭破坏的石砬山墓地、关马山墓地进行了清理发掘。
简报分为：一、石砬山墓地，二、关马山墓地，三、结语，共三个部分。有手绘图。

据介绍，石砬山墓地位于九台市西营城镇榆树棵村东约 300 米的石硅山上。这次发掘清理了两座墓葬，均已被破坏。遗物中陶器均为夹砂陶。陶色为红褐、黄褐、灰褐，手制。皆为素面，器表多经磨光处理。小型器物捏制，器表不平，主要器型有盅、钵、罐、鬲、纺轮等。石器主要有刀、斧、石材等。时代上接近或晚于西团山晚期文化，也属青铜时代。

关马山石圹墓距石砬山墓地不远，就在其正东方向不远处，但是文化面貌与石砬山墓地完全不同。关马山墓较大，是目前吉林省境内发现最大的一座石圹墓。墓中出土的遗物以陶器为主，还有少量的铜器、石器和骨器。陶器有夹砂褐陶和夹砂黑陶两种，主要器型以壶、罐为大宗。简报认为这是一处一次性集体迁葬墓地。简报推断其时代相当于战国。

215.吉林德惠县北岭墓地调查与发掘

作　者：吉林省文物考古研究所　刘景文、王国范、张志立
出　处：《考古》1993 年第 7 期

1983 年，吉林省德惠县在文物普查中，在北部临近松花江的菜园子乡王家坨子征集到 4 件完整陶器。它们是 1972 ~ 1976 年改土造田时，在该屯中部一处破坏的墓地中出土的。这几件以镂空豆为突出特征的器物群，引起考古人员的重视。1984

年 6 月，对该墓地进行了发掘，可惜破坏严重，仅发现一座铁器时代的墓葬，征集到一件陶器。同时发现其西北 10 公里处的北岭屯亦有一处同类型墓地，随即对北岭墓地进行了调查、发掘。简报分为：一、概况，二、墓葬形制，三、随葬器物，四、结语，共四个部分。有手绘图。

据介绍，北岭位于德惠县北部，南距县城 40 公里，北临饮马河仅 0.5 公里，东距松花江支流 3.5 公里。墓地位于北岭村内南部一个漫岗高地的南坡上，最高处高出周围地表约 5～7 米，上面建有民宅，余为菜地。几年来农民动土掘出墓葬 10 余座，征集到完整器物 5 件。1984 年 7 月初对该墓地进行了发掘，发掘了两座墓葬。简报初步估计这一文化遗存的年代可能在春秋战国之际，其社会仍处于相当于原始社会阶段。

简报称，这次发掘从出土的器物和墓葬看，有别于目前的各种文化类型，是一种重要的新的文化类型。为了区别于其他文化类型，不妨暂称之为"北岭类型"。虽然目前仍是孤立的两个点，对它的文化内涵、性质、分布等还不清楚，但随着考古工作的深入，这些谜都将逐渐被解开。

吉林市

216.吉林长蛇山遗址的发掘

作　者：吉林省文物工作队　张锡瑛
出　处：《考古》1980 年第 2 期

长蛇山位于吉林市北郊山地和平原的分界线上，山之南是开阔的平原，山之北则是起伏不绝的山峦。长蛇山是由花岗岩构成的南北相连的两座小山组成，海拔 230 米。山南约 500 米有松花江的支流——牤牛河自东而西流过。遗址面积约 3 万平方米。1957 年，因采石暴露出文化遗址，考古人员前往清理，发现有房子 6 座、灰坑 8 个、石棺墓 2 座。1962 年秋，进行了第二次发掘，发现有房子 3 座、灰坑 4 个。1963 年，进行了第三次发掘，发现有房址 6 座、灰坑 5 个、土圹墓 2 座。

简报称，三次发掘的 15 座房子，有的修造复杂且屋内遗物也较多，有的十分简陋。墓葬中有的出土精致铜矛、玛瑙管，有的一无所有，应已出现贫富差距。简报认为，吉林地区这一性质文化的发展序列应该是：西团山——星星哨——骚达沟——长蛇山和猴石山——土城子。长蛇山的时代，应属战国。碳 14 测定其具体年代为公元前 405±85 年。

217.吉林猴石山遗址发掘简报

作　者：吉林地区考古知识训班　董学增、陈家槐、尹郁山、石明福、王玉书
出　处：《考古》1980 年第 2 期

吉林猴石山原始社会遗址，是吉林省级重点文物保护单位。发掘工作从 1975 年 9 月 2 日开始，至 23 日结束，历时 22 天，清理居住址 3 处、石棺墓 3 座，共出土遗物 165 件。

简报分为：一、遗址概述、二、居住址与遗物、三、结语，共三个部分。有手绘图。

据介绍，猴石山位于吉林市郊区大屯公社孤家子大队北 2 公里许，与长蛇山相距约 2 公里，遗址总面积约 18000 平方米。距此东北约 4000 米为墓葬区。居住址 3 处，皆为半地穴式长方形建筑，边墙有的用不规整的花岗岩石块垒砌，有的利用山岩为壁。四边无门道，室内未发现柱洞。猴石山遗址出土和采集的石制生产工具中，农业生产工具占绝大多数。这些生产工具不仅有砍伐用的石斧、石锛、石凿，而且有收割用的石刀。农业生产工具数量之多、品种之全，说明猴石山的原始农业生产在原始经济部门中已占主要地位。猴石山遗址出土和采集的完整陶器和残陶器中，鼎、鬲、豆之属较多。石棺墓中出土有青铜削，说明已进入青铜时代。据青铜削上附着的麻布，分析有可能已出现原始织布机。

简报称，猴石山原始文化的内涵与附近的长蛇山原始文化基本相同，因而其绝对年代也应与长蛇山原始文化相当。经测定，年代为距今 2275±75 年，大约在公元前 325 年前后，相对年代约当战国中期。

218.吉林口前蓝旗小团山、红旗东梁岗石棺墓清理简报

作　者：吉林市博物馆　董学增
出　处：《文物》1983 年第 9 期

1982 年 5 月，考古人员清理了蓝旗小团山、红旗东梁岗已暴露出来的 12 座石棺墓。

简报分为：一、蓝旗小团山，二、红旗东梁岗，三、结语，共三个部分。有照片、手绘图。

据介绍，蓝旗小团山位于永吉县口前公社蓝旗大队第七生产队西北方，是平面呈椭圆形的小山，故名“小团山”。清理 5 座土圹石棺墓，可辨葬式的为仰身直肢葬，随葬品有石刀、陶壶等。红旗东梁岗，坐落在永吉县口前公社红旗大队第四生产队东面 0.5 公里许的丘岗之上，故名“东梁岗”。清理 7 座石棺葬。简报推断东梁岗、小团山石棺墓的年代，大体在春秋战国之际。

219.吉林磐石吉昌小西山石棺墓

作　　者：吉林省文物工作队　张　英、王　侠

出　　处：《考古》1984 年第 1 期

1976 年 7 月，磐石县吉昌公社农民在西郊小西山东坡修水渠时，发现数座石棺墓。考古人员前往调查。1980 年 6 月，考古人员赴该地进行文物调查时，在东坡人工削成的断崖东壁上，发现三座暴露在外的石棺，遂即进行了清理。之后，在渠东一个残丘顶端开探沟两条，发现三座石棺，同时作了发掘。

简报分为：一、地理环境，二、墓葬，三、随葬品，四、灰坑，五、采集器物，六、几点认识，共六个部分。有手绘图、照片。

据介绍，小西山距磐石县 45 公里，距吉昌公社西南 1 公里。南屏南天门，地势由南向北平缓下降，形成一个长 2.5 公里、宽 1 公里的漫岗。这次共清理了两处墓葬，其南北距离约 300 米。第一墓区有两座石棺墓，两墓相距 10 米；第二墓区有四座石棺墓。6 座墓都为长方形竖穴土圹石棺墓。二墓区相距不远，但一墓区石棺皆取外地石灰岩石经修琢做棺；二墓区则拾本地花岗岩石成具，间有拆用一墓区石灰岩棺石者，出土之陶器亦较一墓区精致，器耳更富变化。两墓区葬式均为单人仰身直肢。随葬组合的器物形制基本相似并多置头上和足下。由此，简报推断这一墓区应是一处相同文化类型的不同发展阶段、又各不相属的家族墓地，一墓区略早于二墓区。从小西山石棺墓出土或采集的石斧、石刀、磨盘、陶器和镞等生产、生活用具，概略看出这里的部族业已定居，农耕生产占重要的地位，纺织、狩猎亦占有一定的比重。青铜器的出土，证明当地已进入我国的青铜时代。

220.吉林市泡子沿前山遗址和墓葬

作　　者：吉林市博物馆　董学增

出　　处：《考古》1985 年第 6 期

由于市区人防工程和附近居民取土挖窖以及自然的水土流失，泡子沿前山的古代居住址和墓葬遭到部分破坏。为了保护这些文化遗存，考古人员于 1982 年 6 月 2 日至 23 日，对遭到破坏和有破坏危险的居住址和墓葬进行了清理发掘。共清理发掘居住址 4 座、石棺墓 11 座、瓮棺 2 座，获得石、陶、玉、铜器物 125 件，其中墓葬器物 7 件（包括瓮棺葬具 2 件）。

简报分为：一、地理环境与遗址状况，二、居住遗址，三、墓葬，四、结语，共四个部分。有手绘图、照片。

据介绍，泡子沿前山坐落在吉林市江北龙潭区胜利桥东北侧合肥路与劳动路的夹角地带。泡子沿前山居住址坐落在人工削成的阶段式丘岗之上。石棺墓坐落在山坡间，4座棺墓结构除一座儿童棺（M10）为板石立砌外，其余皆为块石垒砌。居住面上和石棺墓中所出陶器皆为手制素面褐色砂质陶，所出石器皆为磨制石器。陶器中有筒腹锥足鼎、折肩和鼓腹大陶壶。石器中有板状长身斧和双孔半月形刀。这些遗迹、遗物都属于典型的西团山文化遗存，可知泡子沿前山主要是西团山文化的遗址和墓地。泡子沿前山的西团山文化遗存年代，简报推断大体相当于战国中、晚期。有些遗物如陶片、铁器，与中原地区无异。简报推测随着汉武帝在朝鲜和东北设置四郡，一部分汉族劳动人民也随之迁徙到这里安家落户。

221.吉林市骚达沟山顶大棺整理报告

作　者：吉林省博物馆、吉林大学考古专业　段一平、李　莲
出　处：《考古》1985 年第 10 期

吉林市骚达沟山顶大棺是 1949 年 9 月王亚洲先生清理骚达沟石棺墓时重点清理的一座墓葬。1983 年 5 月，考古人员先后前往该处进行了复查，在核对石棺墓的相对位置时，查清并确认山顶大棺是位于骚达沟北侧平顶东山的山顶上，而不在骚达沟内。但是，长期以来，学术界一直称其为"骚达沟山顶大棺"，今仍沿用此名。

山顶大棺是在 1949 年前夕，由王亚洲先生组织学校的教师 9 人进行清理的。1950 年，有关专家看了山顶大棺出土的全部器物，认为是一座重要的墓葬。之后不久，贾兰坡先生在他的文章中曾简要地介绍过这座墓葬（贾兰坡：《吉林西团山古墓之发掘》，《科学通报》1950 年 1 卷 8 期）。特别是该墓出土的青铜器，引起了学术界的浓厚兴趣和广泛的注意。三十多年来，国内外的许多学者在他们的文章中，曾多次对此进行过论述。山顶大棺的清理者王亚洲先生也想尽早地编写出清理报告，公诸于世。但是由于王先生的工作岗位多次变动，一直到 1964 年才动手编写。当时，因为整理者和出土器物分别在两个单位，编写进度甚为迟缓。王先生年老多病，直到 1966 年去世前，只写出一份不完整的《骚达沟山顶大棺清理报告》的文字草稿。此次在整理此简报时，仔细研究和参考了王先生的草稿，并将吉林省博物馆收藏的山顶大棺出土器物进行了全面整理，绘图和拍照，并进行了现场复查。有些现象已与三十多年前大有不同。为了恢复其原貌，尊重清理者的观察和判断，在叙述遗址环境和墓葬形制等方面的情况时，尽量引用原始记录和草稿原文。原始记录的资料太少，而在这很少的资料中，有些部分又与王先生遗留的草稿原文相矛盾。最后总算完成了考古简报。

本简报分为：一、前言，二、地理形势与环境，三、石棺形制与结构，四、棺

内堆积与葬式，五、随葬品，六、几点认识，共六个部分。有手绘图、照片。

据介绍，平顶山位于吉林市西郊骚达村之北侧，是东西连绵10余公里的丘陵山地。此处山岭较高，但山顶平坦，故名之为"平顶山"。具体位置在骚达沟以北、西团山西北。山顶大棺在墓地选择、墓葬形制和随葬品等方面，都与吉林市常见的石棺墓有所不同，显示了该墓的特殊性与重要性，具体表现在以下几点：

其一，墓地选择在地势较高的平顶东山的顶端，居高临下。在此山范围内，孤立的只有这座巨型石棺墓，与吉林市郊常见的石棺墓地纵横排列成群的情况完全不同，说明了山顶大棺墓主人身份的特殊与显赫。

其二，就墓葬形制而言，所采用的石材大部为整块巨型花岗石。棺底、四壁与棺盖均以整块岩石筑成，规模之巨大，为吉林市郊石棺墓中罕见。值得注意的是它同其他石墓棺不同，即在棺的南端留有"洞形窗口"，窗外一侧还有横石，巨型棺盖石覆压在上。这种现象，在迄今发现的吉林地区石棺墓中是孤例。

其三，此墓出土的随葬品，共计71件。其中青铜器就多达17件，其数量和种类都较吉林市郊一般石棺墓为多。特别是装饰品，质地之精美，更非一般石棺墓的同类器物所能相比。更为突出的是，置于脚侧的一件曲颈带流陶壶，形状特殊，在吉林地区石棺墓中是首次发现。

山顶大墓的年代，简报推断为战国晚期。

222.吉林市骚达沟石棺墓清理报告

作　者：段一平、李　莲、徐光辉
出　处：《考古》1985年第10期

吉林市西郊骚达沟的石棺墓地，早在1941年佟柱臣先生调查时就发现，并清理了两座。1948年9月，东北师范大学顺便在骚达沟的大砬子处清理过一座石棺。1949年7月，时任吉林市通天区第二完全小学校校长的王亚洲先生踏查骚达沟墓地时，见到部分石棺已被雨水冲刷暴露在地表上，于是组织教师9人，雇用民工1人，及时进行了抢救性清理，在骚达沟的大砬子、二砬子、山咀子、西南沟和平顶东山上共理石棺墓20座（包括山顶大棺）。从1941年到1953年间，先后五次在骚达沟的大砬子、二砬子、西南沟、山咀子和平顶山等处共清理石棺墓28座。在这一批石棺墓中只有3座曾在贾兰坡和佟柱臣二位先生的文章中提到过，而其余均未公开报道。特别是1949年和1953年两次清理的24座石棺墓，是骚达沟墓地的主要组成部分，却一直未能全部公布。负责这两次清理工作的王亚洲先生在吉林省博物馆为时不久，就转到东北人民大学（即吉林大学）文物陈列室工作。骚达沟石棺墓出土的全部器物由吉林省博物馆收藏。由于清理者和实物分别在两个单位，整理工作和编写报告的进展速度很迟缓。1964 年 4 月王亚洲先生开始编写该报告，至 1966 年 5 月病故时骚达沟石棺墓的清理报告一直未能完成。今天，考古人员采用吉林省博物馆资料员抄录的先生未编写完的《骚达沟石棺墓清理报告》的草稿副本为依据进行整理。1953 年清理的 4 座石棺墓，也一直未公布过。这次是根据当时在省博物馆工作的康家兴先生向上级汇报发掘情况的一份材料为依据来进行整理的。1949 年和 1953 年两次清理的全部器物，都收藏在吉林省博物馆内。此次对这部分器物也进行了整理、绘图和拍照，并于 1983 年 5 月先后前往骚达沟和平顶山等遗址进行了复查，核对了石棺墓的相对位置，并草绘了示意图，补拍了遗址全貌。

简报分为：一、前言，二、地理环境与石棺墓的分布，三、1949 年清理的石棺墓，四、1954 年清理的石棺墓，五、几点认识和说明，共五个部分。有照片、手绘图。

据介绍，骚达沟位于吉林市西南，距市区约 10 公里。这次整理的石棺墓，是 1949 年清理的 19 座和 1953 年清理的 4 座，共计 23 座。其中有 6 座因遭严重破坏，未见随葬品，形制不详，只保留墓号。葬式有侧首仰身屈肢，上身仰卧、下肢不存等。此遗址年代，简报认为有一个相当长的延续时间，大致相当于战国前后。

223. 吉林市猴石山遗址第二次发掘

作　　者：吉林省文物考古研究所、吉林市博物馆　张　英、宫永祥、刘景文、包双山等

出　　处：《考古学报》1993 年第 3 期

猴石山遗址位于吉林市北郊大屯乡孤家山子村北 1.5 公里处，范围广，保存完整。1975 年和 1979 ～ 1980 年考古人员进行了两次发掘。第二次发掘共发现房址 14 座、墓葬 157 座、灰坑 5 座、护坡石墙 2 道。

简报分为：一、地层堆积，二、遗迹和遗物，三、墓葬，四、结语，共四个部分。介绍了第二次发掘的情况，有照片、手绘图。

据介绍，猴石山遗址是吉林省一处重要的古代遗址。年代简报推断早期为商周时期，中期为春秋中晚期，晚期为战国时期。

简报指出，猴石山遗址大抵以渔猎经济为主，少量作物种植。即虽然已有农业作物，但尚需有一定的渔猎活动作为补充。猴石山遗址早期的居住址沿山坡凿岩为屋。到晚期，出于生活、生产的需要，已将居住址建在沿等高线人工开凿的阶地之上，多的达十级，部分阶地边缘已有砌石护坡改造自然，以在山地中创造出保水、保土适合居住的良好环境。

简报说，猴石山遗址晚期的西、东、南三个墓地，大抵分属部落中不同氏族，明显地看出这一时期由于社会经济的发展，在氏族内部已出现阶级分化。西墓地是较大的氏族公共墓地，墓葬稠密，排列有序。随葬品的数量、质量或种类，都为另外两个墓地所不及。西墓地的死者不分尊卑同葬在一个墓地里，但他们所葬石棺的大小和形制，以及随葬品的质量和数量，明显反映出等级观念和贫富的差别。例如79西M18的石棺，长2.8米，随葬品达86件，而79西M3和M9等墓，石棺长均不足2米，无任何随葬品，可见差别之悬殊。其社会发展阶段，已经进入父系氏族社会的末期。此时中原地区已是战国时期，吉林一带社会发展似乎落后于中原地区。

四平市

224.吉林怀德大青山发现青铜短剑

作　者：吉林省文物管理委员会
出　处：《文物》1974年第4期

1971年春，怀德县双龙公社大青山大队第七生产队农民在村西南30米处，发现青铜短剑墓一座。考古人员进行了调查和清理。简报配图予以介绍。

据介绍，该地位于公主岭镇西北65公里。墓葬为土坑浅穴，不见棺椁，内有人骨两具，头向西北，均为仰身直肢。在两骨架腰部之间，出青铜短剑一柄；在右侧人骨架脚下，置红褐夹砂陶壶四件；另外还出有半环形铜饰一件。简报初步确认这些文物当属战国晚期东胡族的遗物。

225.吉林省梨树县二龙湖古城址调查简报

作　者：四平地区博物馆、吉林大学历史系考古专业　朱永刚
出　处：《考古》1988年第6期

二龙湖古城址是1983年梨树县文物普查中发现的。近年来由于在城址内修建啤酒厂，城址遭到严重破坏。1987年春，考古人员对二龙湖古城址再次进行调查。调查工作从5月14日开始，至29日结束。这次调查对城址再次进行了勘测，在城内清理了已遭破坏的灰坑，采集到一些标本，同时在城址周邻地区也作了些调查。

简报分为：一、城址，二、遗物，三、小结，共三个部分。有手绘图。

据介绍，古城址位于吉林省南部的梨树县境，西南12.5公里为石岭镇，西北10

公里为孟家岭，西距四平市 32.5 公里，处于长春至四平和梅河口到四平铁路交会的三角地带。这次清理和采集的遗物较丰富，有陶器、铁器、铜器等。通过对遗物的类比分析，可以认定此次采集的大部分标本是战国时期的，其中部分遗物出现的年代可能晚到西汉。从城东北角城垣豁口剖面来看，墙基是建筑在较坚硬的砂石黄土台地上的，堆筑的城垣内除含有大量砂石外没有发现陶片，在城内也没有发现其他时代的遗物。简报推断二龙湖古城应是一座战国到汉初时期的城址。

简报称，二龙湖战国汉初城址的发现十分重要，为东北历史与考古学的研究增添了新材料，也为今后在周邻地区寻找同时期的城址提供了线索。

226.吉林省梨树县叶赫影视城青铜时代晚期遗址清理简报

作　　者：曲清海、王长英
出　　处：《北方文物》2004 年第 1 期

叶赫影视城青铜时代晚期遗址位于吉林省梨树县叶赫镇转山湖水库东北一座平顶山上。1995 年梨树县文物管理所有关人员对其进行了抢救性的清理，发现一批重要的文物。简报配以照片、手绘图予以介绍。

据介绍，该遗址是修建影视城时发现的，出土遗物有石斧、陶杯、陶罐、陶鬲等。该遗址一部分与西团山文化相近似，一部分又不同，也就是说既有西团山文化因素，又有自己的风格。但基本上可以认定此遗址与西团山文化有密切的联系，参考西团山文化中期的年代，其上限应在春秋战国时期，下限至少到汉代。

227.四平市二龙湖古城遗址 2009 年抢救性发掘

作　　者：吉林省文物考古研究所、四平市文物管理委员会办公室　梁会丽、隽成军、王长英
出　　处：《北方文物》2012 年第 4 期

2009 年，考古人员对四平市二龙湖古城遗址内一处遭人为破坏的地点进行了抢救性发掘，清理了一处灰坑，出土了一批绳纹陶器残片和少量瓦片，为典型燕文化遗存。

简报分为：一、灰坑形制，二、出土遗物，三、结语，共三个部分。有手绘图、拓片。

据介绍，该遗址于 1983 年文物普查时发现，2003 年、2009 年两次进行发掘。遗迹为灰坑一座，遗物为陶片、瓦片。经过多次调查和试掘，根据出土遗物基本已可确定其是一座战国到汉初时期的城址。二龙湖古城遗址的发现把燕国北部疆域向

北推进了约 100 公里，对研究当时东北地区民族分布及政权归属关系、社会经济状况等均有重要的历史价值和学术价值。

辽源市

228.吉林省辽源市高古村石棺墓发掘简报

作　者：吉林省文物考古研究所、辽源市文管会办公室　王洪峰
出　处：《考古》1993 年第 6 期

高古村石棺墓群位于辽源市郊高古村东侧的"德庆和"后山上，属西安区灯塔乡管辖，东南距离市区约 10 公里。墓地为当地百姓发现，并挖破了其中的两座。考古人员于 1986 年 7 月末对墓地进行了发掘，先后清理了石棺 7 座，获得铜、石、陶、骨器等随葬品 100 余件。

简报分为：一、墓葬概况，二、随葬器物，三、结语，共三个部分。有照片、手绘图。

据介绍，7 座墓基本上都是墓室呈长方形的石棺墓，顶部用较大石板封盖。葬俗有火葬、二次葬、多人葬。M1、M2 的年代简报推断为战国中期前后，M5、M6 年代稍晚。

229.辽源地区发现两处青铜时代石棺墓

作　者：唐洪源
出　处：《北方文物》1993 年第 2 期

1991 年 7 月下旬至 10 月初，考古人员对近几年所发现的两处石棺墓地进行了考察。

简报分为：一、高丽营石棺墓，二、高丽坟石棺墓，三、结语，共三个部分。有手绘图。

据介绍，高丽营石棺墓墓地位于辽源市龙山区灯塔乡胜利村五组后山（当地称此山为"高丽营"）东坡半山腰上，地势较高，东侧濒临市油库西墙。1987 年春，油库职工家属刨地时意外发现该墓，仅出土陶罐 1 件。高丽坟石棺墓共两座，相距 10 米，位于东辽县平岗镇共安村三组北约 0.5 公里的高丽坟山顶部。1988 年夏被当地人自行挖开，出土有陶器 4 件。

据介绍，辽源地区发现的两处石棺墓，均以花岗岩石料作葬具。从石棺结构来看，主要有两种，一种以较完整的平板石做棺之四圹，顶部覆盖一块较大的平板石。

另一种是用不规则的花岗岩石块垒砌墓圹，顶部亦盖有 1～2 块较大的石板。其时代，简报推断为战国时期。

230.吉林省东丰县狼洞山石棺墓调查与清理

作　者：辽源市文物管理所　唐洪源

出　处：《北方文物》1999 年第 1 期

1991 年 8 月初，考古人员在东丰县南部发现一处规模较大的石棺墓群。该墓群的部分墓葬已遭严重破坏，其中两座墓已全部被挖空，另两座仅残存一半。考古人员及时对残存的两座墓进行了抢救性清理。

简报分为：一、地理环境及墓葬分布概况，二、墓葬形制结构及清理情况，三、出土遗物，四、结语，共四个部分。有手绘图。

据介绍，此墓群位于东丰县大阳镇宝山村四组西约 1.5 公里的狼洞山南坡上。墓群东北处距二鹿采石场较近。简报认为狼洞山石棺墓地是辽源地区规模最大、石棺分布最多的一处墓地。狼洞山石棺墓出土遗物虽然不多，但从埋葬特点和墓葬规模看，整个墓群具有鲜明的贫富差别。从清理结果分析，这一时期的男女已有较明确分工。M1 为二次火葬，M3 因墓室窄小可看出是单人一次葬。另两座墓室较大，从现场观察，这两座墓可能为双人或多人合葬火烧墓。根据狼洞山多数墓葬见有炭黑层及烧骨这种情况来分析，该墓地较流行火葬习俗。从墓内所出遗物特征推断，这几座石棺的年代约相当于战国中期前后。

231.辽源龙山区发现一批古代器物

作　者：辽源市文物管理所　唐洪源等

出　处：《文物》2005 年第 2 期

1991 年 8 月至 1992 年 10 月，吉林省辽源市龙山区村民在建房取土时发现了一些古代文化遗物。市文管所得知后及时前往调查。

简报分为：一、地貌及地层堆积，二、出土器物，三、结语，共三个部分介绍了相关情况。有照片、手绘图。

据介绍，发现地点位于市区东部工农乡安国村三组谷家沟后山脚下。此山较高，东西为一条横向山脉，南侧呈缓坡状，与谷家沟前山相对，隔渭津河距辽源至东丰公路约 800 米。简报推测此地应为一古代墓葬区，出土有磨制石器、板状石斧、陶器等。谷家沟墓葬的年代上限应为西周末至春秋早期，下限可相当于战国早、中期。

通化市

232.集安发现青铜短剑墓

作　　者：集安县文物保管所　张雪岩
出　　处：《考古》1981 年第 5 期

1958 年 5 月中旬，在集安县太平公社太平大队五道岭沟门修路的民工，发现了一组青铜器。考古人员进行了调查清理。简报配以照片、手绘图予以介绍。

据介绍，太平公社位于集安县城西部约 30 公里。出土地点位于太平公社太平大队西 1.5 公里的五道岭沟门南山坡，坡下是一条由集安通往辽宁省怀仁县的公路。遗物出在南山坡山腰的偏下部。当时民工搬大石头砌公路护坡，在 1 米深左右的大石头中间发现了这组青铜器。考古人员对现场进行了清理调查后，发现这是一座早期遭到破坏的正方形方坛阶梯积石墓。由于时间久远，从山坡上滚下一些碎石覆盖其上，当地人称为"淌石流"，表面已看不出墓的迹象。遗址共出土青铜器 11 件、铁器 2 件。

年代简报推断为战国晚期，墓主人简报怀疑是秽貊族人。

233.吉林集安县发现赵国青铜短剑

作　　者：集安县文物保管所　张雪岩
出　　处：《考古》1982 年第 6 期

1980 年 1 月，集安县阳岔公社高合子大队小学教师郭明君，送交集安县文管所一把青铜短剑。据介绍，这是他父亲在 1977 年秋天挖菜窖时发现的。经实地调查，得知出土地点属阳岔公社高台子七队大湖附近。这里群山环抱，集安通往通化的公路由西南向东北穿过。短剑就出在公路东侧约 10 米处的郭家院内。老乡介绍："短剑出土时距地面深约 1.5 米，剑锋朝北柄朝南。在挖菜窖翻出的土中还发现了大拇指甲般大小的铜钱，很薄，一捏就碎了。约西去 6 米以外的田地里和东部的山坡上曾发现过陶片和铁箭头。"在短剑出土地点附近进行了试掘，未有发现。简报配以照片予以介绍。

据介绍，青铜短剑通体呈墨绿色，宛如墨玉光滑锃亮，剑刃锋利。剑通长 30.2 厘米，其中剑身长 23 厘米，宽 2 ~ 3.1 厘米。剑身中部起一平脊，面呈扁六棱形。剑身两面刻有小字。正面 2 行 20 字，背面有 5 个字。简报录有铭文全文。据铭文认定此剑为战国时赵国兵器。

赵国兵器怎么会出现在东北呢？简报称，有以下几种可能性：

一是赵国与燕国之间有联系，赵器通过燕国流入东北。

二是秦灭赵后，赵难民携带赵器逃到燕国，使赵器入流东北。

三是秦灭赵灭燕后，由秦人将赵器流入东北。

集安出土的赵国剑在东北地区已非孤例，旅大地区曾出一把赵国剑。这是否可以说赵国与辽东一带曾有过联系而史无记载？只能在今后的考古发掘中进一步证实了。

白山市

234.吉林长白县民主遗址的调查与清理

作　者：吉林省文物考古研究所、长白县文物管理所　丁贵民
出　处：《考古》1995 年第 8 期

民主遗址位于吉林省长白朝鲜族自治县城南郊，地属长白镇民主村。遗址南距鸭绿江堤 200 米，相对高度 5 米。其东有依风景名胜仙人岛修筑的渤海国古城——长白古城。1960 年县文物普查队发现该遗址，1986 年 6 月再次调查。1990 年 4 月下旬，村民修建横穿该遗址的永久性供水管道工程，在地表以下约 0.6 米深处发现了许多陶、石器。考古人员对该遗址进行了调查，得知遗址现东西长约 130 米，南北宽约 50 米。在村民挖出的管道沟断面上发现了三处房址遗迹及数段灰层。考古人员对基本现象明显的两座房址进行抢救性发掘，出土了一批陶、石器。简报分为三个部分，有手绘图。

简报称，尽管该遗址没有发现青铜器，但简报断定其为青铜时代的聚落遗址。对半地穴式房址中采集的木炭标本经碳 14 测定，年代为距今 2715±95 年，即公元前 765±95 年，处于青铜时代中期偏晚，约相当于中原的春秋时代初期。这就为鸭绿江上游地区青铜文化提供了可靠的年代数据。

松原市

白城市

235.吉林大安东山头古墓葬清理

作　　者：吉林省博物馆　匡　瑜、方起东

出　　处：《考古》1961 年第 8 期

在复查东山头遗址时，于探沟中发现三座墓葬。三座墓葬相距较远，所处地势也高低不同，以第 3 号墓最高，第 2 号墓最低，两者相差约 2 ～ 3 米。

简报分为：一、墓葬形制及葬式，二、随葬器物，三、几点认识，共三个部分。有手绘图、照片。

据介绍，这些墓葬都是平地封土埋葬的。在清理过程中，没有发现葬具痕迹。三座墓均系仰身直肢男女并列合葬，男右，女左。出土随葬器物有铜类、蚌类、陶类等。综合考察，简报认为三座墓葬是属于同一时代、同一部族的。东山头遗址地表散布有许多陶片、小件铜石物等，其中有很多同这三座墓葬的出土遗物相同。这些墓葬均系男女并排合葬，可是没有发现二次葬人的迹象。墓葬的绝对年代，简报推断约相当于中原的战国时期。

236.吉林长白朝鲜族自治县发现蔺相如铜戈

作　　者：长白朝鲜族自治县文物管理所　丁贵民、韩彩霞等

出　　处：《文物》1998 年第 5 期

1981 年 6 月，吉林省长白朝鲜族自治县八道沟镇葫芦套村农民在村北山坡起石建学校时，在石堆中发现青铜戈 1 件。1996 年 2 月，铜戈由长白朝鲜族自治县文物管理所收藏。简报配以彩照等予以介绍。

据介绍，葫芦套村东距长白县城 160 公里，西距八道沟镇 7 公里。鸭绿江在此转弯，绕村东、南、西三面再向西流。据当地村民介绍，村东头往北距山根约百米，从山根向山坡约 30 米处，原有一行东西长约 45 米高低不等的石堆，以前建房、垒梯田取石时，在石堆中曾发现过一些腐朽的尸骨、石镞和陶片。铜戈也出于石堆中，推测原石堆是古墓。调查时石堆早已清除，未发现任何遗物。戈上一面两处刻有铭文，共 16 字。一处 1 行 2 字，为"相邦"；另一处 3 行 14 字，为"卅年丞闵（蔺）相女（如），邦左□麿智，冶阳"。两行中间穿孔下另有一"肖"字。

简报解释说，"肖"即"赵"，"闵相女"即赵国名臣蔺相如，"蔺"作"闵"，"如"作"女"，战国文字习见。"丞"是蔺相如的官名，"蔺"字下部略有残泐。因此，"卅年"当为赵惠文王二十年，即公元前 279 年。蔺相如的故事在我国可谓众所周知，文献也多有记载。该年恰值蔺相如参与渑池之会迫秦王击缶而被拜为上卿之年。因官居武将廉颇之右，遂又展开了著名的将相和故事。《史记·赵世家》载，赵武灵王传位于子惠文王，"肥义为相国"，是惠文王初年已有相国（邦）之称。从戈铭看，蔺相如为"丞"，或在渑池会前，会后归国为上卿，可能即任相邦，故援本补刻"相邦"二字。铭文中行、左行各辨识不易。"邦左"下一字不识。"麀"字也见于战国铭文，"冶阳"是铸戈的工匠。

简报指出，赵国铜剑曾在吉林集安出土，这次又在长白出土了赵国铜戈。鸭绿江畔屡次发现赵国兵器，值得注意。

延边朝鲜族自治州

237.吉林汪清金城古墓葬发掘简报

作　者：吉林省文物考古研究所　刘法祥、何　明
出　处：《考古》1986 年第 2 期

1979 年 5 月，考古人员于汪清县发现了一处古墓群，并清理了已暴露出人骨的墓葬 7 座。1980 年又在此作了小规模的发掘。简报分为四个部分予以介绍，有手绘图。

据介绍，墓群位于汪清县城东 4 公里、东光公社金城屯西侧的小山上、南 0.5公里为东西流向的汪清河。该墓群经先后两年清理，发掘的墓葬有 40 座。1979 年清理的 7 座，编号为 79M1～M7；1980 年发掘的 33 座，编号为 80M1～M33。墓葬形制均为土坑封石墓。即先在墓地上挖一长方形土坑，墓口略大于墓底，墓壁微斜直。入葬后用大小不等的河卵石和山石封盖。封石稍高于墓口，堆放不甚规整。无墓道。此次清理、发掘的墓葬均属小型墓葬。在这 40 座墓中，除 7 座（80M4～M6、M17、M25、M27、M28）墓内未见人骨外，其余均有人骨，但多已腐朽。墓内人骨数量不等。有些墓中死者还见有以桦树皮裹身火焚的习俗。在合葬墓中可以看出有先后入葬的顺序，后葬者是揭开原墓之封石，待入葬后再盖封，其中有的是揭至墓底后入葬的，有的未揭至墓底即入葬。遗物以磨制石器为主，有青铜器、陶器。年代简报推断为春秋战国之际。

238.吉林省延吉市新光遗址发掘简报

作　　者：吉林汪延公路考古队　宋玉彬、朴润武、马成吉
出　　处：《考古》1992 年第 7 期

1989 年 8 ～ 9 月，为配合吉林省延边地区汪清县至延吉市公路建设，考古人员对汪延公路沿线的古代遗址、墓地进行了抢救性清理发掘，在延吉市郊清理发掘了新光遗址。

简报分为：一、地层堆积及其遗迹，二、遗物，三、结语，共三个部分。有手绘图。

新光遗址位于延吉市东北约 20 公里的依兰乡新光村村东 50 米处的平地上，汪延公路经过于此。新光遗址文化堆积比较简单，层位中出土的遗物零星稀少，不见完整器物。除少数石器为采集品外，这次发掘所获得的遗物主要来自 F3、F4 之中。因此，新光遗址的文化内涵显得比较单纯。这次发掘清理出的两座房址，F3 是一处典型居住址，F4 紧贴其后，两者相距仅 1.6 米。据 F4 室内出土遗物的特点，简报断定 F4 是专门加工石器的场所。在两座房址中共出土磨盘 4 件，磨棒 4 件，石镰 2 件，五孔石刀 1 件。这表明当时的农业生产已经在人们的生活中占据相当重要的地位。

简报称，新光遗址出土了 3 件黑曜石器，根据出土遗物的特点，并参照延边地区以往的考古研究成果，新光遗址当为青铜时代文化遗存。F3 居住面出土的木炭经中国社会科学院考古研究所碳 14 测定，其数据为距今 2390±80 年（公元前 440±80 年），树轮较正值为距今 2415±90 年（公元前 465±90 年），时代约相当于春秋战国之际。简报指出，新光遗址的发掘，是对柳庭洞类型的充实与补充，为研究延边地区考古学文化语系提供了新的实物资料。

239.吉林珲春市河西北山墓地发掘

作　　者：图珲铁路考古发掘队　刘景文
出　　处：《考古》1994 年第 5 期

为配合图珲铁路建设，1988 年 6 ～ 7 月，考古人员对珲春市凉水镇河西村四社北山墓群进行了发掘。发掘面积共 355 平方米，清理墓葬 21 座。出土各种文物 110 余件。

简报分为：一、地层堆积，二、墓葬，三、随葬器物，四、出土遗物，五、结语，共五个部分。有手绘图。

据介绍，北山墓地处于一较陡的小山向阳坡上，由于自然力的破坏，多数墓圹不甚完整，同时也由此形成了薄厚不等的二次堆积层。从发现的墓葬和出土器物分析，简报认为该墓群应为同一时代的氏族公共墓地。

从墓葬形制看，皆为长方形竖穴墓，有些则在竖穴四壁上边再垒砌石块。葬式皆单人仰身直肢葬，仅一例单人火葬，未发现合葬和二次葬。墓葬埋葬密集，上下基本成组成行，且有多组打破现象。从分布情况看，成组的应为血缘关系更密切的，而互相打破的墓也只是早晚的差异，并无时代的区别。从出土的器物看，其中的石器占大宗，石斧、石锛的打制痕迹明显，器形也多不规整，精磨的板状石斧较少。简报认为这一墓群应归入图们江流域的原始文化之中，同时也具有一些独特的自身地方性特征。其年代简报推断大致晚于金城墓地，在战国中期左右。

简报称，这批考古资料大大丰富了图们江流域的考古文化，它有助于进一步研究图们江流域古代文化面貌及其与朝鲜半岛、俄罗斯滨海地区古代文化的关系。

240.吉林汪清县水北青铜时代遗址的发掘

作　者：吉林省文物考古研究所、汪清县文物管理所　刘景文、何　明等

出　处：《考古》2005 年第 1 期

水北遗址距汪清县城西南 16 公里，位于百草沟镇水北村西 500 米的山脚下河岸漫岗地上。其北紧挨高山，西南抵邻嘎呀河。为配合汪清县水库建设，考古人员于1996 年 10 月、1997 年 5 月对淹没区内的水北遗址进行了发掘。这两次发掘面积总计 260 平方米，清理遗迹 3 处，出土各种器物 56 件。

简报分为：一、地层堆积，二、遗迹，三、遗物，四、结语，共四个部分。有手绘图等。

简报推断该遗址的年代大约相当于春秋时期至战国时期。此次发掘，对研究图们江流域相关文化的内涵与发展，具有重要意义。

黑龙江省

哈尔滨市

241.黑龙江省双城市出土曲刃青铜短剑

作　者：双城市文物管理所　陈家本、范淑贤
出　处：《北方文物》1991 年第 1 期

1989 年 1 月双城市万隆乡吴家村的几个农民在村西南约 1 公里的拉林河右岸的河漫滩上挖草炭时，在距地表深约 2.5 米的草炭土层中发现一把曲刃式青铜短剑，现藏双城市文物管理所。简报配以照片予以介绍。

据介绍，吴家村在双城市正西方向约 50 公里，隔拉林河与吉林省扶余县相望。短剑表面呈铅黑色，其锋刃处现已被农民磨露出铜黄色。剑身完整无损，简报推断为春秋晚期遗物。

242.通河县出土多角形石骨朵

作　者：刘　展
出　处：《北方文物》2001 年第 1 期

1999 年秋，黑龙江省通河县紫龙湖旅游区承包责任人王紫水修筑河畔堤岸时，在深约 0.5 米的黄土层中挖出多角形石、有饼状穿孔石等。他感到奇异，把多角形石和饼状穿孔石留了下来，其他则随便扔掉了。后来这两件石器转到了县文物管理所，所长武明先生请省考古研究所研究人员进行了认定，认为多角石器为"权杖头"即石骨朵，饼状有孔石是环形砍砸器。2000 年 6 月初，考古人员对紫龙湖旅游区及周边地区进行调查。紫龙湖旅游区在通河县祥顺乡东北约 8 公里处，这里三面环山（浅山区），西北河支流自西向东在旅游区穿过，旅游区南是一片平原，约 15 公里处是松花江左岸。这次调查，除找到王紫水扔掉的一石磨盘外，没有发现其他任何遗物和遗迹。简报配以手绘图予以介绍。

据介绍，多角形石骨朵，通体磨制，中有一孔，周边有三层尖角，每层 6 个。在石骨朵这类石器中，除多角形外，还有环形、齿轮形、多棱形和球形等多种形式。在中国东北部和内蒙古高原有较多的发现。通河县出土多角形石骨朵应属北方地区青铜至铁器时代遗物，大致相当于春秋战国时期。这种石器是史前期一种狩猎工具，继而作为一种兵器用于征伐，以后演变为一种制作精美的礼器，是权力和地位的象征物。学术界根据唐宋以来的史籍记载常称此为"骨朵"。石骨朵源于史前期，青铜时代、铁器时代仍然使用，辽金时期发现的用铜、铁、银制成的骨朵，应源于这类石器。

243.黑龙江省宾县发现刻划人物陶片

作　者：张　弢、张泰湘

出　处：《北方文物》2005 年第 3 期

考古人员在百姓手中征集到青铜时代刻划人物陶罐、陶片各一件，这在黑龙江省尚属首次发现。简报配以手绘图予以介绍。

据介绍，这两件陶器（片）出土在宾县满井乡新立屯。新立屯位于松花江南岸，西距老山头遗址约 20 公里，隔江东北为巴彦县松花江乡王八脖子山遗址。老山头和王八脖子山遗址都是以红衣陶为代表的青铜时代遗址。陶片上的画面生动地反映了黑龙江古代先民的社会生活，诸如战争、舞蹈、天文、树木等。时代简报推断为战国早、中期。

齐齐哈尔市

244.齐齐哈尔市大道三家子墓葬清理

作　者：黑龙江省博物馆、齐齐哈尔市文管站　杨志军、齐博文

出　处：《考古》1988 年第 12 期

大民屯乡大道三家子屯位于嫩江左岸，东北距齐齐哈尔市区约 12 公里。墓葬坐落在屯东北一座沙丘的北坡。因基建工程取土，沙丘北部于 1979～1980 年被夷为平地。两年中陆续发现的文物皆出自墓葬，除 1980 年出土的少量陶器和铜器等送交市文管站外，其余大部分遗失和被破坏。据施工人员介绍，沙丘的北坡和东北坡墓葬分布密集，且有的成行排列。可以肯定这是一处颇具特色的古代墓地。1981 年 6 月，

考古人员配合工程建设进行了历时一个月的抢救清理。简报配以照片、手绘图予以介绍。

据介绍，4 墓（M1 ～ M4）均为圆角长方形土坑竖穴墓。没有发现葬具。埋葬方式有一次葬、二次葬及合葬。M1 和 M4 是二次葬。M4 仅出土一枚料珠，人骨朽腐较甚，未做鉴定。出土的绝大部分陶器口沿内侧和外表涂抹红彩，种类以壶为主，是该遗存的一大特色。铸有"孔缓"字样的铜印是迄今为止在黑龙江省境内发现的时代最早的汉文印章，弥足珍贵。M2 和 M3 部分头骨的眼眶内及面骨部位摆放着数量不等的大小铜泡，从排列位置看，估计是缝缀在织物上用以蒙罩死者脸部的，可能为覆面一类物品，在黑龙江也属首次发现。

M2 内的墓主显然是同一个家庭的成员。三个成年人年龄相近，两个女子应是男子的妻妾。一号墓主的右臂搂抱着婴儿并排叠压在二号、四号骨架之上，当为母与子的关系。二号可能是四号的妻，三号为妾。M3 的墓主一号、四号为一次葬，同是 25 ～ 30 岁的男子。另外四个成年男女只有头骨而无其他骨骼，或许是殉人。这些现象表明，当时存在着妻妾和子女为丈夫和父亲殉葬的习俗，男子在家庭中居于统治地位；产生了阶级分化，氏族或部落内不但出现了奴隶，而且数量达到了相当可观的程度；社会跨进了军事民主制时代。此处墓葬，简报推断为战国早期东胡及其后裔鲜卑人的遗存。

245.黑龙江泰来县平洋砖厂墓地发掘简报

作　者：黑龙江省文物考古研究所　郝思德、杨志军、李陈奇
出　处：《考古》1989 年第 12 期

1980 年夏，考古人员在泰来县进行考古调查时，发现了平洋砖厂墓葬，并采集到一些陶器、铜器和珠饰等文物。1983 年 3 月，复查了平洋砖厂遗址，初步认为这是一处青铜时代墓地。翌年 7 ～ 9 月，对墓地进行了全面发掘。

简报分为：一、地理环境和墓地，二、墓葬，三、随葬器物，四、结语，共四个部分。有手绘图、照片。

墓地位于黑龙江省西南部泰来县平洋镇砖厂旁。该镇在县城东北 26 公里的嫩江右岸的岗地上，地处松嫩平原。砖厂墓葬全为竖穴土坑式，除个别有木质葬具外，多数不见。墓向多呈西北—东南。葬制较复杂，长方形土坑四角抹圆，有的设二层台，有的带斜坡墓道。葬式亦多样，以二次葬为主，常见多种形式的合葬墓；另有一次葬，多为单人仰身直肢墓葬；少量一、二次葬共存的均为合葬墓。还有个别火葬墓、儿童墓和空墓。随葬品大都为墓主生前所用的生产、生活用具，少数是冥器。平洋

墓的时代下限简报推断不能晚到西汉，其时间约在春秋战国时期。

简报认为平洋墓也应是一处东胡及其先世的文化遗存。当时，东胡是"百有余戎"，它所包含的民族集团，成分是相当复杂的。从地域上考察，平洋墓地则可能同东胡族较北的一支有关。

246.黑龙江泰来县战斗墓地发掘简报

作　者：黑龙江省文物考古研究所　李陈奇、郝思德
出　处：《考古》1989 年第 12 期

战斗村墓地因 1960 年泰来县第二苗圃挖土取沙而暴露。1984 年夏，考古人员在发掘平洋砖厂墓地的同时，根据当地农民提供的线索，调查了这处墓地，并采取了相应的保护措施。1985 年 7 月，对此进行了复查和试掘，于 9 ～ 10 月进行了全面发掘。简报分为三个部分予以介绍，有手绘图、照片。

据介绍，战斗村隶属泰来县平洋镇，西南距县城约 22 公里。墓地位于村北约 2 公里的土岗之上。共发掘墓葬 21 座，均开口于耕土层之下。墓葬为土坑竖穴式，葬式为仰身直肢，头向西北。可分为大、中、小型墓三种。以带墓道的墓和双室墓最富有特色，其规模较大，随葬品亦较多，个别还出现了殉人的现象。另外，其刀形墓亦很有特点。墓地中还存在着一定数量的空墓，简报认为这很可能是迁葬所造成的。随葬品中的铜器多为装饰品，另有少量生活用具和武器，其器形一般较小，且不见容器或礼器。另外，出土时的铁渣说明当时已步入铁器时代的门槛。陶器引人注目的是其外表多饰红色彩绘，这种饰红色彩绘的陶器，过去在东北及内蒙古东部等地曾多有发现，一般称之为"红衣"，其分布范围相当广泛。简报推断，战斗村墓地与平洋砖厂墓地（春秋战国时期）应同属一个考古学文化，而在年代上，战斗墓地相对较晚，即二者是交错并行的。

247.黑龙江省依安县新顺青铜时代墓葬调查、清理简报

作　者：依安县文物管理所　孙长福
出　处：《北方文物》2000 年第 2 期

1990 年 4 月中旬，依安县新发乡新顺村村民在屯南岗地采砂时，发现有人骨和陶器残片。考古人前往现场进行调查和清理。

简报分为：一、地理位置，二、墓葬，三、出土文物，四、小结，共四个部分。有手绘图。

据介绍，该墓葬为长方形土坑竖穴墓，墓长2米，宽0.8米，深0.7米，无葬具。葬式为仰身直肢，单人葬，头向西北，骨架长1.61米，四肢骨骼比较粗壮，白齿磨损程度较重，属男性个体，死亡年龄大约在40～50岁。随葬品多数放置在头部、胸部和腿部附近。墓葬内清理出的主要随葬品以小件铜器为主，有耳环、铜泡、铜缀饰、小铜刀和小铜削；另有玉管饰件；还有少量棕褐色夹砂陶残片，火候较高，均为手制，无纹饰。其中铜削造型奇特，管状玉项饰制作精细。时代简报称与平洋砖厂战斗村遗址大约同时。

248.黑龙江省齐齐哈尔市东土岗青铜时代墓葬清理简报

作　者：齐齐哈尔市文物管理站　徐晓慧、许继生、辛　健
出　处：《北方文物》2002年第3期

1998年9月10日，考古人员在梅里斯达斡尔族区巡察市级重点文物保护单位，路过雅尔塞镇三八村附近齐查公路（齐齐哈尔至查哈阳农场）边缘的东土岗子时，看到一些村民在岗子顶部挖坑取土。经查看发现取土地表面散布着一些人骨及大量红衣陶片，认为该地是一处青铜时代墓葬群。调查中在土岗北部路边地层剖面取出4件较完整的陶器，并对岗顶一座已经暴露的墓葬进行了抢救性清理。出土了一批陶器、骨器、铜器及装饰品等。同年10月进行复查时，又采集到一些文物。

简报分为：一、地理位置和自然状况，二、墓葬形制及葬式，三、出土和采集器物，四、小结，共四个部分。有照片、手绘图。

据介绍，该墓葬为长方形土坑竖穴墓，南北向，无葬具。墓圹东侧边缘一角取土时被挖掉，其他部位保存较好。内有4具骨架，出土和采集遗物以陶器为主，另有骨镞、铜泡、铜耳环、蚌管等。至于时代，简报称与平洋墓葬大体相同。

249.黑龙江讷河大古堆墓地发掘简报

作　者：黑龙江省文物考古研究所　王长明、张　伟、王　怡、刘晓松等
出　处：《文物》2009年第6期

墓地位于讷河市六合镇黎明村大古堆屯以东500米的岗地上，西距嫩江左岸约4.2公里，东北距讷河市约25公里。此地原是一片布满荆棘的荒岗，因其上部黄土堆积较厚，自20世纪50年代以来一直是当地村民挖窖、取土的地点。1960年黑龙江省文化厅组织嫩江左岸文物普查时，在岗上废弃窖坑断面处发现少量残碎的人骨及陶片，初步认定这是一处时代较早的原始社会墓地。1992年讷河市文物管理所复

查该墓地时，又在新挖窖坑断面处发现19处被破坏的墓葬残迹，并抢救性清理出陶器、铜器、骨器、石器等一批文物。随后申报其为讷河市级文物保位，并采取了划定保护范围、禁止挖窖取土等保护措施。近年来，由于村民挖窖及常年水土流失，墓地破坏程度不断加重。2008年7～8月，考古人员进行了抢救性发掘。

简报分为：一、地层堆积，二、墓葬形制及埋葬习俗，三、随葬遗物，四、结语，共四个部分。有照片、手绘图。

据介绍，遗址共清理墓葬24座，出土各类遗物520余件，包括陶器、铜器、骨器、石器等。墓葬均土坑竖穴，多圆角长方形，流行合葬。通过比较，大古堆墓葬的年代应晚于二克浅早期墓葬，而与平洋墓葬早期相当或略早，大致可断定在春秋末期至战国早期。墓葬的出土为研究嫩江流域先民的生活与文化，提供了新的实物资料。

鸡西市

鹤岗市

双鸭山市

大庆市

伊春市

佳木斯市

七台河市

牡丹江市

黑河市

绥化市

大兴安岭地区

上海市

250.上海发现一座战国—汉初时代墓葬

作　者：孙维昌
出　处：《文物》1959 年第 12 期

上海市文物保管委员会在 20 世纪 50 年代于嘉定县进行普查时，在外冈镇附近发现一座战国至汉初时期的墓葬，出土了一批重要的历史文物。简报配以照片予以介绍。

据介绍，这座古墓是外冈公社农民在外冈以南 1 公里的土冈附近挖取沙土时发现的。当时因百姓没有保护文物的意识，文物被随手敲碎丢弃。普查小组发现上述情况即至原址勘查，证实是一座古墓内的随葬品。墓内骨架已朽，在墓内一端发现有残存的棺木痕迹。随葬器物全是陶器，计有鼎、甗、钫、豆、盒、杯、勺以及陶质冥币等十余件。根据这批出土器物的形制、特征等看，仿战国时代青铜器的作风甚浓，尤其是陶质"郢爰"冥币的发现，更为确定其年代提供了有力佐证。简报初步推断这座墓葬的时代约属于战国—西汉初叶之间。

简报称，这批文物的出土，无疑为研究上海古代历史，特别是为研究战国时期楚国历史发展情况提供了有价值的实物资料。

251.上海市嘉定县外冈古墓清理

作　者：黄宣佩
出　处：《考古》1959 年第 12 期

外冈东距嘉定县城 6 公里，为一高出地面 1 ～ 2 米的土冈。古墓位于土冈中部。简报配以手绘图予以介绍。

据介绍，该墓南端已倒塌，出土陶器 14 件，其中有陶制"郢爰"，当为楚墓。简报认为此墓的年代为战国晚期至西汉初期的墓葬。据史书记载，上海春秋时先属吴，后属越，战国时属楚，相传是春申君封地。

今有黄德馨先生《楚国爰金研究》（光明日报出版社 1991 年版）一书，可参阅。

252.上海青浦县重固战国墓

作　者：上海市文物保管委员会　郑金星
出　处：《考古》1988 年第 8 期

1979 年与 1983 年，考古人员先后在青浦县重固镇福泉山和邻近的庄泾港两处进行了发掘。两处相距约 500 米，共发掘清理了 5 座墓葬。

简报分为：一、中期墓葬，二、晚期墓葬，三、结语，共三个部分。有手绘图、照片。

据介绍，中期墓葬共二座，其中青庄 1 号墓为窄长方形土坑墓，2 号墓因扰乱严重，土坑痕迹不清。两座墓葬均分布在庄泾港紧靠牛桥一块约一亩地的农田里。出土遗物分陶器、原始瓷器两类。其时代简报推断大致为战国中期偏早。

晚期墓葬共三座，均为宽长方形土坑墓，三座墓共出土随葬品 36 件。简报推断青福 1 号墓、2 号墓、4 号墓的年代同属于战国晚期。

简报称，上海地区在春秋时属吴，战国时先后属越和楚，因此在这里反映的文化特征，是属楚文化体系。这是青浦重固福泉山第二次发现楚墓，且出土遗物较丰富，为研究楚文化东延至上海的状况，以及这一地区越楚文化的交替发展等问题，提供了有益的资料。

253.上海青浦福泉山发现一座战国墓

作　者：上海博物馆考古研究部　周丽娟
出　处：《考古》2003 年第 11 期

福泉山遗址位于上海青浦区重固镇西侧，1986 年上海市文物管理委员会考古部在对该遗址进行第三次发掘时，发现战国墓一座，编号为 M88。

简报分为：一、墓葬形制，二、随葬器物，三、小结，共三个部分。有手绘图、照片。

据介绍，M88 位于福泉山遗址此次发掘区的 T30 内，为长方形竖穴土坑墓，墓中有随葬品 26 件。简报推断此墓亦应为战国晚期的遗存，与楚文化向东传至上海、上海成为楚烈王时期春申君封地之一部分的史实相符合。

江苏省

254.江苏武进、宜兴石室墓

作　者：镇江博物馆　刘建国

出　处：《文物》1983 年第 11 期

江苏武进城湾山和宜兴洑东山位于太湖西岸，南北耸立，相距约 40 公里，中间为开阔平原。两座山上均密布馒首形的土墩，不少土墩还暴露出内部的石室建筑，有的石室，人尚能从坍塌的口子进入。考古人员于 1981 年 7～8 月，在两山试掘了 9 座石室。其中武进城湾山 7 座，编号为庙堂山 M1，大茅山 M9、M10，四顶山 M3、M4、M8、M10。宜兴洑东山二座，编号为黄梅山 M1、M2。简报分三个部分予以介绍，有照片、拓片、手绘图。

据介绍，这批石室墓大体相同，一般是选址于山体稍稍平整处，就地取土，所采石块大小不一，形状不一，有方形、长方形、片石等。石室砌筑成后，在周围和上部覆盖封土成堆，封土中多夹有大小石块。出土遗物有陶器、原始瓷等。这批石室墓可分早、晚两期，早期约相当于西周中晚期，晚期约相当于春秋早中期。

南京市

255.江苏六合程桥东周墓

作　者：江苏省文物管理委员会、南京博物院　汪遵国、邹厚本、尤振尧

出　处：《考古》1965 年第 3 期

程桥镇在六合县西南约 10 公里，西邻安徽省。墓地在程桥镇东 1 公里的程桥中学内，南距滁河 100 米，附近有薛山、羊角山、郁云乌龟山等湖熟文化遗址。墓地周围原为坡状高地，是近代坟墓丛葬区。1964 年 6 月 24 日，该校师生在学校东北隅开塘时挖出马衔、管状车饰、剑、镞等青铜器，随即停止下挖。发掘工作从 7 月 18

日开始，到 28 日结束。

简报分为：一、墓葬形制与随葬器物分布，二、出土遗物，三、结语，共三个部分。有照片、拓片、手绘图。

据介绍，此墓为一竖井土坑墓。由于正式清理前上层填土已大部被挖去，有些部分（出铜器的地方）已挖到墓底，因此墓口全貌已无法了解。葬具、人骨已朽，从残存的牙齿看，墓主年龄应在 40 岁左右。出土有陶器、兵器、9 件有铭编钟、玉饰及削、锛、凿等工具，计 60 多件。简报推断此墓的时代为春秋末期吴国墓葬，墓主应为贵族。

256.江苏高淳出土春秋铜兵器

作　者：江苏省文物管理委员会
出　处：《考古》1966 年第 2 期

1964 年 5 月间，在高淳县里溪村村北，发现了一批古代铜兵器。考古人员先后两次派人到出土地点进行调查和探掘，并在这一地区陆续发现一些有关的古文化遗址。

简报分为：一、出土地及附近调查和探掘，二、铜兵器的形制及其特点，三、小结，共三个部分。有拓片。

据介绍，里溪（或作"李溪"）在高淳县漆桥公社东北 3.5 公里，其西、南两面与安徽相邻。这批铜兵器计有戈 6 件、矛 23 件、残"匕首"1 件，共 30 件，原似较整齐地埋在一块，有的曾经被使用过。年代简报推断为春秋时期，未见铭文。

257.江苏六合程桥二号东周墓

作　者：南京博物院　唐世欣
出　处：《文物》1974 年第 2 期

程桥镇位于六合县县城西南，距县城约 10 公里。1968 年 2 月 20 日，程桥公社长青大队在镇东的陈岗坡地上取土，发现一批青铜器，有鼎、编钟、编镈等，共 20 多件。1972 年 1 月 22 日到 25 日，考古人员对出土地点进行清理，又出土了剑、戈、矛等青铜兵器和一些残陶器，认定是一座东周墓。由于该墓东距 1964 年 7 月在程桥中学内清理的东周墓仅 100 米，属同一地点、同一时代，故将程桥中学墓定为一号，此墓定为二号。

简报分为：一、墓葬概况，二、随葬器物，三、结语，共三个部分。有手绘图。

据介绍，此墓为一土坑墓，略近长方形，长 5.1 米，宽 4.5 米。葬具、人骨已不存。

随葬品 50 件，主要为青铜器。二号墓出土的青铜器，有鼎、编钟、编铸以及兵器、车马器等，可知死者是当时的贵族。在程桥镇东、滁河北岸，先后发现这样两个相距仅百米的墓葬，简报认为这里是一处值得注意的春秋时代的墓地。

简报指出，二号墓出土的一件铁器，虽然两端残损，未知用途，但作铁条状，是一件经过锻制的铁器。根据《吴越春秋》和《越绝书》的记载，在春秋末年，吴越两国的冶铁技术已达到相当高的水平。程桥这两个墓出土的铁器，则为史书上的记载提供了实物例证。

258.江苏六合县和仁东周墓

作　者：吴山菁
出　处：《考古》1977 年第 5 期

和仁在六合县东北的丘陵山区，距县城约 12 公里，东南距八百桥镇 5 公里，东北距冶山 8 公里。1973 年 8 月，当地百姓植树造林，在一座名叫"老虎洼"的土岗的东南斜坡上，发现一些青铜器。考古人员于 9 月 3 ～ 7 日进行了发掘，又发现了一批青铜器和陶器。发掘证明，这批文物是一座墓葬的随葬品。简报配以手绘图予以介绍。

据介绍，墓葬为一长方形土坑竖穴，坑口距地表 1.3 米，坑的四角为圆角，坑壁垂直，墓内尸骨已腐蚀。坑东北放青铜兵器，西南置陶器，基本上都为实用器。出土文物计 36 件，大都为铜器和陶器。该墓的时代，简报推断为春秋晚期到战国初期。当时这里属楚国，但离吴国不远。总之，这批文物既有吴越风格又具楚国特征，与历史记载相符。

259.江苏溧水县发现东周古井

作　者：吴大林
出　处：《考古》1987 年第 11 期

1979 年 5 月，溧水县秋湖灌区指挥部在新桥公社陈村附近稻田中建造翻水站，发现一口古井，出土一批陶器。考古人员作了调查征集。简报配以手绘图予以介绍。

据介绍，古井系土井，于地表下 3 米许露口，直径 1.5 米，井内积有淤泥，夹以树枝乱石，井深约 5 米，井底距原地表 8 米多。接近井底淤泥中，出土陶器 7 件和炭化树木 1 段。陶器为几何印纹硬陶罐 1 件、双系三足黑衣灰陶罐 6 件。该古井的年代，简报推断为春秋末期战国初期。

260.江苏高淳发现楚国铜贝

作　　者：高淳县图书馆　石祚华
出　　处：《考古》1988 年第 5 期

1985 年 7 月 3 日，江苏高淳西舍的废品仓库收到一批铜贝，共 312 枚。这种铜贝在高淳县乃是首次发现，但出土地点不明。经调查得知，这批文物本由淳溪镇废品站所收购，是从地下挖出来的，仅铜贝一种集中出土，别无他物共存伴出，故判断这批铜贝可能出自古代窖藏。简报配以照片予以介绍。

据介绍，铜贝均扁平体，椭圆形，大小不一，说明是由几套钱范铸造而成的。钱面铸阴文"癸"字的 311 枚，阳文"癸"字的 1 枚。铜贝下孔可穿线的 185 枚，有孔不通不可穿线的 127 枚。还有 2 枚边缘未加工磨平，这种铜贝可能并未使用过。

无锡市

261.楚郏陵君三器

作　　者：李　零、刘　雨
出　　处：《文物》1980 年第 8 期

1973 年 12 月，江苏无锡前洲公社前洲大队农民在高渎湾芦塘里，从 1 米多深处挖出三件带有"郏陵君"铭文的铜器，同时发现的还有匜、洗以及据称为"刀"和"剑"的铜器各一件。其中除"刀"和"剑"已碎折成数截当时即被抛弃外，其他各器经冯其庸先生抢救，完好地保存了下来。前些时候，考古人员有机会看到了这批铜器，对这批铜器作了尽可能多的考察。简报配以拓片予以介绍。

据介绍，有铭文的三件铜器，鉴一豆二，铭文基本相同，都是通体纯素，不施花纹，很明显是一组东西。鉴铭文一行 30 字，简报录有释文。豆之一铭文分刻两处，一处刻盘口外壁一行，原铭 30 字，末 5 字难以辨认，简报录有释文。豆之二铭文刻盘底，与豆之一铭文风格差异较大，个别字是异构。两件没有铭文的铜器是否与上述三器同一出处，简报认为需待了解。

简报推断这批铜器大约是作于公元前 306 ～公元前 223 年，而且比较大的可能是在这一段时间的靠后，即在楚徙都寿春后的 18 年间。

262.无锡璨山土墩墓

作　者：无锡市博物馆　冯普仁
出　处：《考古》1981年第2期

璨山位于无锡市西约3公里，北连惠山，西与嶂山相望。1975年初，琛山南麓发现一座土墩墓，出土几何印纹陶、釉陶器和原始瓷器等十余件。同年5月，考古人员对该墓进行了发掘。简报配以手绘图、照片予以介绍。

据介绍，墓地是一处突出于地面的土墩，俗称"姚家墩"，直径约15米，高约4米。发掘前土墩东半部已被挖掉，暴露出石室建筑断面。墓室呈长方形，系平地垒砌成石室。石室内未发现人骨，仅在墓室东部出土随葬器物13件。清理前器物已全部取出，原出土位置被扰乱。该墓随葬器物包括几何印纹陶盛器及釉陶、原始青瓷食器两类，未见炊器和生产工具，器物组合以罐、瓿、碗、盘为主。器物多起泡变形，制作粗糙，釉色易于脱落。简报推断其为一般平民墓葬，时代相当于中原春秋早期。

263.江苏省江阴县大松墩土墩墓

作　者：陈　品、陈丽华
出　处：《文物》1983年第11期

1976年，江苏省江阴县百姓在当地称为"大松墩"的土堆中，发现有一条已倒塌的长十余米的黄石堆砌的石弄，在石弄中部，发现有几何印纹陶罐、原始青瓷器及玉器。简报配以照片予以介绍。

据介绍，共出土几何印纹陶罐1件、原始青瓷器20件、玉器70件。该墓葬的年代，简报推断为春秋时期。

简报指出，据考古发掘，江苏南部和浙北杭、嘉、湖地区常见墓葬可分两类：一类是平地堆土不见墓坑，且往往有几个以上墓葬埋在里面；一类是先挖墓穴，周围用不规则石块砌壁，用条石盖顶，然后堆土形成封土堆。此墓无疑属于后者。

简报称，在距此墓西南0.5公里处，有另一高30～40米的土墩，当地人称"缴墩"，亦为用条石盖顶的土墩墓，应该同属春秋时期。据《太平寰宇记》，吴王阖闾第八子葬于江阴。书中所称"伞墩"，与当地人所称"缴墩"同音。江阴春秋时正属吴地。此条记载是否属实，也有待考证和考古发现。

今有《秦汉土墩墓考古发现与研究：秦汉土墩墓国际学术研讨会论文集》（文物出版社2013年版），可参阅。

264.无锡庙山石室土墩墓

作　者：无锡市博物馆　钱　屿

出　处：《考古与文物》1984 年第 3 期

马迹山是太湖西北部的一个岛屿，在无锡市西南 23 公里处，古称"夫椒山"，现仍留存一些相传为春秋时吴越的古迹。1972 年围湖造田，与陆地连接，成为半岛。1983 年 4 月，无锡马山环湖针织服装厂民工在厂附近的庙山顶上修筑水塔，发现一座石室土墩墓。考古人员进行了清理。

简报分为：一、墓葬简况，二、出土器物，三、结语，共三个部分。有手绘图。

据介绍，该墓位于马迹山古竹镇口庙山顶峰南部。石室上部、外部有圆形封土丘。封土上为植被，封土是坚硬的红教土，杂有石块，高 3.5 米，直径 14 米。石室平面近似椭圆形，用碎石和红教土铺地，长 8 米，中部最宽处 4.2 米。共出土陶瓷器 10 件，其中几何印纹硬陶罐（残）1 件、原始瓷盂 1 件、钵 1 件、碗 4 件（2 件残）、豆 3 件。另外，出土几何印纹硬陶及原始瓷残片若干。简报推断该墓为春秋早期当地土著的墓葬。

265.无锡鸿山越国贵族墓发掘简报

作　者：南京博物院考古研究所、无锡市锡山区文物管理委员会　张　敏、朱国平、李则斌、邹忆军、费玲伢、顾　箐等

出　处：《文物》2006 年第 1 期

鸿山越国贵族墓地位于江苏省无锡市锡山区鸿山镇东部，东南距苏州市区约 20 公里，西北距无锡市区约 20 公里。该地区现保存着大小土墩近百座，分布在东西 6 公里、南北 4 公里的地域内。由于鸿山开发区的建设，需对开发区内的墓葬和遗址进行抢救性发掘。2003 年 3 月至 2005 年 6 月，考古人员在鸿山开发区内进行考古发掘，发掘了战国时期的越国贵族墓葬 7 座，按土墩的分布由南向北依次编号为 DI（老虎墩）、DII（老坟墩）、DIII（曹家坟）、DIV（邹家墩）、DV（杜家坟）、DVI（万家坟）、DVII（丘承墩）。根据土墩和墓葬规模，可将其分为小型、中型、大型和特大型四个等级，其中小型墓 2 座（DII、DIV），中型墓 2 座（DIII、DV），大型墓 2 座（DI、DVI），特大型墓 1 座（DVII）。鸿山墓地的分布规律是特大型墓坐西朝东，在其东北至东南，以西面 1 座大型墓、东面 1 座中型墓、四周若干座小型墓为一组，以特大型墓为中心呈扇形分布。

简报分为：一、墓葬概况，二、随葬器物，三、相关问题的讨论，共三个部分。

配以彩照、手绘图，先行介绍其中的特大型墓葬丘承墩。

据介绍，该墓外观为长方形覆斗状，出土青瓷器、陶器、玉器、琉璃器等共计1098件。其中出土的乐器多达400多件，对中国音乐史的研究很有价值。鸿山越国贵族墓地是继绍兴印山越王陵之后最重要的考古发现，填补了春秋战国时期越国考古资料的空白。该墓属于越国礼乐制度与中原礼乐制度的混合型。如丘承墩墓葬中，角形器与璧形器单独放置在墓室的中部，且数量相等，即越人的"淫祀"。该墓的年代，简报推断为公元前470年左右的战国早期，正是灭吴之后最强盛的越王勾践时代。

266.江苏江阴周庄 JZD3 东周土墩墓

作　　者：周庄土墩墓联合考古队　左　骏、高振戚、周利宁等
出　　处：《文物》2010 年第 11 期

曹家墩位于江苏省江阴市周庄镇正东的西巷口村。江阴市东部的砂山、定山、香山组成了一片向东北开放的盆地，在这片盆地内的周庄镇陶城遗址周围分布着众多的土墩墓。2007 年 11 月至 2008 年 1 月，考古人员对其中的曹家墩 JZD3 进行了抢救性发掘。

据介绍，该墓自下而上由垫土层、墓室、封土层三部分构成，是现存周庄土墩墓群中最偏东南的一座，随葬器物 33 件。年代简报推断为春秋晚期偏早阶段。简报指出，春秋晚期，太湖北区是吴越两国争夺的重点，吴都姑苏曾数次易主，吴越文化在此期间此消彼长、相互渗透。曹家墩 JZD3 东周土墩墓以越文化因素为主，但其随葬品中包含有太湖西区文化因素，可能就是春秋晚期吴文化东进的客观反映。

徐州市

267.徐州狮子山兵马俑坑第一次发掘简报

作　　者：徐州博物馆　王　恺、邱永生等
出　　处：《文物》1986 年第 12 期

1984 年 12 月初，江苏省徐州市砖瓦厂在东郊狮子山西麓取土，发现了古代彩绘陶兵马俑。徐州博物馆随即进行了现场调查，了解到这里是一处兵马俑坑。简报配以照片、手绘图予以介绍。

据介绍，狮子山为一东西走向的石灰岩山包，其北约 100 米处是一个圆锥形小山包，当地称"羊鬼山"。西北约 80 米处是海拔 42 米的绣球山，北半部因采石已

铲削殆尽。西北约 600 米外的骆驼山是当地最大的山头。在兵马俑坑西约 800 米、南约 600 米外，古泗水由西北向东南缓缓流过。四山一水之间形成一个扇形的冲积面，狮子山兵马俑坑就坐落于这个冲积面的中部。俑坑附近因取土已挖去 3～4 米，现存的只是俑坑的下部，计俑坑 4 个。考古人员清理了一、二号俑坑，对四号俑坑进行了初步清理。俑坑的挖法是：在地面挖一条口宽底窄的长沟，陶俑放入后用原挖坑的土掩埋。一号坑出土陶俑 410 个，二号坑出土陶俑 1304 个，四号坑出土陶俑 14 个，共计 2300 余个。

简报对比了徐州狮子山彩绘兵马俑与临潼兵马俑、杨家湾兵马俑的差别：

其一，临潼兵马俑埋葬甚为考究，俑坑底部铺砖，顶上搭盖木棚，有入口及过道，加土封实；杨家湾兵马俑埋葬取土洞穴式，各俑坑分别列于主墓的神道两侧；而狮子山兵马俑为竖穴土坑式，主墓待进一步勘察才能确定。从开挖草率、陶俑的排列疏密不均、个别俑放置错乱以及陶俑组装不够准确等情况判断，简报认为狮子山这批陶俑可能是在一个不太正常的情况下埋入的。

其二，临潼兵马俑重写实，兵、马的形体大小仿照真人真马，战车及兵器多为实用器，以逼真的形象和强烈的气魄动人；而杨家湾兵马俑和狮子山兵马俑均为模制，体型小，手中所持多为象征性的兵器。特别是狮子山兵马俑，如仔细观察，多少带有写意风格。

其三，从陶俑的个体造型看来，临潼兵俑和杨家湾兵俑均面宽唇厚，多蓄胡须，反映了关中人的健壮强劲；而狮子山兵俑脸型上宽下窄，不留胡须，反映了我国东夷人清秀的特点。

简报称，就色彩而言，杨家湾兵马俑彩绘保存得较好，兵俑、陶马皆周身彩绘，有红、白、黑、绿、黄等多种颜色。立式俑罩衣上多绘有甲片，袖口、领口、帽、靴等处也施彩。与之相比，狮子山兵马俑身上的彩绘多已脱落，似更简练而抽象，同时更注意面部表情的刻画。

简报认为，临潼兵马俑和杨家湾兵马俑是依据秦和西汉王朝皇室直接指挥的军队创作的。而狮子山兵马俑坑所在地西汉时隶属楚国，故当是诸侯国所拥有军队的模型。这对于研究西汉军队和军事制度具有特殊的意义。

268.江苏邳县发现郢爰

作　者：徐州市博物馆　耿建军
出　处：《文物》1992 年第 7 期

1989 年，徐州市博物馆入藏了 1 枚于江苏邳县京杭运河、房亭河交汇处水下 8

米发现的郢爰。简报配以照片予以介绍。

简报介绍，该郢爰呈长方形，两端上翘。下面长 2.7 厘米、宽 1.1 厘米，背面长 3.1 厘米、宽 1.3 厘米，厚 0.35 ～ 5 厘米，重 28.1613 克。正面钤"郢爰"二字阴文方印两方，每方长 1.1 厘米、宽 1 厘米、深 0.8 厘米。背面凹凸不平，三边有凿痕，但未发现文字。经测定，该郢爰含金量为 85%。

269.江苏邳州市九女墩二号墩发掘简报

作　者：南京博物院、徐州市文化局、邳州市博物馆　谷建祥、朱国平、王奇志

出　处：《考古》1999 年第 11 期

九女墩封土墓位于江苏省邳州市戴庄乡西约 0.5 公里处，位于锅山与胜阳山之间，东部偏南邻近东周城址鹅鸭城。此处共分布着十多个封土墩墓葬，其中包括部分西汉墓，当地习惯称之为"九女墩"。1995 年春，考古人员发掘了其中的 2 个封土墩，编号为 95PDDIM、DEM。DIM（一号墩）为西汉墓，将另文报道。DEM（二号墩）的发掘情况简报分为：一、封土、地层与墓葬形制，二、随葬器物，三、结语，共三个部分。有手绘图、拓片。

据介绍，DEM 墓"凸"字形的前室、主室与前室两侧的侧室构成"T"字形的墓圹结构，随葬品中含多种文化因素的铜器、陶器、硬陶器并存，同出乐器、车马器、兵器，并有殉人现象。简报推断 DEM 墓时代为春秋晚期级别较高的贵族墓葬。

270.九女墩三号墩的发掘

作　者：孔令远、陈永清

出　处：《考古》2002 年第 5 期

九女墩三号墩封土墓位于江苏省邳州市戴庄镇西约 2 公里，处在禹王山与青岗山之间的低缓山坡上。其东约 60 米为九女墩二号墩，东南 250 米处为鹅鸭城遗址，西约 2 公里处为梁王城遗址。这一带分布着十余个封土堆大墓，当地传说是梁王九个女儿的坟墩，俗称"九女墩"。1993 年春邳州市博物馆发掘了九女墩三号墩，编号为 93PJM3。

发掘情况简报分为：一、封土与墓葬形制，二、出土器物，三、结语，共三个部分。有手绘图、拓片、照片。

据介绍，根据钮钟上的铭文及这批器物所表现出的地域风格和时代特征，结

合梁王城、鹅鸭城及九女墩墓群考古发掘和调查材料，并对照《左传》《后汉书》《水经注》及《邳州志》等史书和地方志中对徐人后期活动的有关记载，简报推断：93PJM3 是一座春秋晚期徐国王族墓葬，其同时配有大型国钟和镈钟，说明墓主的地位极高；九女墩大墓群及附近的梁王城、鹅鸭城遗址与春秋时期徐人的活动有关。

271.江苏邳州市九女墩春秋墓发掘简报

作　者：徐州博物馆、邳州博物馆　吴公勤、耿建军、刘照建

出　处：《考古》2003 年第 9 期

九女墩位于江苏省邳州市戴庄镇境内。在李于村至戴庄村东西长约 5 公里的范围内有土墩 10 余座，当地俗称"九女墩"，实为古代墓群。1982 年和 1992 年，邳州博物馆分别对禹王山北麓遭破坏的 3 座墓葬进行了抢救性发掘。1995 年南京博物院在这 3 座墓葬附近又清理了 2 座墓葬，因这 2 座墓葬已分别被编为 1 号和 2 号，故将邳州博物馆 1992 年发掘的 1 座墓葬和 1982 年发掘的 2 座墓葬分别编为 3 号和 4、5 号。1997 年秋，在距上述已发掘墓葬东北约 2.5 公里处，又有 1 座墓葬遭到盗掘。11 月，考古人员对该墓进行了抢救性发掘，墓葬编号为 97PJM6，简称 M6。因 3 号墓保存完整，出土遗物非常丰富，已单独整理报告。

简报分为：一、墓葬形制与结构，二、出土遗物，三、结语，共三个部分。介绍 4、5、6 号墓的清理情况，有手绘图、拓片。

据介绍，九女墩 M4、M5、M6 均由斜坡墓道、墓坑组成，墓上有高大的封土堆，其中两座墓葬相距仅数十米，墓主可能为父子关系，九女墩当为徐王的家族墓地。简报推断：M4、M5、M6 的墓主应为徐国的高级贵族，年代在春秋晚期。

简报称，九女墩春秋墓的清理及研究对于了解春秋中晚期徐国的丧葬制度、徐国历史及徐国与吴国的关系等均具有重要价值。

常州市

272.淹城出土的铜器

作　者：倪振逵

出　处：《文物》1959 年第 4 期

1958 年 4 月，江苏武进县淹城农业社挖鱼塘时，挖出独木船、铜器及几何印纹

陶罐等。简报配以照片、拓片、手绘图予以介绍。

据介绍，出土有铜尊 3 件、铜三足盘 1 件、三轮铜盘 1 件、铜牺匜 1 件。年代简报推断为战国时期。

简报称，淹城最早见于《越绝书》。此次发现，为研究淹城的历史提供了重要材料。

273.江苏武进孟河战国墓

作　者：镇江市博物馆　肖梦龙
出　处：《考古》1984 年第 2 期

1980 年 10 月武进县孟河公社砖瓦厂民工，在徽州山取土时发现一座古墓，出土十余件铜器及 1 件玉璧，将其中完整的鼎、壶各 2 件送交镇江博物馆。博物馆到出土这批铜器的现场作了调查，发现是一竖穴土坑墓，大部分已被挖去，仅残存一端墓底部分，随即作了清理。简报配以照片予以介绍。

据介绍，墓葬位于孟河镇南徽州山向阳坡地上，墓底部有已炭化的棺板，同时又出土铜带钩、陶俑各 1 件，铜器集中放置在南向的头部。武进孟河战国墓中未再见一件几何印纹陶的随葬品，墓葬形制、出土铜器的组合与器形的完全楚化，从侧面反映了楚文化向东发展的事实。武进孟河楚墓为我们研究楚文化的东伸苏南，以及这一地区吴、楚文化的交替发展等问题，提供了有益的资料。

此墓出土的 1 件铜弩机和"插心剑"，在目前战国墓中尚不多见。弩机多见于楚墓，有人认为"弩机可能是楚民族的创造，发明的时代约在春秋"。武进孟河楚墓又一件弩机的出土，为这种观点增添了新的资料。

274.江苏常州出土郢爰

作　者：徐伯元
出　处：《文物》1993 年第 3 期

1977 年，在常州市跃进新村工地，民工在距地表深约 1 米处掘出 1 块郢爰。简报配以拓片予以介绍。

据介绍，该郢爰呈长方形，上缺一角，长 4.15 厘米，宽 3.15 厘米，厚 0.3 厘米，重 64 克。郢爰正面钤阴文"郢爰"方印 5 枚，背面为不平整表面，下部中段缺一小块，有切痕延至右侧边缘。简报称，常州自公元前 333 年后归于楚国，因而这块郢爰应是战国时楚国遗物。

275.江苏金坛县薛埠镇上水土墩墓群二号墩发掘简报

作　者：南京博物院考古研究所　王奇志、赵东升、盛之瀚等

出　处：《考古》2008 年第 2 期

2005 年 4 ～ 8 月，为配合宁常高速公路工程建设，考古人员对位于金坛县薛埠镇上水村的 4 座土墩墓进行了抢救性发掘。

简报分为：一、地理位置，二、遗迹与遗物，三、结语，共三个部分。先行介绍了其中二号墩的发掘情况，有照片、手绘图。

据介绍，二号墩发现的遗迹包括器物群、墓葬、土台和房址。墓葬和其中 3 个器物群出土有硬陶坛、瓿、碗、施釉硬陶豆和夹砂陶鼎、泥质陶瓿等，年代简报推断为西周晚期。其他 5 个器物群含商代早期陶器，推测为修筑土墩墓时有意放置的。

276.江苏金坛裕巷土墩墓群一号墩的发掘

作　者：南京博物院　杭　涛、盛之瀚等

出　处：《考古学报》2009 年第 3 期

2004 年为配合高速公路建设，考古人员对沿线进行考古调查，在金坛裕巷对土墩墓群一号墩进行了抢救性发掘。

简报分为：一、概况，二、地层堆积，三、遗迹与遗物，四、结语，共四个部分。对金坛裕巷土墩墓群中的一号土墩墓的发掘进行了介绍，有照片、手绘图。

据介绍，该墓位于金坛市薛埠镇裕巷村东约 600 米的岗地上，东距金坛市约 15 公里。年代简报推断为春秋中晚期。此次发掘，为研究土墩墓提供了新的实物资料。

苏州市

277.江苏省吴县洞庭西山消夏湾出土一批石器和青铜器

作　者：南　波

出　处：《文物》1977 年第 1 期

吴县洞庭西山消夏湾地处西山岛西南部，位于大龙山下。1974 ～ 1975 年，太湖采石公司在消夏湾深挖翻土中先后发现石器和青铜器各一批。简报配以照片、手绘图予以介绍。

据介绍，石器有石斧、有段石锛、小石锛、石镞、三角形石刀、大石犁等共 8 件（1974 年出土）。大石犁用板岩打磨制成，器形很大，为过去所少见。石犁作三角形，底面磨出刃部，斜边下端有锐利的尖刃，斜边上端有短柄，可安置木把，斜边中部对钻出一圆孔，为拽绳之用。使用时一人在后面扶木柄，一人在前面拽绳，即可破土翻地。这是比较原始的耕具。

青铜器有剑、矛各一件（1975 年出土）。青铜剑至今未锈，光泽如新。出土时有漆木剑鞘，已朽。据传说该地为吴王夫差避暑之地，故名"消夏湾"。出土剑、矛的时代与传说相近。

278.吴县唯亭公社夷陵山出土印纹陶、釉陶器物

作　者：南　波
出　处：《文物》1977 年第 7 期

1975 年夏，江苏吴县唯亭公社砖瓦厂在夷陵山西南部取土时，出土一批陶器。简报配以照片予以介绍。

简报介绍，这批陶器计有几何印纹陶瓮、陶罐、青釉陶罐、陶簋等 5 件，器物特征同草鞋山出土的春秋时代吴越文化器相同。但这次出土的釉陶器在器形和纹饰上比较独特，过去未曾发现。

釉罐为直筒形，有子母口（未见器盖），有一对假竖耳。其中一件腹上部有锥状纹饰。釉陶簋内有四小盂，带盖。簋腹部饰有鸟状锥刺纹三圈，同武进淹城所出青铜器上的带刺蟠螭纹近似。这批文物为研究印纹陶和釉陶的关系，提供了新的例证。

279.苏州城东北发现东周铜器

作　者：苏州博物馆考古组　杨锡璋等
出　处：《文物》1980 年第 8 期

1977 年 9 月，苏州市城东北新苏丝织厂挖蓄水池时，在距地表约 1.5 米深的淤泥中挖出青铜鼎一件，鼎口盖一个红陶罐，罐内盛放青铜杯、锛、锄、镰、斤、矛及镞等共 56 件。周围没有发现其他遗迹。简报配以照片予以介绍。

据介绍，这批铜器中，铜斤与中原地区殷周时期的铜斤几乎完全相同。铜镰还保存着殷周时期石镰的形制，与战国时期的弯月形铁镰不同。盖在铜鼎上的红陶罐，与太湖流域东周时期常见的印纹硬陶罐相同。铜鼎与江苏六合程桥春秋后期墓中所

出铜鼎完全相同。因此，这两批铜器的年代，简报推断大致相当于春秋战国之际。

简报称，铜鼎中的器物，一部分已碎断，似为有意打碎的，意味着可能经历过一次突然事件。苏州是春秋时吴国的都城所在，这批器物可能是吴败于越时仓促埋入地下的。

280.苏州虎丘东周墓

作　　者：苏州博物馆考古组　廖志豪
出　　处：《文物》1981 年第 11 期

1975 年 12 月，苏州虎丘公社挖河工程中，在新塘大队第六生产队地段内夏家潭千墩坟新开河道南坡上，有铜鼎出土。考古人员清理了现场，证实这里是一处古墓。简报配以照片予以介绍。

据介绍，墓是土坑竖穴，深 2.8 米，葬具为独木棺。棺内有精色漆皮，未见人骨架。棺前约 6 厘米处出土铜鼎两件，铜壶、豆、盂、鉴、匜各一件，黑衣陶豆一件，匜底有白色麻织物一块。该墓的时代，简报推断为战国早、中期。

281.苏州葑门河道内发现东周青铜文物

作　　者：廖志豪、罗保芸等
出　　处：《文物》1982 年第 2 期

1975 年 10 月，江苏苏州红旗区市政养护管理所工人在葑门内河道疏浚工程中，发现一批青铜文物。据在场人员介绍，文物出土于葑门内城河程桥下，是从河底以下深 1.4 米的一个圆形土穴中用手捧起来的。经清理，河底下第一层 0.5 米内为瓦砾土；第二层 0.9 米内为黑灰土；第三层 1.4 米内为青灰土，即文物出土的层位。附近未见其他遗迹遗物。简报配以照片予以介绍。

简报介绍，出土青铜文物有：剑 2 件、镞 2 件、斤 2 件、锯镰 4 件、锛 4 件、锄 1 件、铚 2 件。简报推断这一批铜器大致属于春秋战国时期。

282.苏州新庄东周遗址试掘简报

作　　者：苏州市博物馆
出　　处：《考古》1987 年第 4 期

1983 年冬，苏州某厂在市郊新庄新建厂房工程中，发现一口古井，考古人员除征集到该厂基建科保存完好的一批陶器和石器外，还在基建厂房附近发现有古井和灰坑等遗迹。1984年1月进行了清理和试掘。简报分为：一、遗址概况和地层堆积，二、遗迹和遗物，三、小结，共三个部分。有手绘图。

据介绍，新庄位于苏州市西郊，离城约4公里，遗址位于新庄村北约0.5公里，西傍苏锡公路，东北1公里有沪宁铁路由东向西通过，西南与枫桥镇相距约2.5公里。据调查，遗址所在地原为一土墩，高约三四米，现因建厂大部分已被平整。遗迹有灰坑、水井和烧窑。遗物有陶器、石器、木耒等，此外还发现兽骨若干，贮盛在出土的一件黑衣陶瓿内，经上海自然博物馆人类组鉴定，有孺猪、獐和鹿等骨骼，说明当时这里还生活着这样一些野生动物。陶器以黑衣陶为主，次为泥质灰、红陶，夹砂陶比例不多，与印纹硬陶和原始青瓷器共存。木耒不太可能用来翻地，可能是制陶时的工具。新庄遗址的时代，简报推断应是在春秋战国之际，其下限或可至战国晚期。

283.江苏吴县春秋吴国玉器窖藏

作　　者：吴县文物管理委员会　姚勤德等
出　　处：《文物》1988年第11期

1986年4月20日，考古人员接到通安乡毛小荣先生的来信，反映严山石矿开山采石过程中发现大量玉器和一部分彩石器等。考古人员对玉石器现场及出土情况作了详细调查，并征集了绝大部分文物。简报分为"出土遗物""几点认识"等几个部分，配以照片、手绘图予以介绍。

据介绍，严山位于苏州城西20公里的吴县通安乡，西距太湖4公里。严山自1958年开始采石，现在山体只剩下南麓极小一部分。由于爆破采石，玉石器的出土处已被破坏。据采石矿工反映，他们在岩口清理废泥时，在距岩石深约10厘米处，发现一个长约2米、宽约1.5米，略呈长方形的土坑。坑底距地表深约0.5米，已被震开一条狭长的裂缝。底部叠压排列8块大玉璧，有几块已震碎。这些玉石器发现后即散失，后来征集了其中的绝大部分。有些玉器则是在低于地表8米左右的宕底碎石屑中拣出来的。除玉石器外，没有其他文化遗物出土。玉石器的存放位置和组合情况已不明。共征集出土遗物402件，包括玉器、彩石器和料器。其中玉器204件，占出土遗物总数的50.7%。

简报认为，这批玉石器出自窖藏的可能性较大，且是在匆忙中草草埋下的。其时代，简报推断为春秋晚期。简报指出，严山窖藏出土的玉石器，数量之多、质量之精，在江苏省考古发现中为首见。占有这批玉器的主人，应当是拥有无上权力的显贵，即吴国的王族。春秋末期，越王勾践发动了灭吴复仇的战争。"吴王率其有禄与贤良遁而去，越迫之，至余杭山。"（《越绝书》）余杭山，今阳山。严山西去阳山仅 1.5 公里，两山与相传吴王夫差被勾践擒获处的万安（今东渚淹马村）相距亦仅 1.5 公里。从严山窖藏玉石器出土的地望及埋藏的迹象，简报推测这批玉石器可能是吴国的宫廷用玉，在吴王仓皇逃走途中草率地埋藏于此。

284.江苏苏州市发现窖藏青铜器

作　者：苏州博物馆　王德庆
出　处：《考古》1991 年第 12 期

1986 年 3 月 30 日，苏州市公安局在江苏省第三监狱基建工地发现古代青铜器。因工程紧迫，考古人员当即配合工程进行了清理，计出土鼎、罍、瓿、编钟等器十余件，均受不同程度锈蚀，尚待整理修复。简报配以照片、拓片予以介绍。

据介绍，江苏省第三监狱位于苏州市城东相门内仓街，南临以吴国著名工匠命名的干将路。这里原先是城壕内河，历年淤填成陆，青铜器出土在内壕西岸，现场保护较好。出土的器物全为青铜器，器形类别有鼎、罍、瓿、鉴、盘、编钟、剑、器盖等。出土时，编钟盛放在一件铜瓿内，铜鼎被叠压在铜鉴下，铜剑出自一件铜鼎中，余皆无规律地散放在铜器群周围。这批青铜器的时代，简报推断当在春秋晚期至战国之际。

简报称，春秋战国时期，太湖之滨的苏州曾是吴国的政治中心。这次成组的青铜礼器出土于都城的区域之内，除鼎等器具有楚器风格外，余皆有浓厚的地方特色，可能为本地铸造的吴器。从铸造技术上看，各器表和附耳、铺首等连接处都有明显的浇铸凸痕，显然采用的是合范浑铸法。

285.苏州市长桥新塘战国墓地的发掘

作　者：苏州博物馆　朱伟峰、钱公麟
出　处：《考古》1994 年第 6 期

1988 年，在京杭大运河苏州市河段工程中，考古人员配合工程在龙桥以西新塘村沿大运河一线拓宽工程范围内发现一批墓葬，随即进行了抢救性发掘，并对周围地区进行了全面调查。1988 年 7 ～ 10 月，共清理墓葬 10 座，确认是一处战国墓地。

简报分为：一、地理位置，二、墓葬，三、出土遗物，四、结语，共四个部分。有手绘图。

据介绍，此次清理的 10 座墓葬，均分布在原大运河的两岸，分布零乱。可能由于早期开挖运河时墓地已遭破坏，现发现的仅为残剩部分，从分布规律看，运河部分也应是墓地。墓葬基本上为东西向。这批墓葬均为竖穴土坑墓，各墓中的尸骨均基本腐烂。墓葬形制有"T"字形和长方形两类。10 座墓葬中共出土遗物 34 件，包括几何印纹硬陶器 10 件、黑衣灰陶器 8 件、原始青瓷器 3 件、青铜器 4 件、木器 9 件。新塘墓地的时代，简报推断为战国时期。

简报称，新塘战国墓地既有吴国的遗习，也具有越国的风俗，应是越灭吴后，越统治时期的墓葬。

286.江苏苏州浒墅关真山大墓的发掘

作　者：苏州博物馆　丁金龙、朱伟峰等
出　处：《文物》1996 年第 2 期

真山位于苏州浒墅关西北 1.5 公里处，山东侧有 312 国道和京杭运河。1992 年 11 月，真山采矿二厂在真山东脉（小真山）炸山取石时，发现古墓一座（D1M1）。考古人员进行了抢救性发掘，同时，对整个真山范围进行勘查，共发现 57 座土墩（D1 ~ D57），这些土墩分布在各山脉的山脊上。从已发掘（D1 ~ D3 为 3 座战国墓，D6 内为 7 座汉墓，D16 内为春秋墓）的情况看，多一墩一墓，个别一墩多墓。按土墩的高度、直径，可划分为六个等级。其中真山大墓（D9M1）位于真山主峰上，是最大的一座。1994 年 11 月至 1995 年 4 月，考古人员对此墓进行抢救性发掘，共发掘土方 5000 余立方米。

简报分为：一、墓葬形制，二、出土遗物，三、结语，共三个部分。有彩照、手绘图。

据介绍，D9M1 尽管被盗过，但仍出土遗物 12573 件，主要为玉器，还有陶器、陶片、贝等。玉器中较重要的有玉覆面、串饰、牌形饰等。该墓人工夯筑的封土高达 7 米，应为春秋中晚期的一座吴国大墓。

287.江苏常熟市虞山西岭石室土墩的发掘

作　者：苏州博物馆、常熟博物馆　丁金龙、周公太、朱伟峰
出　处：《考古》2001 年第 9 期

为配合常熟市开辟虞山国家森林公园，进行山脊道路扩建及文物旅游景点保护性开发，考古人员对虞山 3 座石室土墩（CXD1 ~ D3）进行了抢救性发掘。

简报分为：一、地理位置与环境，二、土墩的结构及内涵，三、遗物，四、结语，

共四个部分。有手绘图。

据介绍，虞山西岭石室土墩 D1 ~ D3，出土有原始青瓷器、印纹硬陶器、泥质陶器、夹砂陶器等。简报推断，虞山西岭石室土墩 D1 ~ D3 的时代应相当于中原西周晚期至春秋早期，D1 出土木炭的碳十四测定结果为距今 2641±70 年（公元前 691±70 年）。简报认为：D1 作为一座祭坛，为祭祀的场所，主要用于祭天；D2、D3 属于墓葬一类。

288.江苏苏州市木渎春秋城址

作　者：中国社会科学院考古研究所、苏州市考古研究所苏州古城联合考古
　　　　队　徐良高、张照根、唐锦琼、孙明利、付仲杨、宋江宁等
出　处：《考古》2011 年第 7 期

对于吴国都城究竟位于何处，学术界过去的研究仅限于文献记载和古人的注释以及民间口传历史，认为即在今苏州市区。但在苏州市区多年的考古工作中并未发现先秦时期的城墙、城门、大型建筑等与城址有关的遗存，学界对今苏州市区即吴都之所在的说法提出质疑，并将探寻吴都的视线转向了东周遗存密集分布的苏州西部山区。1989 年，钱公麟先生首次提出阖闾所建吴大城不在今苏州市区，而在西南郊木渎一带的山间盆地的观点。2000 年，通过考古调查，在灵岩山侧发现了大量的长条形土墩和长方形土墩，总长绵延数公里，并初步判断其为一处古代大型遗址。2001 年春，考古人员对 3 处长条形土墩进行了试掘解剖，根据土墩结构和出土印纹陶片的时代，初步推测其为春秋晚期城墙。

自 2009 年秋至 2010 年秋，考古人员在苏州西部山区进行了大规模的考古调查和发掘工作。工作区域位于苏州市的西南部、太湖的东北侧，包括苏州市吴中区木渎镇、胥口镇和穹窿山风景区 3 个乡镇的部分地区。

简报分为：一、2009 年的区域调查，二、2010 年考古发掘收获，三、初步认识，四、学术价值初步评估，共四个部分。有彩照、手绘图。

据介绍，考古发现五峰村北城墙和城壕遗迹、新峰村南水门遗迹以及东、西城墙遗迹等，出土遗物有原始瓷器、陶器等。初步推断北城墙修建于春秋晚期，南水门使用时期为春秋晚期。南北两道城墙之间的距离为 6728 米。如果计算南北城墙之间的正南北直线距离也有 6145 米。木渎古城应是一座春秋晚期具有都邑性质的城址，其发掘为探索吴国都城所在地提供了重要线索。

南通市

连云港

289.东海县出土秦父子诏铜量

作　者：李洪甫、许　健

出　处：《文物》1984年第11期

1982年，江苏东海县双店乡竹墩大队出土一件秦代铜量，两侧各刻有秦始皇和秦二世关于法度量的诏书。铜量现为东海县图书馆收藏。据了解，与铜量同时出土的有秦半两铜钱。简报配以照片、拓片予以介绍。

据介绍，铜量口近圆形，靠柄部弧曲，底圆，柄中空。器壁和口沿因使用而有磨损。现容量630毫升。如按未经磨损的口沿高度推算，原容量约为677毫升。铜量外腹部一侧竖刻秦始皇二十六年（前221年）法度量诏书7行，每行6字，共40字，此种"父子诏"铜量国内所藏仅3件。根据对传世商鞅方升以及始皇方升的实测，以商鞅规定的量制统一全国量制的数据应是每升折合今制201毫升，每斗2010毫升。东海县出土的这件秦铜量恰好容三分之一斗，与秦《效律》中所说的三分之一斗"参"是一致的。

290.赣榆发现秦代铁石权

作　者：李洪甫

出　处：《文物》1987年第8期

1979年冬，江苏赣榆县朱稽河改道工程的朱堵乡寺后段上，赵家圩民工在距地表2米深处挖出一口用绳纹陶井圈砌成的水井。这一地区陶井圈砌筑成的汉代水井很多，朱堵乡寺后的这一口井也应是汉井。井口上0.5米处，发现一件铁权，形如覆盂，上有桥形纽，通体斑驳，呈铁锈红色。剥蚀最深处脱落达0.3厘米。

据介绍，从器形和重量看，此为秦代铁石权。在全国迄今发现的秦代铁石权中，这一件与河北围场出土的始皇诏铁石权（重28.15千克）相近。迄今发现的西汉时期制作的铁权最重的是河北满城陵山2号西汉墓出土的三钧铁权，重22.49千克，其他的西汉铁权一般都在3.5千克以下。东汉时期的铁权最重的为四川大足出土的"汶江市平"铁权，重1.028千克。

简报称，汉代铁权比秦权轻得多，而且，秦权的高、底径及重量大致相近，而汉代铁权的高、底径及重量相互差距很大。这些差异，可以作为区分秦汉铁权的根据。秦权往往与汉代遗物伴出，说明使用时间较长。

291.江苏赣榆县河东尚庄村出土齐刀币

作　者：赣榆县博物馆　李克文
出　处：《考古》1997年第10期

1995年，江苏赣榆县厉庄乡河东尚庄村北约500米处出土了一批齐刀币，共40余枚，成串叠放埋在距地表约0.3米深的两处，两处相隔约10米。出土时锈蚀严重，黏结成块。大部分碎损，较完整可辨者绝大多数为"齐法化"刀，少数为"齐之法化"刀和"齐建邦长法化"刀。简报配以拓片予以介绍。

据介绍，刀币形制相同，均为弯月曲柄型，但版别不一。每枚通长约17.5厘米、刀刃长10厘米、宽2厘米，柄宽1.3厘米，重约50克。造型美观，制作精细。

今有《齐国货币研究》（齐鲁书社2003年版）一书，可参阅。

淮安市

292.江苏盱眙东阳公社出土的秦权

作　者：南京博物院
出　处：《文物》1965年第11期

1965年1月19日，盱眙县东阳公社高塘生产队在村后农田中开挖新塘积水时，发现了这个铜权。简报配以手绘图等予以介绍。

据介绍，该权保存不太好，重量为30.43千克。周身锈蚀严重，经过加工去锈后，在器身一侧显露出铭文6行，部分模糊不清，仅能识别的有"廿六年皇帝尽并兼天下诸侯黔首大□□号□□帝□□丞相□□□□□□□不壹□□□□明□□"等字。根据器形、铭文的字数、字体与院藏秦权相比较，并对照《秦汉金文录》卷一，确系秦权无疑。出土地点，为秦汉东阳古城遗址。

293.淮阴高庄战国墓

作　者：淮阴市博物馆　王立仕等

出　处：《考古学报》1988 年第 2 期

1978 年 3 月 26 日，淮阴市城南乡农民在高庄村东 100 米处挖水沟时，发现一座古墓（编号 HGM1），并掘出一块椁板和部分遗物。考古人员立即前往调查，收回已出土的部分遗物，并清理了残存的墓坑。清理工作从 3 月 28 日开始，至 4 月 7 日结束。简报分为：一、墓葬概况，二、随葬器物，三、结语，共三个部分。有照片、手绘图。

据介绍，高庄墓位于江苏省淮阴市城区西南约 10 公里处，东北距韩信母亲墓（据咸丰《清河县志》《淮安府志》）1 公里，西距汉代漂母墓（据《水经注·淮水》）2 公里，北濒废黄河（黄河故道），为黄泛区。清理前，地表无封土，墓口开在黄褐色砂质黏土层中，上有厚约 0.3 米的粉砂质耕土层，此粉砂层系明清时黄河夺淮后的淤积物。该墓为一土坑木椁墓，墓口长方形，长 10.5 米，宽 9 米，墓口至墓底深 3.9 米。口大底小，墓底中部有一腰坑，腰坑长 1.3 米，宽 0.42 米，深 0.14 米，内有狗骨架一具。墓中殉人至少有 14 人。清理过程中，见有两个盗洞（编号为 D1、D2），D1 在墓坑西南角，洞径约 0.9 米，是一竖井，处于放置陶器部位，故陶器被扰动较甚；D2 打在椁室中部，主椁室顶板及主棺盖皆被打穿，洞径约 0.9 米，主棺内遗物及人骨几乎荡然无存。但劫后随葬品仍有近 300 件。所出铜车马器、刻纹铜器、原始瓷器等均十分珍贵。该墓的年代，简报推断为战国中期前后。墓主人待考。

294.江苏淮安市运河村一号战国墓

作　者：淮安市博物馆　尹增淮、王　剑等

出　处：《考古》2009 年第 10 期

京杭大运河北堤，属清浦区运河村九组。2004 年 7 月 7 日，在京杭运河两淮段航道工程建设中，发现一座大型土坑木椁墓。墓葬封土已被挖开，部分椁板显露。当日考古人员进入工地，并于 7 月 8 日至 9 月 8 日对该墓进行了抢救性清理。

简报分为：一、墓葬形制与结构，二、殉人与殉牲，三、出土遗物，四、结语，共四个部分。有彩照、手绘图。

据介绍，该墓为"甲"字形竖穴土坑木椁墓。墓上有大型封土堆，分层夯筑，土色为黄、白、黑三种。封土堆底径 40 余米，高约 7 米。墓口之上覆盖一层 20～30 厘米的白膏泥，至墓室顶部白膏泥增厚。墓室由主椁室、外藏椁及一个陪葬坑组成。此墓共有人骨 12 具，除墓主外，均为殉葬者。其中一具为约 25 岁的青年女性，据考古人员推断，当为窒息后用麻布包裹入殓。出土遗物有陶器、铜器、铁器、漆木器等，其中的一辆实用马车，木质构件相对完备、制作精美。墓葬年代大约在战国中晚期之交，即楚宣王或楚威王时期。墓主可能是楚国贵族。

盐城市

扬州市

295.邗城遗址与邗沟流经区域文化遗存的发现

作　者：陈达祥、朱　江
出　处：《文物》1973 年第 12 期

据历史文献记载，邗城是扬州历史上第一座古老的城池，邗沟是我国历史上最早由人工开凿的运河。1956 年 8 月、1961 年 5 月、1963 年 6 月、1969 年 5 月和 1972 年的三四月，考古人员先后对邗城遗址和在扬州境内的邗沟遗迹作了多次调查，并多次发现了与此有关的文化遗存。简报配以照片等予以介绍。

简报回顾了古文献中有关邗城与邗沟的记载，叙述了在相关地区发现的遗址、遗物，认为其时代在吴国文化后期，亦即春秋时代的范围之内。

简报指出，吴城邗沟通江淮，这一事件揭开了扬州地方历史重要的一页，对发展我国南北水上交通，促进经济和文化交流，具有十分重要的意义，开创出了一个新的局面。

296.江苏高邮周邶墩遗址发掘报告

作　者：南京博物院考古研究所、扬州博物馆、高邮文管会　张　敏、李则斌、
　　　　　韩明芳、李国耀、田名利、束家平、唐根顺等
出　处：《考古学报》1997 年第 4 期

周邶墩遗址位于江苏省高邮市东南的龙奔乡周邶墩村南，距高邮市区约 8 公里。遗址近似正方形，四周环水，面积约 1500 平方米。原为 7 ～ 10 米高的土墩，近年由于砖瓦厂取土，遗址上部遭到严重破坏，现仅高出周围地面 1 米左右。

1993年9～10月，考古人员对周邶墩遗址进行了考古发掘。

简报分为：一、地层堆积与文化遗存分类，二、第一类文化遗存，三、第二类文化遗存，四、第三类文化遗存，五、结语，共五个部分。有照片、手绘图。

据介绍，周邶墩三类文化遗存的文化面貌不尽相同：

周邶墩遗址第一类文化遗存首先发现于兴化南荡遗址，与之相同的文化遗存还发现于高邮龙虬庄和唐王墩等遗址。因此，该类文化遗存可称为"南荡文化遗存"。当为史前时期。

周邶墩遗址第二类文化遗存在盱眙六郎墩等遗址亦有发现，但远不如周邶墩遗址典型。因此，该类文化遗存可称之为"周邶墩文化遗存"，相当于龙山文化晚期至夏代时期。

至于周邶墩遗址第三类文化遗存，属于宁镇地区青铜文化。古邗沟流经高邮，这一地区原属邗国，后为吴所灭。这与周邶墩遗址第三类文化遗存的年代是一致的。因此，该类文化遗存可纳入吴文化的范畴，相当于春秋以前，至迟在春秋初年。

简报指出，地理环境的差异可导致生产方式的差异。对周邶墩遗址古环境的分析表明其周围有水域分布，对整个江淮东部古环境的研究表明这一时期属泻湖沼泽环境。在周邶墩三类文化遗存中均发现了水稻植物硅酸体，其中第一类文化遗存中，粳型占86%，籼型占14%；第二类文化遗存中粳型占93%～94%，籼型占6%～7%。江淮东部普遍出现了水稻。

297.江苏扬州市西湖镇果园战国墓的清理

作　者：扬州博物馆　束家平
出　处：《考古》2002年第11期

1993年10月，扬州博物馆接到有人在西湖镇果园砖瓦厂私掘古墓的举报后，立即派人对这两座战国墓的残余部分（编号为M1、M2）进行了抢救性清理，并追缴回这两座墓葬中被盗的随葬器物。

简报分为：一、墓葬结构，二、随葬器物，三、结语，共三个部分。有手绘图。

据介绍，此次清理的两座墓葬中未有确切纪年的文物出土，加之本地区无其他同类资料进行对比，简报借助与其他地区的墓葬材料相类比，推断墓葬的相对年代属战国晚期，墓主身份相当于士一级的小官吏。

镇江市

298.江苏丹徒出土东周铜器

作　者：镇江市博物馆
出　处：《考古》1981 年第 5 期

1979 年 3 月，江苏省丹徒县谏壁公社粮山大队平整路面时，出土一批青铜器，计鼎 3 件、瓿 1 件、罍 1 件、匕 1 件，此外，还有印纹硬陶坛 1 件。该地东南 1.5 公里为粮山，北距长江边仅 1 公里，西距谏壁镇 2 公里，距丹徒镇 7 公里。简报配以手绘图等予以介绍。

据介绍，这批青铜器及印纹硬陶坛同出于一个土坑内。简报从遗像判断应为随葬品。

其时代，简报推断为春秋晚期到战国早期。

299.江苏丹徒磨盘墩周墓发掘简报

作　者：南京博物院、丹徒县文管会　张祖方、严　飞、周晓陆
出　处：《考古》1985 年第 11 期

磨盘墩遗址位于江苏省镇江市东 28 公里，地属丹徒县大港公社。遗址北面约 550 米即长江，其东面 2 公里是出土"宜候矢毁"的烟墩山，其西南 1 公里为母子墩西周铜器墓。1982 年春，考古人员在此进行发掘，发掘面积 88 平方米，发现新石器时代晚期及湖熟文化的叠压层，报告另行发表。发掘过程中在遗址中部偏北处，发现周代墓葬一座（820MM1），出土了青铜器、原始青瓷器、几何印纹陶器等。今将这座墓葬配以手绘图、照片予以介绍。

据介绍，这座墓为长方形竖穴土坑墓，墓穴内见少量朽木及髹漆痕迹，墓底见很薄的黑色腐殖质层，但不能肯定是否有木质葬具。墓主尸骨已腐朽无存。这座墓未经扰动，随葬器物有青铜器、原始青瓷器、几何印纹陶器和百余枚海贝，组合清楚。

简报推断此墓的年代为春秋初叶。

300.江苏丹徒粮山春秋石穴墓——兼谈吴国的葬制及人殉

作　　者：镇江博物馆　刘建国
出　　处：《考古与文物》1987 年第 4 期

1979 年 9 月初，江苏丹徒县白云石矿在粮山顶部采掘施工时，于距顶端深约 14 米的石穴填土内，出土有成组的原始瓷器。考古人员前往调查，发现系一座石穴墓葬。该墓的石坑竖穴构造，二层台、人殉及马牲的设置以及出有较多的玉饰等，在苏南地区同时代墓葬中还是罕见的。简报配以照片、手绘图予以介绍。

据介绍，封土墩尚高 4 米，正下方为人工凿成的斗式石穴。墓主人骨架已朽，有一身长 1.25 米的未成年殉人。均无葬具。随葬器物见有陶、瓷、铜、玉饰等类，共计 59 件（组）。其中，铜击和 4 件原始瓷碗是封土下所出，余皆出自墓底。

简报称，粮山石穴墓的出现，标志着吴国墓葬在春秋前期真正开始发生质的变化，中原文化的影响已深入吴国葬俗领域。它的深挖竖穴、设置二层台以及殉人祭牲等，都与中原墓葬的传统格局相似，这是苏南春秋以前未曾出现过的葬制新形式。当然，它与中原葬制还存在着较大的差异，如山顶开凿石穴，不设木椁葬具，二层台为一侧狭长的石台等，仍然显示出若干地方特色。尤其是殉人的存在，更表现了吴国葬俗的落后一面。这与当时山东半岛沂水流域及江淮之间诸国又有很大一致性。

301.江苏镇江谏壁王家山东周墓

作　　者：镇江博物馆　刘建国、谈三平等
出　　处：《文物》1987 年第 12 期

1985 年 4 月，江苏省电力建设三处在镇江市丹徒县谏壁镇东南的王家山施工时，出土数件青铜器。考古人员进行了调查与发掘。

简报分为三个部分予以介绍，有照片、拓片、手绘图。

据介绍，此墓位于王家山东北端，北距长江 2 公里，西距镇江市区 14 公里，为长方形竖穴土坑墓。此墓随葬器物，清理出土的有 80 件，清理前已被取出后经征集的收到 52 件，共计 132 件，主要为青铜器和陶器。此外，还清理出一些漆器残片。该墓的年代，简报推断为春秋末期。墓主人应为吴国一位统兵贵族。

简报称，此墓规模较大，出土遗物丰富，铜器多达 102 件。其中反映上层社会生活画面场景的遗物有硬件上刻纹铜器及錞于、勾鑃配置成组的军乐器，各式兵器，车器和车饰等，均十分珍贵。又如三件一组的錞于，大小有序，造型别致，特别是其不对称的形制及饰有人面纹等，为前所未见。虎子形器是迄今所见古代虎子中年代最早的一件。匜、盘、鉴的刻纹，为研究当时的社会风貌、铜器刻纹工艺及美术史等都提供了珍贵的资料。

302.江苏丹徒南岗山土墩墓

作　者：南京博物院　王根富等
出　处：《考古学报》1993 年第 2 期

南岗山位于江苏省丹徒县荣炳乡茹墅大队西棚村北，东距荣炳乡 3.5 公里，北距丹徒县所在地镇江市约 40 公里。荣炳乡东邻丹阳市，南接金坛县，西与句容县为邻，处于四县交接部。在这一带密布着成群的大大小小的土墩墓。由于南岗山地处偏僻的山区，土墩的原始面貌保存较完整，其布局有一定的规律。为了解这批土墩墓的性质和年代，1990 年 10 ～ 12 月考古人员进行了发掘，共发掘土墩 14 座，出土遗物 118 件，有原始青瓷器、几何印纹硬陶及陶器等。这 14 座已发掘的土墩，据其相对位置可分东、西两组。东组 9 座，位于整个发掘区的东部、西棚村之北；西组 5 座，位于发掘区的西部、南岗山村东北。

简报分为：一、东组土墩墓 (900N01 ～ 09)，二、西组土墩墓 (900N010 ～ 014)，三、结束语，共三个部分。有照片、手绘图。

土墩墓是江苏南部广泛存在的一种特殊葬俗,以往曾在茅山以西地区进行过发掘。一般认为土墩墓是平地起封，无墓坑和葬具，以随葬印纹硬陶和原始青瓷为特色，延续时间大致从西周前期到春秋战国之际，文化性质属于土著文化。而这次南岗山土墩墓的发掘，从土墩墓的分布特征和所揭示的遗迹现象看，与以往所发掘的土墩墓存在有较多的差异，这对于进一步深入全面地研究苏南土墩墓具有十分重要的意义。

南岗山土墩墓的主要特征有二：

一是以组为基本单位，若干组形成土墩墓群，这是南岗山土墩墓的一个显著特点。南岗山一带土墩墓十分密集，可谓之土墩墓群。这些土墩墓又以十几座为一组，每组又以一座较大的土墩为中心，沿山脊成两列对称分布。有些土墩附近地势低洼，这应是堆筑土墩所致。从这次所发掘的两组土墩墓看，每组中的大墩均不是墓葬，可能属于堆筑土墩时举行某种礼仪活动的遗迹。两座大墩分别处于已发掘的两组土墩墓的居中或居首地位。各小墩都围绕或沿着大墩分布，推测此大墩应与建筑各组土墩墓有关，或许是各组土墩墓的总标志。受发掘土墩数量的限制，有关大墩的性质、作用等尚难定论，这还有待于将来的工作来解决。

二是一墩一墓和墓坑的普遍存在，这是南岗山土墩墓的另一特点。处于土墩边缘的墓无论规模还是随葬品都远不及主墓，反映出这一部分墓主人的贫穷状况。

简报认为南岗山土墩墓应为家族墓地，墓主人身份应为"国人"即自由民，年代约为春秋中期。此次发掘，为江南土墩墓的研究提供了新的实物资料。

303.江苏句容寨花头土墩墓 02、06 发掘简报

作　者：南京博物院　田名利、郝明华、周润垦、张浩林等
出　处：《文物》2007 年第 7 期

寨花头土墩墓 01～06 位于江苏省句容市区以南约 25 公里的天王镇农林村，处于浮山北面的岗丘和高地边上，为浮山果园土墩墓群中的 6 座。2004 年 7～8 月，考古人员在宁常高速公路所经地域进行调查、勘探时，发现了土墩墓群。2005 年 4～9 月，对寨花头土墩墓 D1～D6 进行了抢救性考古发掘。

简报分为：一、寨花头土墩墓 D2，二、寨花头土墩墓 D6，三、结语，共三个部分。有彩照、手绘图。

据介绍，D6 为一墩一墓，年代约为西周早中期。D2 属于一墩多墓，共发现 27 座墓葬、3 座灰坑、1 座房址、2 个器物群，并出土了大量的陶瓷器。M22 是 D2 的中心主墓，位于土墩中央。其余墓葬分布于土墩四周，呈向心结构环绕着中心主墓。D2 的年代简报推断为春秋中期前后。D2 的发现为研究江南土墩墓增添了重要的新资料。

304.江苏句容鹅毛岗 1 号土墩墓发掘简报

作　者：镇江博物馆、句容市博物馆　杨正宏、王克飞等
出　处：《江汉考古》2013 年第 2 期

土墩墓是商周时期流行于我国东南地区、以封土成墩为特征的一种墓葬形式。江苏省句容市、金坛市境内的茅山周边地区是土墩墓分布较为集中的区域之一，仅句容市境内即多达上千座。

鹅毛岗土墩墓群位于句容市后白镇曹村行政村鹅毛岗自然村西北，南距天王镇约 2.5 公里，西北距后白镇约 3.5 公里，东距茅山约 6 公里，共有土墩墓 30 余座。2011 年 8～10 月，为配合句容市基本建设，考古人员对其中的两座土墩墓（简称 D1、D2）进行了发掘。D1、D2 筑于周代，均属一墩多墓类型，D2 发掘简报已经发表于《东南文化》2012 年第 4 期。

本简报分为：一、概况，二、地层堆积，三、遗迹与遗物，四、结语，共四个部分。介绍了 D1 的发掘情况，有手绘图。

据介绍，D1 共发现了墓葬 5 座、器物群 5 处，出土器物共 59 件，质地有夹砂陶、泥质陶、硬陶、原始瓷等。夹砂陶器类有鼎、鬲；泥质陶器类有瓿、罐、器盖；硬陶器数量最多，器类有坛、罐、瓿、壶；原始瓷器类有盂、豆。推测其时代为西周晚期到春秋早期。这次发掘，为江南土墩墓的发掘与研究提供了新的资料。

泰州市

305.泰州发现春秋中期铜戈

作　者：江苏泰州市博物馆　王为刚
出　处：《考古与文物》2001 年第 2 期

泰州市博物馆征集到一件春秋中期的青铜戈，该戈在姜堰市大泗乡大马村附近的稻田边出土。简报配以照片予以介绍。

据介绍，该戈保存完好，表面由于长期深埋在地下生成一层黑色的水锈，尽管如此，其锋刃仍极为锐利。据造型，该戈时代简报推断为春秋中期。铜戈的局部制作也有独特之处，在戈的两侧阑部有对称的略向内部弯曲的乳状突起，其作用应是为了更好地把戈头固定在柲上；内上的穿不似常见的平置长方形穿，而是竖置长方穿，这种形制限制了戈柲的选择余地，较为罕见。

简报称，该戈是目前泰州地区发现的最早的青铜兵器，也是泰州地区发现的最早的青铜器。

宿迁市

浙江省

杭州市

306.浙江萧山前山窑址发掘简报

作　者：浙江省文物考古研究所、萧山博物馆　沈岳明、王屹峰等
出　处：《文物》2005 年第 5 期

2001 年 10 月，为配合省道建设，考古人员对浙江萧山前山窑址进行了抢救性发掘。前山窑址位于杭州市萧山区进化镇邵家塔村的一座山坡上。早在 20 世纪 50 年代文物调查时，在进化镇及附近的绍兴富盛地区发现了大量春秋战国时代的窑址。进化镇为浙江省较为集中的春秋战国时代窑址群所在地，前山窑址即是该窑址群的重要组成部分。

简报分为：一、地层堆积，二、遗迹，三、遗物，四、结语，共四个部分。有照片、手绘图。

据介绍，此次共发现龙窑 2 处，出土大量原始青瓷和印纹硬陶。简报怀疑此处为废品堆积之处。年代可分为两期：第一期为春秋中期，第二期为春秋晚期至战国初期。

简报指出，前山窑址的发掘是陶瓷窑址考古领域的重大突破，尤其是完整揭露的春秋时代原始瓷和印纹硬陶合烧的龙窑遗迹，在我国陶瓷窑址考古史上尚属首次发现，对于春秋战国时期窑业生产状况和龙窑技术发展史的研究具有重要的学术价值。

虽然窑拱顶已坍塌不存，但是窑顶明块基本平整地倒塌在窑底，烧结的一面朝下覆于窑床上。拱顶以黏土糊成，黏土中掺杂着稻草，窑内顶的烧结面上见有枝条绑扎、竹篾编织的痕迹，可以借此推测拱顶的建造过程：先以枝条、竹篾绑扎成一圆弧顶，再在其上糊黏土，一待烧结，拱顶自成。考古人员曾以一根竹篾两端插于窑壁两内侧进行实验研究，使竹篾的弯曲与窑壁的弧度吻合，则竹篾弧成的高度在 1 米左右，据此推测窑顶高度当与此相近。另外，在窑室中部的拱顶坍塌块中见有半块圆孔形的残明块，孔壁有烧结面，通过明块圆孔弧度推算，孔径约为 10 厘米，残厚 6 厘米，推测为投柴孔遗迹，长达 13 米的龙窑当有分段烧成的可能。

宁波市

307.浙江鄞县出土春秋时代铜器

作　者：曹锦炎、周生望
出　处：《考古》1984 年第 8 期

1976 年 12 月，鄞县甲村公社郏家埭第十三生产队农民在开挖河道时，于石秃山旁边的农田中，距地表约 2.5 ～ 3 米深处，发现春秋时期的青铜钺、剑、矛各一件，伴出的还有泥质红陶筒形罐。出土时，钺呈黄色，有光泽，剑、矛黑而发亮。

据介绍，浙江出土的几件"王"字矛，目前尚不能确定其绝对年代。但参考几件越王矛的形制来看，越晚刃基部越向外张（如越王者旨於赐矛），所以，简报推断其时代在春秋前期，似乎应该早于越王矛的时代。简报称，浙江古为越地，出土越族兵器是十分合理的。

温州市

308.浙江永嘉出土的一批青铜器简介

作　者：徐定水
出　处：《文物》1980 年第 8 期

1963 年 8 月，浙江省温州地、市文物管理委员会收集到永嘉出土的一批青铜器。浙南土质盐碱性大，古代铜铁器不易保存，以往发现很少，这次是发现最多的一次，器物也较典型。

青铜器出土于永嘉县永临区桥下公社西岸大队。这里是小块平原，东西两面是丘陵，菇溪自北而南流过，注入瓯江；西岸大队即因位于菇溪西岸而得名。该大队农民修水渠时，在一小山坡下 2 米深处发现了这批铜器。简报分两部分予以介绍，有照片。

这批青铜器包括农器、兵器、炊器、温器和祭器，计有：铜盘 2 件，铜铲、铜盉、铜瓶各 1 件，铜矛 2 件，残铜鼎 2 件，铜镞斗数件的残片，残铜器盖 1 件，铜块 50 多公斤和少量锡块，还有铁盉 1 件。简报推断这批铜器的年代为春秋战国时期。

简报称，这批青铜器种类杂乱，破损严重，与黄铜块、锡块一起出土，附近又无古代墓葬，因此推测是当时一处青铜铸造匠铺的回收物品。

309.浙江乐清古文化遗址发掘简报

作　者：徐定水、金福来

出　处：《考古》1992 年第 9 期

1982 ~ 1986 年，浙江省乐清县柳市区白石镇农民在镇西白石溪杨柳滩溪床中取泥沙、砾石时，于水下 2 ~ 3 米深处发现一批古代遗物，计有古动物牙齿、角、骨，各式石器，以及青铜器和玉器等。

简报分为：一、出土遗物，二、几点认识，共两个方面。有图片。

据介绍，出土遗物有古动物骨骼、水牛齿化石共 36 枚，石器、铜器及陶网坠 32件，陶纺轮 1 件，玉块 1 块。出土的水牛右侧第二下臼齿经鉴定，时间最早可达距今万年左右，其他动物骨骼年代大体与出土石器等遗物相当。简报认为白石遗址的石器既含有河姆渡—马家浜—良渚文化因素，又含有昙石山文化的因素，体现着其与两种文化的联系。白石这批青铜器，简报推断基本都应属于吴越青铜文化，时间约在春秋至战国中期。

嘉兴市

湖州市

310.江苏吴兴邱城遗址发掘简介

作　者：梅福根

出　处：《考古》1959 年第 9 期

邱城遗址位于吴兴县北部，紧邻太湖。简报配以照片予以介绍。

据介绍，城墙依山而建，遗址在城墙的东、南和西南部，面积约有 3 万平方米。遗址出土有大量陶片、石器、青铜箭头、玉块、玉璜等。吴兴县县志称此处为"汉代邱氏所居之地"。简报未提及遗址时代。从简报介绍的情况看，似比汉代要早。

311.浙江吴兴苍山古战堡试掘

作　者：吴兴县文物管理委员会　丘鸿炘

出　处：《考古》1966 年第 5 期

在浙江西北部吴兴与长兴两县交界处，北从太湖的小梅口起，向西南到卞山、三天门一带的山岭上，有一些高大的战堡。在仁王山、苍山、黄龙洞等山上，战堡之间相距很近，分布较密，一般在山顶上的较大，山坡上的较小，远望过去，排列十分整齐。当地人传说是古代的烽火墩。考古人员于 1963 年 11 月 29 日在距湖州约 7 公里的苍山顶上试掘了一个。

简报分为：一、外貌与结构，二、出土遗物，共两个部分。有拓片、照片。

据介绍，苍山北靠卞山，南有若溪，东接仁王山，西连王母山，其上战堡连接不绝。试掘的是苍山东端的第二座战堡，是其中较小的。它的外貌似长方形土墩，突出在山顶之上。堡的结构自底部、堡壁至顶部都是用不规则的大小石块砌成的。底部较大，逐渐向内收缩成顶，上有大盖石，内部可供两人往来。东西两端均未找到堡门的迹象。出土遗物有釉陶碗、陶罐等计 11 件。年代简报推断不会晚于春秋时期。

312.浙江长兴县的两件青铜器

作　者：长兴县文化馆

出　处：《文物》1973 年第 1 期

1969 年，长兴县和平公社四矿区出土了一件春秋时期的青铜鼎，鼎重 10.5 公斤。1969 年 11 月，知城长兴中学出土了一件西周初期的青铜铙。铙为两范合铸，重 16 公斤。简报称，两器均无铭文，年代简报推断为春秋时期。有照片。

313.浙江安吉发掘一座石构建筑

作　者：安吉县文化馆

出　处：《考古》1979 年第 2 期

1975 年 2 月，安吉县上墅公社上墅大队农民在村东南近 1 公里的长抗坞开茶山时，发现一石砌洞口，并在洞口内发现一印纹陶坛。3 月初，考古人员进行了清理。简报配以照片、手绘图予以介绍。

据介绍，石砌洞口位于一高大土墩上，为一长 11.4 米的石砌通道，两壁及顶部均为石砌。通道内出土陶器 10 件。因工程量大，未再往下清理。简报认为这应是一座墓葬的一部分，时代为春秋。

314.浙江长兴发现东周青铜器

作　者：浙江长兴县博物馆　夏星南
出　处：《文物》1981 年第 11 期

1979 年 10 月，长兴县李家巷出土铜壶一件，由长兴县博物馆收藏。简报配以照片予以介绍。

简报介绍，这件铜壶从形制、纹饰看，时代当属东周。另有铜剑三把。铜剑之一，1971 年长兴县知城收购站上交，无出土地点。铜剑之二，1974 年初在长兴县里塘公社白水滩附近出土。剑身及柄形状与上述一剑近似，但通体无纹饰。铜剑之三，1976 年 1 月在长兴县城郊公社上阳大队出土。剑身形状与上述二剑近似。柄为圆柱形。剑通体无纹饰。以上三件铜剑从形制及纹饰看，简报推断都应属于东周。

315.浙江安吉发现"郢爰"

作　者：匡得鳌
出　处：《考古》1982 年第 3 期

1980 年 12 月中国人民银行安吉支行收到一件有印记的金块。经鉴定，认为是楚国金币——郢爰。简报配以拓片予以介绍。

经调查了解，此郢爰是 1967 年在梅溪镇溪边砂堆中发现的，重 62.8 克，有二方半阴文戳记。简报称，安吉西境与安徽省广德、宁国两县相接，春秋战国时期初为吴地，后属越，越亡归楚。县内以前也有出土"菱角金"之说，这次发现，为研究郢爰的流通范围提供了新的实物资料。

316.浙江长兴县发现吴、越、楚铜剑

作　者：夏星南
出　处：《考古》1989 年第 1 期

浙江长兴县博物馆收藏有早期青铜剑 30 余件。来源有三：一是在开拓长兴港、开挖洪山港、里塘港永利工程中出土的；二是从县废品部门拣选出来的；三是百姓挖到后交给博物馆的。简报配以照片、手绘图予以介绍。

据介绍，简报将这 30 余件青铜剑分为 13 种类型，年代为西周早期、西周晚期、春秋早期、战国早期、战国晚期不等。简报指出，公元前 473 年，越灭吴，长兴属越国；公元前 306 年，越被楚灭，长兴又归楚。这段历史也能从长兴县出土的各式铜剑中反映出来。所以，长兴县这些出土铜剑，对于研究江浙地区吴越青铜剑的起源、演变及吴、越、楚的铸剑技术，吴、越、楚军事战史增添了新的实物资料和历史地理资料。

317.浙江安吉古城发现楚金币

作　　者：程亦胜
出　　处：《考古》1995 年第 10 期

1991 年 7 月，浙江省安吉县安城镇古城村农民周水琴，在古城东城墙外侧劳动时，于距地表 1 米左右处挖出楚金币一方。考古人员赴现场调查，并征集入县博物馆。简报配以照片予以介绍。

据介绍，金币略呈方形，重 10.4 克。四边仅左边为原铸，其余均见切割痕，币面钤"郢爰"二字阴文方印，"郢"字"呈"部稍缺。有可能是在公元前 241 ～前 223 年时楚都寿春生产的，属楚国晚期的遗物。

简报称，这次发现楚郢爰的地点——古城遗址，为浙江省重点文物保护单位。公元前 306 年，楚灭越后，安吉为楚国辖地，推测该城址为楚城。据当地人介绍，20 世纪 50 年代兴修水利时，古城城内曾有很多类似的楚金币出土。这方楚郢爰的发现，为研究古城遗址及当时安吉的经济贸易状况提供了珍贵的实物资料。

318.浙江安吉发现一件铜矛

作　　者：安吉县博物馆　程亦胜
出　　处：《文物》1999 年第 4 期

1997 年 1 月，安吉县博物馆收到民工在县城供电局宿舍下水隐井施工中出土的铜矛及镦各一件，并及时派考古人员赴现场勘察。铜矛出土于距地表 1.5 米深的含有回纹、席纹、叶脉纹、方格纹等印纹硬陶片的文化堆积中。由于铜矛出土点四面均有建筑，无法作进一步清理。简报配以拓片予以介绍。

据介绍，矛体较宽，胶形宽大，前锋锐厚，锋锷犀利，脊部有血槽，两侧呈凹弧面，刃部细长而均匀，本部圆弧，銎部残。正、反两面脊部血槽两侧各有两组纹饰，骹正面铸有一"王"形字符。该矛为宽体狭刃圆本式，属春秋晚期至战国初期吴越地区流行的越国器。据出土时情形推测，铜矛为战争中遗弃。

简报指出，安吉位于太湖之阴，与长兴紧邻，两地均有吴越青铜兵器出土。文献记载春秋晚期吴越两国曾于檇李、夫椒两地进行过战争，战场就在太湖及其附近。从安吉、长兴两地曾大量出土这一时期的青铜兵器的现象，结合安吉境内同时期古城遗址和众多规模较大的土墩墓的存在等诸方面分析，这里可能曾是吴越之战的战场。

319.浙江安吉县垄坝村发现一座战国楚墓

作　者：安吉县博物馆　金　翔
出　处：《考古》2001 年第 7 期

1998 年 3 月，为配合第 04 省道工程建设，考古人员对沿途墓葬进行抢救性清理，在安城镇垄坝村吴家山清理了 6 座墓葬，其中 1 座战国墓（编号 D1M2，简称 M2）、5 座西汉墓。战国墓的清理情况，简报配以手绘图予以介绍。

据介绍，M2 为长方形竖穴岩坑墓，出土器物有陶鼎、盒、壶及玉璧。简报推断该墓应为战国晚期小型楚墓。

简报称，楚墓的发现在此地尚属首次，这为研究此地历史及浙江地区越楚文化交替发展等问题提供了有益的资料。

320.湖州云巢龙湾出土的战国原始瓷

作　者：湖州市博物馆　刘荣华
出　处：《文物》2003 年第 12 期

湖州位于浙江省北部，在太湖之滨。云巢乡龙湾村在湖州市以南 24 公里处，位于东苕溪的西北岸、金盖山的南麓。1985 年 5 月，当地农民兴修水库时，在水沟里挖到一座战国土墩墓，考古人员对该墓进行了抢救性清理。简报配以照片予以介绍。

据介绍，墓葬已遭破坏，墓葬形制及尺寸不明。出土文物共有 9 件，其中原始瓷器 7 件、印纹硬陶器 2 件。该墓的年代应属战国时期，部分原始瓷器具，有地方特色。

简报指出，在云巢临近的青山乡黄梅山南坡、东苕溪西岸，有一处黄梅山窑址，是已知我国最早的原始瓷窑址之一，在该地区已发现了商周时期的原始瓷遗存。这组原始瓷是否产自黄梅山窑址，还有待进一步研究。龙湾村战国墓出土的原始瓷是一套较完整的饮食器具，不仅形态各异，而且制作精良，它为研究本地区春秋战国时期的原始瓷提供了实物资料。

321.浙江安吉出土春秋青铜盉

作　者：安吉县文物保护管理所　程永军、周意群等
出　处：《文物》2006 年第 11 期

2004 年 10 月 10 日，考古人员在良朋上马山清理了一座残墓，出土青铜盉、原始瓷壶各一件，其中青铜盉尤显珍贵。简报配以照片予以介绍。

据介绍，该盉为三足提梁盉，带盖。盉身的横截面呈扁圆形，直口，扁鼓腹，平底微圆，下接三个兽蹄足。足跟部还堆塑一个兽首，形体较小，其中两足上的兽首已缺。通高 26 厘米，口径 13.2 厘米，最大腹径 23.5 厘米。器盖圆形平顶，素面。盖面上原有捉手，已残。腹部一侧有一流，流口呈螭首状，螭耳呈角状向后弯曲。耳上还有两只小型卧兽，兽体相连，兽首相背。摘尾做成宽扁的扉棱，立于两兽中间。提梁呈桥形，中空。通体饰绞索状绳纹，绳纹交接处镂空。一端饰龙首，龙尾处有一个长约 5 厘米的凹槽。提梁与器身用插销连接。

简报称，此盉系合范浇铸，范痕明显。器底存有烟怠痕，可能是墓主人生前所用之器。该铜盉造型规整，纹饰清晰，有云雷纹、蕉叶纹、菱形纹、鳞纹等，保存较好。为研究东周时期越国的青铜文化提供了重要的实物资料。另外，伴出的原始瓷壶平底，假圈足，有羊角状贴耳。简报推断其年代为春秋晚期。

322.浙江长兴鼻子山越国贵族墓

作　者：浙江省文物考古研究所、长兴县博物馆　陈元甫、田正标、梁亦建等
出　处：《文物》2007 年第 1 期

长兴县位于浙江省的西北角，东临太湖。鼻子山位于长兴县雉城镇五丰村的村北。2003 年 12 月 4 日，建设单位在鼻子山的北坡施工，挖出数十件原始青瓷和硬陶编钟、编磬，县博物馆闻讯后立即赶往现场处理。通过调查、清理，发现这是一个设在墓外的陪葬器物坑，在其南侧山顶还有一座墓葬。2003 年 12 月 29 日至 2004 年 4 月 14 日，考古人员对该墓进行了抢救性发掘，编号为 M1。发掘表明，这是一座未遭盗掘的战国大墓。

简报分为：一、墓葬形制，二、随葬器物，三、结语，共三个部分。有彩照、手绘图。

据介绍，这是一座带墓道的长方形土坑木椁墓，地表有封土隆起。其墓圹开凿于山体表面，东西长 14.8 米，南北宽 5.1 ～ 5.7 米，坑深 2.3 米。墓葬东壁还有一

条斜坡墓道。葬具有木椁，随葬器物有原始瓷器、陶器和玉石器等。在此墓北侧的山坡上发现一个长方形岩坑，出土大量的原始瓷或硬陶乐器，器类有甬钟、磬、镈、钩镯、钲、錞于、悬铃等，显然这是一个陪葬的乐器坑。简报认为，该墓的年代为战国早期晚段，墓主人是越国的贵族。

简报指出，大量仿青铜的原始瓷与硬陶乐器的出土，是此次发掘的又一重要发现。这些乐器从大小到形状，都模仿实用的青铜器，但在纹饰上，则采用有地方特色的戳印"C"形纹或者刻划"S"形纹。发掘资料表明，越国贵族墓一般不用青铜器随葬，而代之以仿铜的陶瓷礼乐器，这也是越国大墓的另一个葬俗。长兴鼻子山墓出土的陶瓷乐器，是为墓葬而做的随葬冥器，并无实用价值。但它模仿常用的青铜乐器，因此反映了当时吴越地区乐器的实际情况。一般认为，甬钟、镈、磬是中原地区的传统乐器，而钩镯、钲、錞于、悬铃是长江下游地区流行的乐器。

323.浙江安吉五福楚墓

作　者：浙江省文物考古研究所、安吉县博物馆　程亦胜等
出　处：《文物》2007 年第 7 期

五福楚墓位于浙江省安吉县高禹镇五福村，地处天目山以北、太湖以南的黄土丘陵地区。墓地自西向东有 5 座墓，其中中间的一座编号为 M1。该墓于 2006 年 9 月初遭到盗掘。考古人员进行了抢救性考古发掘。

简报分为：一、墓葬形制，二、随葬器物，三、结语，共三个部分。有彩照等。

据介绍，M1 的平面呈"甲"字形，由斜坡墓道、墓坑和墓室组成。墓室的葬具由木椁、木棺及垫木组成，出土有陶俑、木俑、漆器、铜镜、铜戈等。简报推测其下葬时间当在楚灭越初期，即春申君封吴后的战国末年。墓主人应是大夫一级的贵族，文化面貌属楚文化。墓主人应是楚灭越后派往越地的楚国人。

据史书记载，楚灭越后，楚国为加强对越族的统治，于楚考烈王十五年（公元前 248 年）将春申君改封于吴，即太湖周围的苏南、浙北、上海、皖西南之江东地区。地处太湖南岸、钱塘江之北的早期越国都邑——鄣地，当为春申君的封地。春申君为统治太湖南岸重地，防止越族残余作乱，将原吴国和越国的政治、经济、文化中心地区列为楚国的重镇或军事城堡，鄣城（今安吉古城遗址）就是当时的楚国重镇之一。安吉古城遗址出土的大量战国楚金币郢爰，已证实故鄣城为楚国重镇。与此同时，春申君还充分利用这里的三江五湖之利，开发申城（今上海）和下菰城（今湖州）。据简报推测，M1 的墓主人应是当时居住在鄣城内的某一位官吏，墓中出土的钤印"史信"二字的陶片，证明墓主人姓史名信。

324.浙江德清亭子桥战国窑址发掘简报

作　者：浙江省文物考古研究所、德清县博物馆　郑建明、陈元甫、周建忠、
　　　　费胜成等

出　处：《文物》2009 年第 12 期

2007 年 10 月至 2008 年 3 月，考古人员对亭子桥窑址进行了发掘。亭子桥位于
德清县经济开发区龙胜村东山自然村北，是一处缓坡状小山丘。这里的地形属于西
天目山余脉向东部嘉湖平原水乡过渡的低山丘陵地带，土地肥沃，河流纵横。在古代，
这里的山上林木茂盛，燃料丰富，瓷土可就近开采，又有舟楫之利，瓷器生产的自
然条件优越。

简报分为：一、遗迹，二、原始瓷器，三、窑具，四、结语，共四个部分。有彩照、
手绘图。

据介绍，此次发掘共揭露出 7 个窑炉遗迹，出土了大量的原始瓷器和窑具。其中
原始瓷器多为仿青铜器的礼器和乐器，包括鼎、罐、尊、盘、匜、豆、瓿、盆、鉴、
提梁壶等礼器以及甬钟、镈于、句镶、鼓座、缶等乐器。简报认为这是一处战国时期
的窑址，专门烧造仿青铜器的原始瓷器，为越国王室和上层贵族烧造生活与丧葬用瓷。

简报指出，窑址遗迹中的 Y2，火膛和窑床保存基本完整，是目前发现的保存最
为完整的战国时期龙窑。它的发现为研究战国时期龙窑的结构形态和窑炉技术、探索
浙江地区龙窑形制的发展演变以及中国陶瓷史的研究，都提供了十分重要的考古资料。

绍兴市

325.绍兴凤凰山木椁墓

作　者：绍兴县文物管理委员会

出　处：《考古》1976 年第 6 期

1975 年 3 月下旬，绍兴县上游公社在凤凰山东麓挖泥取土时，发现了铜器，调
查后认定系一木椁墓。

简报分为：一、墓葬形制，二、随葬器物，共两个部分。有手绘图。

据介绍，凤凰山位于绍兴县城东约 10 公里，西临兰塘河，属上游公社上游大队。
这次发现木椁墓二座，编号为绍兴 M1、M2。墓为长方形土坑竖穴，表土至墓底深 4.3
米左右，黄白色花斑填土，木椁四周填有白胶泥。葬具都是一棺一椁，无椁盖。二

墓随葬器物 39 件，计黑陶 23 件、印纹陶 2 件、铜器 6 件、漆木器 6 件、其他 2 件。黑陶为仿铜器，质地很细，色灰白，外有一层黑衣，易脱落。纹饰以 "S" 纹、连珠纹为主，个别器物中也有凸弦纹，全部轮制，器壁厚薄均匀。印纹陶胎色暗红，坚硬结实，外拍印麻布纹，泥条盘制。两墓的时代，简报推断为战国时期。

326.绍兴发现两件钩鑃

作　者：绍兴市文管会
出　处：《考古》1983 年第 4 期

1977 年 6 月，绍兴市亭山公社农民发现两件刻有铭文的青铜钩鑃，几经辗转后破碎。翌年 3 月，考古人员进行了实地调查，知系出土于距绍兴城关 4 公里的狗头山西南麓。器物出土处距地表深约 30 厘米。钩鑃经浙江省博物馆修补复原。简报配以照片、手绘图予以介绍。

据介绍，两器均有铭文。钩鑃甲有铭文 60 余字，钩鑃乙有铭文两行，字虽不多，但可补甲器之缺。铭文内容，可参见同刊同期沙孟海先生文。两器年代，简报推断为春秋晚期吴国之器。

327.绍兴 306 号战国墓发掘简报

作　者：浙江省文物管理委员会、浙江省文物考古所、绍兴地区文化局、绍兴
　　　　市文管会　牟永杭
出　处：《文物》1984 年第 1 期

1981 年 11 月初，绍兴市坡塘公社知青砖瓦厂在狮子山西麓取土时，发现鼎、镰、盂等青铜器 6 件。考古人员认为铜器可能出自一座古墓。发掘工作自 1982 年 3 月 4 日开始，13 日深夜结束。

简报分为：一、墓葬位置及形制，二、随葬品，三、年代推断，四、关于墓主人身份，共四个部分。有手绘图、照片。

据介绍，墓位于绍兴城南 9 公里、坡塘公社狮子山大队狮子山西北坡，按当地序列编号为绍 M306。此墓是阶梯墓道带壁龛的土坑墓，曾被盗。随葬器物清理出 1238 件，连同先期出土的 6 件铜器，总计 1244 件。其中铜器 17 件，中有 2 件有铭文。据铭文，推断为徐国器物。徐国于公元前 512 年为吴国所灭，随之越又灭吴。所以简报推断此墓的入葬年代应在公元前 473 年越灭吴以后不久，应属战国初期越国墓。墓主人有可能是越国相当于卿大夫的巫祝一类人物。

328.绍兴吼山和东堡两座窑址的调查

作　者：沈作霖、高　军

出　处：《考古》1987 年第 4 期

1978 年绍兴县文物部门考古调查时，曾在富盛乡的长竹园和诸家山等地，发现过原始青瓷和印纹陶合烧的窑址。继此以后，1983 年在文物普查中，又发现了专烧原始青瓷的窑址以及众多印纹陶窑址。简报介绍了吼山原始青瓷窑址和东堡印纹陶窑址情况，有手绘图等。

据介绍，吼山窑位于绍兴城东 10 公里樊江乡吼山村，产品主要为盘和碗，年代简报推断为春秋末至战国初。东堡窑位于绍兴城东南 10 公里东堡村，年代简报推断为春秋战国时期。

329.浙江绍兴袍谷遗址发掘简报

作　者：绍兴县文物保护管理所　沈作霖

出　处：《考古》1989 年第 9 期

袍谷位于绍兴城北 4 公里，境内有一条官塘河贯通南北，南与萧曹运河相衔接，北经三江入海，东邻豆姜乡。遗址在袍谷乡里谷社村西的水稻田中、绍三公路东侧。袍谷遗址 1981 年发现，1986 年因绍兴市排污工程在这里安装排放污水管道，考古人员进行了试掘，发掘 150 平方米，清理出灰坑 7 个。

简报分为：一、地层堆积和遗迹，二、出土遗物，三、结语，共三个部分。有手绘图等。

据介绍，这处遗址只作了局部发掘，地层堆积比较单纯，有 7 个灰坑，包含物较为丰富。遗物有陶器、原始青瓷和少量青铜器、石器。陶器中泥质陶最多，其次是印纹硬陶和夹砂陶。简报推断这处遗址为战国晚期，其下限可能接近西汉。

据记载，越国都城应建在今绍兴城内。袍谷遗址出绍兴城向北仅 4 公里，故简报推测，这里应为越都附近居民点的延伸，是都城郊外的一个居民聚落点。

330.绍兴西岸头遗址出土一件春秋铜构件

作　者：彭　云

出　处：《文物》1993 年第 8 期

1975 年，浙江省绍兴市娄宫乡里木栅村西岸头的农民在灌溉稻田时，发现一件春秋时期的青铜构件。1984 年当地农民将此器上交绍兴市文物管理处。1984 ~ 1990 年，考古人员多次前往进行调查，采集了不少春秋时期的印纹陶片和原始青瓷片。调查认为，出土青铜构件的地区可能是一处春秋时期的遗址。简报配以拓片、照片予以介绍。

据介绍，铜构件截面呈凹形，平面近长方形，右端饰三角形齿 7 枚，左端内弧，背连一长方形榫。背面有 4 个对称分布的小孔，上、下侧边也各有相同的小孔 2 个。小孔显然是起加固作用的。构件表面及侧面都铸有非常精细的蟠螭纹，上、下、左边有两道凸线纹，四周为变体小龙纹，右端三角形齿上饰蟠螭纹和折线纹。整体纹饰繁密，构图新颖，是一件十分难得的艺术珍品，当为越国先民们的遗物。其年代，简报推断为春秋时期。

简报称，此铜构件为箍套一类的加固或装饰物，有人认为是用于车船或建筑物的构件，但究竟用于何处，尚待进一步研究。

331.浙江上虞市银山冶炼遗址调查

作　者：章金焕
出　处：《考古》1993 年第 3 期

上虞市长山乡的银山周围，陆续出土了一些春秋战国时期的遗物。1977 年下半年，在银山东侧的掘河工地，距地表 2 米左右深处，出土了一批青铜斧、铲、镬、镰以及剑、矛、镞等器物，并且伴出了 150 余公斤铅块和拍印米筛纹、回纹、"米"字纹、方格纹、麻布纹的硬陶片。1985 年下半年，长山乡保一村村民在银山北麓挖渠道时，又出土了一些斧、锛、锸、剑等类青铜器，同时还出土了长宽约 40 厘米、厚度约 6 厘米的铅块以及炉渣。据反映，当时还发现了 4 个呈圆形的坑，坑内有炉渣、炭屑等遗物。坑的直径约 3 米，深 1 米左右。考古人员于 1987 年 12 月再次对该地进行专题考古调查。

简报分为：一、概况，二、遗物种类，三、小结，共三个部分。有照片。

据介绍，银山位于上虞市西部边缘，西距春秋战国时期越国的都城绍兴仅 33 公里，其周围河流纵横，湖泊棋布，运输、燃料、原料均很方便。银山遗址中出土的器物，可分为青铜器生产工具、兵器及陶器。出土数量最多的是生产用具，种类有锄、锸、铲、镬、耙、斧、锛及锯齿镰等。简报称，遗址的年代当是春秋战国时期。简报称，银山遗址中出土的青铜器，农具占大宗，兵器所占比例甚小。从这里不难看出，在诸侯割据的春秋战国时期，军事力量的强弱直接关系到国家的存亡，而越国则把发展经济放在首位。此外，出土农具的用途表明，越国的农业生产从下种、中耕除草直至收割，都使用了当时先进的青铜农具。

332.浙江绍兴印山大墓发掘简报

作　者：浙江省文物考古研究所、绍兴县文物保护管理所　田正标、黎毓馨、
　　　　彭　云、陈元甫等

出　处：《文物》1999 年第 11 期

印山位于绍兴县城西南约 13 公里，在兰亭镇里木栅村之西南侧，西距历史文化名胜兰亭约 2.5 公里，是一座相对独立的小山包。印山大墓（编号 M1）建于印山之巅，山上有人工堆筑的高大的墓上封土，印山四周还挖掘有用来护陵的壕沟——隍壕。1973 年，绍兴县林场在平整山地、植树造林时，将大墓封土的南半部挖低一部分，断面上可观察到清晰的夯层。20 世纪 80 年代初发现此墓。1995 年，绍兴县人民政府将该墓公布为县级重点文物保护单位。1996 年 4 月，大墓遭不法分子盗掘破坏，考古人员对大墓进行了抢救性发掘。发掘工作自 1996 年 8 月至 1998 年 4 月，历时近两年，可大致分为清理封土找出墓坑和墓道、清理墓坑及墓道填土、清理墓室三个阶段。

简报分为：一、墓葬形制，二、出土遗物，三、结语，共三个部分。有彩照、手绘图。

据介绍，印山大墓是一座有长墓道的"甲"字形竖穴岩坑木室墓，由隍壕、封土、墓坑、墓道、墓室组成。出土有铜器、玉器、石器、漆木器等。年代简报推断为春秋末期，应为越国王陵，墓主人简报认为是越王允常。该墓有 7 个同一时期的盗洞，简报认为是秦统一后秦人所为。

简报称，春秋战国时期，绍兴是越国的政治中心。印山大墓是绍兴地区乃至浙江全省目前发现的规模最大的古代墓葬，其高耸的墓上封土、大型"甲"字形岩坑以及规模宏大的仿木结构墓室，巨大的独木棺，无不显示出墓主人的特殊身份。据测算，营建墓葬挖去岩石近 10000 立方米，填筑青膏泥 5700 立方米左右，填筑木炭约 1400 立方米，构建墓室所用木材近 500 立方米，外围隍壕挖掘土方 40000 多立方米，如此巨大的土木工程非王者不能为。印山周围规整的隍壕更清楚地表明，该墓属于王陵一级。虽然墓中残存的随葬品不多，但数量众多的压席用玉镇以及玉剑、玉镞等礼仪用玉兵器，都说明墓主不是一般的人物。此外，大墓特殊的墓室结构与古越传统的石室土墩墓颇为近似，墓中巨大的独木棺更具有明显的越文化特色。

印山大墓中有几点尤其值得提出讨论：

其一，"木客大冢"的发现。这种狭长条两面斜坡式的特殊的墓室形制，不但在浙江地区前所未见，在全国也属首次发现。它与一般所见的长方形或正方形木椁相比，不但在形制结构上区别明显，所反映的埋葬过程也全然不同。印山大墓先建墓室、甬道，填好墓坑并堆筑好大部分封土后，再经墓道、甬道、墓门进入墓室进行埋葬，然后封住墓门、甬道，并填好墓道，最后将封土堆筑完整。覆盖在墓坑与墓道连接处之上的

封土明显晚于墓坑内、外两层封土的现象，就是这一埋葬过程的最好说明。

其二，印山大墓中填筑青膏泥和木炭的做法不是本地的传统。填青、白青泥在楚墓中极为普遍，填炭现象见于中原墓，而既填青泥又填炭的做法，则普遍见于关中地区的陕西凤翔秦公大墓。因此，把印山越王陵采用竖穴岩坑、填筑青膏泥和木炭简单地看成受楚文化的影响，恐怕不十分确切，不能排除它受关中和中原地区先进文化影响的可能，这也是今后要深入研究的课题。

其三，现今仍完整保存于印山四周的隍壕，既为墓主身份的确定提供了重要依据，也为研究越国的陵园制度提供了宝贵资料。墓葬外围挖掘围沟用以防护的做法，在浙江并无先例，在我国南方春秋战国时期的墓葬中也属罕见。隍壕设施普遍见于陕西凤翔春秋战国时期的秦公陵园中。陵园外围设置隍壕在先秦的秦公陵园中是一种世代沿袭的定制，是秦人的传统。因此，印山越王陵的隍壕设施很可能就是秦国陵园制度南传的产物。

简报最后指出，对墓主的研究和确认，证实了《越绝书》中有关允常冢记载的可靠。

333.浙江绍兴凤凰山战国木椁墓

作　者：绍兴县文物保护管理所　蔡晓黎、沈作霖等
出　处：《文物》2002 年第 2 期

凤凰山位于绍兴城东约 10 公里的皋埠镇，西临兰塘河。1975 年，在凤凰山南麓曾发现木椁墓 2 座，编号为 M1、M2。20 世纪 70 年代，考古人员对凤凰山东坡已暴露的一座墓进行抢救性发掘，编号为 M3。

简报分为：一、墓葬形制，二、随葬器物，三、结语，共三个部分。配以照片、手绘图，介绍了 M3 的发掘情况。

据介绍，该墓为长方形土坑竖穴，从表土至墓底深 6 米，木棒四周填有白膏泥。椁内底铺有竹席，未见棺木和椁盖。出土遗物有原始青瓷、玛瑙杯、陶器、玉矛、铜剑等计 80 件，其中玉矛上有越王不光的铭文，但墓主人身份尚难确定。该墓的年代，简报推断为战国中期前后。

334.浙江绍兴市发现一件春秋铭文铜甬钟

作　者：绍兴市文物考古研究所　蒋明明等
出　处：《考古》2006 年第 7 期

2003 年 3 月，在位于绍兴市袍江工业区的震元制药股份有限公司厂区内，从一

处土堆中发现一件青铜甬钟。考古人员前往调查。据了解,此处土堆为该厂绿化用土,是在 2002 年 12 月下旬从绍兴市区的塔山脚下取运回来的,后在平整堆土时发现了这件铜器。由于间隔的时间较长,无法确认青铜甬钟的具体出土地点和埋藏情况。这件铜甬钟上有鸟虫书铭文,在绍兴市尚属首次发现。经浙江省文物考古研究所曹锦炎先生鉴定和考证,其时代应为春秋晚期。

这件铜甬钟通高 39.6 厘米,此器在征部有一鸟虫书铭文"忘",而正、反面的鼓部两边为鸟虫书铭文带,凡 16 行,共 50 字,其中一字系重复。据曹锦炎先生考释,其铭文依次为"佳(唯)正十月,吉日丁巳之□唇(辰)。自余邻(徐)王旨後之孙,足利次留之元子,天乍(祚)厵夫奋之贵姓(甥)。择厥吉金,自乍(作)其铎。世世鼓勿〔之〕,後孙之〔勿〕忘"。其中"世世鼓勿"的"勿"字,与"后孙之忘"的"之"字,应是原字位置互换,造成铭文错乱,读之不顺,已作调整。据此铭文推测,这件铜甬钟可能是春秋晚期的徐国人到越国后,在越地铸造的。铭文中此器自名为"铎",这为此类乐器的定名又提供了新的根据。

这件铜甬钟是采用陶范合范浇铸而成,其造型优美,敦厚凝重。从甬部明显地看出甬腔内浇灌铅汁以增加其重量,来调节音色。甬壁装饰的蟠螭纹、回纹等,是采用陶范模印的方法制作。至于鼓部两边的铭文,可能是以单字模嵌入主体陶范上铸成。这些特点说明其制作工艺已相当先进和成熟。

简报指出,此类器物在该地区的首次发现,也增添了明确的徐国铜器资料。这对进一步研究春秋时期徐国和越国的历史,探讨当时的铜器冶铸技术、乐器制作工艺和书法艺术等,具有十分重要的意义。简报配有照片、拓片。

金华市

335.浙江东阳前山越国贵族墓

作　者:浙江省文物考古研究所、东阳市博物馆　陈元甫、陈荣军等
出　处:《文物》2008 年第 7 期

2003 年 4 ～ 6 月,为配合甬金高速公路建设,考古人员在东阳前山发掘清理了两座春秋晚期的越国贵族墓。前山位于东阳市六石镇派园村下马宅村以东,在山脊上发现两座大型土墩墓,编号东派 D1M1 和东派 D2M1。其中 D1M1 分布于南面,是一座石室土墩墓,但早年已遭破坏,石室洞开,未留任何遗物,不再介绍。D2M1 位于北面,与 D1M1 相距 400 米,是一座土墩墓,未遭破坏与盗掘,出土一大批玉石器。

简报分为：一、墓葬形制，二、出土器物，三、结语，共三个部分。介绍了D2M1 的发掘情况有彩照、手绘图。

据介绍，该墓为长方形浅土坑土墩墓，墓内出土有大量的玉石器。D2M1 墓上有封土，墓圹为东西向的长方形浅土坑，南道和墓道全部用石块垒砌。据简报推测，木椁应为两面斜坡状，横断面呈三角形。随葬器物全部为玉石器，按质地可分为玉器、玛瑙水晶器、绿松石器等，数量达 3000 多件（组）。简报推断此墓为春秋晚期的越国墓葬，墓主人生前可能是管理玉器制作的贵族。

简报指出，该墓的甬道与墓道用石块垒砌成石室，采用的是越地传统的石室土墩形制。而从墓葬的封土中心下陷、坑底设有 8 条枕木沟、墓底残留有朽木片等几个方面推测，墓室主体为巨大的木椁。因此，木结构墓室与石砌甬道相结合的形制，是此座墓葬最为重要的特点，也是越国墓葬形制的新发现。考古资料表明，越地流行的土墩墓和土墩石室墓，从春秋晚期开始，逐渐被中原或楚式的竖穴土坑木椁墓所取代。平地起建的土墩石室结构，逐渐演变成土坑木椁形式。到了战国时期，土坑木椁墓成了越地流行的墓葬新形制。因此，D2M1 这种石砌甬道、木椁墓室的浅土坑墓，应该是介于平地掩埋的石室土墩墓与深土坑木椁墓之间的过渡形态。

衢州市

336.浙江省江山县发现战国墓

作　者：江山县文管会　毛兆廷
出　处：《文物》1985 年第 6 期

1983 年 7 月 4 日，考古人员在野外进行文物普查时，在大溪滩乡大夫第村发现一房基地断面有一座古墓葬，考古人员于 7 月 12 日至 15 日作了抢救性的清理发掘。简报配以手绘图、照片予以介绍。

据介绍，此墓位于浙赣铁路江山站东北，管标 294～295 公里处西侧 50 米的一座小山之北坡，高出铁路 6 米。此墓系一竖穴土坑墓，平面长方形。人骨葬具已腐朽，仅见一些灰黑色腐朽物。出土陶器、原始瓷器等共 19 件。简报推断此墓年代应在战国中晚期。

简报称，此竖穴土坑墓，为本地区首见。这座战国墓的发现，对于研究这一时期墓葬形制由早期土墩墓向两汉时期土坑墓发展，具有一定参考价值。同时，所出原始瓷器，对于探讨瓷器从原始瓷向成熟瓷过渡，具有一定意义。

337.浙江江山出土青铜编钟

作　者：江山市博物馆　柴福有

出　处：《文物》1996 年第 6 期

1969 年春，浙江省江山市须江镇达河上江坝村农民在当地上高山放牛时，发现 1 件铜器，后又在同一地点出土 5 件，共计 6 件。考古人员前往现场调查，经鉴定为青铜编钟，并征集回馆收藏，现借展在江山市博物馆。简报配以照片予以介绍。

这组编钟均为长腔封衡有旋干阔鼓式，钟体为合瓦形，上窄下宽，甬作上小下大柱状，证部两边饰圆枚共 36 个，正面钲、篆、鼓、舞部均饰勾连云雷纹，甬和舞部有明显的范痕，器表较光亮，呈深灰绿色。简报推测这组编钟当出自墓葬，因水土流失严重，墓葬可能早已被冲毁，编钟亦有滑坡移位的可能。编钟年代简报推断应属春秋早期。

简报称，在原编钟出土地点，1971 年又找到一块铜残片，经鉴定为钟的铣部，且属 6 件编钟以外的一件，经分析排比，钟复原后的位置应在 1 号与 2 号之间，即前文所述尚缺的一件。因此，这套编钟应有 7 件。

编钟在浙西地区尚属首次发现，这为研究浙江的青铜乐器提供了可靠的实物资料。

舟山市

338.舟山发现东周青铜农具

作　者：王和平

出　处：《文物》1983 年第 8 期

1982 年春，浙江省舟山本岛定海县石礁公社东方大队农民平整土地时，在离地表 1.5 米左右发现东周青铜锸和青铜镈各一件，同时发现有大量东周时期的印纹硬陶。两件农具现由舟山地区文物管理委员会收藏。简报配以照片予以介绍。

据介绍，铜锸有使用痕迹，铜镈也甚为锋利。简报推断这两件青铜农具应为东周遗物。

339.浙江定海县蓬莱新村出土战国稻谷

作　　者：舟山地区文化局　王和平
出　　处：《农业考古》1984 年第 2 期

　　舟山群岛是我国最大的群岛。它由舟山、岱山、嵊山、普陀山等大小 670 个岛屿组成。蓬莱新村就位于舟山群岛最大岛——舟山本岛的定海县城关镇。1982 年 5 月中旬，舟山地区建筑工程公司一工地工程建筑队在该地建造地区机关宿舍时，在离地表 60 ~ 70 厘米左右发现零碎炭化稻谷、印纹陶片以及红烧土块。5 月 26 日至 6 月 9 日，考古人员对该处战国文化遗存进行了抢救性的发掘清理工作。除发现炭化稻谷遗存外，还出土了夹砂陶片、印纹硬陶、纺轮以及毛蚶、砺蝗等。简报配以照片、手绘图予以介绍。

　　据介绍，从发现的稻谷来看，谷粒形状大小与现代栽培稻基本相同，在有的谷粒上还留有清晰的谷芒。经农业粮种公司鉴定，这批炭化稻谷有粳稻和籼稻两种，以粳稻为多，有少部分谷粒比较瘦长，似为籼型品种，这两种稻谷品种均应属人工栽培稻。

　　这批稻谷的年代，简报推断为战国时期。

台州市

丽水市

安徽省

340.安徽各地发现楚国金币——郢爰

作　者：不详
出　处：《文物》1972 年第 1 期

"文化大革命"期间，安徽省中部的阜南、六安、霍邱等地都发现了楚国金币——郢爰。有的是墓葬所出，有的是窖藏。简报配以彩照予以介绍。

据介绍，1970 年 5 月，阜南三塔公社在润河南岸挖泥积肥，发现土坑墓一座。墓内放置郢爰两组。三大块郢爰和 17 块马蹄金碎块为一组，另一组是零块郢爰。包括马蹄金两组共 47 件。大块郢爰中戳印"郢爰"小印最多的有 19 印，这一发现又一次纠正了过去流行的 16 印为一整块的错误看法。1969 年春，六安陈小庄发现一处窖藏，出有郢爰二大块、三小块。

合肥市

341.安徽肥西县金牛春秋墓

作　者：安徽省文物工作队　杨鸠霞
出　处：《考古》1984 年第 9 期

1981 年 4 月，安徽省肥西县金牛公社长庄生产队挖排水沟时发现一只铜鼎，考古人员及时赶赴现场进行调查发掘。简报配以照片予以介绍。

据介绍，金牛公社位于丰乐河以北，处于肥西、六安、舒城三县的中间。经调查，这里是一座土坑竖穴墓，墓上已无封土。墓底有板灰痕迹，葬具为一棺，人骨全朽，葬式不明，头部北侧出土铜戈一件，南侧腰部出土铜剑一件。另外出土铜鼎一件，据发现人追述，位置在墓的二层台上。肥西县过去虽曾陆续出土过一些西周至春秋时期的青铜器，但均为在生产劳动中发现，出土情况不清楚。这次金牛墓葬出土的青铜器，数量和器类较少，从鼎的形制和纹饰看，具有春秋时期的风格。其墓葬时代，简报推断可能属于春秋时期。春秋时期，肥西属于群舒范围。这些器物的出土，为研究舒的历史增加了新的材料。

342.安徽肥西县出土蚁鼻钱

作　者：倪运熙、席为群
出　处：《考古》1992 年第 8 期

1985 年 8 月，肥西县花岗区新仓乡安河村街南生产队农民在抗旱挖沟时，发现一夹砂绳纹灰陶罐，内装蚁鼻钱。重约 24000 克，总数近万枚，其中基本完好的有 8600 枚，破损但尚能辨识钱文的有 640 枚。钱体大小不一，厚薄有别，有的锈断为二层，似与范铸有关；有的有圆穿孔。钱币形状也有差别，小者居多，重约 13 克；大者较少，重约 26 克，长约 1.7 厘米，宽约 1.3 厘米。

蚁鼻钱为春秋战国时期楚国的下币，简报称，这在肥西县尚属首次发现。

343.安徽长丰战国晚期楚墓

作　者：安徽省文物考古研究所　杨鸠霞
出　处：《考古》1994 年第 2 期

安徽省中部的长丰县杨公、朱家集一带，原属寿县，根据以往的发掘史及出土文物来看，这里是一处规模较大的战国晚期的楚国贵族墓地。在 1933 年与 1938 年先后两次被盗掘的朱家集李三孤堆楚王墓就是这个墓地已经暴露的规格最高的楚墓，出土了一大批珍贵的楚文物。1977 年初，考古人员清理了 3 座墓葬，同年 10 月和 1979 年 4 月对该墓群又进行了两次发掘，共发掘了 9 座墓葬，出土铜、陶、玉器 240 余件，其中以玉器最为精美。这批墓的资料已整理发表在 1982 年《考古学集刊》第二集上。为配合楚文化课题研究的深入开展，进一步探索这一墓地的楚墓分期序列，考古人员于 1981 年 4 月对该墓群进行了第四次发掘。这次共发掘了两座墓，编号为 M10 和 M11。

简报分为：一、墓葬形制，二、随葬器物，三、结语，共三个部分。有手绘图、照片。

据介绍，这两座墓与原寿县朱家集李三孤堆楚王墓属同一墓地，在楚国贵族墓地范围内，其墓葬结构与该墓地原来发掘的墓葬相同，均为长方形土坑竖穴木椁墓。两墓随葬器物陶器、玉器共计 80 件。M10 出土的陶器组合为鼎、豆、盒、壶、罐，这是战国晚期墓中常见的组合形式，墓道中随葬兵器是该地区楚墓的特点。简报推断，这两座墓的时代应是战国晚期楚国。

简报认为，出兵器的大墓墓主应为男性，不出兵器的小墓墓主应为女性。这种男女异穴合葬墓的墓主应该是夫妻关系。从该墓的规模和拥有这样精致的兵器看，其墓主应该是楚国高层贵族。这种铜戈在安徽是首次发现，工艺精致，图案新颖，是不可多得的艺术珍品，反映了当时高度发达的工艺水平，是研究楚国工艺史的珍贵资料。

简报指出，古寿春城是楚国最后阶段的都城，是楚国晚期的政治、经济、文化中心。这个墓地的发掘对研究楚国晚期的历史具有重要的意义，为楚文化的研究提供了珍贵的资料。

芜湖市

344.安徽南陵县发现吴王光剑

作　者：南陵县文化馆　刘平生
出　处：《文物》1982 年第 5 期

1978 年 5 月，南陵县文化馆在三里公社收购了一把青铜短剑。据说此剑在三里公社与何湾公社交界的一座小山头上，于距地表约 1 米深处发现。出土时，剑已被掘土工具击断。简报配以照片予以介绍。

简报介绍，剑茎为圆柱形，有两道箍棱。腊窄，无纹饰；有脊。近腊处有铭文两行共 12 字，阴刻篆书，初识为"攻敔王光自乍（作）用剑以战戍人"，因名"吴王光剑"。简报指出，据《左传·昭公廿七年》记载，吴王光就是谋杀吴王僚而称王的吴王。简报认为，此剑当铸于其自立为王时期，距今已有 2480 余年，应为春秋时期遗物。

345.安徽繁昌出土一批春秋青铜器

作　者：安徽省文物工作队、繁昌县文化馆　杨德林、张敬国等
出　处：《文物》1982 年第 12 期

1979 年 7 月，繁昌县环城公社农民在汤家山取土时发现一批青铜器。汤家山位于县城东约 500 米，山顶部东西宽约 20 米，南北长约 70 米，高出地面 60 余米。简报配以照片予以介绍。

据介绍，铜器出土于山顶靠南边约 5 米的中部，现场已扰乱，共 13 件，计方鼎 2 件、圆鼎 4 件、盉 1 件、瓿 1 件、龙纹盘 1 件、簋 1 件、甬钟 1 件、鸟形饰 2 件。这批铜器的时代，简报推断当属春秋早期。

简报称，这次发现，为研究中原周文化和江南吴文化的关系提供了一批实物资料。

346.安徽繁昌出土战国楚铜贝范

作　者：陈衍麟

出　处：《文物》1990 年第 10 期

1982 年 2 月，繁昌县文化局文物组在横山镇废品站拣选到两件战国时楚国有字铜贝范，经调查知二范系横山镇强圩村一农民挖房基时发现。简报配以拓片予以介绍。

据介绍，二范铜质，形制相近，呈长方形，一端有半筒形浇口，均已残缺。此二范贝型数目及位置均有差异，应不是一副合范。简报称，这两件铜贝范的出土，为研究楚国铜贝铸造工艺等问题提供了珍贵的实物。

蚌埠市

347.安徽蚌埠双墩一号春秋墓葬

作　者：安徽省文物考古研究所、蚌埠市博物馆　阚绪杭、周　群、钱仁发等

出　处：《考古》2009 年第 7 期

双墩一号春秋墓位于安徽省蚌埠市淮上区小蚌埠镇双墩村，南距淮河约 3 公里。在双墩村境内保存有两座较大的古墓葬封土堆，相距约 80 米。20 世纪 70 年代，曾将两座封土堆顶部推平以建设军用雷达站，并挖开封土修建了砖混结构的防空设施，致使两座古墓遭遇严重破坏。当地驻军撤防后，废弃的防空洞给墓葬保护带来了极大隐患，位于北侧的一号墓曾在 2005 年 6 月被盗未遂。2006 ～ 2008 年，考古人员对双墩一号墓进行了抢救性的考古发掘。

简报分为：一、地理位置与发掘经过，二、墓葬结构，三、特殊遗迹现象，四、随葬器物，五、结语，共五个部分。有彩照、拓片、手绘图。

据介绍，此墓为带封土和阶梯式墓道的圆形竖穴土坑墓，发掘中发现了许多独特而复杂的遗迹现象。随葬品非常丰富，包括各类铜器、彩绘陶器、几何硬纹陶器、漆木器以及玉、石器等。铜器铭文表明墓主人应是钟离国国君"柏"，时代大致为春秋中晚期。此墓的发掘，为研究钟离国的历史以及淮夷文化的地域特征等提供了珍贵资料。

据有关文献记载，钟离，一作"终黎"，嬴姓，是淮河中游地区的一个重要方国。今安徽省凤阳县临淮关镇东面 2.5 公里处有钟离国故城遗址，曾出土过汉代的"钟离丞"封泥，城垣保存较好。《左传》所记载的钟离国历史前后约有 58 年。钟

离国地处淮河中游地区，地理位置十分重要，曾先后沦为吴、楚的附庸，一直是吴、楚争霸江淮的重点争夺对象，最后在大国兼并战争中被灭国。但从《左传》所记钟离国的历史看，有关记载大多是在述及某项重要事件时附带提及的，难以反映其真实的历史，推测它实际开始建国的历史应比《左传》的记叙早得多。简报称此次发掘，揭开了钟离国的神秘面纱。

348.安徽蚌埠双墩一号春秋墓发掘简报

作　　者：安徽省文物考古研究所、蚌埠市博物馆　阚绪杭、周　群、钱仁发、
　　　　　王元宏等

出　　处：《文物》2010 年第 3 期

安徽省蚌埠市北淮河北岸双墩村内有两座较大的墓葬封土堆，呈东北西南走向，之间相距 80 米。2005 年 6 月，位于北侧的一号墓被盗未遂，考古人员对其进行抢救性发掘，发掘工作从 2006 年 12 月至 2008 年 8 月，跨三个年头，取得重要收获，被评为 2008 年全国十大考古新发现和田野考古奖。

简报分为：一、位置与地貌，二、方法与保护，三、结构与遗迹，四、出土器物，五、墓主与钟离，六、年代与意义，共六个部分。有彩照、拓片、手绘图。

墓葬主要由封土堆、白土垫层、墓坑和墓道、墓底埋葬等部分构成。随葬器物十分丰富，以铜器、彩绘陶器、石器、玉器为主，还有少量几何印纹陶以及海贝饰件、金箔饰件等，共 400 多件。另有已腐朽的大量漆木器和 2000 多件"土偶"。根据出土器物的组合和形制，此墓具有比较典型的春秋时期特征，在出土的铜器上还发现有铭文，推断此墓葬的主人是春秋时期淮河中游一个重要方国钟离国国君"柏"。简报给出的测定年代约为公元前 900 ～前 800 年。

349.安徽蚌埠双墩三号战国墓

作　　者：安徽省文物考古研究所、蚌埠市博物馆　周　群、钱仁发、阚绪杭等

出　　处：《考古》2010 年第 9 期

在淮河以北约 3 公里的安徽省蚌埠市淮上区小蚌埠镇双墩村境内，保存着两座规模较大的古代封土墓葬。2006 ～ 2008 年，对其中的一号墓进行了抢救性发掘，结果显示，该墓为春秋时期的钟离国国君墓。2007 年 4 月，对一号、二号大墓周围的古代文化遗存进行详细的钻探调查，在双墩村小学教学楼后 3 米处又新发现了一座土坑竖穴墓葬，编号为双墩三号墓。这座墓葬距一号墓 180 米，距二号墓约 110 米，当时推

测它与两座大墓存在联系，有可能是二号墓的陪葬墓。随后，对该墓进行了发掘。

简报分为：一、墓葬形制，二、随葬器物，三、结语，共三个部分。有手绘图等。

据介绍，该墓的形制为长方形竖穴土坑，墓坑长边的两侧壁下有生土二层台。随葬品主要包括一组陶器，种类有鼎、盒、罐、钫、盘、匜、盏、铲形器等，均为带彩绘的泥质灰陶器。除陶罐为 2 件，其余每种都是 4 件成套。器物的形制规整，具有战国晚期楚墓随葬陶器的典型区域特征。从墓葬形制与规模以及随葬品的数量、器物组合、器形特征等方面综合分析，简报认定此次发掘的蚌埠双墩三号墓年代属战国晚期，墓主人也绝非一般平民，应是具有一定身份的中下级贵族。在春秋战国时期，蚌埠一带先属鲁，继属吴，再属越，后属楚地。这座墓葬具有较典型的楚文化特征。

简报称，双墩三号墓距离一号、二号大墓均不远，但从发掘情况看，其时代要晚于一号墓，文化内涵也有区别。这三座墓葬是否存在一定关系，目前尚不能确定。但通过双墩一号春秋墓和三号战国墓的发掘，已能说明在春秋战国时期，淮河中游地区受到楚文化的强烈影响。

另外，墓中出土有琉璃壁。高至喜先生研究后指出，"战国时的琉璃，以湖南楚墓中出土最多，其中又以长沙占绝大多数"，"这种琉璃壁除湖南楚墓中有较多出土外，其他楚地所见甚少"。在安徽发现楚国的琉璃壁，当有研究价值（见《中国考古学会第二次年会论文集》所载高文，文物出版社 1982 年版）。

350.春秋钟离君柏墓发掘报告

作　者：安徽省文物考古研究所、蚌埠市博物馆　阚绪杭、周　群、钱仁发、
王元宏等

出　处：《考古学报》2013 年第 2 期

钟离君柏墓即蚌埠双墩一号春秋墓，位于安徽蚌埠双墩村境内。双墩村内两座古墓葬具有高大的封土堆，两座墓葬间距 80 米，一号墓位于东北，坐落在距离淮河北岸约 3 公里高出地表的原生台地上。

双墩村两座墓葬是 1991～1992 年安徽省文物考古研究所发掘双墩村北侧新石器时代遗址期间调查发现的，1998 年 8 月 25 日被列为蚌埠市重点文物保护单位，2012 年起被列为全国重点文物保护单位。2005 年 6 月位于双墩村北侧的一号墓被盗未遂，存在严重的保护隐患，蚌埠市政府决定进行发掘保护。发掘保护工作从 2006 年 12 月开始，至 2008 年 8 月结束。

简报分为：一、概况，二、墓葬结构与遗迹现象，三、出土遗物，四、余论，

共四个部分。有彩照、折页手绘图等。

据介绍，墓葬是一座大型封土堆竖穴土坑墓，保存基本完好，形制结构与常见的墓葬区别明显。墓葬主要由封土与填土、白土垫层、墓坑与墓道、墓室与葬具等构成。墓坑填土中也残存有当年的遗迹。墓葬当为一棺一椁，已腐烂不存，有数个殉人。简报认为，圆形墓葬结构和封填土中构筑不同遗迹现象等是墓葬考古史上至今未见的重大考古发掘成果。

简报指出，该墓葬是周代本地区最高等级的诸侯王陵墓，与相邻同规模的二号墓构成一座完整的钟离国君墓园（陵园）。这个陵园与其东部凤阳县境内的钟离国都城构成一个方国的核心框架，这种城与陵分开的埋葬制度符合一个国家的规制。

墓主人为春秋时期钟离国国君，年仅40余岁，下葬时代应为春秋中晚期。其死因目前还不能从考古发掘的遗存中得到答案。墓葬内丰富而齐全的各种青铜兵器特别是两件记有战功的兵器，说明了墓主人生前的戎马生涯。这种戎马生涯可能是墓主人非正常死亡的原因之一。其死后创建一座圆形结构的新型土坑大墓，体现了国力的强盛，并具有淮河流域文化的深厚传统。

简报说，该墓葬是一座规模宏大的圆形竖穴土坑墓葬建筑，与历代多是长方形或方形的土坑竖穴墓有很大区别。至今在蚌埠双墩和凤阳卞庄发现的两座钟离国圆形土坑墓葬，说明在春秋时期位于淮河中游地区的钟离国采取系列圆形建筑理念构筑墓葬。这种圆形建筑理念在墓葬中的应用，构成了由下而上、由远而近的天空与大地的景观。圆形墓葬建筑的设计理念既有避雨等实用功能，又具有深层次的思想内涵。

钟离，地名，位于今安徽凤阳境内，钟离古城在今凤阳县临淮镇东1.5公里处，是省级重点文物保护单位。

简报强调，蚌埠双墩一号墓的发掘是中国考古学史上的又一次重大发现，从地上的封土堆到墓坑内的填土层以及墓底的埋葬布局，无不体现其特殊性，是一处不可多得的珍贵文化遗产。该墓随葬品丰富多彩，精美的青铜器、彩陶器等具有一定个性特征和时代性，其铜环钮盖鼎、附耳鼎、立耳鼎、上甗下鼎甗、龙形球状镂空附耳及镂空罩罍、方形簠、钵形粗柄豆、龙形飞翎提梁盉、钮钟、龙首石磬、彩绘陶罐等构成一套典型的春秋时代淮河中游地区钟离国器物群。特别是青铜器上铭文的发现，不仅解决了该墓葬的属性及墓主问题，更重要的是以实物证明了淮河流域钟离古国存在的历史事实，为研究钟离国的历史、钟离王室世系、淮河文化或淮夷文化提供了珍贵资料，起到了补史证史的重要作用。该墓的发掘揭示了淮河流域钟离国墓葬独特而神秘的文化现象，其成果对考古学、历史学、民族学、天文学、宗教学、建筑学等学科和淮夷文化、东夷文化的研究都具有重要的史料价值和学术意义。

简报附有"春秋钟离君柏墓出土器物登记表"。

351.安徽固镇谷阳城遗址出土铜玺印

作　者：南京大学历史系　赵东升
出　处：《文物》2014 年第 6 期

谷阳城遗址位于安徽省蚌埠市固镇县南 1 公里、浍河南岸、京沪铁路西约 200 米，属今固镇县连城镇谷阳村。2004 年 12 月，谷阳城遗址被评为省级文物保护单位，第三次全国文物普查时被定为西汉至魏晋时期遗址。2011 ~ 2013 年，考古人员对该遗址进行了三次考古发掘，发现了丰富的战国晚期至魏晋时期遗存。其中战国晚期至西汉早期以铸造小型青铜器为主的冶铸遗存最为重要，出土了大量陶范、石范及铜兵器、车马器、货币等。其中发现的两枚铜玺印，简报配以照片予以介绍。

据介绍，"谷易之钵"印面阴文，为战国时期楚国文字，简报推断此印应为战国晚期谷阳县最高行政长官所有。简报认为，它的出土证明谷阳城在战国晚期属楚国管辖，为历史上谷阳城的位置提供了证据。

"朱诩私印"印面阴文篆体，从其形制和印文判断，此枚印的年代应为两汉之际。朱诩，《汉书·董贤传》中有载，为汉哀帝时沛郡官吏，最后被王莽所杀。此人私印在谷阳城出土，证明其很可能是在沛郡的谷阳县为官，并且与西汉皇室有一定关系。

简报称，这两枚铜玺印的出土丰富了秦汉时期谷阳城的文化内涵，为进一步开展此城址的考古和研究工作提供了新资料。

淮南市

352.安徽淮南市蔡家岗赵家孤堆战国墓

作　者：安徽省文化局文物工作队　马道阔
出　处：《考古》1963 年第 4 期

蔡家岗在淮南市八公山区，东北距寿县城约 7.5 公里，西北距八公山约 3 公里。东北距蔡家岗火车站约 500 米处，在淮谢饭店旁的公路南北，有两大孤堆。两孤堆均名"赵家孤堆"，相距约 200 米。1958 年、1959 年先后对两孤堆进行了清理，南孤堆编为一号墓，北孤堆编为二号墓。

简报分为：一、前言，二、墓葬形制，三、出土遗物，四、结论，共四个部分。配以照片，先行重点介绍第二号墓。

据介绍，二号墓的封土厚 1 ~ 2.4 米。在距墓口 0.8 米的封土中，发现有古代盗坑。墓底未发现任何随葬品，葬具和人骨架也未见，只残存一些朱砂。一号墓封土颇大，堆高约4米，直径约24米，1958年在孤堆旁兴建淮谢饭店时被挖平。紧靠南壁的墓室中出土一群铜器，有矛、镦、削等。墓底仅出土玉璧一件和五个铜铃残片。两墓均为长方形竖穴土坑墓，出土遗物主要是青铜器，计112件，其中兵器有36件。出土遗物以兵器和车马器为主，没有礼器。这或许是因为墓在早年被盗，礼器已为盗者窃走。

简报称，出土的铜剑13把，其中有铭者计4把。今据释文有蔡侯产剑3把，都是错金文字。有刻铭工獻太子姑发剑1把。戈四件，都有铭刻文字，有3件铭文尚未通读，暂未释文。据此，该墓出土有蔡、吴两国铜器。蔡侯产是蔡迁州来后第三个侯（即由昭侯、成侯而声侯），故简报断此墓为蔡声侯产的墓。因蔡、吴两国曾经有过关系，于是吴器被殉葬于声侯墓。再据车马器等遗物的花纹风格，与寿县蔡侯墓遗物花纹风格相一致，也可为蔡墓之旁证。声侯即位于吴灭后的第二年，即公元前471年，卒于公元前457年，该墓时代当在公元前457年或稍后之一二年，是战国初期的墓葬。

353.安徽凤台发现楚国"呈大膚"铜量

作　者：安徽阜阳地区展览馆文博组
出　处：《文物》1978年第5期

这件铜器是在凤台郊区出土的，1976年4月由阜阳地区展览馆收集。当时已残碎成12块，经上海博物馆协助修复。器身为圆筒形，旁有一环钮，钮的一侧器壁上书"鄁大膚之敦（？）□"六字，器底刻一"午"字，用水测量容量为1110毫升。简报配以照片予以介绍。

据介绍，相同类型的器物，淮南市博物馆曾征集到一件，也是凤台出土的，形制、大小与此件皆相同，器壁刻一"王"字，另外尚有针刻文字，也不清楚了。1933年，寿县朱家集李三孤堆楚王墓中也出土过两件，后归安徽博物馆。大的一件大小、形制与此件基本相同，无铭文；小的一件容量约为170毫升，即约为大的的六分之一。

简报指出，此器明记"鄁大膚"，则应为楚国太府之器。过去将此种器物定名为"卮"，认为是酒器。由于器物有大小不同，简报认为，它可能是量器。

354.淮南市出土一件战国原始瓷罐

作　者：淮南市博物馆　徐孝忠
出　处：《文物》1988年第4期

1983年，安徽省淮南市谢家集区红卫轮窑厂在施工取土中，出土一件青釉直条纹双系瓷罐，后送往淮南市博物馆收藏。简报配以照片予以介绍。

据介绍，瓷罐直口，广肩，腹较偏，最大径在腹上部，下腹内收，平底微内凹。肩部有对称的两个小圆系，每个系的两侧各有一组对称的谷纹。谷纹以外的肩部和上腹部各饰一周抹断的直条纹。器身满施青釉，腹下部及底部有脱釉现象，器内釉几乎全部脱落。灰胎微泛红色，胎壁较薄，质地坚硬，脱釉露胎处有旋坯的痕迹。腹部有裂纹，底有接痕。通高22厘米，口径20.4厘米，腹径34.2厘米，底径17.5厘米。这件青瓷罐简报推断的年代为战国时期，但是是形体更大、实属罕见的战国原始青瓷。

355.安徽省淮南市唐山乡出土一批楚文物

作　者：徐孝忠
出　处：《江汉考古》1996年第1期

历年来，淮南市唐山乡陆续建起了几座砖瓦厂，窑厂在烧砖取土中不断发现古墓葬。因各种原因，大多数墓葬受到较严重的破坏，考古人员仅搜集到部分流散在当地人手中的出土文物，有陶、瓷、玉器、青铜器以及钱币等。其中不乏精品，尤其值得注意的是在这批出土文物中，部分具有较明显的楚器特征，当属于楚文化系统，具有较高的研究价值。简报配以照片予以介绍。

据介绍，计有青釉篦纹双系瓷罐1件，战国中晚期遗物；四山纹铜镜1件、青铜鼎2件；还有蚁鼻钱等楚国货币。公元前447年以来，这一地区一直在楚国控制之下，一直到公元前223年，寿春（今寿县）为秦军攻破，楚国在这一带统治了200年之久。

马鞍山市

356.安徽当涂陶庄战国土墩墓发掘简报

作　者：安徽省文物考古研究所、马鞍山市文物局、当涂县文物管理所　叶润清、罗　虎等
出　处：《文物》2013年第10期

陶庄遗址位于当涂县新市镇（2013年9月区划调整后属马鞍山市）临川村陶庄北约100米的漫坡状台地上，西北距新市镇约2.2公里，西距当涂县城约

25 公里。从大的地理环境看，陶庄遗址位于长江下游南（东）岸的石臼湖西北部，这里是古代丹阳大泽经长期变迁形成的湖荡沼泽地带，田园广阔，水网密布。遗址高出周围农田 2 ~ 3 米，形状不规则，分布范围和部分边界不是十分清晰。此次发掘的主要收获是，在 T1917、T2017、T1918、T2018 四个探方所在位置发现一座土墩墓（2011DTD1M1）。

简报分为四个部分进行介绍，配有多幅照片和手绘图。

第一部分、第二部分为"地层、封土层、垫土层堆积及遗物"，此不详述。

第三部分为"墓葬"，称D1M1为"浅土坑竖穴木椁式土墩墓，墓葬局部已遭破坏"。随葬器物分为两大类：一类为专门为陪葬而制作的陶质冥器，主要为仿铜陶礼器，有鼎、三足盘、匜和角形器；另一类为实用器，有陶釜、瓿、盘、器盖、纺轮等。还有一件铜镇和一件蜻蜓眼琉璃珠。

第四部分为"结语"，认为此墓时代"基本可确定为战国早期"。墓主身份"应为中下等贵族"，具体说，"这应是一座战国早期的越国贵族土墩墓"。墓坑中发现有随意抛入的人骨架残存，估计为殉葬人遗存。

简报称，土墩墓是商周时期流行于吴越地区的一种常见墓葬形式，在江浙沪皖地区均有大量发现，时代集中在西周至春秋时期；到春秋晚期后，受中原和楚地墓葬制度的强烈冲击，越地的墓葬形制逐渐由传统的土墩墓向新型土坑墓转变，长方形竖穴土坑墓在吴越地区开始出现并逐渐流行；到了战国早期，土墩墓已有逐渐绝迹之势。战国时期土墩墓在江浙地区仅有零星发现，在安徽则是首次发现。

简报指出，这一发现为研究当地战国早期墓葬制度与葬俗提供了珍贵的实物资料，随葬器物中原始瓷器、印纹硬陶器和仿铜陶礼器共出以及殉葬坑的发现等则为探讨战国早期越国与其他地区的政治、经济和文化交流提供了重要线索。

淮北市

铜陵市

安庆市

357.安徽怀宁县出土春秋青铜器

作　者：怀宁县文物管理所　许　文

出　处：《文物》1983 年第 11 期

1982 年 3 月 1 日，安徽怀宁县金拱公社杨家牌生产队农民在山岗上掘土时，于离地面不到 30 厘米处，发现一批青铜器，并有玉器、陶器共出。考古人员立即前往现场进行了实地调查、征集，并请安徽省文物工作队进行了考察。简报配以拓片、手绘图予以介绍。

据介绍，铜器出土地点在怀宁县东北部与桐城县交界处的人形河南岸，为一高出地平面约 4 米的红土丘岗，岗上以往曾发现数处汉代砖室墓。北面相隔一个田冲，是一处古代文化遗址。从暴露物看，简报推断属商周遗存。出土青铜器计有礼器六件、削四件。另有玛瑙装饰、绿松石等。出土现场大致为一个长宽各约 1 米的不规则土坑，坑内填较疏松的黑土。器物存放似有一定次序，三鼎并列，牺鼎居中，陶盆置于铜器周围。据此，简报推断这里应是一处墓葬，原有墓坑因长期的水土流失现已无存。

简报称，这批铜器，从形式和纹饰上看，与中原地区同类器有一定的共同性，但也较多地表现了江淮地区以及长江中下游地区的地方特色。简报推断这批青铜器为春秋早期桐国之器。

358.安徽望江窑头村出土一批青铜兵器

作　者：望江县文物管理所　宋康年

出　处：《考古》1987 年第 4 期

1984 年 4 月，安徽省望江县城以南 1 公里的窑头村出土一批青铜兵器。据窑厂工人介绍，距地表约 2 米处发现有大量青铜剑、戈、矛以及灰陶罐，除部分散落外，其余已由县文管所征集、收藏。这些剑、戈、矛通体呈墨绿色，光滑锃亮，刃部锋利。简报配以照片予以介绍。

据介绍，这批青铜兵器计有剑 3 件、戈 1 件、矛 4 件。其中铜剑的风格及造型类似于湖北黄州国儿冲楚墓所出铜剑。

359.安徽望江出土春秋时代铜鼎

作　者：宋康年
出　处：《考古》1989 年第 10 期

1987 年 3 月，望江县太慈乡竹山村农民在距地表深约 0.5 米处发现两件铜鼎。简报配以照片予以介绍。

据介绍，二鼎造型、纹饰、大小都相近。皆为盖鼎，其中一件盖缺失。盖平顶，中有一桥形钮，钮中有穿，周围饰一圈窃曲纹。器为子口，圆腹圆底，腹两侧附有长方形直耳，中有长方形穿，下附三蹄足。耳饰窃曲纹，腹饰窃曲纹、三角纹。重 5 公斤。两件鼎的下腹和底部都有使用印痕，证明都是实用器。从形制和纹饰看，此二鼎的时代当属春秋时代。

360.安徽潜山彰法山 9 号战国墓

作　者：潜山县文管所　李丁生
出　处：《江汉考古》1992 年第 4 期

彰法山位于潜山县城以北，南麓距合宿公路及县城约 500 米，是一座红砂岩长条带缓丘，东西绵延 10 余公里，地势高出两边农田 15 ～ 20 米。1978 年文物普查发现其南麓有密集的战国、汉、唐、宋墓群，1979 年至今，考古人员为配合基建工程先后在此清理了残古墓 18 座，依顺序编号为 M1 ～ M18，其中战国墓 11 座、唐墓 5 座、宋墓 2 座。9 号墓是一座战国墓，是 1991 年 4 月 7 日在县造纸厂基建工地发现的，由于施工取土，墓坑被挖毁三分之一，为及时抢救文物，对该墓的残存部分进行了清理。

简报分为：一、墓葬形制，二、随葬器物，三、结语，共三个部分。有手绘图。

据介绍，9 号墓为一长方形土坑竖穴墓。葬具为一棺一椁，有青膏泥，尸骨已朽。9 号墓出土随葬器物有陶器 13 件、铜器 5 件，其中矛镦、铎为首次发现。这些随葬品除 I 式剑置于边箱外，余者均放置在边箱内。简报推断此墓为战国晚期楚墓。

361.桐城出土春秋时期青铜器

作　者：桐城市博物馆　江小角
出　处：《文物》1999 年第 4 期

1994 年 3 月，安徽省桐城市高桥镇长岗村一村民在自家门前护理土埂时，发现一批青铜器。经考古人员实地调查，认定这批文物属一窖藏。出土时矛、镶全部放在尊内，鼎倒置于尊上。考古人员对四周进行了清理，未发现其他遗物。简报配以照片予以介绍。

据介绍，出土器物有铜兽耳尊1件、铜鼎1件、铜矛7件、铜镶5件，年代简报推断为春秋时期。

简报指出，近年来，在桐城周边的怀宁、舒城等县以及桐城境内均有青铜器出土，且属同一风格。这次出土的兽耳尊，器形独特，铸造精美，工艺水平很高，目前在这一地区尚属首次发现，具有浓厚的地方特色。同时出土的鼎、矛、镶虽然与同时期其他地区出土的器物有近似的特征，但它们都同样具有地方特色。这批文物的出土，为进一步探索长江中下游地区青铜文化面貌提供了珍贵的实物资料。

362.安庆王家山战国墓出土越王丌北古剑等器物

作　者：安庆市博物馆　黄光新

出　处：《文物》2000年第8期

1987年6月，安徽省安庆市第二自来水厂在基建施工中，发现一座战国墓。考古人员赶到现场进行清理，共出土12件器物。

简报分为：一、墓葬形制，二、随葬器物，三、关于越王丌北古剑，四、结语，共四个部分。有彩照。

简报指出，安庆早在春秋时即为楚国属地。从安庆王家山M1的形制和出土器物分析，除越王丌北古剑和鼎外，遗物基本属楚文化；而M1出土的越王剑，有越王馈赠楚国礼品或者为楚灭越所获战利品两种可能。

363.安徽潜山公山岗战国墓发掘报告

作　者：安徽省文物考古研究所、潜山县文物管理所　阚绪杭等

出　处：《考古学报》2002年第1期

潜山县位于安徽省西南部、大别山南麓。该县梅城镇东北1.5公里处的公山岗，是彰法山的一个小山岗，隶属古塔村团结组。1998年5月沪蓉高速公路安庆段十三标在此取土垫路基时发现了战国墓群。为配合基建工程，考古人员从5月至11月对该墓群进行了勘探和抢救发掘。

简报分为：一、墓葬分布，二、墓葬形制，三、随葬遗物，四、分期与年代，共四个部分。有照片、手绘图。

据介绍，此次发掘的公山岗墓葬101座，均是中小型墓，分布密集。墓葬均为

土坑竖穴，除两座有墓道外，余均无墓道。墓坑开凿在红色沙岩层中，坑壁比较规整，个别深墓坑壁上凿有脚窝或在墓口四角发现有圆形柱洞。坑内填土为挖墓坑的土回填，色质较纯净，少数杂以五花土，填土多不夯实。在葬具四周或无存葬具的墓底均有 0.2～0.5 米的青膏泥。葬具均为木质，多已腐朽，仅少数保存完好或尚存有棺或椁的底板残块。墓坑大小各异，小者仅能容一棺，大者可放棺椁或套棺一椁等。随葬品多置一侧或头龛里，多寡不等。有一定数量的墓无随葬品。

简报称，公山岗墓群分为三期五段。一期包括 I、II 段，器物组合均有罐、钵，年代在战国中期或稍晚。二期包括 III、IV 段，器物组合均有鼎、豆、壶、豆、壶的形式，演变关系比较明显。III 段不仅有盘式豆和钵形豆，还新出现了喇叭形盘式豆。IV 段盘式豆和钵形豆并存。属于二期 IV 段的 M12 出土一件铭文戈，有"廿四年"铭文，应为秦昭襄王二十四年，即公元前 283 年，说明该墓的年代不会早于这个年代。因此，二期墓葬的年代应在战国晚期。三期仅 V 段，其器物组合均有盒或钫，是在二期鼎、豆、壶的基础上新增加的器物，且壶、豆的多种形式也仅存 B 型 II 式壶和 A 型 II 式豆盘一种，其年代应在战国末期。

黄山市

滁州市

364.安徽天长出土一批战国青铜器

作　者：天长市博物馆、天长市文物管理所　杨以平、乔国荣、纪春华等
出　处：《文物》2009 年第 6 期

苏桥村位于天长市西北 35 公里左右，与江苏省盱眙县仅有一条乡村公路相隔。2003 年 8 月，当地村民发现犯罪分子正在盗掘古墓。考古人员得到消息后，会同公安部门立即赶到现场进行清理。这是一处青铜器窖藏，共出土青铜器 25 件、陶器 1 件，其中青铜器有鼎、壶、敦、匜、盘、盆、盒、勺、箕、器盖、器底等。简报配以手绘图予以介绍。

据介绍，这批青铜器的出土地点是一个高于四周的台地，台地上曾经发现过战国墓葬。遭到盗墓者的破坏，这批青铜器的埋葬情形不是很清楚。由于在器物内发现残留的小动物骨骼，简报据此推测，它们应是祭祀用具。年代简报推断为战国晚期。

365.安徽凤阳卞庄一号春秋墓发掘简报

作　者：安徽省文物考古研究所、凤阳县文物管理所　周　群、唐更生等
出　处：《文物》2009 年第 8 期

卞庄一号春秋墓位于安徽省凤阳县板桥镇卞庄自然村西北约 700 米处，2007 年 5 月在基建施工的过程被当地村民发现，并遭到盗墓分子的盗掘，考古人员进行了抢救性发掘。

简报分为：一、地理环境，二、墓葬结构，三、葬具与葬式，四、随葬器物，五、结语，共五个部分。有彩照、手绘图。

据介绍，该墓墓坑的上部由于施工被挖掉，仅存墓坑底部深几十厘米的部分。经过发掘可知，该墓为圆形土坑竖穴墓。因在施工前这里已是农田，地表原来是否有封土堆现已不明。墓内壁涂白泥层，厚约 3 厘米。墓主人和殉人位于墓底北部，并占据墓底大部分的位置。随葬器物放置在墓底南部。该墓早年被盗，主墓中间有两个盗洞穿过墓底的痕迹。主墓内的人骨现已不存，主墓南侧陪葬墓原应有两具人骨，因早期被盗而缺少北侧的一具人骨。2007 年在基建施工的过程中该墓再次被盗，盗掘位置正对墓底南部随葬器物存放处。在墓底发现较多的随葬器物和陪葬人骨架及兽骨等。该墓为多人陪葬墓，墓底以主墓为中心，四周有规律地排列着陪葬墓，每个陪葬墓内的人数不等。共发现殉人 9 人。葬具均已朽，仅在墓底发现杨木朽灰、朱红色漆皮和漆花纹的痕迹。该墓出土有铜器、陶器、石器等，其中 5 件铜镈带有铭文，从铭文可知该墓为春秋时期钟离国康之墓。"钟离"为国名，"康"为人名。

简报指出，钟离国在《左传》《史记》《水经注》等文献中有零星记载，为春秋时吴、楚争夺的一个方国，其都城遗址位于淮河流域的安徽凤阳县境内。该墓形制独特，随葬器物丰富，为研究钟离国的历史和地望提供了珍贵的实物资料，对于研究中国古代的埋葬制度、埋葬习俗具有重要的学术价值。简报还指出，2008 年在蚌埠双墩发掘的钟离君柏墓，当为此墓墓主父亲的墓。即"康"是"柏"的小儿子，此两墓相距约 35 公里。

阜阳市

366.安徽临泉出土大批楚国铜贝

作　者：临泉博物馆　冯耀堂
出　处：《文物》1985 年第 6 期

1983 年 6 月，临泉县崔寨乡史庄村发现楚国铜贝 2355 枚，共重 6 公斤。经整理

其中有"罳"字的 2318 枚；有"罞"字的 34 枚；有"罳"字的 2 枚；有"□"字的 1 枚。简报配以照片予以介绍。

楚贝的俗名很多，一般称它为"蚁鼻钱"或"鬼脸钱"。在淮北阜阳地区，有以其形状称它为"骷髅牌"或"拉拉子"（一种打场工具）的，也有以阴雨天可以在地里捡到它而称为"阴有"的，更流行的称呼是"钯壳"。钯壳就是贝壳。楚地的人民相沿称楚贝为"钯壳"，可能更接近这种货币的古代名称。"罳"字贝过去发现的很少，所以没有引起古代货币专家们的注意。这次临泉一次发现了 2000 多枚"罳"字上有数字"一"的铜贝，对解开"罳"字之谜有很大的帮助。其实楚国实行的是龟贝货币制度。楚国的货币形态：黄金作为主币铸成龟壳样（完整的"郢爰""卢金"等），铜币作为辅币铸成贝壳形，近年已有人论证。现在我们综观前人和今人对"罳"字的释读，此字应是铜贝的货币名称，吴大澂释为"贝"字是对的，"一贝"就是一枚铜贝。

367.安徽临泉出土一批鬼脸钱

作　者：安徽省临泉县博物馆　冯耀堂
出　处：《考古与文物》1985 年第 2 期

1983 年 6 月 10 日，距临泉县城南 35 公里的崔寨乡史庄村农民史九礼，在村东 200 米南北走向的小水沟东岸边缘上挖地栽红芋，仅挖一锹深便发现一罐战国楚贝（俗称"鬼脸钱"），总数约 3000 枚。因黑陶罐破碎，出土时一部分散失，博物馆收集到的共计 2355 枚，重 6 公斤。简报配以拓片予以介绍。

据介绍，铜币出土地点是一个春秋战国遗址，南侧 100 米处有马冢，高约 4 米，方圆 1 公里，上面是夯过的花土，应是一座古墓或高台建筑的基址。其北面靠一片废墟，东西走向约 1 公里，地面上散布着许多绳纹陶片和瓦片，经常出土战国时期的文物。楚贝在临泉县虽然不断出土，但如这次数量之多、类型别致，却是罕见的。这为战国经济、文化的研究，特别是为当时楚国的货币制度的探讨，提供了重要的资料。

368.临泉出土一批鬼脸钱

作　者：冯耀堂
出　处：《中原文物》1985 年第 1 期

1983 年 6 月 10 日，距临泉县城南 35 公里的崔寨乡史庄村农民史九礼在村东 200 米南北走向的小水沟东岸边缘上挖地栽红芋，发现一罐战国楚贝。考古人员赶到现场，征集到 6 公斤楚贝，共 2355 枚。楚贝散失一部分，无法集中，约有 3000 枚。简报配以照片予以介绍。

据介绍，楚贝出土的地址，南靠马冢约有 100 米。马冢高约有 4 米，方圆 1 公里，上面已被夯过的花土，初步认为应是一座古墓。北面紧靠一片废墟，东西走向约 1 公里，多是绳纹陶片和瓦片，很少看到砖的痕迹。当地人反映周围村庄在此地生产不断出土文物，应是春秋战国城址。楚国实行的是龟贝货币制度，楚国用金铸造的货币称为"爰"，铜布币称为"钱"，小辅币称为"贝"，货币上都铸上货币名称，这和当时北方各国铸造的货币不同，是楚币的特色。

369.安徽涡阳县出土的东周青铜器

作　者：阜阳市文物管理处、阜阳市博物馆　杨玉彬、刘海超等
出　处：《考古》2006 年第 9 期

1984 年 10 月，安徽涡阳县双庙区盛双楼村农民挖土铺路时，在村西距地表 0.9 米处发现一个高 50 厘米、腹径 40 厘米的绳纹红陶罐。陶罐出土时被农民用铁工具撬碎，罐内装满锈成一团的青铜器。出土摔开后，器物被在场农民和路人哄抢。考古人员闻讯派人前往调查处理，惜多数文物被哄抢者卖出流失，文物部门只追缴、收回了 132 件器物和一些铜器残片，经整理，较完整和能分辨出器形的有生产工具 93 件、兵器 22 件、其他杂器 17 件。

简报分为：一、农具，二、工具，三、兵器，四、杂器，五、结语，共五个部分。有彩照、手绘图。

简报指出，涡阳出土的这批青铜器，虽器形较小，但有大量的东周青铜实用农具，尤其是一次性出土数量可观的镰、锸、镢等生产工具在国内较罕见，因而对研究我国先秦时期青铜农具有着较为重要的意义。简报称，长期以来，商周时期的农业生产中是否广泛使用过青铜农具一直是有争议的问题。皖北地区近几十年来屡有青铜农具及其他生产工具出土，涡阳这次出土的数量众多的青铜农具和工具，从实物资料方面说明我国春秋战国时期确实广泛使用过青铜农具，至少在淮河流域是如此。这批青铜农具出土时磨损严重，也说明埋藏前都经长期使用。

简报认为，这批窖藏铜器种类庞杂，既有大量因磨损而报废的农具、工具、兵器及其他杂器，又有许多器物残片，还有当时流通的货币铜贝，推断应是作为青铜原料埋藏的。涡阳双庙紧邻城父故城址，城父为战国晚期楚国军事重镇。战国晚期楚、秦、三晋在豫东、皖北一带兵争尤烈，城父及周邻地区局势多变，这批青铜器或许是突遇战事而仓促埋下的。

宿州市

370.安徽省宿县出土两件铜乐器

作　者：胡悦谦
出　处：《文物》1964 年第 7 期

1962 年 4 月间，宿县许村公社农民许立振在芦古城子遗址上，发现两件铜乐器，于 1963 年 5 月间献交安徽省博物馆。简报配以手绘图、照片予以介绍。

简报介绍，芦古城子为台形遗址，北距宿县城 18 公里，东南距蕲县旧址 8 公里。两件铜乐器，一为钲，一为镈于。遗址灰土中除包含蚌壳及螺蛳壳外，蕴藏较多的文化遗物，时代颇不一致。据地面采集物辨识，有新石器时代的磨光黑陶片、篮纹黑陶片、方格纹灰陶片和方格纹黑陶片，殷代的雷纹灰陶片、鬲足等，六朝时期的青瓷片，唐代的黄釉瓷片等。按形制和文字结构，两件乐器时代简报推断为春秋之器。

巢湖市

六安市

371.安徽寿县新发现的铜牛

作　者：殷涤非
出　处：《文物》1959 年第 4 期

这只铜牛是 1956 年间，由丘家花园丘纪传在附近的李家坟犁地时发现的。那块麦地于 1957 年修堤取土时，已经挖去一部分，现在还存有东西约 17 米、南北约 9 米的长方形土坑。1958 年 11 月 28 日，考古人员根据百姓反映的线索到丘家花园进行现场调查。就其表面断层和近缘进行钻探，没有发现古墓，只在东、西有汉代遗存的堆积。简报配以拓片予以介绍。

简报介绍，牛用青铜铸成，作卧状，脊部和股部显得特别丰圆。头颈回伸，尾巴贴于左股之上，前膝双跪，后腿屈于腹部，整个造型极其生动有力。铜牛全身嵌入白色金属，洁白光亮如新，毫无银质黑锈的痕迹，想必不是一般银质。铜牛腹下有铸铭4字，据铭文，简报认为这只铜牛是为楚王"治藏之长"的大府官所藏或所铸的宝器。其制作年代简报推断或也在公元前323年前后。

372.安徽舒城出土的铜器

作　者：安徽省文化局文物工作队　殷涤非
出　处：《考古》1964年第10期

1959年9月下旬，龙舒人民公社凤凰嘴农民发现了一批铜器。凤凰嘴在今舒城县治东约2公里。同年11月下旬，考古人员对出土地点进行清理，但未继续发现遗物，只确知该铜器系一古墓中的随葬品。简报分为四部分予以介绍，有照片。

据介绍，墓近正方形，铜器均放置于墓室东南角，清理前已全被取出，有食器、酒器等。简报推测这批铜器约当春秋僖公三年"徐人取舒"到楚执舒子这一段时间或稍晚，即公元前657～前615年或稍晚，应为春秋时舒国铜器。

373.安徽省寿县出土一大批楚金币

作　者：涂书田
出　处：《文物》1980年第10期

1979年8月9日，东津公社花园大队（距寿县城南约2.5公里）农民在该大队门西生产队东南的小渠北坡边缘上取土时，发现战国时期的楚国金币，计大的18块、小的1块，共重5187.25克，并伴出金叶残片，小金粒和呈牙状、发丝状或呈韭叶形而尾端为管状的金质物件。他们立即上报，经寿县博物馆会同县银行鉴定为楚国金币后全部献交国家。简报配以照片予以介绍。

简报指出，与这批出土楚金币同出的4大块已破切錾过的金饼，当是楚国货币的一种。它的基本形制和使用方法，与汉代通行的金饼大体一样，比其他几地出土的汉代马蹄金要大得多。这些情况表明，在战国晚期的楚国除铜贝、布币、黄金龟贝外，还有无印金饼，从而证明了金饼的铸造年代始于战国，而不是始于西汉。这批出土的"郢爰"、"卢金"、无印记金币等龟贝、金饼和零星金质物，都是楚国晚期的遗物，可能是在公元前241～公元前223年时楚都寿春生产的。

374.安徽舒城九里墩春秋墓

作　　者：安徽省文物工作队　杨鸠霞等
出　　处：《考古学报》1982 年第 2 期

1980 年 9 月，舒城县孔集公社九里墩大队窑厂在烧砖瓦取土时发现一座古墓。考古人员清理了这座墓葬。

简报分为：一、墓葬形制，二、随葬器物，三、结语，共三个部分。有照片、手绘图。

据介绍，九里墩位于舒城县城东 4 公里、杭埠河北。据舒城县志记载，这里原名"九女墩"，俗称"九里墩"。墓葬地面原有高约 10 米的封土堆，占地面积约 6800 平方米，因多年烧窑取土，清理时封土已基本夷平。墓地上散布有各种印纹陶片、鬲足、陶盃等遗物。从采集的遗物看，这里原是一个商代遗址，墓葬打破商代遗址，墓底挖在生土层上。清理时，墓的东南部已被破坏。此墓为长方形土坑竖穴墓，墓底距地表深 2.7 米。没有墓道。墓坑中未发现有板灰痕迹，仅在墓的底部发现用木板南北平铺的一层垫板。垫板已腐朽。板下垫有 10 厘米厚的白膏泥，随葬品均放置在垫板上。棺已朽，根据遗迹观察，棺置于墓室的中部略偏东南。尸骨全朽，葬式不明。尽管曾两次被盗，仍出土随葬器物 183 件，其中青铜器 170 余件。年代简报推断为春秋时期，墓主人应为春秋时舒国某一君主。

简报称，从随葬品看，春秋末期舒、蔡两国关系十分密切。

375.安徽寿县出土两件铜方壶

作　　者：寿县博物馆　许　璞、建　强
出　　处：《文物》1988 年第 2 期

1983 年 3 月，寿县东津乡两农民在长沟东坡发现铜方壶两件。两器侧身横置，同向并列，口东底西，距地表深 1 米左右，两器现藏寿县博物馆。简报配以拓片予以介绍。

据介绍，两器均为方口，长颈，腹略圆，方座。颈上对称置两兽形衔环耳，其中一件残一耳。器颈、肩、腹、腔、座上均饰较细密的蟠螭纹等纹饰。两器尺寸相同，高至口 64.5 厘米，口边长 20.4 厘米，腹围 104 厘米，腹深 54.7 厘米，座边长 24.3 厘米，兽耳长 35 厘米。

简报估计这两件铜方壶为春秋晚期蔡国器物。

376.安徽霍山县出土吴蔡兵器和车马器

作　者：王步毅

出　处：《文物》1986 年第 3 期

霍山县文物组最近入藏两件错金铭文铜兵器，一为"政敭工差"戟，一为"蔡侯□"戈。这两件铜兵器于 1980 年 3 月出土于南岳公社上元街大队十八塔生产队的一个小山头上，伴出器物还有铜殳、车軎和马衔等。简报配以照片予以介绍。这座墓葬的时代简报推断为不早于吴王阖闾四年（前 511 年）占据霍山之时，不晚于吴国灭亡。

简报称，霍山出土的这两件有铭文的兵器，制作精良，至今仍光洁无锈，相当锋利，错金铭文也较清晰，为研究春秋晚期吴、楚、蔡三国在皖西一带政治、军事活动，提供了实物资料。

377.安徽六安县发现两件春秋铜鼎

作　者：六安县文物管理所　邵建白

出　处：《文物》1990 年第 1 期

1976 年 3 月，六安县孙岗区思古潭乡义仓村高塘队在一荒岗的西北部挖灌水沟时，于离地面深约 0.6 米处发现铜鼎两件。经调查，与铜鼎伴出的还有陶罐四件（已坏），这些器物很可能是墓葬中的随葬品。简报配以拓片予以介绍。

据介绍，铜鼎两件，器形相同，大小、纹饰也相同。有盖，扁平，上饰一周云纹，中有方形环钮，钮饰点线纹。鼎身敛口，平折沿，方耳立于沿上微外侈，浅腹微鼓，圜底，三蹄形足。腹上部饰蟠虺纹、两道凸弦纹和六条扉棱，下部饰蝉纹和六条扉棱。通高 26.5 厘米，口径 24 厘米，腹深 11.5 厘米，简报推断应为春秋时期六国的器物。

378.安徽舒城县河口春秋墓

作　者：安徽省文物考古研究所、舒城县文物管理所　杨鸠霞等

出　处：《文物》1990 年第 6 期

1988 年 4 月，舒城县河口镇幸福村窑厂民工建造砖坯场地平整一座山丘时，在距地表 2.2 米深处发现一组青铜器，当时取出了部分器物。考古人员赶赴现场，并于 4 月 17～20 日对此墓进行了调查发掘。

简报分为：一、墓葬形制，二、随葬器物，三、结语，共三个部分。有照片、拓片、手绘图。

据介绍，舒城县在安徽省的中部，属杭埠河流域。墓葬位于县城南 5 公里、杭埠河南岸，河口镇至河棚乡的公路西侧 150 米处的一座小山丘上，东北距河口镇 2 公里。这里是一片丘陵地带。据当地人说，墓葬地面原有 2 米高的封土堆，由于历年来的耕作，已基本夷平。此墓为大型竖穴土坑墓，墓坑呈抹角方形，尸骨无存。出土一组青铜礼器，有鼎、簋、盂、缶等 9 件。另有印纹陶器、原始青瓷器、漆器、玉器等 40 件。其中 24 件玉玦装在漆盒内，2 件玉玦放置在墓底棺的位置。青铜器上有覆盖席子的印痕。墓坑的西北角被一座小墓打破。简报称，此墓的年代应为春秋早期，墓主应是相当于士一级的中等贵族。西北角小墓亦出土有仿铜陶礼器，应为战国晚期楚墓。

379.寿县肖严湖出土春秋青铜器

作　者：寿县博物馆　许　璞、建　强
出　处：《文物》1990 年第 11 期

1975 年 12 月，安徽寿县枸杞乡花门村农民于冬修护堤工程中，在肖严湖堤南侧魏（韦）岗的西南部发现一批青铜器。寿县博物馆得悉此事，于 1976 年 2 月先后三次派考古人员前往现场进行调查和征集。简报配以手绘图予以介绍。

据介绍，现场已被扰乱，征集了青铜器 7 件，如鼎、小方簋、三足匜等。这批铜器简报推断当属春秋早期遗物。春秋时代，寿县为州来国的疆域，州来为吴所兼并后，曾为吴季札的封邑，后来成为东方诸国争夺的要地。这批青铜礼器可能为当时贵族的遗物。

380.安徽省六安县城北楚墓

作　者：六安县文物管理所　褚金华
出　处：《文物》1993 年第 1 期

1991 年 5 月，六安县城北乡窑厂取土时推土机掉入一座墓坑，考古人员进行了抢救清理。简报配以照片予以介绍。

据介绍，此墓位于县城北约 7 公里、六安至寿县公路西侧，原为一片农田，近年来窑厂用土已将此地挖成低于公路约 3 米的凹地。

简报分为：一、墓葬形制，二、随葬器物，三、结语，共三个部分。配有照片。

据介绍，此墓是一座长方形土坑竖穴木椁墓。木椁以上填土已夷平。葬具为一椁重棺，已腐朽，又遭人为破坏。随葬品分置于椁室的各隔箱内，头箱主要放置青铜礼器、仿铜陶礼器，边箱主要放置兵器、车马器，足箱主要放置衣物丝织品。这些随葬品可分陶器、青铜器、漆木器、丝织品几大类，计110余件。除漆木器腐朽外，其他器物保存比较完整。六安城北楚墓的年代，简报推断大致为战国中期。

简报称，六安城北楚墓具有浓厚的楚文化风格，与湖北、河南地区的楚国中期文化属于同一系统。这是六安县首次发现比较完整、出土器物比较丰富的战国时期楚墓。

381.安徽六安县发现一座春秋时期墓葬

作　者：安徽省博物馆、六安县文物管理所　马道阔
出　处：《考古》1993年第7期

1989年3月15日，六安县毛坦厂镇燕山村民乔自存、罗荣春在走马岗挖土时，于离地面70厘米处，发现一批春秋青铜器，并有原始青瓷和印纹硬陶共出，为一处墓葬。罗荣春将这批青铜器送交安徽省博物馆。3月26～28日，考古人员对该墓进行了清理。简报配以拓片、手绘图予以介绍。

据介绍，墓地位于六安县最南端，距六安县城59公里，东南距舒城43公里，属东河区毛坦厂镇，四面环山，是个小盆地。春秋墓地就在这个小盆地西北的走马岗上。墓为东西向。燕山村民共挖出青铜器7件，硬陶3件，青瓷碗1件。青铜器计铜尊1件、盘口鬲形铜盉1件、奔口有盖鬲形铜盉1件、铜盘1件、盖形铜器1件、匝形铜勺1件、铜削柄1件。均未见铭文。简报推断这批青铜器时代大多为春秋早期，其中的凤鸟纹铜尊则属西周时期中原文化遗物。

382.安徽六安县城西窑厂2号楚墓

作　者：安徽省六安县文物管理所　许　玲
出　处：《考古》1995年第2期

城西窑厂2号楚墓，位于六安城区西、淠河西岸约6公里的岗坡上。该墓封土堆早在10年前修筑机耕路时已被铲平。1991年11月2日，窑厂工人在取土时，偶然发现此墓，并掘开部分椁盖板，取出椁室北部及主棺室的部分器物。考古人员前往查看现场，追回已出土的部分器物。11月7日开始实施抢救性清理工作，至11月14日结束。

简报分为：一、墓葬形制，二、随葬器物，三、结语，共三个部分。有手绘图、照片。

据介绍，此墓为土坑竖穴木椁墓，平面呈"甲"字形。此墓为重棺重椁，并有两具陪棺，有青膏泥。随葬品有镇墓兽、陶礼器（小口鼎）、铜礼器、兵器、车马器、漆器计200余件。简报推断此墓为战国早期的一座楚墓，墓主人身份较高，应为大夫级。

383.安徽六安市城西窑厂 5 号墓清理简报

作　者：六安市文物管理所　冯志余、万永林等
出　处：《文物》1999 年第 7 期

1997 年 6 月，新安镇城西窑厂在取土时发现一座古墓。考古人员进行抢救性清理。城西窑厂位于六安城区西北约 7 公里、六安至新安公路西侧约 1 公里处。该墓在一个高出周围地面约 10 米的黄土岗上。墓葬已遭局部破坏。此前，考古人员在城西窑厂已清理发掘过 4 座楚墓，因此，将这座墓葬编为 5 号墓（M5）。

简报分为：一、墓葬形制，二、随葬器物，三、结语，共三个部分。有照片、手绘图。

据介绍，M5 为长方形土坑竖穴木椁墓，墓口及四周土已被铲平，葬具为一椁两棺，棺已腐朽，仅留有痕迹与两根人腿骨。推测主棺居椁中，头东足西；陪葬棺在椁西，头南足北。尸骨已腐，葬式不明。随葬器物主要置于椁室东侧和北侧，共出土铜器 282 件，包括生活用具、工具、兵器、车马器。陶器放于椁室东侧，因受取土机械碾压，破碎严重，无法复原，仅分辨出鼎、豆等器形。年代简报推断为战国早期。文化风貌应属楚墓。

简报称，该墓为一椁两棺，一人殉葬，随葬器物中，青铜器数量较多，特别是有错金铭文的蔡侯产戈。蔡侯产戈铭中的"蔡侯产"，应即蔡声侯，公元前 471 年即位。蔡先祖为避楚就吴，将都城由上蔡迁往新蔡，再迁下蔡，与六地为邻。越灭吴后，六地复归楚。蔡公开与越结盟，暗结好于楚。蔡侯产戈制作精美，铭文错金，可能属睦邻往来的贵重礼品。城西窑厂 M5 的墓主身份特殊，地位也应较高，有可能是当时楚国驻六安的官员。

384.安徽六安战国晚期墓发掘简报

作　者：安徽省文物考古研究所、六安市文物局　李德文、胡　援等
出　处：《文物》2007 年第 11 期

近年来，为配合六安市经济技术开发区建设，考古人员清理发掘了一批战国至两汉时期的古墓，M99 就是其中一座。

简报分为：一、墓葬形制，二、出土器物，三、结语，共三个部分。有手绘图。

据介绍，M99 位于合肥至六安市 312 国道的北侧，西距今六安市区 10 公里左右。这里是典型的江淮丘陵地带，岗垄起伏连绵。据当地村民回忆，M99 原来有坟冢，呈馒头状，底径 10 余米，高约 3 米。20 世纪 90 年代末期，此处被毁掉，改作农田，现今又遭挖地基破坏。该墓为土坑竖穴木椁墓。墓口略近方形，无墓道。在深达 2.4 米以下的墓坑中，主要填塞青灰色膏泥，不见夯迹，土质松软。整个填土中未见任

何包含物。葬具为一椁一棺。椁室呈长方形，由盖板、侧板、挡板、底板和垫木构成。盖板 7 块，南北横置于椁室上，因严重腐朽，具体的尺寸不清，但厚度皆为 0.2 米。出土遗物 20 余件，有铜器、陶器、玉器、木器等。年代简报推断为战国晚期楚墓。

简报称，六安相传为皋陶后裔的封地，春秋时为六国。据《左传·文公五年》记载，公元前 622 年，"秋，楚人灭六"。其地属楚，一直到战国末期。

385.安徽霍邱县战国墓的清理

作　　者：安徽省文物考古研究所　王　峰
出　　处：《考古》2011 年第 11 期

2005 年 5 月，考古人员在六叶高速公路的工程建设中发现一座墓葬。该墓位于霍邱县洪集镇唐畈村冯老庄村民组、大别山北麓的山前丘陵地带，编号为 HFM21。

简报分为：一、墓葬形制，二、出土遗物，三、年代，共三个部分。有手绘图。

据介绍，该墓为一长方形土坑竖穴墓，随葬器 11 件，以陶器为主，另有铜戈等。

简报称，该墓鼎、豆、钫的陶器组合是战国晚期至西汉早期的一般形式。铜戈铭文中的"三年"，经考证为战国晚期魏安釐王、魏景湣王、魏王假中的某个年代，均在战国晚期。因此该墓的年代当在战国末期，其下限年代不晚于西汉初年。

386.安徽六安市白鹭洲战国墓 M566 的发掘

作　　者：安徽省文物考古研究所、六安市文物管理局　秦让平、汪　欣
出　　处：《考古》2012 年第 5 期

六安经济技术开发区战国墓地处于六安市城东白鹭洲。2010～2011 年，为配合六安市经济开发区的建设，考古人员对建设范围内的战国至汉代墓葬群进行抢救性发掘。2011 年 3～4 月，对这两座墓葬进行了清理，出土两套较完整的木质棺椁，还出土各类随葬品共计 200 余件。

简报分为：一、墓葬形制，二、随葬品，三、结语，共三个部分。介绍北侧 11LDJLM566（简称 M566）的发掘情况。有彩照。

据介绍，2010 年 4 月发掘的白鹭洲战国墓 M566 为带墓道的竖穴土坑墓，墓主为女性。墓葬中出土一椁三重棺，以及铜器、仿铜陶礼器、漆木器及玉器等随葬品。墓主身份应不低于大夫级，墓葬年代简报推断为战国中期偏晚。简报称，此墓葬的发掘丰富了战国时期皖西地区楚墓的研究资料，对研究安徽地区楚文化的传播和发展具有重要意义。

387.安徽六安市白鹭洲战国墓 M585 的发掘

作　者：安徽省文物考古研究所、六安市文物管理局　秦让平
出　处：《考古》2012 年第 11 期

2010 ～ 2011 年，考古人员对六安市经济开发区一建设项目内的战国至汉代墓葬群进行抢救性发掘。其中有两座战国时期带墓道的竖穴土坑墓南北并列。2011 年 3 ～ 4 月，对这两座墓葬进行了清理，出土两套较完整的木质棺椁，并出土较为丰富的各类随葬品共计 200 余件。

简报分为：一、墓葬形制，二、随葬遗物，三、结语，共三个部分。介绍南侧的 11LDJLM585 发掘情况，有彩照、手绘图。

据介绍，该墓墓坑平面呈"甲"字形，墓室有外藏室、椁室及棺室，棺室有外棺、中棺和内棺。随葬品有陶器、铜器、漆木器、玉器等，还出土一套皮甲片、铜戈等，确定墓主为一名男性武将，身份应不低于大夫级。简报推断该墓为战国中期或中期偏晚时的楚墓。

亳州市

388.安徽亳县曹家岗东周墓发掘简报

作　者：殷涤非
出　处：《考古》1961 年第 6 期

1956 年春夏间，考古人员在亳县涡河南岸曹家岗进行了一次小规模的重点发掘。这一次共发掘了 3 座东周墓和 7 座汉墓。发掘的 3 座东周墓，编号为 5 号墓、6 号墓和 7 号墓。6 号墓已被扰乱过，清理时墓内遗物都已破碎零散。6 号墓及 7 号墓，都因靠近河岸经水冲塌已部分破坏，但未扰及墓内，遗物尚未被水冲走。

简报分为：一、墓葬形制及葬式，二、随葬遗物，三、结语，共三个部分。有手绘图。

据介绍，3 座墓葬都是长方形竖穴墓，三座墓均有棺、椁，5 号、7 号墓人骨架为仰身直肢，随葬遗物有陶器、铜器、角器三类。三墓都以鼎、豆、壶为随葬品。但是各墓所出的陶器器形并不相同。从随葬陶器的器形及组合上来看，这三座墓葬的年代，有早、中、晚的区别。简报推断，6 号墓的年代大约为春秋末期；7 号墓的年代可能属战国早期；5 号墓可能已到战国晚期。

389.安徽蒙城出土春秋青铜器

作　者：鹿俊偶

出　处：《考古》1995 年第 1 期

1989 年 12 月，蒙城县小涧区郭店乡狼山村农民邓明华采石放炮，在距地表约 2.5 米处炸出铜簠、铜戈和马衔等器物。铜戈、马衔完整无缺，铜簠则已被炸成碎片。因爆炸范围较大，埋藏原状破坏殆尽，难以分辨是窖藏还是随葬品。所出器物均藏县文管所。计簠 1 件、戈 1 件、马衔 2 件，未见铭文。年代简报推断为春秋时期。

390.安徽亳州市北关战国铸铜遗址

作　者：亳州市博物馆　侯　永

出　处：《考古》2001 年第 8 期

1972 年，在安徽亳州市北关马场街北首涡河的南岸，发现了一座铸铜遗址。遗址东西长约 40 米，南北宽因河床冲刷破坏不详。整个遗址表面散布着许多陶范、坩埚、纺轮以及一些碎陶片、铜片等。1981 年 5 月亳州市博物馆对该遗址进行了小面积的试掘。

简报分为：一、地层堆积与遗迹情况，二、出土遗物，三、结语，共三个部分。有手绘图、拓片。

根据采集标本和出土遗物分析，简报推断该遗址属于战国时期的楚文化遗址，应是一处废弃的铸铜作坊。简报称，古时亳州称"谯"，公元前 681 年即成为楚国最东北的边疆重镇。此次出土的印章和印范是现存的楚国稀有之物，为楚文化的研究提供了可靠的实物资料。

池州市

391.安徽青阳出土春秋时期青铜器

作　者：朱献雄

出　处：《文物》1990 年第 8 期

1985 年 7 月，青阳县庙前乡十字村窑场附近，农民取土时发现一批春秋时期青铜器。出土地点位于青阳县城至九华山公路边，南距九华山麓 6 公里，北距庙前镇 1.5

公里。经多次调查，发现窑场附近分布有 20 余座土墩墓。1979 年曾在一座墓内出土 12 件西周晚期青铜器。这次出土地点原为一高大封土堆，已因窑场取土而削平。铜器出土时距表土 0.3 米，分布在 15 平方米内，应是一座土墩墓中的随葬品。简报配以照片予以介绍。

据介绍，器物有戈、矛、斧、钻、凿各 1 件，镞 87 件，镦 8 件。此外还有马头形铜饰、神形器各 1 件以及部分铜碎片。

简报称，这批青铜器的形制、纹饰具有春秋中晚期江南地区青铜器的风格，应是本地区即南陵、铜陵的产品。

392.安徽贵池发现东周青铜器

作　者：安徽省博物馆　卢茂村
出　处：《文物》1980 年第 8 期

1977 年 8 月，贵池东北约 7.5 公里的里山公社红旗大队徽家冲，出土一批东周青铜器。出土地点在一座小山坡上，坡下是一道小河沟，对面是濒临长江的大片圩田。由于长期被雨水冲刷，小山坡上露出一件铜鼎的足尖，被放牛娃发现，几位农民到来挖出了这批铜器。考古人员作了现场调查和清理。简报配以照片予以介绍。

据介绍，铜器埋在一个土坑里，坑内两件铜鼎，小鼎在下，大鼎覆盖在上，两鼎之间是一些小型铜器，紧挨铜鼎有一把铜剑。东端东西向并排竖放 7 块菱形铜坯。从铜器放置有序的情况看，这是一处窖藏。这批铜器有生产工具类、兵器类、生活用器类和其他类。

简报称，贵池出土的这批青铜器都是实用器，其中铜鼎有一件带反刻铭文，已残，仅有一行完整 5 字，末一字为器种名称。简报初步推断，这批铜器时代约当春秋晚期到战国初期。

393.安徽省贵池县发现"秦半两"钱范

作　者：卢茂村
出　处：《考古与文物》1994 年第 4 期

1980 年 10 月 17 日，贵池县殷汇区殷汇公社第五队农民蒋华来在秋浦发现两件"半两"钱钱范，后卖给殷汇废品收购站。县文化部门得知这个消息后，将其取至县文化局收藏。简报配以拓片予以介绍。

据介绍，贵池县出土的"半两"钱范，从实测中看到其直径、重量、无廓这些特征，都与《钱谱》中"秦半两"的特征相符。简报认定这两件钱范并非一副合范，而是两件不同的铸币铜范。简报推断，可能为秦代中期之地方铸钱。简报称，"秦半两"的发现，为考古研究提供了可贵的实物资料。

394.安徽青阳县龙岗春秋墓的发掘

作　者：青阳县文物管理所　朱献雄、王博华
出　处：《考古》1998 年第 2 期

1995 年 12 月，青阳县庙前镇十字材龙岗砖窑厂生产取土时发现两座古墓，考古人员赴现场勘察，确定一座为木椁墓。12 月 21～30 日，对这两座墓进行了抢救性清理。

简报分为：一、地理位置，二、墓葬形制，三、出土器物，四、结语，共四个部分。有手绘图、拓片。

据介绍，此次清理的两座墓位于龙岗西部，紧依青九公路西侧，距 1979 年发现的出土双龙耳尊、牺尊、编钟、鼎等青铜器的西周墓约 700 米，与 1989 年出土菱形几何花纹戈、焰朵纹矛等春秋青铜器的地点相距仅 300 米，距 1996 年省考古研究所发掘的土墩墓仅 400 米。由此简报断定，该地属两周时期一处重要的古墓群区。

M1 为长方形竖穴土坑木椁墓。M2 为小型竖穴土坑墓。M1 共出随葬品 21 件，其中青铜器 11 件、陶器 4 件、漆木竹器较完整者 6 件。M2 规模小，随葬品少。这两座墓虽未出纪年材料，但墓葬保存较好，所获资料丰富、完整。简报推断两墓年代的上限不早于春秋中期，下限不晚于战国早期，以定为春秋晚期为宜。

简报称，该墓的发掘丰富了对这一地区春秋时期墓葬形制、葬俗和青铜文化面貌的了解和认识，且为研究吴、越、楚文化的关系提供了珍贵的实物资料。

宣城市

福建省

福州市

厦门市

莆田市

三明市

泉州市

漳州市

南平市

395.福建政和县发现春秋时期的青铜兵器和印纹陶器

作　者：铁山中学、政和县文化馆
出　处：《考古》1979 年第 6 期

1974 年冬，铁山公社南干村农民在蚌山南坡开垦茶园时，挖出了青铜剑 1 件，青铜矛 2 件，以及大量的印纹陶、釉陶。1975 年，考古人员前往调查，在同一地点采集了一些印纹硬陶、釉陶片。1976年6月，又进行了勘察和试掘。简报配以照片、拓片、手绘图予以介绍。

据介绍，蚌山位于县城东北7公里处，南距南干村1公里，东北距浙江省界14公里，出土地点应为一墓葬。陶器能复原的10余件，陶片200余片。以夹砂灰陶为主，部分为釉陶，少量为泥质陶。有手制，有轮制。该墓年代，简报推断为春秋时期。

396.福建建阳县发现青铜器

作　者：建阳县文化馆　王治平
出　处：《考古》1983年第11期

1982年5月，建阳县在文物普查时发现了4件青铜器。简报配以照片予以介绍。

据介绍，这几件青铜器叶剑1件、矛1件、斧2件。简报推断为东周遗物。

397.福建崇安县出土东周青铜剑

作　者：崇安县文化馆　陈子文
出　处：《考古》1987年第3期

1983年12月，崇安县西郊村牛皮垅0.8米深的地下出土了一把青铜剑，1984年9月送交县文化馆收藏。简报配以拓片予以介绍。

据介绍，铜剑出土前尚完好无缺，西北向斜插在耕土下的黄土层中。发现时被锄头折为七截，其中锋部、首部和剑身中段一截被丢弃，所存残剑锷部也都被人为破坏。剑残长约42厘米，剑身后端宽4.8厘米，剑刃斜直至剑尖。剑身中脊起棱，前端剖面呈菱形，后半截脊部高起，剖面呈"凸"字形。脊柱饰四道纵向深弦纹，下端饰对称变体云纹。其精巧的造型及纹饰作风和先进的铸造工艺都是吴越文化的特征，故其年代大约在春秋晚期至战国早期。它的发现为研究福建先秦历史以及与吴越的关系提供了珍贵的实物资料。

398.福建武夷山市发现东周青铜器

作　者：武夷山市博物馆　赵爱玉
出　处：《考古》1996年第5期

1990年2月，武夷山市郊区农民在开垦茶山时，发现两件青铜器，计有斧、钺各一件，后由市文明办干部送交市博物馆收藏。这两件青铜器出土时被锄头碰坏，其中斧的銎部只残存二分之一。简报配以手绘图予以介绍。

简报称，此两件青铜器应为东周时期遗物。武夷山市这次青铜器的出土，是继1983 年西郊出土东周青铜剑之后的又一次新发现，不仅丰富了武夷山市出土青铜器的种类，而且填补了福建地区青铜钺发现的空白。

龙岩市

宁德市

399.福建宁德县霍童发现春秋青铜戈

作　者：范雪春

出　处：《考古》1990 年第 11 期

1987 年 3 月 19 日，福建省考古队和地区文物普查队在宁德县霍童乡猫头山调查时发现一件青铜戈，戈体表面光洁。简报配以手绘图予以介绍。

据介绍，在猫头山的地表还采集到大量的印纹硬陶片、原始瓷片、夹砂陶片和少量石锛。根据戈本身之特点，结合采集到的陶片，并按照福建省别处出土的青铜器之情况，简报初步认为戈的年代大体为春秋时期。简报称，霍童出土的这件青铜戈，不但填补了闽东地区青铜戈之空白，而且丰富了福建省青铜戈的种类，为探讨福建省青铜器时代文化的面貌，提供了新的材料。

江西省

400.江西出土的几件青铜器

作　者：薛　尧

出　处：《考古》1963 年第 8 期

1949 年以来，江西省陆续发现了一些西周至战国时期的青铜器，其中余干县出土的西周"应监甗"和清江县出土的战国铜兵器，已先后作了报道（见《考古学报》1960 年第 1 期，《考古》1962 年第 7 期），还有一部分尚未发表。

简报分为：一、西周时期，二、战国时期，共两个部分。有照片、拓片。

据介绍，西周青铜器有：铜鼎 1 件，1957 年 12 月出土于东乡县城北 4 公里，无铭文，应为西周初期遗物；无旋甬钟 1 件，于 1962 年 4 月在新余市界水东南约 2 公里的主龙山出土；有旋甬钟 2 件，于 1962 年 7 月在萍乡市彭家桥河中为百姓所获。据百姓反映，该两钟出土时相叠，并粘有白膏泥，三甬钟均属西周中期遗物。战国时期青铜器有：铜鼎 3 件，1956 年 11 月在上高县塔下村发现，系民工交来，出土情况不详；铜剑 1 把，1962 年 11 月在南昌县小蓝公社沥山大队王家村出土。简报指出，这些青铜器，其发现地点均在江西的中、北部，靠近中原，秦汉以前为吴、楚势力范围。虽然这些青铜器均系零星出土，但在江西还没有发现殷周至春秋战国时期的遗址或墓葬的情况下，亦能为江西地区的青铜时代及先秦时期的考古文化填充空白。

401.江西近两年出土的青铜器

作　者：郭远谓

出　处：《考古》1965 年第 7 期

江西省近两年发现的几件青铜器，简报分为：一、万年出土的铜鼎，二、龙南出土的铜剑和削，三、清江出土的铜戈，共三个部分。有拓片、手绘图和照片。

据介绍，万年出土的铜鼎是 1964 年 3 月 1 日在万年县西山蔡家艾山里发现的。

在填土中发现五块陶片,是三个器形不同的陶罐残片,均为灰陶。坑内因未发现人骨架,很难确定是土坑墓还是窖穴。坑内仅有一件青铜鼎,在鼎的底部有一块经过修补的痕迹,简报推断此鼎为西周初期遗物。龙南出土的铜剑和削是 1963 年 11 月间考古人员在龙南县文化馆见到的。据该馆介绍,二器系龙南中学学生在距县城 2 公里的江东公社寨背地方发现的,并有一些陶器残片,但当时未采集,简报推断为战国早期的遗物。清江出土铜戈,系清江县博物馆收集的,出土于距县城东南 7.5 公里的洋湖红土矮山岗上,简报推断可能为战国早期之物。

南昌市

景德镇市

萍乡市

402.江西萍乡市田中古城遗址调查简报

作　者:萍乡市博物馆　彭安保、侯卫东、邹松林、刘敏华等
出　处:《考古》2011 年第 2 期

田中古城位于江西萍乡市区北约 4 公里。城址建于萍乡市经济开发区田中管理处下辖的田中村东北约 1200 米的一座低矮土岭上。古城周边有三个自然村,分别为土城坳上、土城坳下和何家圳。据当地民众回忆,田中古城所在的土岭早年长满油茶树,古城掩映其间,保存尚好。1950 年末,村民开始在土城坳取土烧砖。油茶树被砍,油茶树下的黄土及古城的部分墙体被用来制砖,古城遭到破坏。村民取土时还发现过青铜器。

1977 年,文物部门首次正式调查田中古城。随后的两年间,考古人员多次对古城(曾称之为"三田古城")进行调查。当时的古城除西、北方向的城墙局部遭到破坏外,其余各段仍明显高于地表,城内也保留着厚达 1 米以上的文化层。1987 年,考古人员前往古城调查和钻探时,城内文化层尚厚 0.7 ~ 0.8 米,遗物也很丰富。1990 年以后,附近村民再次在古城内取土烧砖,文化层和城墙体受到极为严重的破坏。2009 年 10 月,按照第三次全国文物普查工作部署,决定对田中古城进行一次系统勘

探。

简报分为三个部分，主要报道了 2009 年的勘查结果，同时刊布的还有此前诸次调查取得的部分标本，有彩照、手绘图。

简报称，田中古城虽然轮廓清晰，但因多次遭受严重破坏，城址内的文化层已基本不存。只能推断田中古城的废弃年代应在春秋晚期，使用年代自然更早些。田中古城的废弃，或与楚国势力南侵有关。

简报称，田中古城虽然遭受严重破坏，但历年调查证明城址内曾有丰富的文化层堆积。目前城垣局部尚存于地表，城外已发现多处文化遗存分布点。因此，该座古城仍有重要的科研价值和历史价值。简报猜测，田中古城作为春秋晚期以前的重要城址，附近应有墓地存在。

九江市

403.江西修水山背地区考古调查与试掘

作　者：江西省文物管理委员会　秦光杰、刘　玲、彭适凡
出　处：《考古》1962 年第 7 期

1961 年 1 ~ 9 月，考古人员在修水山背地区先后作了三次考古调查，共发现太平山等 43 处遗址，并选择了跑马岭、杨家坪及养鸭场 3 处遗址进行试掘。三次调查和试掘，共得石器 480 件，完整及能复原的陶器 81 件，陶工具 43 件，陶片 800 余块，铜器 3 件。同时发现房子遗迹 2 处，灰坑 19 个，残陶窑 5 座。

简报分为：一、地理环境，二、遗迹，三、遗物，四、结语，共四个部分。有手绘图等。

据介绍，修水县位于江西省西北部。县内多山，仅在河流两岸出现狭小的谷地。山背村在县城东南 45 公里处，是一个山区中的盆地。遗址均分布在村子周围山丘的西南坡上。在 43 处遗址的调查中，发现有 12 处遗址，主要包含印纹硬陶。跑马岭和杨家坪遗址试掘，出土主要为红陶，不见印纹硬陶。简报认为，它们是分布于山背地区的先后两期不同性质的文化遗存。以红陶为主的遗存，应为长江流域的新石器时代晚期的文化；以印纹硬陶为主的遗存，则应为春秋战国时期的文化。跑马岭房子的建筑形式较之一般更为进步，有柱础有土墙。房子里面还遗存大量的生产工具和日用陶器。

简报指出，此次发掘收获很大，这是研究当时氏族家庭生产、生活的极好资料。

404.江西瑞昌墩北张出土战国铜器

作　　者：瑞昌县文化馆

出　　处：《考古》1984 年第 10 期

1972 年 7 月，江西省瑞昌县西北 25 公里夏畈公社小桥大队墩北张出土了几件青铜器，由瑞昌县文化馆收藏。简报配以照片予以介绍。

据介绍，青铜器有剑 1 件，戈 1 件，镢 17 件。同出的还有红陶罐 1 件。

简报称，根据出土器物分析，此地为墓葬，其年代简报推断为战国早中期。

405.江西瑞昌墩北张出土战国铜器

作　　者：瑞昌县文化馆　刘礼纯

出　　处：《文物》1985 年第 5 期

1972 年 7 月，江西省瑞昌县西北 25 公里夏畈公社小桥大队墩北张出土了几件青铜器。器物由瑞昌县文化馆收藏。简报配以照片予以介绍。

简报介绍，器物有剑、戈各 1 件，铜镢 17 件，伴出红陶罐一件，已碎。从形制分析，铜剑与长沙工农桥一号战国楚墓出土的铜剑相似，铜戈与屯留武家沟战国墓出土的两件戈相同。

简报推断，这一出土地点是一处墓葬，其年代大概在战国早中期。

406.江西武宁征集到一件春秋铜锸

作　　者：江西省武宁县文物管理所　闵正国

出　　处：《农业考古》1990 年第 1 期

武宁县在 1989 年 5 月开展的文物保护宣传月活动中，从县城一青年学生手中征集到春秋农具一件。它是开挖沟渠和做垅用的铜锸，其形制和使用方法与现今的锹很为相似。简报配以手绘图予以介绍。

据介绍，"锸"又写作"臿"。据了解，这件青铜锸是移民迁建以前该学生在老县城城郊南市街附近的修河北岸台地上拾到的，可惜如今出土地点已被拓林库区水面所淹没。此铜锚为了解修河流域春秋时期农业生产情况提供了实物。

407.江西瑞昌市出土春秋青铜鼎

作　者：何国良

出　处：《考古与文物》1992 年第 5 期

1990 年 3 月 10 日，江西省瑞昌市桂林乡六合村下曹自然村曹忠良等五位农民，在市西 3 公里的南山牛脚岭失人函山洞里，发现两件青铜鼎，并送交瑞昌市博物馆收藏。简报配以照片予以介绍。

据介绍，两鼎除双耳有纹饰，其余都素面无纹，器表见三合范铸缝，并留有烟炱，故为实用之器。其年代，简报推断大约为春秋中晚期，属我国南方典型的吴越式器物。

408.江西瑞昌县大路口、螺石口遗址调查

作　者：刘礼纯

出　处：《考古》1993 年第 7 期

江西瑞昌县在进行文物普查时，发现了一批古文化遗址，获得了一批重要资料。这些遗址主要分布在县城附近及桂林乡、码头镇、白杨乡、范镇乡、高丰乡、南义乡，大多位于河水两岸。其中良田寺、大路口、郭家楼、潘家堡、二龙庙为新石器时代晚期遗址，牛头山、螺石口、赛湖、坳上周、老仓下为商周遗址。

简报分为：一、大路口遗址，二、螺石口遗址，共两个部分。先行介绍了大路口、螺石口两处遗址。有拓片、手绘图。

大路口遗址位于县城西郊台地上，高出地表 10 米左右，南距渡口河约 1 公里，四周开阔，总面积约 6000 平方米。1988 年 12 月发现。石器有斧、锛、铲、钺、刀、凿、砺石，种类齐全，磨制精细。陶器有鼎足、罐、豆、壶口沿，多数为泥质灰陶，少量夹砂红陶及磨光黑皮陶，装饰大多素面，部分为粗（斜）及间断绳纹。在遗址表层，红烧土块到处可见。从遗址中农民开辟菜园地的部分断面来看，该遗址文化堆积丰富。根据出土遗物判断，属一处新石器时代晚期遗址。

螺石口遗址位于县城西南 5 公里的台地上，1982 年因农民在此处打窑、取砖土发现。采集的遗物全部为陶片，未发现石器，可辨器形的有鼎、罐、壶，红褐硬陶居多，少量泥质灰陶，装饰有锯齿纹、编织纹、粗绳纹、"回"字填交叉纹、方格纹、蕉叶纹与方格纹组合。

根据出土遗物及印纹分析，该遗址年代属东周时期。

409.江西都昌县罗岭村发现青铜钩鑃

作　　者：都昌县博物馆　周振华

出　　处：《考古》1996年第3期

都昌县东山乡罗岭村农民在当地虎山前开荒时发现一件青铜钩鑃，后在文物普查中征集入库。简报配以照片、手绘图予以介绍。

据介绍，此器口呈凹弧形，深腹，器身横剖面椭圆形。管状柄位于器底正中。钩鑃这种打击乐器，盛行于春秋、战国时期，在吴越地区出土较多。据以往出土情况看，其组合数不等，这件钩鑃应是组合中较小的一件。战国时该地属吴越地区，这件钩鑃的发现为吴越历史研究增添了新的实物资料。

新余市

鹰潭市

410.江西贵溪崖墓发掘简报

作　　者：江西省历史博物馆　程应林、刘诗中等

出　　处：《文物》1980年第11期

江西贵溪崖墓群是在1978年文物调查过程中发现的。1979年秋冬考古人员进行了考古发掘，历时百天，共清理墓葬14座，编号为79贵·鱼M1～M14。其中M8、M12、M13三座墓葬位于仙岩，岩下面是陆地，其余11座墓葬均位于与仙岩相近的水岩，岩下为上清河，俗称"泸溪水"。这次发掘共发现棺木37具，保存较好的人骨架16副，出土陶器、原始青瓷器、竹木器、纺织品等共220件。

简报分为：一、地理环境和文献记载，二、崖墓结构及葬式，三、出土遗物，四、结束语，共四个部分。有照片、拓片。

据介绍，崖墓主要分布在贵溪县西南角的鱼塘公社仙岩一带，地处贵溪县、余江县、金溪县及鹰潭市四地交界，距贵溪县城约36公里，距鹰潭市仅20公里。崖墓结构，简报分为洞穴、墓门、椁室、棺木及骨架几个部分进行叙述。贵溪崖墓的年代当属春秋晚期至战国早期。

赣州市

411.江西寻乌、大余发现战国铜兵器

作　者：薛　翘、黄承焜
出　处：《考古》1987年第4期

1982年文物普查期间，江西寻乌和大余县先后收集到一批战国时期的青铜兵器。这些铜兵器是近年来在农田基本建设中出土的，它是研究春秋战国时期赣南古代历史的珍贵实物资料。简报配以照片予以介绍。

据介绍，遗物中戈1件、剑2件、矛1件，均为大余县城郊公社宝珠山出土；钺1件，大余县新城公社王子坛出土。简报认为这批铜兵器，应是战国时期的遗物。

吉安市

412.记江西遂川出土的几件秦代铜兵器

作　者：江西省博物馆、遂川县文化馆　彭适凡、刘诗中、梁德光
出　处：《考古》1978年第1期

1976年春，遂川县藻林公社鹅溪大队的干部路过车头墌时，发现在倒塌的左溪河岸上露出一陶罐，陶罐中置有青铜矛、镞、戈等兵器，当即妥加保护并逐级上报。考古人员赶赴现场绘图、照相。事后，又前往实地勘察，未发现墓葬迹象。储藏这批兵器的是一印纹硬陶罐，罐已残损，不能窥其全形，纹饰系脉纹与方格纹的组合，近底部有一周"回"字格纹。简报配以照片予以介绍。

据介绍，从出土的长胡多穿式铜戈、短骹式铜矛、三棱式铜镞，特别是大量三棱式铁铤铜镞等兵器的造型看，和河南汲县、辉县、洛阳以及湖南长沙等地战国末期墓葬出土物极为相似。铜矛和秦都咸阳故城遗址以及秦始皇陵东侧的陶俑坑出土的完全一样。简报推断遂川这批兵器的时代应是战国末期。

简报称，有秦始皇纪年的文物在江西尚是首次发现。它的出土，对于研究秦朝的物质文化、铸铜手工业的发展情况以及探讨统一岭南战争进军路线等问题，无疑都是相当可贵的资料。

宜春市

413.江西清江出土一批铜兵器

作　　者：程应麟、秦光杰
出　　处：《考古》1962 年第 7 期

1959 年 6 月，在清江县出土了一批铜兵器。据了解，这批铜器出自田家村，距樟树镇 15 公里。铜器出于厚约 0.5 米的白土（即白膏泥）层内，上为距地面深 1 米许的杂土，下为生土。最初发现一个陶罐，铜兵器均置于罐的周围。有戈、斧、矛、匕首等，共 23 件。简报配图予以介绍。

据介绍，这批铜器共计戈 5 件、斧 10 件、矛 1 件、匕首 3 件、疑似剑 3 件（残）、疑似铲 1 件（残）。

年代简报推断为战国时期。

414.江西清江战国墓清理简报

作　　者：江西省博物馆、清江县博物馆　陈文华、程应林、胡义慈
出　　处：《考古》1977 年第 5 期

1974 年 3 月及 1975 年 6 月，考古人员在清江县东 10 公里的牛头山上先后清理了 4 座战国墓。牛头山位于东观上公社定安大队邹家村后，系一东西走向的红壤丘陵。在丘陵脊部有规律地分布着 6 座战国墓葬。各墓相距 48 ~ 119 米，均有封土堆，残存封土堆高 0.8 ~ 2.2 米不等。除 M3 外，各墓均遭到破坏。这次只清理其中 4 座（M1 ~ M4）。M5、M6 只探测墓坑范围，未及清理。简报配以手绘图予以介绍。

据介绍，各墓形制大体相同，均为长方形竖穴土坑墓。墓口长 8.68 ~ 9.42 米，宽 7.66 ~ 8.65 米。各墓坑壁与木椁之间、椁底和顶部都堆积厚 4 ~ 10 厘米的木炭。各墓均早年被盗，这次共获得陶瓷器、铜器、玉器等 40 余件。该墓的年代，简报推断为战国早期，此处应为贵族墓地。

简报称，清江地处赣江中下游，自古以来是南方的交通要道。过去出土过不少春秋战国时期的铜器。在离墓地不远的筑卫城和营盘里都曾发现过东周时期的遗址。

415.江西靖安出土春秋徐国铜器

作　者：江西省历史博物馆、靖安县文化馆　博　烨、白　坚等
出　处：《文物》1980 年第 8 期

1979 年 4 月，江西省靖安县水口公社水口大队李家生产队的兴山南坡旁，出土青铜器 3 件。经调查和清理现场证实，3 件铜器出于一处窖藏，为距今 2500 年前春秋晚期的徐国遗物。简报配以照片、拓片予以介绍。

据介绍，3 件铜器为：盥 1 件，有铭文；卢（炉）盘 1 件，有铭文，共 18 字；枓 1 件。三器同属徐器，其中两件带铭文。古籍中关于徐国的记载只是一鳞半爪，而江西是出土徐国铜器的省份之一。早在清光绪十四年（1888 年），与靖安县毗邻的高安县城城西 22.5 公里的清泉市旁山中，曾出土带有"郐王义楚"铭文的铜嵩（即觯）。郭沫若先生对"郐王义楚"等器曾作过深入研究，据此推定徐人是被周人逼迫而迁来江西西北部的。现在，靖安这批徐器的出土，进一步证实了郭沫若先生的推论。简报指出，"郐"即"徐"，徐国故址在今安徽泗县一带。

416.江西靖安县李洲坳东周墓葬

作　者：江西省文物考古研究所　徐长青、余江安、胡　胜、饶华松、刘新宇等
出　处：《考古》2008 年第 7 期

李洲坳东周墓葬位于江西靖安县水口乡水口村李家自然村，是在 2006 年 12 月 30 日偶然发现的。考古人员对这座墓葬进行了抢救性发掘，田野工作于 2007 年 1 月 6 日正式开始，至 10 月 25 日基本结束。墓葬出土文物的清理工作尚未完全结束。

简报分为：一、地理位置与环境，二、墓葬形制及营建过程，三、木棺的基本情况，四、葬式及随葬器物，五、出土遗物，六、结语，共六个部分。先行介绍该墓发掘的基本情况，有手绘图。

据介绍，该墓位于李洲坳山东麓，高出河床约 20 米。墓葬东北面约 800 米处，即为 1979 年团结大队李有村出土徐国铜器的地点。该墓为带封土的大型土坑竖穴墓，墓坑呈长方形，东壁南侧有一斜坡墓道。墓中依次放置 47 具木棺，一些棺内发现人类遗骸。墓中出土各类遗物 650 余件。这是迄今我国发现的时代最早、埋葬棺木最多、结构最奇特的一坑多棺墓葬。该墓既具有浓厚的越文化特点，又受到楚文化风格影响，年代简报认为属春秋中晚期，距今约 2500 年。

简报指出，一坑多棺墓葬十分少见，此次发掘的李洲坳墓葬与成都商业街发现的战国时期船棺葬有一定相似性，又存在明显的差异。

发掘情况表明，墓中的 47 具木棺为一次性下葬。除了 G47 的等级较高外，其余 46 具木棺的墓主身份基本一致。G47 带椁，出土有等级很高的金质器物，其墓主应是一位重要人物，身份有可能为高级贵族，甚至达到王侯一级。其余的 46 具木棺应属于殉葬，这反映出春秋时代人殉制度仍然存在。

另外，此次发掘出土了大量的纺织工具和纺织品。纺织品工艺复杂，织造精细，代表了相当高的技术水平。特别是长约 188 厘米、宽约 150 厘米的保存完整幅宽的方孔纱，是目前我国考古发现的时代最早、面积最大的整幅拼缝织物，印证和丰富了古代文献关于这类纺织品的记载，具有重要价值。而品种丰富的纺织工具作为墓葬的最主要随葬物品，也表明这些纺织品有可能是靖安本土织造的，在东周时期这里或许是一处纺织品生产的重要地区。

许多木棺内发现保存较完好的人类遗骸，包括脑髓组织及头骨、牙齿、毛发等。这是在江南地区首次发现数量众多、保存完好的人类遗骸，填补了中国南方地区先秦人类学研究的空白，意义重大。许多人体骨骼上长满翠绿色的磷酸铁盐类结晶物，也是极其罕见的发现，在科技考古领域具有重要研究价值。人头骨上发现的发辫，对于我国早期服饰史的研究具有重大价值。

简报认为，李洲坳东周墓葬的许多随葬品与江西贵溪崖墓发现的同类器基本一致，与湖南地区越人墓葬的随葬品组合也相似，反映了南方越人集团所具有的特殊文化现象。同时，从墓葬结构以及漆器等器物的特征分析，又具有某些早期楚文化的因素。因此，李洲坳东周墓葬反映出，春秋时期在赣西北地区可能存在一个具有发达的青铜文化的大型政治集团。

417.江西靖安李洲坳东周墓发掘简报

作　者：江西省文物考古研究所、靖安县博物馆　徐长青、余江安、胡　胜、饶松华、刘新宇等

出　处：《文物》2009 年第 2 期

靖安县位于江西省西北部，距南昌 84 公里。2006 年 12 月 30 日在江西省靖安县水口乡水口村李家自然村发现了一座东周墓。2007 年 1 月 6 日至 10 月 25 日由江西省文物考古研究所与靖安县博物馆联合对其进行了发掘。

简报分为：一、地理位置与环境，二、墓葬形制与营建过程，三、木棺，四、葬式、随葬器物与组合，五、出土遗物，六、结语，共六个部分。有彩照、手绘图。

据介绍，此墓是一座有封土的大型土墩墓，一坑共有 47 具木棺，其中 1 具为主棺，46 具为陪葬棺。47 具尸体中有 28 具保存较好。47 具木棺应为一次性下葬。出土的

随葬器物有铜器、玉器、金器、青瓷器、纺织品、竹器、漆器、木器等，其中纺织品的数量众多，品种丰富，保存状况良好，为中国纺织织造历史的研究提供了新资料。年代，简报推断为春秋中晚期，距今约 2500 年。此墓的发掘对于研究春秋时期南方地区的墓葬制度和社会生活具有重要意义。

简报指出，该墓一坑多棺，葬俗、葬制奇特，与在成都商业街发现的战国时期的船棺墓有一定的相似性，但也有明显的差别。这是在江南酸性红壤地区首次发现数量众多、保存较好的人类遗骸，填补了中国南方地区先秦人类学研究的一项空白。简报认为，它所代表的是一支具有深厚越文化因素，又受到某些楚文化影响的新型青铜文化。它也反映了春秋时期在赣西北地区可能存在一支具有较高青铜文明水平的大型政治集团。

抚州市

418.江西广昌县出土春秋青铜器

作　者：广昌县博物馆　姚澄清、孙敬民、钟玉华
出　处：《考古》1988 年第 6 期

1986 年夏汛时，在距江西广昌县城 24 公里处的头陂镇附近，发现了一处窖藏的春秋晚期青铜器，有矛、钺、镞、斧、鼎（残片）、刮削器，还有一件印纹陶罐。简报配以照片予以介绍。

据介绍，青铜器的出土地点，距头陂镇约 0.5 公里，在该镇塘下村管辖的魏家濠的稻田里，紧靠小河畔，地势平坦、开阔，东临广、宁公路和稻田，北为头陂镇塘下敬老院，南连一片开阔的田野。窖藏青铜器是装在一陶罐里，其中兵器 11 件、农具 1 件、生活用品 2 件。

上饶市

山东省

419.鲁北沿海地区先秦盐业遗址 2007 年调查简报

作　者：鲁北沿海地区先秦盐业考古课题组　燕生东、兰玉富
出　处：《文物》2012 年第 7 期

2007 年，考古人员对鲁北沿海地区的莱州湾沿岸地区和黄河三角洲地区的遗址（群）进行了考古调查，新发现和确定了广饶东北坞、南河崖，寿光双王城、大荒北央、寒亭央子以及沾化杨家等大型先秦盐业遗址群，并首次确认了东周时期的制盐工具和遗址群。

简报分为：一、田野考古调查和记录方法，二、莱州湾南岸地区，三、黄河三角州地区，四、结语，共四个部分。有照片、手绘图。

据介绍，通过此次调查，进一步了解了鲁北沿海地区先秦盐业遗存的分布情况、规模及保存状况，明确了鲁北沿海地区是殷墟时期商王朝的制盐中心这一认识。

济南市

420.山东历城出土鲁伯大父媵季姬簋

作　者：朱　活
出　处：《文物》1973 年第 1 期

鲁伯大父媵季姬簋是 1970 年秋，在山东历城北草沟（北距济南约 15 公里）一个墓葬中出土的，同墓尚出鼎一、陶鬲一。简报配以照片、拓片予以介绍。

据介绍，簋有铭文计 18 字，简报录有全文。簋铭文告诉我们，器系鲁伯大父嫁彼小女嬉所造的媵器。山东此前曾出土过两件鲁伯大父嫁女器，即孟姬姜簋和仲姬䤴（俞）簋，前者为嫁彼长女所造，后者系嫁彼次女所造，均见著录。此簋新出，简报推断为春秋初到中叶鲁国铸器，现藏济南市博物馆。

421.山东长清岗辛战国墓

作　者：山东省博物馆、长清县文化馆　罗勋章
出　处：《考古》1980 年第 4 期

1975 年秋，长清县归德公社岗辛大队发现一座古墓葬。1977 年 3 月，考古人员对该墓进行了发掘。简报分为四个部分予以介绍，有手绘图。

据介绍，该墓位于长清县城南 12.5 公里的卧牛寨西麓，西距济兖公路约 300 米，南与岗辛大队毗邻。墓葬地面上原有高 6.8 米、底径约 60 米的夯土筑造的椭圆形封土堆，当地人称之为"土冢"。清理时，封土已被夷平，墓室上部遭到一些破坏。这是一座形制特殊的大型土坑竖穴墓。它的墓道包含在上部长方形的墓室内。随葬品中最引人注目的是墓中出土了一套完整的帷幄构件，对于我们研究当时帷幄的结构、形式等提供了重要的实物资料。该墓的时代，简报推断为战国后期。

422.济南千佛山战国墓

作　者：李晓峰、伊沛扬
出　处：《考古》1991 年第 9 期

1972 年秋，济南柴油机厂在济南市文化西路的千佛山北麓坡地上进行基建施工时，发现一座古墓葬。墓地现场在施工中遭到破坏，墓室已荡然无存，只收集到陶器、玉器、铁器、铜器及刀币等物共计 300 余件。只知是一座土坑墓，但死者葬式及随葬品排列情况已不清楚。

简报分为：一、随葬器物，二、结语，共两部分。有照片。

据介绍，此墓出土的随葬品按质料分为陶器、玉器、铜器、铁器等，共计 311 件。铜器未见铭文。出土百余枚刀币，背文 23 种。贴附于铜器底部的麻布片，是济南地区发现年代最早的纺织品实物。捆扎铜鼎的绸类编织物，虽已腐朽，但却留下清晰的痕迹，加之墓中出土了形态逼真的玉蚕，说明远在战国中期或偏晚时这个地区的蚕桑丝织业已有很大的发展。

423.山东章丘女郎山战国墓出土乐舞陶俑及有关问题

作　者：李曰训
出　处：《文物》1993 年第 3 期

1990 年 7 月，考古人员为配合济青公路建设工程，在章丘县绣惠镇西北的女郎

山西坡取土场清理了一座战国中期大墓，出土陶俑等各类器物 300 余件、各种串饰 6000 余枚。章丘在战国时期属齐国，清乾隆《章丘县志》引《三齐记》，传此墓为齐国大将匡章之墓。

简报分为：一、乐舞俑的分类，二、乐舞场面的复原，三、乐舞俑的艺术风格，共三个部分。有彩照、手绘图。

据介绍，墓葬整体呈"甲"字形，墓中间为主室，为重椁单棺，外椁上有一被肢解的殉人。主室随葬品分别放在内、外椁之间和东侧的二层台上。主要随葬器物有鼎、豆、壶、盘、勺、舟、敦、盖豆、提梁壶、编钟、编镈、剑、戈、矛、戟、镦、镞、车軎、马衔、马镳、带钩等青铜器，还有玉璧、玛瑙环、石雕套筒、石编磬、陶埙及各种骨管饰等。大墓周围的二层台上排列有五座陪葬墓，其墓室面积一般在 5 平方米左右；均有棺椁葬具，分别随葬鼎、豆、壶、盘、匜、舟、敦等成组成套的仿铜陶礼器以及铜、石、蚌、水晶、乐舞俑等 180 余件器物。特别是 1 号陪葬墓出土的 38 件彩绘乐舞陶俑，造型优美，色泽艳丽，保存完好。

简报称，这批彩绘乐舞陶俑共 38 件（抚琴俑与古琴合为 1 件统计）。其中人物俑 26 件，乐器及祥鸟 13 件。乐舞俑均为泥质黑陶捏塑而成，表面施陶衣彩绘，有部分破损。根据乐舞俑的姿态和造型分析，分别为歌唱俑、舞俑、奏乐俑、观赏俑以及乐器、祥鸟等 6 类。

简报指出，章丘女郎山战国墓 1 号陪葬墓乐舞陶俑，造型精美玲珑，内容丰富，但人物的面部表情显得缺少变化，较为原始，说明战国时期陶塑工艺还处于发展阶段，是区别秦汉以后陶俑的重要标志。这套乐舞俑的重要意义，不仅表现在它对秦汉以后陶塑艺术所产生的影响，而且证实了我国战国时代墓葬由人殉向人俑发展演变的史实。这套乐舞陶俑的发现，为研究战国时期的历史、文化、艺术等，提供了珍贵的实物资料。

424.山东济南市左家洼出土战国青铜器

作　者：济南市文化局文物处、历城区文化局　刘善沂、王德明
出　处：《考古》1995 年第 3 期

左家洼村位于济南市历城区孙村镇南约 0.5 公里，地处巨野河西岸。1985 年春，该村村民在村南烧砖取土时，发现一座古墓，挖出铜鼎、豆、壶、盘、敦及兵器和骨片等器物。考古人员确认这是一处商周至汉代的古文化遗址,面积有 10 余万平方米。经查看，这些器物出于一座墓葬。该墓已遭破坏，其墓葬形制、葬式、器物排放的位置均已不详，只把上述出土的器物收回。简报配以手绘图予以介绍。

据介绍，遗物计铜器 19 件、骨饰 12 件。铜器未见铭文。除个别为日用器外，大多为冥器，壁薄并带有范泥。简报推断该墓为春秋、战国之际齐国墓葬。

425.山东章丘马彭北遗址调查简报

作　者：济南市文化局文物处、章丘县博物馆　刘伯勤、孙　亮
出　处：《考古》1995 年第 4 期

马彭北遗址于 1987 年春文物普查中发现。地处章丘县宁家埠乡马彭村北，为一隆起高埠，当地人称"杏园"，东南距县城约 13.5 公里，与另一称为"岗子顶"的高埠相望。这两处高埠地下都曾出土陶片、石器。现岗子顶已被整体推平。杏园的原有形状也已难以辨识，仅剩一高出周围地块约 1 ～ 2 米的形状不规则的台地，面积约 1000 平方米。地表暴露有大量陶片。这些陶片分别属于龙山、岳石、商、战国和汉代，而以岳石文化遗存最为丰富。简报配以手绘图、拓片予以介绍。

据介绍，龙山文化遗存不多。岳石文化陶片数量最多，几乎随处可见。商代遗物应为殷墟二期遗存。西周至春秋初年，马彭北原属"谭"统治下，春秋初齐国灭谭，此后直至战国末年，此地一直属齐国。考古发掘证实当地商品交换发达。遗址的发掘为我们探索这一时期齐国近畿地区生产力发展水平和商品经济的规模，提供了有价值的材料。

426.山东章丘小峨嵋山发现东周窖藏铜器

作　者：宁荫棠、王　方
出　处：《考古与文物》1996 年第 1 期

1992 年 4 月，章丘市园林绿化队在小峨嵋山植树时，从树穴中挖出 3 件青铜器，经现场考察后确认是一东周铜器窖藏，随即进行了清理。简报配以手绘图予以介绍。

据介绍，小峨嵋山位于市区东南部，西邻市医院，北傍体育场，现为桃花山公园所在地。窖藏位于山西北侧的山坡台地上。窖内共出土铜器 89 件，玉、石器各 1 件。上述器物除玉片和石削外，均为象征性礼器，应是用于祭祀的部分器物。这批象征性礼器当为郊天祭山之物。简报认为，这一窖穴很可能是祭祀坑。这批铜器的出土为研究东周的祭祀礼器提供了新的实物资料。

427.山东济南市天桥战国墓的清理

作　者：于中航
出　处：《考古》1997 年第 8 期

1972 年 5 月，济南市天桥区建筑社工人在该区防空干道工程中发现一座战国

土坑墓葬，其位置在该区区委机关的地下，因工程条件限制，未能作全面清理，仅清理出一部分遗物，其中比较重要的为两件陶质量器。简报配以手绘图、拓片予以介绍。

据介绍，陶器多已破碎，完整和可辨器形的有量器、壶、罐、盆、豆等。铜、铁器有铁足铜鼎 1 件、铁镬 4 件。济南天桥区出土的陶量 M 采：01，容 4226 毫升，当两件铜釜各自容量的五分之一强。简报认为济南出土的陶量 M 采：01，容量比较标准，可视为战国时代齐国量中的标准器。

428.长清仙人台五号墓发掘简报

作　　者：山东大学历史文化学院考古系　方　辉、崔大庸等
出　　处：《文物》1998 年第 9 期

考古人员于 1995 年 3 ～ 6 月对长清县仙人台遗址进行了发掘，发掘出自岳石文化至汉代的各类遗存。尤为重要的是 6 座邿国贵族墓葬，出土了大量精美器物。

简报分为：一、墓葬形制与结构，二、随葬器物放置情况，三、结语，共三个部分。配以彩照、拓片，先行介绍此次发掘的五号墓（M5）。

据介绍，仙人台邿国墓地的 6 座墓葬，M5 位于最西端，为一座长方形土坑竖穴墓。腰坑内殉葬一狗，葬具为一棺一椁。出土有铜礼器、乐器、玉器、骨角、陶器及拆散放置的马车等计 100 余件（组）。该墓年代简报推断为春秋中期晚段，在襄公十三年（公元前 560 年）邿国因内乱而被鲁国所灭之前。墓主人为一成年女性，简报认为应是某一姜姓国女嫁给邿国王室为妻者。

简报称，邿，或作"寺""诗"，为周代东方小国，文献记载极为简略。

429.山东章丘市孟白战国墓

作　　者：章丘市博物馆　宁荫棠、曲世广
出　　处：《考古》1999 年第 11 期

1995 年 6 月 26 日，山东省章丘市孟白村发现一座古墓。考古人员赴现场调查，确认是一座战国墓，于 6 月 28 日对该墓进行清理，简报配以手绘图予以介绍。

据介绍，孟白战国墓位于章丘市普集镇孟白庄西南 300 米的山坡上，西傍东陵山，东临孟白水库，编号为 M1。该墓为竖穴土坑墓，一棺一椁，人架已朽，系单人仰身直肢葬。出土器物均为陶器，共计 16 件，陶器组合为鼎、豆、壶、盘、匜。简报推断其年代应为战国中晚期。

简报称，该墓出土的杯、灯形器及陶鱼不见于该地区其他战国墓，而且墓内所出陶器均有彩绘，这对于研究战国中晚期齐国墓葬的葬俗及陶器的装饰艺术，都是极为珍贵的实物资料。

青岛市

430.青岛市崂山郊区东古镇村东周遗址

作　者：山东省文物管理处　郭德勇
出　处：《考古》1959 年第 3 期

1956 年春，崂山郊区东古镇村烧窑取土时发现一处古代遗址，考古人员进行了发掘。

简报分为：一、前言，二、遗址的地理环境，三、探掘情况，四、文化遗物，共四个部分。有手绘图等。

据介绍，遗址位于青岛市东北约 30 公里的崂山营里乡东古镇村。这一带有 8 个东西相连的村庄，统称"古镇"。遗址计出土石器 19 件以及铜器、铁器等。年代简报推断为东周时期。

431.山东崂山县发现战国齐刀币

作　者：崂山县文物管理所　牟乃伊
出　处：《考古》1988 年第 1 期

山东省崂山县出土了一批战国时期的刀币。简报配以拓片予以介绍。

据介绍，1980 年 9 月，崂山县李村镇南庄村农民将一批刀币送交崂山县文物管理所，现已保存在所内。这批刀币是他在 1971 年整修房屋时，在距地面深约 30 厘米处出土的。刀币被盛放在一个灰色陶罐里（出土时陶罐已碎），内装战国时期刀币 15 余公斤，陶罐里上部分的刀币已锈成碎块状，约 1 公斤，其余的粘连在一起，出土后被撬开，共计 397 枚。该农民反映 20 世纪 40 年代末其邻居也曾在附近出土一罐钱币，但已全部锈成碎块。此批刀币均为齐三字刀，刀币表面布满绿锈和泥土，每枚重约 40 克，字面文字均为"齐法化"。

简报称，这批刀币的出土为研究战国时期的经济及货币流通情况提供了实物资料。

432.山东胶南县发现荆公孙敦

作　者：胶东县博物馆　王景东
出　处：《考古》1989 年第 6 期

1987年胶南县博物馆收集到一件荆公孙敦。据捐献者称，此器于清光绪年间出土，出在胶南县六汪镇山周村齐长城脚下，珍藏至今。

此器侈口折肩，圆腹，附耳，饰乳丁纹。圜底下有三蹄足。通高 10.7 厘米，口径 20.7 厘米。器内有铭文 3 行 15 字。此器铭文中"敦"字的写法很特殊，为金文仅见。荆公孙敦铭文中"敦"的写法，与此相近。铭中"荆"字、"宝"字写法极特别，亦为金文中仅见。"大宝"一词也不见其他铭文用过。这件敦形制纹饰罕见，此种器形而器内又铸有铭文者，则尚未见到著录。故宫博物院青铜器馆陈列一件梁公小敦（未见著录），其形制纹饰与此全同，且铭文也完全相同。因第一字锈蚀不清误释为"梁公"。器上无铭，显系后配。其盖极有可能与胶南这件器是原配的一器一盖。

简报称，这类体呈球状、盖器皆有短足的敦，有铭文者传世共十余件。从铭文看，简报推断其应属春秋晚期或战国早期的器物。

433.山东即墨出土一批战国刀币

作　者：江志礼、王灵光
出　处：《考古》1995 年第 5 期

山东省即墨市出土了一批齐国刀币。简报配以拓片予以介绍。

据介绍，即墨位于胶东半岛东南部，是战国时期齐国的大邑。在齐国的刀币中，就有专以"即墨"之称命名者，说明了即墨在当时齐国所具有的重要经济地位。这批齐国刀币是在即墨市段泊岚乡毛家岭四村村北约 1 公里处的田野里出土的，共 30 余枚。埋在离地表 30 厘米的深处，成串地叠在一起。刀币的形制相同，但版别不同。正面均有"齐法化"三字，重约 48 克，造型美观，制作精细。即墨常有这类刀币出土，但一次出土这么多仍较少见。这批齐刀币已被即墨市博物馆收藏，为研究当时齐国的政治、经济提供了宝贵的实物资料。

今有陈隆文先生《春秋战国货币地理研究》（人民出版社 2006 年版）一书，可参阅。

434.山东即墨故城调查

作　者：山东省文物考古研究所　党　浩、郝导华
出　处：《华夏考古》2003 年第 1 期

即墨故城遗址位于山东省平度市古岘镇东南大朱毛村一带，相传春秋大夫朱毛曾居于此，因此又称"朱毛城"。即墨故城西北距平度市约 30 公里，北依群山。小沽河于城址东部呈西北—东南向流过。现城址被大朱毛村、前朱毛村、大城西村、王戈庄等村庄所压，为山东省重点文物保护单位。1997 年 4 月，考古人员对该城址进行了调查和局部钻探。

简报分为：一、城址现存概况与地层堆积，二、采集遗物，三、结语，共三个部分。有手绘图等。

据介绍，故城分为内城、外城。内城在故城址东，今之前朱毛村一带，现今地面上已无任何遗迹。相传城内有金銮殿、点将台、东西仓、贮货湾、养鱼池、梳妆台等遗迹。在故城内东部曾采集到长 1 米多、宽 0.4 米、刻有青龙的大型空心砖，直径达 0.8 米的大型圆柱形石础。这次在前朱毛村一带采集到的大量砖瓦，也证明这里曾存在过规模宏大的建筑遗址。外城保存情况较好，呈长方形，南北长约 5 公里，东西宽约 2.5 公里，面积约 12.5 平方公里。现今地面之上，城墙残迹犹存，以东城墙保存最好，南北残长约 1000 米，顶部宽约 30 米，墙基宽约 45 米，高 5 米左右。采集到的遗物主要为战国至两汉陶器、铁器。该城始建年代尚待研究。但最晚至春秋之际即已有此城，为仅次于都城临淄的一大重镇，历史上著名的"田单破燕火牛阵"就发生在这里。西汉时期，为胶东国治所，始为王都。

435.山东即墨出土铜铧犁

作　者：山东省即墨市博物馆　王灵光
出　处：《农业考古》2008 年第 1 期

我国古代劳动人民在发展农业生产的过程中，创造和改进了多种多样的农具，促进了农业的发展。在山东省即墨市出土的两件铜铧犁，便是其中的代表。简报配以照片予以介绍。

据介绍，铧犁均为铜制，铸造成型，保存完好，出土于段泊岚镇孟戈庄村。两翼长 20 厘米，脊长 12.5 厘米，两翼宽 15.5 厘米，中部有脊，剖面为"V"字形，两侧均有刃口，斜刃，锋利。銎为三角形口，春秋时期銎上可安装短柄。简报推断为春秋时期遗物。

淄博市

436.山东临淄齐故城试掘简报

作　者：山东省文物管理处
出　处：《考古》1961 年第 6 期

1968 年 10 月，山东省文化局举办文物训练班，组成了临淄考古队，在齐故城内进行了一个月的调查、钻探和试掘。

简报分为：一、文化层，二、文化遗物，三、结语，共三个部分。有拓片、手绘图、照片。

据介绍，齐故城为南北长方形，城西南角有一小城。时代不超过战国。古城四角均已找到，大致可知古城范围。出土封泥为汉代遗物，石器多为地面采集，未知其年代。

437.临淄郎家庄一号东周殉人墓

作　者：山东省博物馆
出　处：《考古学报》1977 年第 1 期

郎家庄一号东周殉人墓位于淄博市旧临淄县城东南 1 公里郎家庄的村旁，北距齐国国都临淄故城南城墙 0.5 公里左右，是齐故城周围数以百计的"塚子"中的一座。此墓地面上原有高大的夯土堆。据当地百姓记忆，在抗日战争时期，夯土堆尚高 10 米左右。当时伪军曾在塚子周围挖战壕，后因长期取土，逐渐夷为平地。1971 年 12 月，考古人员对此墓进行了发掘。发掘工作至 1972 年 5 月结束，中间因大地封冻一度停工，实际工作时间约 3 个月。

简报分为：一、主墓，二、陪葬坑，三、结语，三个部分。有照片、手绘图。

据介绍，这座大墓基本上是在当时的地面上夯筑而成的。墓口上原有高大坟堆，因长年取土，高度不明。根据发掘观察，此墓的建筑顺序大致是：筑墓之前，先划出墓圹范围，在墓圹范围内的地面上挖出一个 2 米深的近方形主室，主室四周挖 17 个深 1 米多的长方形陪葬坑，然后层层打夯，筑成二层台和墓圹。根据钻探，现存的墓圹夯土外围，东西长 81 米，南北宽 61 米，距现地面 3 ~ 4 米。因上部已遭破坏，原墓圹口已不知，现存圹口长 21 米，宽 19.5 米，深近 6 米。有无墓道，已不清楚。

墓圹内壁成陡坡状，修整抹平，表面刷白粉。主室位于墓圹正中略为偏南处，底部平铺一层天然巨石块，室内四周也用同样的巨石块垒砌，以卵石填塞缝隙。石块垒砌高度超过二层台，大致与边台高度相当，通高 4.8 米。墓圹内填黄花土，经夯实。主室顶部的填土中铺一层卵石和蛤蜊壳，卵石层厚 20 厘米，蛤蜊壳厚 10 厘米左右。此墓经过古代和近代多次盗掘，棺椁已焚毁，椁底四周都有大量的木炭，其东面、东南角和西北角的木炭仍清楚地保存着整根木头的痕迹，炭堆中夹杂着不少被烧过的纺织品残片、绳索、水晶珠、玉髓管、骨器等物。由于多次盗掘，填土塌陷，棺椁的形制已不可知，在椁底东壁下有一具散乱的无首缺肢的烧焦骨骼，不能确定是否为墓主人的残骸。

简报称，此墓早年多次被盗掘。盗坑中发现铁工具 10 件。出土随葬器物约 1000 件，包括铜器、陶器、漆器、玉、石、骨、玻璃等质料制成的饰品和器物，丝麻织物和铁削 2 件。发现殉人 9 人，陪葬者 17 人、狗 8 只。简报认为墓主应是春秋战国之际齐国卿大夫一级的大贵族。此墓大批人殉的发现，为我国古代人殉问题的研究提供了重要的新资料。墓中 9 个殉人都无葬具，只有个别的殉人有少量的装饰品或陶器。这些殉人有的被砍头，有的被肢解，有的只有头颅，有的似被捆绑生殉，有的相互叠压。骨骸狼藉，惨不忍睹。

438.齐故城五号东周墓及大型殉马坑的发掘

作　者：山东省文物考古研究所　张学海、罗勋章
出　处：《文物》1984 年第 9 期

齐故城大型殉马墓位于山东省淄博市临淄区齐国故城大城的东北部、河崖头村西头。此村坐落在大城东垣的一处拐角内，城外是淄河。在村内及村西，初步探出了 20 余座大中型墓，表明这里是齐故城内的一处贵族墓地。自 1964 年冬到 1976 年，在墓地的西部先后发掘了 5 座大墓。其中五号墓附近发现了大型殉马坑。

简报分为：一、墓葬形制，二、殉马坑和殉马，三、墓葬年代与墓主身份，共三个部分。有手绘图等。

据介绍，对五号墓的认识和清理发掘，经历了一个过程。1964 年 6 ～ 7 月，考古人员在河崖头村西头发现有马骨暴露地表，经钻探知道是一处马坑。据当地老人说，清末修围子时曾在这一带掘出许多马骨，日伪时期百姓也曾在这一带挖掘马骨，用来换取日用杂品。可见原来也是马坑，现已遭彻底破坏。1964 年 11 月进行了清理，在 54 米长的地段内清出马骨多达 145 具。1966 年夏，对这一带进行详探，发现一座大墓，即五号墓。其西、北、东三面均有殉马坑。1973 年，完成了对该墓的清理。

此墓虽然已遭盗掘，随葬品茫然无存，但由于它具有独特的结构和特大规模的殉马坑，仍不失为一座有重要考古价值的墓葬。

简报称，此墓椁室、器物库已被洗劫一空，石椁室上石块也都被人挖走。殉马坑中有殉马228匹，多为六七岁口马，系被打死后放入的。简报认为五号墓很可能是齐景公的墓葬。

439.山东淄博市临淄区出土高子戈

作　者：临淄区文物管理所　张龙海
出　处：《考古》1984年第9期

1970年，山东省淄博市临淄区文物管理所收集到铜戈一件。简报配以照片予以介绍。

据介绍，该戈长胡三穿，直内，内中部有一横穿，近穿处有"高子戈"三字铭文。高子戈出土于临淄齐国故城以北12.5公里的敬仲公社白兔丘村附近。白兔丘村南有传为春秋时期齐国公族大夫高傒（字白兔，谥敬仲）之墓，敬仲公社及白兔丘村皆因此得名。高氏系齐国世臣，为齐国望族，史书多有记载。高子戈的出土，为研究春秋战国时期的齐国历史，提供了重要的实物资料。

440.临淄出土的几件青铜器

作　者：李　剑、张龙海
出　处：《考古》1985年第4期

临淄齐国故城，是国家重点文物保护单位之一。近年来，故城内外不断出土青铜器，或墓葬，或窖藏，有单件出土，也有成批问世，情况不一。

简报主要介绍的有：

牺尊1件。1982年7月19日齐中华等在齐故城南5公里的商王庄西南600米处区属砖厂取土时发现。考古人员派人前往调查，于出土地点进行了清理发掘，证明该处系一座古墓葬。

簋1件。1965年在河崖头村东的淄河岸边发现，底、把手残。

上述器物，简报推断属春秋中晚至战国中期制品。

舟2件。1966年4月在东申桥村发现，同出的还有2敦。

敦2件。形制相同。球体素面，腹底与盖上都有三环纽，口两侧环耳。出土时，1敦中装有石质串饰多件。

简报称，敦与舟在齐国流行的时间在春秋晚至战国初。

441.齐国故城出土一套"数字铜钱"

作　者：张龙海、李　剑

出　处：《文物》1987 年第 9 期

1975 年，山东临淄齐国故城城南出土一套比较完整的"数字铜钱"，共 21 枚。钱圆形，方孔，有廓。正面铸数字，从"第一"至"第廿三"，中缺第十六、第二十二两枚。钱背面平素无字。钱径 3.4 ～ 3.5 厘米，正面内廓多为 1.2 厘米 ×1.2 厘米，背面方孔极不规整，大小与正面相差较大，一般为 0.7 厘米 ×0.8 厘米。重量多为 11 ～ 13 克，第四枚最轻，为 8.2 克，第二十一、第二十三两枚最重，为 13 克。简报配以照片予以介绍。

简报指出，此类"数字铜钱"，只标数字顺序，不标重量，没有国家制发标志，各枚形制重量又参差不一。它们既非通用钱币，也不是"法钱法码"。类似的铜钱在河北满城西汉窦绾墓中出土过一套 20 枚，在西安市文物管理处、天津市历史博物馆等处也有收藏，称为"宫中行乐钱"或"酒令铜钱"。

442.山东临淄齐国故城北出土一批刀币

作　者：齐国故城遗址博物馆　张龙海

出　处：《考古》1987 年第 7 期

1984 年 4 月，临淄齐国故城北 13 公里张王村的农民在村东 200 米处挖沟时，发现齐国刀币 40 枚，随即交齐故城博物馆。这批刀币比较齐全，有 5 种铭文。简报配以拓片予以介绍。

据介绍，计有即墨之法化 1 件、安阳之法化 1 件、齐之法化 3 件、齐建（造）邦𣵀法化 1 件、齐法化 34 件等。当为战国时人储藏。

443.临淄齐国故城的排水系统

作　者：临淄区齐国故城遗址博物馆　张龙海、朱玉德

出　处：《考古》1988 年第 9 期

临淄齐国故城位于山东中部，今淄博市临淄区辛店北 8 公里的齐都镇。齐故城分大城和小城两部分。小城在大城的西南方，其东北角伸进大城的西南部，两城巧相衔接。大城南北近 4.5 公里，东西近 3.5 公里，是官吏、平民及商人居住的郭城。小城南北 2.5 公里余，东西 1.5 公里余，是国君居住的宫城。两城周长 21433 米，

面积达 15 平方公里。齐故城东临淄河，西靠系水（泥河），东、西城墙即以河岸为基础建筑，利用淄河和系水作为东、西两面的自然护城河。筑城之时，又在大城南、北城墙外挖筑人工护墙壕沟 6140 多米；小城的东（南端已被破坏）、北墙和西墙南段（接系水）挖筑人工护城壕沟 5780 多米。淄河、系水和人工护城壕沟互相沟通，四面环绕城墙，构成了一个完整的排水网。同时，根据南高北低的自然地势，在筑城时设置了精巧而科学的排水道口，以顺利地排泄城内的废水和积水。据勘探得知（《临淄齐国故城勘探纪要》，《文物》1972 年 5 期），齐故城大、小城内设有三大排水系统，并探明四个排水道口。简报配以手绘图予以介绍。

据介绍，这些排水系统均为明沟，只有排水道口为城墙所压。水通过排水道口穿过城墙而流入城外。为了解排水道口的建造和结构，考古人员于 1979 年对大城西墙北段的 3 号排水道口进行了发掘清理。3 号排水道口位于大城西墙北段，北距大城西北拐角约 500 米。东接 11 号排水系统的东西向排水沟，西通系水，中部为城墙所压。排水道口呈东西向，用青石块垒砌构筑，总长、宽 7 ~ 10.5 米，深 3 米左右，由进水道、过水道和出水道三部分组成。水管道为陶质。

简报指出，齐故城内如此完备的排水设施，使得庭院之水有处流，城内之水有处泄，又有两条自然河流作调剂，内外互通，既保持了护城壕内经常有充足的水量，旱时不致干涸，又可使城市雨季免受水灾之害，确保城市安然无恙。不难看出，临淄齐国故城排水设施与排水系统的规划、设计和建造，都已达到了相当高的水平。

444.山东齐国故城内新出土的刀币钱范

作　者：张龙海、李　剑

出　处：《考古》1988 年第 11 期

山东省临淄齐国故城宫城南部的今安合村西南，是一处齐刀币铸钱遗址。历年多次出土"齐法化"钱范。齐国故城遗址博物馆现收藏着 1972 年和 1982 年两次出土的"齐法化"范，共计 8 方（残），均为夹砂陶质。简报配以拓片予以介绍。

据介绍，这 8 方"齐法化"钱范，虽然残缺，但钱模各个部分皆有，能观其全貌。每方范上有刀币模三枚并列，范背面多数有手指抠手，以便操作。安 05 钱模内保留着一种深青色的涂料，安 08 钱模内保留着一种黄色的涂料，使粗糙的夹砂砖面变得细致而平滑。这样不仅使币面平、光，而且起到使铸币容易脱模的作用。

简报称，从"齐法化"范出土地点看，历年来多次出土的刀币范，只有"齐法化"都出自齐国故城的宫城之内，临淄其他地方没有发现过。这说明了当时齐国的货币铸造权是在官府手中。如果说"安阳之法化""即墨之法化""齐之法化"是春秋时期齐之货币的话，到战国时期就由统一的标准货币——"齐法化"所替代了。"齐法化"作为战国时期齐国统一的标准货币，是齐国战国时期政治、经济、文化发展的标志之一。简报断定"齐法化"盛行于齐威王、宣王时期，因为这一阶段是齐国战国时代的兴盛时期。

445.山东临淄出土一件有铭铜豆

作　　者：张龙海

出　　处：《考古》1990 年第 11 期

1987 年 8 月，山东省淄博市临淄区白兔丘村东淄河滩中出土一件铜豆，是由崔增才等农民在河中挖沙时发现并交给齐国故城遗址博物馆的。白兔丘村在齐国故城北 11 公里处的淄河西岸。淄河经齐故城东侧北流，又经白兔丘村向东北流去。近年来从齐故城至该村一段的淄河两岸西周、春秋、战国时期的遗址、墓葬发现很多。这件铜豆可能是河水冲毁遗址或墓葬把它冲到河内，淤积在沙滩之中的。简报配以照片、拓片予以介绍。

据介绍，铜豆有铭文。从铭文内容看，是妵姓人为其女出嫁所做的陪嫁品，从器形看与战国时期的环耳豆相似。

446.山东淄博磁村发现四座春秋墓葬

作　　者：淄博市博物馆　于嘉芳

出　　处：《考古》1991 年第 6 期

1977 年春，淄博市淄川区磁村村民在挖青膏泥时，在村西南 1 公里处发现 4 座古墓葬，同年 4 月 13 日～18 日考古人员结合文物普查对墓葬进行了钻探与清理，其中 3 座墓村民已将随葬品取出，这 3 座墓分别编号为 M01、M02、M03，还有 1 座墓保存比较完整，此墓编号为 M1。

简报分为：一、墓葬形制，二、随葬器物，三、结语，共三个部分。有手绘图。

据介绍，4 座墓皆是竖穴土坑墓，出土遗物有青铜器、陶器、无字铜贝、骨贝等。该墓地 4 座墓葬排列有序，方向一致，都有成组的青铜礼器随葬，显系关系密切的一处小型齐国贵族墓地。年代简报推断为春秋晚期。

简报称，该墓地有 3 座墓出土有贝币，有些骨贝可能是一种冥币。而无文铜贝的多次发现则反映了这种古老的货币当时并未退出流通领域，而是与刀币一起仍在商品交换中使用。关于齐刀币与铜贝和海贝的兑换关系，朱活先生在所著《古钱新探》（齐鲁书社，1984 年）中推算出，一枚足值的齐刀币约相当于无文铜贝 40 枚或海贝 200 枚。由于齐刀币面值大，只有在大宗交易中才用它来结算，所以多掌握在国家和大商人手中，民间则仍以贝币作为流通货币。这就可以解释迄今发现的齐刀币的数量与齐国发达的商业经济之间的矛盾，也可以明了何以齐刀币多以窖藏形式被集中发现而在东周齐国墓中未见的原因。

447.临淄齐瓦当的新发现

作　者：临淄齐国故城博物馆　张龙海
出　处：《文物》1992 年第 7 期

近年来，山东淄博临淄区齐国故城遗址博物馆在文物普查、考古发掘和工农业生产建设中，陆续发现和征集了一批齐瓦当，共百余件。这些瓦当不仅出土地点清楚，而且很多纹饰设计独特，制作精美，为齐瓦当中的精品，是研究古代建筑和工艺美术的珍贵资料。简报配以照片予以介绍。

据介绍，新出土瓦当的地点，主要分布于齐国故城遗址内外。故城外有近郊，也有远邑。齐故城遗址附近出瓦当较多的地方，多数是当时齐国的城邑和齐王的宫室，如桐林田旺遗址是战国时期的画（音获）邑城，安平故城为田单的封邑。梧台、遄台都是齐国都城外的行宫别墅。《左传》有"齐侯至自田，晏子侍于遄台"的记载。《水经注》载："楚使使聘于齐，齐王飨之梧台。"经考证稷下学宫的位置在齐城西门外。从这些地方出土大量的瓦当等建筑材料，证明当时这里曾有豪华的宫室建筑。简报介绍的树木双兽双骑纹半瓦当、树木双兽纹半瓦当、树木双兽纹瓦当等有 30 件。简报称，这 30 件瓦当，纹饰新颖、精美。

448.山东临淄新发现的战国齐量

作　者：魏成敏、朱玉德
出　处：《考古》1996 年第 4 期

春秋战国时期齐国的量器已经发现并被确认的完整器计有 8 件。近几年在齐国故都临淄城内外又新发现一批战国齐量。简报配以手绘图、照片予以介绍。

据介绍，新发现的战国齐量共有 6 件，已确知出土地点有 3 处。1992 年 3 月，考古人员在配合基建工程时发现 2 件青铜量器。铜量出土于临淄区永流乡刘家庄西南约 100 米处的战国遗址，北距临淄齐故城 4 公里。另两处出土地点距临淄齐故城遗址也不远，一处是谢家庄，一处是东齐家庄，均在故城西面。这些齐量的发现，为研究战国时度量衡提供了新的实物。

449.山东临淄商王村一号战国墓发掘简报

作　者：淄博市博物馆　徐龙国、贾振国、王　滨等
出　处：《文物》1997年第6期

临淄商王村北距齐国故城遗址5.4公里，位于今山东省淄博市临淄区政府所在地辛店镇以东2公里处。商王村西部有一处地势较高、面积较大的古代墓地，常有文物出土。这里南有胶济铁路，东为淄河。临淄水泥厂即坐落于墓地之土。1992年水泥厂扩建，考古人员对工程用地进行勘查，抢救发掘战国至两汉时期的墓葬100余座。

简报分为：一、墓葬形制，二、随葬器物，三、结语，共三个部分。配以彩照、手绘图，先行介绍了一号墓的情况。

据介绍，一号墓位于整个墓地的中部偏西，土坑竖穴，墓口在今地表以下1.4米处，地上无封土和其他建筑。墓内葬具已腐朽，但板灰痕迹尚清晰，为一棺一椁。椁室呈"亚"字形。出土有金器、玉器、银器、料器等。银器上有"四十年"等铭文，应为秦国所制。一号墓的年代应在公元前266～公元前221年，墓主应为有较高身份的贵族。

450.山东临淄齐国故城发现郾王□剑

作　者：临淄区文化局、齐故城博物馆　张龙海、张爱云
出　处：《考古》1998年第6期

1997年7月山东省淄博市临淄区齐都镇龙贯村村民在村东淄河滩内挖沙时发现一柄青铜剑。简报配以拓片予以介绍。

该剑形制为扁茎、薄格、宽平脊，有8字铭文，为"郾王□作武□□剑"，剑通长59.1厘米，重1公斤。郾王□，即指燕昭王姬职，公元前311～公元前279年在位。简报认为这或许与燕昭王二十八年即公元前284年燕国攻破齐国临淄并占领齐国6年的史实有关。

简报称，郾王□剑不仅在临淄是首次发现，而且在全国也是稀有的。它在齐国故都临淄的发现有其特殊的历史价值，是不可多得的研究齐燕关系和齐燕文化的珍贵的实物资料。

451.山东淄博市临淄区南马坊一号战国墓

作　者：淄博市博物馆　徐龙国、王　滨
出　处：《考古》1999年第2期

1996年5月，临淄修建外环路，考古人员在北外环所经路线探出规模较大的古墓一座（编号为南马坊M1）并进行了抢救性发掘。墓葬位于临淄区齐都镇南马坊村东约700米处，北距齐国故城小城南城墙仅1.4公里，临淄至齐都公路和济青高速公路交会的大桥即在墓葬东北500米处。发掘时发现，该墓葬早年历经盗掘，仅出土一些零散小件器物。

简报分为：一、墓葬形制，二、随葬器物，三、结语，共三个部分。有手绘图。

据介绍，南马坊一号墓从发掘情况看，其形制规整，规模宏大，有一椁一棺，并出土精美的玉、石装饰品，这些都与以前所发掘的齐国卿大夫墓情况相似。简报推断，墓主应是卿大夫一级的齐国贵族，一号墓的年代大致应在战国中期左右。稍有不同的是，南马坊一号墓虽然也有宽大的二层台，但不像其他同期公卿大墓那样设有陪葬坑和器物坑，这或许与墓主的地位有一定的关系，也可能反映了齐国在埋葬制度上的变化。

452.山东淄博市临淄区淄河店二号战国墓

作　者：山东省文物考古研究所　魏成敏
出　处：《考古》2000年第10期

淄河店墓地位于淄博市临淄区齐陵镇淄河店村南，西北距临淄齐国故城约7.5公里。墓地与全国重点文物保护单位田齐王陵相邻，南端狭窄，北部宽阔，南北长约1700米。1990年4~11月，为配合济青高速公路工程，考古人员在墓地东北部的第19号取土场内发掘了4座战国时期的大型墓葬。其中二号墓不仅墓室后有大型殉马坑，而且墓室内还随葬了20余辆马车。淄河店二号墓与临淄后李车马坑的发掘被评为1990年全国十大考古新发现之一。简报分为：一、墓葬形制，二、随葬器物，三、殉马坑，四、结语，共四个部分。有手绘图、照片。

据介绍，墓室内未发现有确切纪年的资料，依据墓葬形制和随葬器物的特征推断：郎家庄墓的年代约为战国初期；女郎山M1的年代约为战国中期偏早或战国早期晚段，二号墓的年代要早于女郎山M1，又略晚于郎家庄墓，定为战国早期比较合适。二号墓墓主地位应甚高，在齐国是具有一定权势的卿大夫，二号墓内发现殉人12名，这类殉人应是墓主的宠妾婢女。

简报称，墓室内发现的20余辆独辀车是这次发掘的重要收获。

453.临淄齐国故城新出土陶文

作　　者：淄博市临淄区文化局　许淑珍
出　　处：《考古与文物》2003 年第 4 期

临淄齐国古城以出土大量陶文著称于世。但所见绝大多数都是拓本，散见于各家著录。出土地点明确的实物，特别是发掘品，屈指可数。近几年来，在临淄古城的不同地点又有不少新的发现，每一地点出土的陶文又都有各自的特点，为进一步研究当时制陶业在不同地区内的分工提供了很好的例证。

简报分为：一、东南角城外，二、刘家庄，三、临淄三中，四、河崖头，五、西周傅庄，六、几点认识，共六个部分。现按出土地点，择其重要者予以介绍，有手绘图、拓片。

据介绍，齐国陶文有官营制陶业与民营制陶业之分。官营制陶业的陶文多见于量器，印大，字多。常见的铭文格式是 ×× 立事岁＋左里敀亳＋量。民营制陶业陶文大多见于饮食器，量器较少。其常见铭文是乡里名＋人名，少数只有人名。简报介绍的陶文全属民营制陶业的产品。

山东出土的陶文，以往称为"齐鲁陶文"，但考古发现证实鲁国都城曲阜基本上不出陶文。除了临淄齐国故城之外，大量出土陶文的是邹县纪王城，这里是春秋邾国都城，战国时称"邹国"。因此确切说山东陶文应指齐邹陶文。邹国陶文绝大多数仅有一个单字，即制陶业主人名。"鐺"字以往多被释为陶字，简报认为是不正确的。《方言》和《史记》《汉书》的注释家们都说"鐺"是齐国对罂的一种特有的名称，证明这类小口罐应名为"鐺"，也证明此字释鐺是正确的。"鐺者"，意思是专门制作鐺的人。

简报指出，以往出土的陶文，多为采集品或出自遗址中的灰坑和地层。在水井中发现陶文，是这一次的新发现。陶文打印在鐺上，说明其用处之一是汲水的，这也是以往所不知的。根据调查，临淄齐国故城大城和小城的西侧城外，由北而南分布着王青、邵家圈、西石桥、督府港、谭家庙等一系列烧制瓦和半瓦当的窑址，证明瓦和瓦当的生产也有专业和地区分工。

454.山东淄博市临淄区赵家徐姚战国墓

作　　者：淄博市临淄区文化局　王会田等
出　　处：《考古》2005 年第 1 期

2001 年 11 月，为配合临淄中轩热电厂的建设工程，考古人员在对施工现场进行

考古勘探时发现两座古墓葬（编号 M1、M2），随后进行了抢救性发掘。墓葬位于
淄博市临淄区永流镇赵家徐姚西北约 1 公里处，北距临淄齐国故城 2.4 公里。其中
M1 位于 M2 南侧，两墓相距 250 米。墓葬虽然均被盗掘，但 M1 的器物坑保存完好，
出土了较多铜器；M2 则在壁龛中出土了一批彩绘陶俑，颇具特色。

简报分为：一、M1，二、M2，三、结语，共三个部分。有彩照、手绘图。

据介绍，此次在永流镇赵家徐姚发掘了两座战国时期的土坑积石木椁墓。M1 为
"甲"字形土坑积石木椁墓，墓室有保存完好的器物坑，出土了较多铜礼器，包括鼎、
豆、壶各两件，在二层台上随葬单辕车一辆。在 M2 的墓室壁龛中出土了一批彩绘陶俑。
M1 的年代简报定为战国晚期。M2 的年代简报定为战国中期或早期晚段。两墓的主
人均为士一级贵族。此次发掘，为研究战国时期齐国的丧葬制度以及雕塑艺术和服
饰等提供了重要资料。

455.山东临淄齐国故城陶窑遗址的调查

作　者：淄博市临淄区齐文化研究社　张龙梅等
出　处：《考古》2006 年第 6 期

临淄是周代齐国的都城。故城内外还保存着古台址 5 处、古墓葬 150 余座。临
淄地区发现古文化遗址 160 多处，陶片遍野，其中有印文者甚多。完整的陶盆、豆、
罐、鬲、钵等陶器不断出土。近年来在文物普查和生产建设中发现陶窑遗址 8 个。

简报分为九个部分予以介绍，有拓片、手绘图。

据介绍，齐国故城大城西的系水西岸，南起齐故城小城北墙外，经现在的长胡
同村、督府巷村、西石桥村、邵家圈村至王青村约 3 公里，均为专门烧制瓦当的陶
窑作坊遗址。如此大规模的专业性手工作坊遗址还是第一次发现。这些陶窑所烧制
的产品是专一的，即瓦当。但从纹饰风格上看，又各有特点，如邵家圈陶窑出土树
木、兽、弩、弓箭纹瓦当，督府巷陶窑出土凤纹、仙鹤纹瓦当。工艺上也各有特色，
邵家圈陶窑出土瓦当纹饰中的树木树枝稀而粗，督府巷与长胡同陶窑出土的瓦当树
木纹树枝则多而细密。西周傅庄陶窑主要烧制陶豆，刘家庄陶窑主要烧制陶盆、罐，
说明当时制陶业亦有较细的分工。

简报指出，便利的交通，优良的土质，充足而又方便的水源，是制陶的先决条件，
也使得这里的制陶业有了较大发展。

简报认为，这些窑场大约从春秋时期，经过战国，一直延续到汉代。

456.山东淄博市临淄区国家村战国墓

作　者：淄博市临淄区文物局

出　处：《考古》2007 年第 8 期

国家村墓地位于山东淄博市临淄区齐都镇国家村西南、辛孤公路东侧，东北距齐国故城约 3 公里。2004 年 12 月至 2005 年 5 月，考古人员对墓地内住宅小区建设工程中发现的 6 座规模较大的墓葬（编号 M1～M6）进行了抢救性发掘。除 M6 是汉墓外，其余 5 座均为战国墓。墓葬曾多次被盗掘，M1、M2、M3、M6 内的随葬品已所剩无几，但在 M4、M5 器物坑内出土了一批随葬品。

简报分为：一、M4，二、M5，三、结语，共三个部分。先行介绍了 M4、M5 的发掘情况，有彩照、手绘图。

据介绍，M4、M5 位于墓地西南角，东西平行并列，M5 位于 M4 东侧，两墓相距 8 米。两墓均为"甲"字形土坑木椁积石墓，应为夫妻并穴合葬墓。椁室四周有二层台，台上各有 2 座陪葬墓和 1 个器物坑，坑内出土了一批陶礼器和青铜器。从墓葬形制及器物组合断定，这两座墓同属于战国晚期偏早阶段。

简报称，两墓器物坑保存完好，随葬鼎、豆、盖豆、壶、盘、匜等陶礼器一套，皆有 2 件鼎。M4 还出土鼎 2 件、罍 2 件、敦 2 件、匜 1 件、盘 1 件。墓葬椁室内均有一椁一棺。按周代礼制，墓内随葬 2 件鼎，墓主葬具为一椁一棺，符合士一级的用鼎和棺椁制度。此外，两墓规模较大，各有 2 座殉人陪葬墓，说明墓主有较高的社会地位。墓主人应为士一级的齐国贵族。

简报指出，根据文献记载，东周时期殉人的身份大致有三类：一类是奴隶，一类是宠妾爱婢，还有一类是幸臣、亲信。国家村 M4、M5 的殉人陪葬墓葬具为单棺。殉人的随葬品极少，器类较为单一，说明殉人的身份较为低下，应是侍奉墓主的一般奴隶。

457.山东淄博市临淄城区一号战国墓的发掘

作　者：淄博市临淄区文物局　王会田、邵家朋等

出　处：《考古》2008 年第 11 期

2007 年，在山东省淄博市临淄区的旧城改造过程中，齐城房地产开发公司在施工时发现一座"甲"字形的古代墓葬（编号简称 M1），考古人员于当年 3 月 8 日至 4 月 12 日进行了抢救性发掘。这座墓葬位于临淄辛店城区的东南角，在胶济铁路北侧，北距齐国故城约 5 公里。墓葬曾遭多次盗掘，椁室内的随葬品丧失殆尽，但墓葬的器物坑保存完好，清理出土了一批陶器。

简报分为：一、墓葬形制，二、随葬器物，三、结语，共三个部分。有照片、手绘图。

据介绍，M1 为"甲"字形土坑积石木椁墓，墓道向南且底部呈斜坡状；墓坑内有多层台阶，底部有宽大的生土二层台；椁室用巨石垒砌，空隙间用河卵石填充；墓坑内有一小型器物坑，设在墓底二层台的一角。这些都是战国晚期齐墓的典型特征。年代简报推断为战国晚期晚段。随葬器物仅存劫余的 42 件（套）。墓主人应为齐国贵族中士一级的最上阶层。

简报指出，此墓在椁室底铺有一层厚 1 米的河卵石。器物坑内出土 1 件带戳印文字的陶壶，其文字特征具有齐国陶文的独特风格，应属"物勒工名"。陶文"田平庚"可能是器物的制造者。同时，器物坑内出土如此之多的陶冥器以及殉狗和器物同置一坑，这在以前所发掘的齐墓中也是不多见的，为研究齐国的墓葬制度提供了新的实物资料。

458.山东淄博市临淄区发现一座战国墓葬

作　者：淄博市临淄区文物局　王会田、崔建军等
出　处：《考古》2008 年第 11 期

安乐店一号墓位于淄博市临淄区辛店镇安乐店村西北角，东北距齐国故城约 7.5 公里，在胶济铁路南侧、淄河西岸。2006 年 7 月，安乐店村在旧村改造施工中发现了一座规模较大的战国墓，考古人员对墓葬进行了发掘清理。

据介绍，墓葬为"甲"字形土坑积石木椁墓。由墓道、墓室、椁室、壁龛等部分组成。墓壁经过加工后极其规整，光洁平滑，表现涂刷一层白灰面。墓内填黄褐色五花土，并经夯实，夯层较厚。椁室四壁与木质葬具间用河卵石充填。椁室内人骨及随葬品无存，有盗洞。

简报称，该墓时代为战国晚期，墓主应是齐国的贵族。墓内出土的两件瓷罍，造型规整，纹饰精美，技艺精湛，在战国时期大型齐墓内是首次发现，对研究战国时期瓷器的制造工艺具有重要参考价值。

459.山东淄博市临淄区孙家徐姚战国墓地

作　者：淄博市临淄区文物局　王会田、王永霞、唐曾刚等
出　处：《考古》2011 年第 10 期

山东淄博市临淄区稷下街道办事处孙家徐姚村西北 2.5 公里处有一取土场，北距临淄周代齐国都城约 3.5 公里，西南距辛店城区 3 公里。淄河从其东南两面自南向北迂回流过。2008 年 6 月，村民在此用机械取土时发现了古代墓葬，其中有数十

座被盗掘毁坏。考古人员于 2008 年 7 月底在取土场范围内进行了调查、钻探，发现这里是一处古代墓地。对被盗挖和墓口塌陷暴露明显的 46 座墓葬进行了抢救性发掘（编号为 LSQM1 ～ M46）。清理的 46 座墓葬属于战国、汉代两个时期。除 M1 为"甲"字形土坑积石木椁墓外，其余皆为竖穴土坑墓。

简报分为：一、M1，二、M11，三、M20，四、M22，五、M45，六、结语，共六个部分。介绍了 M1 和有随葬品的 4 座战国墓的发掘情况。

据介绍，M1 为"甲"字形大墓，墓主当为齐国贵族，其他各墓墓主当为士一级的官吏。这批墓葬的随葬品种类丰富，出土了陶器、铜器、石器和水晶玛瑙器等。从墓葬形制和器物组合断定，这些墓葬属于战国早、晚两个阶段，是研究战国时期齐墓的墓葬形制、丧葬习俗的重要材料。

简报特别提到，M45 内出土了 1 件带铭文的铜戈，为"陈□造戈"，铭文的格式、特征属于齐国特有的风格。齐国兵器上面的铭文一般是"物勒主名"，戈的前二字"陈□"为人名，应是生前使用者，即 M45 墓主。据文献记载，春秋中期陈国发生争夺王位的斗争，公元前 672 年，陈厉公的独生子陈完逃到齐国，被齐桓公任命为工正，改陈氏为田氏。其后田氏子孙占据着齐国许多重要职位，并逐渐掌握了齐国的大权，终于在战国中期的公元前 386 年取代姜齐，史称"田氏代齐"。此件出土文物曲折地反映了这一段历史。

460. 山东淄博市临淄区刘家新村春秋墓

作　者：临淄区文物局　王永霞、李　民、王会田等
出　处：《考古》2013 年第 5 期

刘家新村墓地位于山东淄博市临淄城区的中北部、刘家新村的西北角，东邻闻韶路，西为中轩路，南是齐兴路，北与齐兴花园住宅小区相接，东北距齐国故城约 3 公里。2011 年，考古人员在棕榈城一期住宅工程中发现有古代墓葬，并进行了抢救性发掘，其中包括两座春秋墓葬。

简报分为：一、墓葬形制，二、随葬遗物，三、结语，共三个部分。介绍了春秋墓葬的发掘情况，有彩照和手绘图。

据介绍，两座春秋墓葬编号为 M19、M28。两墓东西并列，相距 2 米。因基槽施工自地面向下已挖至 2.6 米，去掉浮土后即见到墓口，墓葬上部结构不详。墓葬皆为长方形竖穴土坑木椁墓。木质葬具均已腐朽，仅存木灰痕迹，为一椁一棺。M19 因被盗扰，出土遗物较少。M28 保存完整，出土器物组合齐全。两墓现存遗物 276 件，主要为铜器，还有陶器、骨器、石器和海贝。

简报认为，此两座墓的时代定为春秋中期较为合适。两墓皆为长方形土坑竖穴墓，

呈南北方向,东西并列,应为夫妻异穴并葬墓。由于墓内人骨腐朽严重,性别较难确定,但从墓葬的规模和随葬品分析,M28 的面积远大于 M19,且随葬数件铜兵器,未见贝类装饰品。因此,可断定该墓墓主为男性,M19 为女性。依据周代的葬具以及鼎、簋制度,墓主的身份当为士一级的齐国贵族。

枣庄市

461.山东滕县出土杞薛铜器

作　者：滕县文化馆　万树瀛、杨孝义
出　处：《文物》1978 年第 4 期

20 世纪 60 年代以来,滕县不断有地下文物出土。简报配以照片予以介绍。

据介绍,1966 年秋,木石公社南台大队农民在取土中发现铜鼎一件。器内壁铸铭文 4 行 21 字。1973 年 12 月,官桥公社狄庄大队农民在薛城遗址东城墙内取土时,发现铜簋 4 件,形制皆相近,器与盖形状也相同,铭文也完全相同。铭文阴刻在器内底部,计 3 行 15 字。简报录有铭文全文。

简报称,古薛城遗址在滕县城南 20 公里,位于官桥公社西南、张汪公社东北。城周 14 公里,城内共有 9 个自然村,津浦铁路在古城东部穿过。薛国春秋时参与盟会,战国时为齐所灭,尚存二古墓,传为田婴、田文墓。这四件铜簋的出土位置,距上述二古墓约 200 米。铜簋形制与河南郏县太仆乡出土的春秋早期铜簋极为相似。简报推断,其时代应相近,即春秋早期。

462.滕县后荆沟出土不嬰簋青铜器群

作　者：滕县博物馆　万树瀛
出　处：《文物》1981 年第 9 期

1980 年 3 月上旬,山东省滕县城郊公社后荆沟大队农民在村北取土时,发现一批铜器。考古人员当即前往作了调查、清理。其地为一残墓(编号 ST80/M1,下称一号墓)。出土铜器共 15 件,在当地文物保护小组的配合下,均已交国家收藏。

简报分为:一、地理环境和墓葬形制,二、出土随葬器物,三、几点浅见,共三个部分。有拓片、照片。

据介绍,后荆沟村位于滕县县城东北 7 公里。滕县有漷河(《水经注》称之为"南

梁水")自东北流来,绕城向西南注入昭阳湖内。中段与起源于荆泉的一小支流汇合,故亦称"荆河"。后荆沟村靠近荆河支流的西岸。村北有一突起的土岗,俗呼"居龙腰",是一处西周至汉代的古文化遗址。残墓位于遗址的北端。墓口平面呈长方形,土圹竖穴。出土簋、鼎、盉、罐、盘、匜、簠等铜器共 15 件。其中不嬰簋器底有铸铭文 12 行,共 151 字。简报录有铭文全文。后荆沟一号墓的年代简报推断在春秋早期。

463.山东滕县发现滕侯铜器墓

作　者:滕县博物馆　万树瀛、陈庆峰
出　处:《考古》1984 年第 4 期

1982 年 3 月间,滕县姜屯公社庄里西村农民在该村西约 250 米处一土台下取土时,于距地表 4 米深处发现青铜器 6 件。考古人员前往作了调查,并进行了清理。简报配以拓片、照片予以介绍。

据介绍,铜器出自古墓葬。该墓平面呈长方形,土圹竖穴,圹壁垂直,内填五花土,经夯实。同墓出土的釉陶(原始青瓷)罐,在山东地区尚属罕见,其形制、胎质、施釉均与北京琉璃河西周墓出土的原始青瓷罐有相同之处,是研究北方青瓷发展史的重要资料。出土的玉器以夔龙纹玉璜最具有代表性,其中一件背出脊齿,身饰云纹、重环纹,刀法挺劲刚直,线条粗放有力,均具有西周早期玉雕龙纹的特征,是难得的玉雕标本。简报推断该墓的年代为西周早期。

1980 年夏季,滕县河沙站工人在县城南面西寺院村以东约 200 米的荆河南岸取沙时发现铜戈 1 件。此戈援部上刃略呈弧状,重 175 克。栏侧铸铭文。西寺院村西距滕国故城 6.5 公里。同铭戈藏中国历史博物馆,简报推断为春秋时滕隐公所造。

1982 年 4 月间,滕县洪绪公社杜庄村农民在村北取土时发现铜敦 1 件,盖上有三环形钮,口沿两侧对称两环形耳。盖内刻铭文 6 字,此器铭文称"敦",但因器底有残痕,也可能是豆。简报推断时代当属东周。

464.枣庄市拣选一件战国铭文铜戈

作　者:李锦山
出　处:《文物》1987 年第 11 期

1983 年 12 月,山东省枣庄市文物管理站从市物资回收公司仓库拣选到一件有铭铜戈。据了解,这件戈出土于市南郊的泥沟、坊上一带。简报配以照片予以介绍。

据介绍,该戈援及胡部均有铭文,一侧面残存五字,另一侧面残存四个半字。

字体为鸟虫书，其中"菫"字可辨。此戈当为战国早期遗物。戈铭中"菫"似为越国地名。越有鄞邑，又有赤菫山，在绍兴东南 15 公里，是欧冶子为越王铸剑处。春秋之际，今山东南缘地带先后受吴越楚的管辖，此戈出土于枣庄，应非偶然。

465.山东枣庄市两河叉出土周代铜鬲

作　者：枣庄市博物馆　李光雨
出　处：《考古》1996 年第 5 期

1988 年 10 月，山东省枣庄市山亭区西集镇两河叉村村民在挖地瓜窖时，于距地表深 2.4 米处发现铜鬲 2 件，当即送交市博物馆。考古人员前往现场调查，并作了简单的清理。据调查，出土铜鬲的周围为一片夹杂着红烧土粒的灰土，未发现其他遗物。简报配以拓片、手绘图予以介绍。

据介绍，两件铜鬲一大一小，形制基本相同，无铭文，年代应为春秋早期。

466.山东滕州庄里西战国墓

作　者：滕州市博物馆　陈庆峰、杜传敏、孙柱才、潘卫东等
出　处：《文物》2002 年第 6 期

1990 年 12 月，考古人员在配合庄里西村砖窑厂施工时，在高台遗址西侧 50 米旧名凤凰翅的地方发现古代墓葬一座，随即进行了清理（编号 90STZM8）。另外在 1992 年春，配合公安部门进行打击盗掘古墓犯罪分子的行动中，于高台遗址东南角断崖处抢救性清理了一座土坑墓，该墓盗掘严重（编号 92STZM1）。

简报分为"墓葬形制""随葬器物""结语"，共三个部分介绍了这两座墓的相关情况，有照片、手绘图。

据介绍，两墓均为长方形竖穴土坑墓。M8 为一椁一棺，人骨保存尚好，仰身直肢葬。M1 为二椁一棺，仅有头骨。墓室发现 6 处盗洞，随葬品基本无存。两墓的年代，简报推断为战国早期。简报认为出土地点为滕国贵族墓地。

467.山东滕州市北辛村发现一座战国墓

作　者：滕州市博物馆　孙柱才、王元平、石　晶等
出　处：《考古》2004 年第 3 期

1999 年 3 月，滕州市官桥镇北辛村砖瓦厂工人在取土时发现一座古墓葬，墓内

出土了 17 件铜器。考古人员赶赴现场时，墓室已遭严重破坏，所出铜器已被取出。根据现场情况推断，该墓应为一座土坑竖穴战国墓，编号为 M1。简报介绍了相关情况，有手绘图等。

据介绍，出土的铜器有鼎、罍、豆、马衔、铜镞等。依据墓葬所出的铜器形制与纹饰均为战国早中期所常见，简报推断这批铜器的年代应属战国中期以前。

468.山东滕州东康留周代墓发掘简报

作　者：山东省文物考古研究所、滕州市博物馆　高明奎、林　森、付　琳等
出　处：《文物》2013 年第 4 期

东康留墓地位于滕州市南部官桥镇东康留村东北约 600 米、大康留村西北约 300 米处，北距滕州市区约 19 公里，西临京台高速公路。墓地位于滕州东部丘陵与中部平原的过渡区域，周围地势平坦，河流交错，南距薛河约 1.6 公里，西去小魏河约 1.4 公里，北侧地势低洼，为废弃古河道。墓地即坐落于古河道南侧平坦的高地上。墓地北部因窑场取土而遭到破坏，其西侧为明代小型家族墓地。经勘探，周代墓地东西宽约 80 米，南北残长 70 米，残存面积约 5600 平方米。此区域为薛国故地，商周时期古文化高度发达，其西南约 3 公里为前代商周贵族墓地及薛国故城。

1999 年秋季，为配合京台高速公路建设，考古人员对墓地进行勘探、发掘，共清理周代墓葬 124 座，出土了陶器、铜器等随葬器物。

简报分三个部分予以介绍，配有照片、手绘图。

第一部分为"墓葬介绍"。称西周墓仅 10 座，东周墓 110 多座。大多为木棺、单人仰身直肢葬，少量曲肢葬。

第二部分为"随葬器物"。主要为陶器，另有少量铜兵器、骨器等。

第三部分为"结语"。首先论述了西周、东周墓葬的不同。认为此墓地从西周晚期一直延续到战国早期。虽均为小型墓葬，但因离薛国故城较近，死者或为薛国故城居民。

469.山东枣庄徐楼东周墓发掘简报

作　者：枣庄市博物馆、枣庄市文物管理委员会办公室、枣庄市峄城区文广新
　　　　局　尹秀娇、石敬东、苏昭秀、郝建华、刘爱民等
出　处：《文物》2014 年第 1 期

2009 年 5 月，徐楼村一建筑工地在施工过程中发现 2 座古墓葬。考古人员赶

赴现场进行调查。墓葬位于枣庄市峄城区政府驻地以西，东距徐楼村和206国道约1500米，西邻锅其山，北为人工湖，一条小路从墓葬北部东西向穿过。北面一座（M1）已被破坏，部分文物流失；南面一座（M2）已暴露出填土。为防止墓葬再次遭到破坏，对墓葬进行了抢救性发掘。

简报共分三个部分：一、1号墓，二、2号墓，三、结语。有彩色照片和手绘图多幅。

M1为长方形竖穴土坑墓，从残存的迹象看，墓葬开口于耕土层下，墓口距地表0.6米，口大于底。墓口长6.3米，宽5.8米，深1.94～2.54米。由于墓葬上部已被破坏，是否有墓道，情况不详。墓内填黄褐色花土，结构紧密，比较坚硬，经夯打，夯层厚0.1～0.2米。葬具已腐朽，并且被扰乱，从残存遗迹观察，葬具为一椁一棺。椁室位于墓室北部，室长2.94米，宽1.7米，残高1.2米。椁室遭到严重破坏，随葬器物被洗劫一空。椁内置一棺，棺长2.56米，宽0.8米，残高0.98米。棺经髹漆，清理时发现较多的红、黑漆片。棺内人骨已腐朽，且遭到扰乱，葬式、性别、年龄不详。椁上及周围有厚约0.1米的青灰色膏泥。墓室南部为器物箱，底部高于椁底0.6米，长2.96米，宽1.86米，残高0.58米，板灰厚0.06米。随葬器物主要放置于器物箱内。器物箱北部遭到破坏，虽有部分器物流失，但仍残存较多的铜器和陶器。其中，铜器主要放置于器物箱西北部，陶器则主要放置于器物箱东南部。墓底四周有黄褐色熟土二层台，土质紧密，较硬，经夯打。北宽1.2米，东、西、南宽1米，高0.56～1.2米，有手绘平面图。

M1共出土器物105件，按质地可分为铜器、陶器等。其中铜器占绝大多数，陶器次之。由于器物箱腐朽塌陷，较大型铜容器和陶器多被砸损。铜器计92件。器型有鼎、簋、簠、铺、罍、舟、盘、匜、提链罐、盒、钟、镈、甬、衔、镳、管络饰等。有的上有铭文。出土陶器，均残破较甚，目前可辨器形有簋、豆，计13件等。

M2位于M1南侧，间距5米。形制与M1基本相同，方向100°。墓葬开口于耕土层下，墓口距地表0.6米，口大于底。墓口长5.9米，宽5.13米，深2.44～2.78米。墓内填黄褐色花土，夯层厚0.2米。葬具为一椁一棺，均已坍塌、腐朽，仅存白色或褐色痕迹。椁室位于墓室北部，呈"亚"字形，由底板、壁板、挡板、盖板等合成。两端立板长出两侧立板，上部用长条形木板封顶。据木痕实测得知，椁壁板与挡板厚约0.06米，顶板由约长3.18米、宽0.06米的木板东西向平铺而成。椁长3.01米，宽1.8米，残高0.92米。椁内置一棺，棺长2.22米，宽1.12米，残高0.9米。棺椁均经髹漆，绘有红、黑两种彩绘图案。墓主骨骼腐朽严重，附近随葬有料珠、玉佩、玉管、骨器等。墓室南部为器物箱，底部高于椁底0.34米，长2.76米，宽1.68米，残高0.64米，板灰厚0.06米。随葬器物主要放置于器物箱内，其中铜器主要放置于器物箱北部和东部，陶器主要放置于器物箱西南部。墓底四周有黄褐色熟土二层台，土质紧密，较硬，经夯打。宽 0.8 米，高 0.64 ~ 1 米。M2 共出土器物 155 件。按质地可分为铜器、陶器、玉器、骨器、石器等。其中铜器 101 件。器型有鼎、舟、勺、盘、匜、戈、剑、矛、镦、镞、斧、锛、凿、锯、镰、舌、辖、衔、镳、杖首、车盖、合页、"Y"形器、锁、帽、盖弓帽等。有的有铭文。如出土的鼎中，内壁铭文为：

> 唯王正月
> 之初吉丁
> 亥此余□
> □君作铸
> 其小鼎□□
> 永宝子孙
> 无疆子子孙孙
> 永宝是尚

陶器 38 件。残破较甚，经修复，器型有鬲、簋、豆、罍等。除了铜器和陶器外，还有玉佩 1 件、玉管 1 件、料珠 10 件、骨器 3 件、砺石 1 件。

简报认为，M1 出土有铜礼器、乐器、车马器等，M2 出土有铜礼器、兵器、车马器、工具等。根据 M1 随葬器物中无兵器而 M2 随葬兵器的情况分析，M1 墓主应为女性，M2 墓主应为男性，两墓应为夫妻异穴合葬墓。

依据出土器物铭文，判断该墓应为春秋晚期贵族墓。

东营市

烟台市

470.山东栖霞县战国墓

作　者：山东省博物馆　杨子范、王恩礼
出　处：《考古》1963 年第 8 期

1957 年 6 月，在栖霞县杨家圈村东地下约 3 米，发现许多已朽的木头，木头下面的淤土中见有带花纹的漆片、铜器和陶器等。考古人员前往清理。简报配以手绘图等予以介绍。

据介绍，杨家圈村在栖霞城南 22.5 公里，墓葬在杨家圈村东约 400 米。墓系长方形土坑墓，已被破坏了一半。原来可能有棺有椁，现已腐朽不清。出土有铜器 7 件及陶器、漆器等。年代简报推断为战国时期。

471.烟台市芝罘岛发现一批文物

作　者：烟台市博物馆
出　处：《文物》1976 年第 8 期

1975 年 8 月，修建人员在烟台市郊芝罘岛原阳主庙前挖土安装自来水管道时，发现一批文物。考古人员前往调查。简报配以照片予以介绍。

据介绍，芝罘岛位于烟台市北部，距市区约 12 公里。东、西、北三面与海相连，南有公路直通市区。在芝罘山与老爷山之间原有庙名"阳主庙"，建于何时已无考，只有一元代重修阳主庙的碑。在原庙后殿之前侧离地表 1 米左右的长方形土坑内出土青玉器二组八件。一组为一璧、一珪、二觿。璧平放在土坑内，珪放在璧孔中央，珪端东北向，直指芝罘岛最高山峰老爷山，二觿在璧两侧。二组玉器与一组玉器同，唯器形略小，离一组玉器约 1 米。周围未发现其他文物。简报认为这是秦始皇三次东巡芝罘岛时祭祀天地山川时留下的遗物。

472.山东栖霞县大北庄发现东周墓

作　者：栖霞县文化馆　李元章
出　处：《文物》1979 年第 5 期

栖霞县松山人民公社大北庄大队社员，于 1965 年 11 月 5 日，在村北修路时发现一座古墓。1966 年 3 月对该墓进行了清理。简报配以手绘图予以介绍。

据介绍，大北庄位于栖霞城东北 20 公里，古墓在村北 20 米处。墓的东南角因修路被破坏。墓系长方形，土圹竖穴。墓口不详，葬具一棺。从骨架四周腐朽的板灰可以看出棺的范围。人骨架一具，已腐朽，头向东，仰身直肢。随葬器物除一件陶璧放在墓室西北角外，其余九件陶器均放在东端棺外。随葬器物共有璧、盆、簋等陶器 10 件。

从墓室形制与随葬品的位置和该墓出土的十件陶器的形制、纹饰看，简报认为它们的时代有早有晚。10 号鼎可能属西周早期，2 号盆可能属西周晚期，其余 8 件都属东周早期。因此，简报推断该墓应属东周早期。

473.山东海阳出土一批齐刀化

作　者：孙善德

出　处：《文物》1980 年第 2 期

1972 年 12 月下旬，山东省海阳县小纪公社汪格庄大队农民在村西约 1 公里的地方深翻土地时，在地表以下 0.5 米多的土层中，掘出一批古刀币。出土时排列比较整齐，周围没有其他遗物和人骨发现，很可能是窖藏之物。简报配以照片予以介绍。

据介绍，这次出土的古刀币共有 1800 多枚，其中完整的有 1587 枚，齐法化古刀币最多。多数重量在 45 克以上。海阳县在春秋战国时属齐国。这批刀币都是齐国的铸币，为我们研究春秋战国时期齐国的货币经济提供了一份较珍贵的实物资料。

474.烟台市上夼村出土莒国铜器

作　者：山东省烟台地区文物管理委员会　李步青

出　处：《考古》1983 年第 4 期

1969 年 11 月在烟台市上夼村东河旁黄土台地上，因基建工程破坏了一座古墓，考古人员进行了抢救。墓室大部被破坏，遗物仅存铜器。两件铜鼎有铭文，证明是莒国器。简报配以手绘图、照片予以介绍。

据介绍，上夼村莒国墓位于市区南部山脚下河旁黄土台地上。因市区不断扩大，已看不出原自然面貌。据说 40 年前在此墓北部不远的地方曾出过 40 多件铜器，这批铜器当时被售往外地。墓室顶部与部分底部被破坏，棺木已朽，棺底有腰坑。依稀可看出铜器应位于尸骨头部，计鼎二，壶一，匜一件，还有戈二，钟、铃、鱼钩各一件。据铭文，殷周时莒、己、纪实系一国之称。春秋时莒国的地望，简报认为应在今距寿光县 15 公里的纪侯台一带。墓的时代应在西周至春秋初期。

475.山东栖霞县出土一批齐刀化

作　者：李元章

出　处：《文物》1985 年第 1 期

1982 年 6 月，山东省栖霞县观里公社潘家庄大队，在村东 80 米处地面以下 30 厘米深的土层中出土一批齐刀化。刀化出土时，首尾次序颠倒一层层排列在土坑内。周围没有其他遗物或人骨，可能是一处窖藏。

简报介绍，刀币，是我国春秋战国时期青铜铸币的一种，流通于齐、燕、赵等国。

潘家庄出土的齐刀化共有196枚，其中完整的143枚。根据其铭文，分为五种。"齐法化"是齐刀中最多的一种，是田齐威、宣王时期用来统一币制的。简报认为这批刀化，从重量及长宽来看，都是齐国的标准法化，是足值的铜铸货币。

476.山东海阳嘴子前村春秋墓出土铜器

作　者：海阳县博物馆　滕鸿儒、王洪明
出　处：《文物》1985年第3期

1978年2月，海阳县盘石公社嘴子前大队农民在村东取土，发现一东周墓群及随葬器物。县图书馆派人收集了出土器物，并将墓葬按发现先后编号为M1、M2、M3、M4、M5。嘴子前村位于海阳县城东北25公里，地处山区。该村自1959年建水库搬迁以来，形成了东、西两个自然村，墓群处于东嘴东北50米处的阳坡梯形台地上，地名"养军场"。简报配以手绘图等，先行介绍了M1的发掘情况。

据介绍，M1为土坑竖穴木椁墓，棺及尸骨已不存。出土铜器有铜甬钟、铜鼎、铜豆、铜壶、铜盆、铜铆、铜盘、铜戈、铜剑等。此墓的年代，简报推断为春秋时期。

477.山东省长岛县出土一批青铜器

作　者：李步青、林仙庭
出　处：《文物》1992年第2期

1965年3月，山东省长岛县大竹山岛的驻军在施工中挖出5件青铜器。据出土情况分析，这批青铜器应为一座墓葬所出，现收藏于烟台市博物馆。简报配以照片、拓片、手绘图予以介绍。

据介绍，这批青铜器计有舟、匕首、戈、鱼钩、凿各1件，应为战国前期遗物。

478.山东栖霞县占疃乡杏家庄战国墓清理简报

作　者：烟台市文物管理委员会、栖霞县文物事业管理处　李元章
出　处：《考古》1992年第1期

山东省栖霞县占疃乡杏家庄战国墓，位于栖霞城东30公里、杏家庄西南1公里、臧家庄至唐家泊镇公路以东100米处的黄土台上，东依安子夼山，西距山东河0.5公里，南、北皆临河沟。

1975年冬，因亭口人民公社修田家水库，赵家沟村农民在黄土台上取土筑水库

大坝时发现一座古墓，编号 M1，考古人员进行了清理。

1976 年春，杏家庄与赵家沟东北取土时，又发现两座古墓，编号 M2、M3。考古人员于同年 5 月 5～7 日，对二墓进行了清理。M1 距 M2 为 10 米，距 M3 为 15 米。M2 距 M3 为 5 米。另外，1983 年秋，杏家庄邢绍茂在村西南俗名"十五亩地"整地种小麦时，在 M1 向南 20 米处又发现 1 座古墓，说明这里是一处战国时期的古墓地。1978 年列为县级重点文物保护单位。

简报分为：一、地理位置，二、墓葬形制，三、葬具、葬式，四、随葬遗物，五、墓葬年代，共五个部分。有手绘图、照片。

据介绍，栖霞县占疃乡杏家庄三座墓，墓室结构皆是土坑竖穴，葬具都是一棺一椁，葬式都是头东脚西，与曲阜鲁国故城三座中型东周墓形制相似。陶器组合是鼎、豆、罐、壶、盆、钵、匜、盘等。简报推断，杏家庄三座古墓的年代属战国早期。墓主人当是士大夫阶层。通过出土的铜兵器看，M2 是武官墓，其兵器是研究兵器史的珍贵资料。三座古墓的椁都是用柞木板筑成。柞树生长缓慢，这样粗的柞树需近千年才能长成，因而为研究我国的柞蚕起源提供了实物例证。此类墓葬在栖霞县是首次发现，为研究胶东半岛的历史提供了资料。

479.山东栖霞栾家夼村发现一座东周墓

作　者： 李元章

出　处：《考古》1992 年第 4 期

栖霞县栖霞镇十里铺村窑场 1988 年春在栾家夼村东俗称"东嵯亮黄土台"烧砖取土时，发现土坑竖穴墓 4 座，出土陶器已被砸碎，只将 1 件铜剑交县文物管理所。9 月 22 日，在东嵯亮黄土台西断崖取土时，又发现土坑竖穴墓一座，墓葬编号为 M5。考古人员赴现场进行了调查、清理。简报配以手绘图予以介绍。

据介绍，M5 为东西向，四壁有生土二层台，葬具已朽，从板灰范围看，为一棺一椁。人架 1 具，已朽，从骨灰痕迹看，为仰身直肢，头东足西。墓室西北角有盗洞。椁室东端放置陶器 6 件，人骨腰部两侧放置石器 9 件。M5 的时代，从出土的铜剑、铜戈、陶豆的形制看，简报推断在东周时期。

480.山东长岛王沟东周墓群

作　者： 烟台市文物管理委员会　李步青、林仙庭、王富强等

出　处：《考古学报》1993 年第 1 期

长岛县属山东省烟台市，地处渤海海峡，由大小 14 个岛屿组成，地理上称为"庙

岛群岛",群岛最南端为南长山岛。王沟村位于南长山岛东北部海岸边,三面环山。一条季节性小河由西南向东北穿过村庄入海。墓群分布于村东、村南的河边台地上,东北距海岸线50余米。1973年春,王沟村村民在取土积肥时发现两座墓葬(编号M1、M2),出土一批铜器。经考古人员调查,证实这里是一处东周墓地。同年10~12月,对该墓地中的8座墓(编号M3~M10)进行了抢救性清理。1975年5~6月,又清理了9座墓(编号M11、M12、M16~M22)。这19座墓均在王沟村南,属于整个墓地的西半部(东半部1985年山东省考古研究所等单位曾进行发掘)。发掘出土的文物少量现藏长岛县博物馆,大部分藏烟台市文管会。在数地辗转过程中,个别器物已遗失。

简报分为:一、墓葬形制,二、随葬器物,三、结语,共三个部分。介绍了这19座墓的材料。

据介绍,这批墓葬中的6座墓(M7、M10、M11、M12、M20、M22)保存较好,其余大多在农田耕作中遭到不同程度的破坏。除M10是带斜坡墓道的土坑竖穴墓外,其余都是单纯的土坑竖穴墓。出土随葬器物570件(组),年代跨越了从春秋晚期到战国晚期一个较长的历史阶段。

简报称,这次发掘的王沟19座墓,可分三期:一期墓以出土陶器为主,其组合为鬲、豆、罐,少数墓有壶,均为实用器,年代为春秋晚期;二期墓以仿铜陶礼器为主,其组合是鼎、豆、壶、舟、敦、盘、匜,另外有铜兵器和车马器,年代为战国早期,至迟不到战国中期;三期墓只有简单的陶器,以罐类为主,数量较多,年代为战国晚期。简报指出,这些差别,固然同墓主生前社会地位不同有关,但也反映出不同时期的丧葬习俗。一、二期墓葬皆填以海卵石,三期墓则普遍填以海蛎壳,也说明这个问题。出土遗物中,刻纹铜器和错铜铜器较为罕见。

王沟墓群似乎是突然达到一个繁盛阶段,出现在狭小的海岛上,也令人费解。简报据《史记·田敬仲完世家》,怀疑这批墓葬与被迁于海上的康公等齐国贵族有关。

481.山东海阳郭城镇出土战国青铜器

作　者:滕鸿儒、高京平
出　处:《文物》1994年第3期

1991年4月,海阳县郭城镇西古现村出青铜器4件,考古人员前往勘查。经调查,西古现村位于县城以北45公里,在村东南河旁台地1.5米以下有深度约2.5米的文化层。简报配以照片予以介绍。

简报介绍,青铜器出土地点发现呈黑灰色的细膏泥状黏土,可能是一座土坑竖穴墓,未发现棺椁尸骨。出土器物计有泥质灰陶罐1件(残),铜器6件。这批青铜器简报推断应属战国时期的遗物。

482.山东栖霞出土战国时期青铜器

作　　者：林仙庭、高大美
出　　处：《文物》1995 年第 7 期

1987 年春，栖霞县唐家泊镇石门口农民在村南小河南岸山脚下发现一座古代墓葬，出土铜器已由栖霞县文化管理处收藏。简报配以照片予以介绍。

据介绍，墓为土坑竖穴，墓向东南。约宽 1 米，长 2 米。墓内为松软的灰色土，有未尽腐朽的棺木。墓南端出土铜戈、铜剑各 1 件，铜镞约 8 件；北部发现铜鐏 1 件。另有陶豆 3 ~ 4 件，陶罐 2 件，发现时均被打碎。根据这批青铜器的形制，其时代简报推断应属战国前期。

483.山东栖霞县大丁家村战国墓的清理

作　　者：李元章
出　　处：《考古》1995 年第 11 期

1974 年 3 月，栖霞县城西南约 35 公里的官道乡人丁家村村民在村中街南耕作取土时，于地表下 1 米处发现几件陶器，考古人员确认是一处古墓。同时，村民在村东窑场取土时又发现 9 座古墓，调查时已有 3 座被破坏，从痕迹看，均为长方形土坑竖穴墓，东西向，残碎陶片包括鼎、豆、壶、罐等器形。同年 4 月 1 日至 6 月 12 日，对该墓地进行了抢救性清理，其间因春季播种停工一段时间，共清理墓葬 4 座，依次编号为 M1 ~ M4。

简报分为：一、墓葬形制，二、随葬器物，三、结语，共三个部分。有手绘图。

此次清理的 4 座墓葬，地表均无封土，墓室为长方形竖穴土坑，带有熟土二层台和腰坑，腰坑内残存殉葬人骨粉。葬式均为仰身直肢，头向东。陶器中盛储器多为泥质灰陶，炊器则为泥质褐陶，陶质坚硬，器物以素面居多。器物种类较多，见有鼎、豆、壶、钵、盘、匜、敦、罐等，还有铜矛、石镞等。简报推断为战国早期墓葬。

484.山东栖霞市金山东周遗址的清理

作　　者：烟台市文管会、栖霞市文管处　林仙庭、王富强、高大美、肖　靖
出　　处：《考古》1996 年第 4 期

遗址位于栖霞市区东北 10 公里的金山乡金山村，地处村北的黄土台地上。

1958 年村民在此整地时，曾挖出大量古墓，出土陶器有罐、豆、钵等，铜器有剑、戈、镞等。20 世纪 70 年代取土填河造田时，又有同类墓葬发现，随葬器物均遭破坏。1993 年春，金山村在遗址区内建窑，在推去地表土的过程中，发现了许多龙山文化和东周时期陶片；在取土制砖过程中，又先后发现古墓十余座。考古人员前往调查，确认这里是一处重要的东周遗址和墓葬区，并于同年 8 月进行了抢救性发掘，共清理墓葬 3 座（H1 ~ H3）。灰坑主要分布在台地的东部，墓葬则分布在西部。

简报分为：一、灰坑及出土遗物，二、墓葬，三、采集遗物，四、结语，共四个部分。有拓片、手绘图。

据介绍，三墓均为悬底式棺，M1、M3 在棺下还有随葬陶器，比较罕见。年代应为春秋时期。三墓均出土有铜器，应为当时齐国规格较高的墓葬。灰坑中出土遗物以陶器为主，年代简报推断为春秋晚期至战国早期之际。

485.山东海阳县嘴子前春秋墓的发掘

作　者：烟台市文物管理委员会、海阳县博物馆　林仙庭、王富强、孙洪福、
　　　　高京平、李腾善

出　处：《考古》1996 年第 9 期

嘴子前墓地位于山东省海阳县盘石店镇嘴子前村东北约 50 米的黄土台地上，西南距海阳县城约 10 公里，现为山东省文物保护单位。遗址四面环山，东 20 米处有一条南流的季节性小河。20 世纪 70 年代，农民在这里整地挖土时，曾发现镞、马衔、马镳等铜器。1978 年农民又发现一座木椁墓（编号为 M1），出土 20 多件铜器。1994 年春，考古人员抢救性清理了一座木椁墓，编号为 M4。

简报分为：一、墓葬形制，二、随葬器物，三、结语，共三个部分。有手绘图、照片。

据介绍，两墓为长方形土坑竖穴墓。现场还遗留有造墓时用的木夯、木耒、绳子、筐、木棍等工具。墓内由外椁、内椁、单棺组成。因用青膏泥封填，墓中的遗迹、遗物得以保存较好，尤其是青铜器和一些易腐朽的漆木器等，出土时鲜艳如初，完好无损，这在北方地区还比较少见。墓主人当为贵族。年代简报推断为春秋晚期偏早。

简报称，从 M4 出土的铜甗、铜盂的铭文看，这两件重器都来自淮水流域的陈国，据《史记·田敬仲完世家》记载，公元前 672 年，陈国公子完奔齐，经十世至田和，于公元前 391 年终于取代姜氏而有齐国。海阳县嘴子前墓群，可能正是陈氏家族远在东方的族墓和封邑。

486.海阳嘴子前春秋墓试析

作　者：马良民、林仙庭

出　处：《考古》1996 年第 9 期

山东海阳县嘴子前墓群是一处未见记载的古墓群。1978 年，在农田建设中发现一座大墓（M1），出土了数量较多、规格较高的青铜器。在附近又发现过大批车马器，有可能是一处车马坑。此后，这里又陆续有墓葬暴露，证明这是一处规模较大的墓地。1985 年、1994 年分别对墓群中的 M2、M4 进行了发掘，其中 M4 出土器物甚为丰富。最为突出的是青铜器，不但数量多，而且规格也高。

简报分为：一、墓葬规格，二、铜器铭文考释，三、墓主及相关问题，共三个部分。

据介绍，嘴子前墓群中调查发掘过的三座墓葬中，M2 规模较小，青铜器只出过一件鼎，其他多数是陶器，还有少量漆木器。M1、M4 则规模较大，M1 为一椁一棺，有编钟出土。M4 为重椁单棺，有编钟和极精美的铜匜、大盂出土。简报根据铜器铭文，认为此青铜重器属陈国某位贵族。他在公元前 534 年楚国第一次灭陈后，携此重器自故国来到齐国，投奔到同宗田氏门下。

至于 M4、M1 的墓主究竟是田氏族中何许人物，将另文进一步研究。但海阳嘴子前墓群的几次考古发现却雄辩地显示出：春秋时期的胶东半岛，并非僻远、荒凉之地，而是一个繁育文明的地方。

487.山东烟台市金沟寨战国墓葬

作　者：烟台市博物馆　迟乃邦、常永淑、于晓丽

出　处：《考古》2003 年第 3 期

金沟寨村位于烟台市东郊，西距市区约 0.5 公里，东、北临黄海。此地丘陵起伏，有吕家河依山而过流入海口。墓葬分布于村东南。1979 年 2 月，金沟寨农民在平整土地时，发现了古墓葬。考古人员立即对墓群进行了抢救性清理，共清理墓葬 14 座，分布范围东西长约 225 米，南北宽约 60 米。

简报分为：一、墓葬形制，二、随葬器物，三、结语，共三个部分。有手绘图。

据介绍，此次清理的 14 座墓葬，形制基本相同，出土器物也较为一致，其时代应是相近的。简报推断，金沟寨墓葬的时代大致在战国前期。

488.山东蓬莱市站马张家战国墓

作　者：烟台市博物馆　林仙庭、闫　勇
出　处：《考古》2004 年第 12 期

站马张家村位于山东省蓬莱市蓬莱城 97 公里处、艾山北麓、黄水河西岸。战国墓位于该村西南部。这里是一处黄土台地，当地农民在整地过程中，曾多次发现青铜器、陶器等。1986 年 4 月，农民在此挖土时又发现朽木等物。考古人员进行了发掘，确认这是一座墓葬。

简报分为：一、墓葬形制，二、出土器物，三、结语，共三个部分。有照片、手绘图。

据介绍，该墓为土坑竖穴墓，墓内有一棺一椁，墓坑中部有腰坑，墓内随葬品均放置在棺内和椁室内。随葬品有铜器、玉器、木器等，没有陶器。从站马张家墓出土的铜钟和玉器的形制、纹饰等特点分析，简报推断墓的时代应在战国时期。

简报称，由这些随葬品的种类可以看出，尽管使用的棺椁和随葬品种类都显示出该墓等级较高，但墓中并未出土更多的随葬品，这反映出这座墓可能更多地只是在形式上依礼而葬。

简报指出，站马张家墓所在的黄水河谷是一个分布范围南北达 10 公里的大墓葬区，属于山东省省级重点文物保护单位——村里集古墓群。这里曾发现过很多西周至战国时期的墓葬，这次站马张家战国墓的发掘，为这一地区的历史考古研究增加了新的资料。

489.山东龙口市归城两周城址调查简报

作　者：中美联合归城考古队　唐锦琼、韩　辉、徐明江、李　峰、梁中合等
出　处：《考古》2011 年第 3 期

山东龙口市归城遗址位于龙口黄城东南 6 公里处，是胶东地区重要的周代城址，曾出土包括启尊、启卣，以及黄县𣄼器等在内的重要青铜器，一向为学术界重视。归城遗址也是胶东地区青铜时代规模最大、内涵最为丰富的一处城址。1973 年，烟台市博物馆曾对该遗址进行过调查，确认城址由内、外两重城墙构成，发现墓葬、车马坑等多处遗迹，并对城址的时代、性质作出了初步推断。鉴于其重要性，归城遗址于 2006 年被列为第六批全国重点文物保护单位。中美联合归城考古队于 2007 ～ 2009 年对遗址展开了全面的调查工作。

简报分为：一、遗址概况，二、调查方法，三、调查收获，四、采集遗物，五、

结语，共五个部分。有彩照、手绘图。

据介绍，归城遗址是一处由内、外两重城墙构成的大型古代遗址，初步推断归城的始建年代可能不早于西周中期。至于遗址的年代下限，可以肯定是晚于公元前567年齐国灭莱的，甚至可能要晚到战国时期。归城城墙建筑和遗址居住的年代可能有差异，而内城城墙、城内建筑、外城城墙的建筑年代也可能均有不同。

潍坊市

490.山东潍县发现春秋鲁、郑铜戈

作　者：传　德、次　先、敬　明
出　处：《文物》1983 年第 12 期

1973 年春，潍县麓台村农民在村西整地时发现三件带铭文戈。简报配以照片予以介绍。

据介绍，三戈铭文分别为："武城徒戈""武城戈""京"。简报认为，"武城""京"均为地名。潍县春秋时期属齐国，而齐国无"武城""京"二地。可见，三件铜戈虽在齐地发现，原非齐国所有。据《左传·襄公十八年》载，鲁、晋、宋、卫、郑等十二国诸侯联合攻齐，齐军大败。齐灵公退保都城临淄，十二国之师东进直至潍河，南下侵及沂水。三件戈出土地点在潍水以西约 50 公里处，距临淄故城约 75 公里、十二国之师东侵潍河必经此地。故而，三件戈可能是十二国之师的遗物。简报称，三件戈中两件可能为鲁国武城所造，一件为郑国所造。

491.山东寿光县新发现一批纪国铜器

作　者：寿光县博物馆　贾效孔
出　处：《文物》1985 年第 3 期

1983 年 12 月 13 日，山东省寿光县古城公社古城一大队社员在"益都侯城"故址内挖井，发现一批铜器和其他遗物。考古人员 14 日赴现场调查，收集了出土文物，并作了进一步清理。出土铜器共 64 件，其中有铭文的 19 件，共存的还有陶器 9 件、玉器 4 件、卜骨 2 片、蚌饰 12 件。调查结果及有关资料简报分为几个部分予以介绍，有手绘图、照片等。

据介绍，益都侯城故址位于寿光城北 10 公里，羊益公路纵贯其中，为古城人民

公社所在地。这批铜器有五鼎、五爵、三瓢、二卣、二尊、三刀、十戈、四矛，以及罍、斗、斝等。据铭文，应为战国时期纪国之器。简报初步认为这是一个奴隶主墓葬的陪葬坑。至于墓主葬处，有待于今后进一步考察。

492.山东诸城出土一批齐国刀币

作　　者：赵华锡、韩　岗
出　　处：《考古》1989 年第 6 期

1986 年 12 月，山东省诸城县积沟镇侯家屯村村民修路时，在距地表深 0.7 米处发现一陶罐，内有 23 枚齐国刀币。简报配以拓片予以介绍。

据介绍，刀币中有一枚错范。陶罐为泥质灰陶，埋在一土坑内，周围无其他遗物，简报推断应属战国时窖藏。

493.山东诸城臧家庄与葛布口村战国墓

作　　者：山东诸城县博物馆　任日新等
出　　处：《文物》1987 年第 12 期

1970 年春，在山东诸城县臧家庄发现一批青铜器，部分器物曾在《文物》1972 年第 5 期上作过介绍。1975 年，在青铜器出土地点西北约 10 米处，发现一座古墓，次年春作了清理。经研究认为，青铜器出土地点是此墓的随葬坑之一，另有一随葬坑位于主墓西北约 10 米。1970 年出土的青铜编钟、编镈上原有铭文，直到 1986 年秋才被发现。此墓位于臧家庄东北、浯水东岸，原有高 10 余米、直径约 30 米的封土堆，已被削平。主墓和两个随葬坑原均在封土之下。主墓墓坑西北部已被毁坏，两个随葬坑也在村民平整土地时被挖毁。简报分为两个部分，配以照片、拓片、手绘图。

据介绍，此墓为长方竖穴土坑墓，内置大量的兽肋骨、鸡骨以及 1 只完整的鹿头骨。坑东南距地表 1 米深处的填土中，放置 2 件完整的高柄灰陶豆，内盛肋骨，原应放肉类。墓坑北侧深 2 米处，残存东西向竖立的厚 30 厘米的黑白两层膏泥，青泥内有间距约 10 厘米的棕色、红色髹漆两层，中有朽木，可能是木椁残迹。椁底部向内倾斜，成为船状，下用厚 20 厘米左右的木炭铺垫。墓坑东端发现 1 具完整的狗骨架。坑东侧因塌方未清理，似为墓道口。未发现人骨。主墓因早期被盗，墓内仅出土少量水晶珠、铜镞、陶网坠、长方形骨板以及铜镜碎片和残斧刃等。墓坑东南侧的随葬坑内出土铜器 40 余件以及石编磬等。西北随葬坑内出土大量牛马骨骼。因臧家庄出土器物已作过部分介绍，简报仅作补充修订。墓主人简报推测叫公孙朝子。

1956 年农民搬土时，在葛布口村发现青铜器 2 件。1965 年，村民在挖地窖时又出土青铜器 12 件。简报认为 1965 年出土的青铜器年代为战国晚期。1956 年的青铜器年代要早些。

494.山东诸城县齐长城遗址发现一方刻石

作　者：诸城县博物馆　韩　岗、端　阳、华　锡
出　处：《考古》1987 年第 3 期

1982 年，考古人员对诸城县境内的齐长城遗址调查时，发现一方刻石。简报配以拓片予以介绍。

据介绍，刻石为本地山石。刻石为阴线刻，线条粗重古朴，局部深浅不一，似是先凿刻，然后进行划刻修整。以面北为上，图案可分为左上角、右下角与中心三部分，每部分均由数组符号组成。中心部分有一近似长方形的框，框上方用一曲尺形单线与左上角的符号相连，右下角与另一组符号相接，整个构图对称均匀，浑然一体。可能是当时人们为记载或祭祀某事而刻的图形并附有文字说明。今存齐长城遗址，由西南方的五莲县入诸城县，刻石位于海拔 299 米的马山顶峰的长城遗址上部，离最近村庄也有 5 公里，人们很少来此，故能保存至今。据《史记·楚世家》正义引《齐记》云："齐宣王乘山岭之上筑长城，东至海西至济州千余里，以备楚。"刻石出于齐长城遗址，其年代简报认为当属战国，或早于战国。

495.山东安丘出土一件战国铜鼎

作　者：徐新华、刘　江
出　处：《考古》1987 年第 12 期

1985 年 9 月，安丘县庵上镇毛子埠村村民张立明在挖土时，挖出一件战国铜鼎。简报配以照片予以介绍。

据介绍，鼎高 14.5 厘米，口径 17.5 厘米。鼎盖很平，盖面四周饰乳钉纹，中间一环形纽，外有三个长方形纽，呈等腰三角形分布。子母口，腹壁成弧形，中部有乳钉纹一周，腹底近平，附三个蹄形足，器口两侧二直耳。器壁较厚，形制庄重、大方、美观，制作精细。

经调查，此处是一处战国遗址。

496.山东临朐县湾头河春秋墓

作　者：临朐县文物局　宫德杰
出　处：《考古》1999 年第 2 期

1986 年 5 月，临朐县冶源镇湾头河村砖瓦窑场的民工取土时，发现一座古代墓葬。县文管所闻讯后及时到现场进行了清理。简报配以手绘图、拓片予以介绍。

据介绍，湾头河村地处南石河上游，周围为低山丘陵。窑场位于该遗址正东约 200 米处，墓葬即在窑场西面的断崖附近。墓葬人骨朽烂严重，随葬器物计 30 余件。墓葬的年代简报推断应在春秋晚期，随葬品有铭文戈和车马器等，说明墓主并非一般平民，应为低等贵族。

497.山东临朐新出武城戈

作　者：宫德杰
出　处：《考古与文物》1999 年第 1 期

1991 年 12 月，沂山乡刘家峪村搞新村规划时，在基建工地上发现铜剑、铜戈各一件。县文管所闻讯后及时赶赴现场作了调查，发现此处是一战国墓葬。简报配以手绘图、照片予以介绍。

据介绍，刘家峪村地处沂山西南麓、齐鲁古长城脚下，墓群即位于村东山前坡地上。地面散布自战国时期的豆、罐、盆等陶器残片及人骨等。墓葬为东西向土坑竖穴。剑、戈同出一墓，同时出土的一些陶器已被损毁丢弃。戈内铭文"武城戈"，简报推断其应为齐国兵器。

498.山东青州发现二方先秦古玺

作　者：青州市博物馆　孙新生
出　处：《考古与文物》1999 年第 5 期

1973 年春，山东省青州市谭坊镇李家庄农民在庄西的弥河中挖沙时出土铜印一方。该印为铜质，上有大篆体阳文"左桁廪木"四字。经考证，此印为战国时期齐国的古玺。1958 年夏，青州市文物干部从益都镇废品站中拣选到古印一方，交青州市博物馆收藏。该印印面微凹，上为篆体阳文"右庶长之鉨"五字。

庶长，乃官爵名，春秋时秦国设置，掌握军政大权，相当于卿。

499.齐城左戈及相关问题

作　　者：山东潍坊市博物馆　孙敬明
出　　处：《文物》2000 年第 10 期

　　1996 年春，潍坊市城东南约 15 公里的桑犊故城遗址出土齐城左戈 1 件。此戈形体修长，首部残，援微上翘，隆脊，身两侧有刃，长胡三穿，内微上扬，两侧有刃，上部有缺凹，尾部稍残。内上一长楔形穿。残通长 18.2 厘米，援长 10.2 厘米、宽 1.8～3 厘米，内长 8.5 厘米、宽 1.7～2.8 厘米。戈身通体较光滑，内上略有泐斑，重 0.15 公斤。内尾部穿下铸有铭文 2 行 7 字，为："齐城左冶所汉（洧）造。"铭文周围留有模印痕迹和边栏。简报配以拓片、手绘图予以介绍。

　　简报称，此戈应为战国晚期齐宣王时期的遗物。齐都临淄，设有左右库冶造兵器，地方城邑亦设兵器冶铸库，从以往所见铭文看，约有 30 处。其中高阳、亡盐、平陵、安平、乘、平陆、平寿、淳于、宩、昌城、城阳等地名后，仅见缀左或右。而于同一地点，左右互见者，仅有齐城、平阿与莒三地。有的仅记地名，不缀左右，可能是仅设一库。齐城兵器铭文的几种形式，说明兵器之署款格式并不严格统一，"物勒工名"的特点并不突出，与三晋兵器铭辞格式的严格统一，存在相当的差距。

500.山东青州西辛战国陪葬墓发掘简报

作　　者：青州市博物馆　庄明国、李宝垒等
出　　处：《文物》2010 年第 7 期

　　2008 年 12 月～2009 年 1 月，青州市博物馆文物普查小组在进行文物普查巡查时，发现胶济铁路西辛段南 10 余米处，因基建取土致使一小型墓葬暴露并遭到破坏。考古人员进行了抢救性发掘，清理出土了一批珍贵文物，包括玉璧 10 件、青铜剑 1 件、陶罐 5 件。

　　简报分为：一、墓葬环境，二、墓葬形制，三、随葬器物，四、结语，共四个部分。有彩照、手绘图。

　　据介绍，墓葬地处山地与平原的交界处，周围遍布战国时期的贵族墓葬，1937 年的航拍图可以看到有高大封土的古墓葬多座。20 世纪 70 年代平整土地时将大墓的封土夷平，故使该地区原有的地表现象发生很大的变化。该墓葬西北距齐国国君墓二王冢约 1000 米，东距三女坟约 800 米，东南距点将台约 500 米。这几处尚存有高大封土的墓葬，据山东省考古研究所钻探结果看，都应该是战国时期齐国国君墓。可知在战国时期，该地区是齐国重要的公墓区，是齐王陵园茔域

的重要组成部分。

该墓为土坑竖穴墓。据当地村民讲，在该墓葬的东南方向约 20 米处，有一大型封土墓，封土于 1949 年后被陆续取土殆尽。在 20 世纪六七十年代，当地村民曾于此挖出大量鹅卵石。简报认为，此墓应为一战国晚期陪葬墓，墓并不大，但出土玉璧十分精美，墓主人当为子、男级的贵族。

501.山东安丘柘山镇东古庙村春秋墓

作　者：安丘市博物馆　刘冠军、李景法
出　处：《文物》2012 年第 7 期

1994 年 8 月，山东省安丘市柘山镇东古庙村砖厂在取土时，发现地下文物 240 余件。由于文物是砖厂用推土机取土时发现，现场已被破坏。从出土器物观察，这批器物的年代不一，应分别出土于春秋和汉代墓葬。

简报分为：一、出土器物，二、结语，共两个部分。有照片。

据介绍，遗址出土器物有铜器、玉器、陶器等。从地域上分析，今柘山镇东古庙村，当时应为莒国北部边陲的重要关卡。简报称，东古庙村春秋出土器物的发现，为研究安丘西南部山区春秋战国时期社会、文化生活提供了新资料。

502.山东青州西辛战国墓发掘简报

作　者：山东省文物考古研究所、青州市博物馆　庄明军、李宝垒
出　处：《文物》2014 年第 9 期

西辛战国墓位于山东省淄博市临淄区和青州市交界处的青州市东高镇西辛村西，东南距青州市约 13 公里。为配合原济青公路改造工程，考古人员对墓葬进行了发掘。2004 年 4 ～ 12 月，正式开始考古发掘。

简报分为：一、墓葬形制，二、出土器物，三、结语，共三个部分。有彩照、拓片、手绘图。

据介绍，该墓是迄今山东地区发掘同类墓葬中最大的一座。墓圹呈阶梯状内收，石椁以巨石垒砌，在石椁之外二层台上分布五座陪葬坑。随葬器物有陶、铜、玉、骨、金、银、漆木器等。从墓葬规模及所处地望分析，墓主的身份可能是齐国的贵族或与齐王室成员有关。该墓修筑考究，从墓壁的加工规整、墓室填土方格网状的夯筑方式，到以加工规整的石块砌成的巨大石椁和以铁汁灌缝的现象等，都是同期墓葬中极为罕见的现象。简报称，这为进一步研究齐国墓葬提供了珍贵的资料。

威海市

503.山东文登发现秦代铁权

作　者：蒋英炬、吴文棋
出　处：《文物》1974年第7期

铁权出土于山东省文登县北约15公里的简山公社铁权村（此村为新建，以出土铁权命名），是1973年夏百姓在村北头取土时发现的。在村南地面上暴露有灰陶绳纹瓦片及盆、瓮、罐、豆等陶器残片，可知此处有古代遗址。简报配以照片予以介绍。

据介绍，铁权保存基本完整，略呈扁圆形，平底，顶上铸半圆形的鼻，权旁镶一块铜诏版，诏版长方形。因权腹围是圆的，所以铜版略有弧度，正好镶在铁权旁一长方形的凹框内。铜版上刻秦始皇二十六年（公元前221年）诏文，刻字9行，计40字。

简报称，像这样大的秦权，1949年后曾相继出土了4次。秦权的出土地点皆相距遥遥千里，而重量则非常接近，说明秦始皇在辽阔的疆域内统一了度量衡，这一功绩是不可磨灭的。

今有赵晓军先生《先秦两汉度量衡制度研究》（上海交通大学出版社2017年版）一书，可参阅。

504.山东乳山出土战国齐刀币

作　者：姜书振
出　处：《文物》1993年第3期

1979年，山东省乳山县曲水村一村民送交县文物管理所一批刀币。这批刀币是1958年整地时于距地面深约0.6米处发现的，共182枚，依据面文，酌分4式。简报配以照片予以介绍。

简报介绍，Ⅰ式有4枚，Ⅱ式1枚，Ⅲ式172枚，Ⅳ式5枚。年代据简报推测，从西周晚期至春秋早期、春秋中期或中期偏早、春秋晚期或更晚一些不等。

济宁市

505.山东曲阜东郭村发现东周遗址

作　者：孔繁银
出　处：《考古》1964 年第 12 期

1964 年春，东郭生产队在曲阜县城西南东郭村附近发现石器 5 件。考古人员前往调查。简报配以手绘图予以介绍。

据介绍，出土石器的地点在东郭村东约 300 米的平原上，地面上散布有粗、细绳纹的夹砂红、灰陶片和鬲足，面积约 300 平方米。土质为黄沙土，个别地方还有灰土。从绳纹陶片及鬲足的形制观察，应为东周遗物。

506.山东邹县滕县古城址调查

作　者：中国科学院考古研究所山东工作队　任式楠、胡秉华
出　处：《考古》1965 年第 12 期

1964 年 4～5 月，考古人员调查了邹县的纪王城和滕县的薛城、滕城。

简报分为：一、纪王城，二、薛城，三、滕城，四、小结，共四个部分。有拓片、手绘图。

据介绍，纪王城位于邹县城南稍偏东约 10.5 公里处，残存有城墙。出土有汉及汉以前的瓦当、陶器等。简报推断该城年代上限可至东周，估计为东周邾国国都所在。据《史记·楚世家》，邾国最终为楚所灭，灭国之年为楚顷襄王十八年（公元前 281 年）。其后，秦置邹县，属薛郡。汉属鲁国，东汉因之。晋属鲁郡，为邹县，南北朝刘宋、元魏俱因之。到北齐省平阳县入邹县时，这里已沦为村庄。

薛城，在滕县城南 17 公里，官村桥西约 2 公里处，城墙残存 4～7 米高，周长约 10615 米，城中部有皇殿岗遗址。简报推断此古城为周代的薛城，皇殿岗为一汉代冶铸遗址。

滕城位于今滕县城西南 7 公里，古城呈不规则长方形，残存城墙高 2～3 米，城墙周长 2795 米。城东北有文公台。台上建有滕文公庙，现为小学。发现有西周及汉代陶片，古城始修于何时尚难定论。

据史载，滕国是公元前 286 年为宋国所灭，此城应建于战国中后期之前。

507.山东邹县春秋邾国故城附近发现一件铜鼎

作　者：王言京

出　处：《文物》1974 年第 1 期

山东邹县峄山之阳有春秋邾国故城,现在尚有残存的城墙遗迹,地面上陶片甚多,城址内及其附近曾多次发现青铜器。简报配以照片予以介绍。

据介绍,1972 年夏天,大雨之后冲出了铜鼎一件,腹内有铭文 17 字:

> 弗敏父作孟姒
>
> 媵鼎其眉
>
> 寿万年永宝用

根据铭文,此鼎是费国的敏父为其大女儿陪嫁而作的。费,姒姓,第二行字一个字是出嫁的女儿的名字。简报推断该鼎为春秋时期。

简报称,文献记载,费为小国,后入鲁。邾国原封在曹,后迁入娄,到了鲁文公十三年(公元前 614 年),邾文公迁于绎,即迁到今邹县峄山之阳和郭山之北的一个夹谷地带。费、邾为邻国,两国统治者之间互相通婚的可能性很大。简报认为这件铜鼎可能是费嫁女儿与邾的媵器。

508.曲阜董大城村发现一批蚁鼻钱

作　者：孔繁银

出　处：《文物》1982 年第 3 期

1972 年,山东曲阜城北董大城村发现一批蚁鼻钱,重 19.2 公斤,计 15978 枚。简报配以照片予以介绍。

据介绍,出土时盛在一个灰色绳纹陶罐中,罐已刨碎,简报认为显系古代的窖藏。这批蚁鼻钱上模铸一个阴文字,据吴大澂《权衡度量考》释为"贝"字。

蚁鼻钱出土的地点,是在董大城村东北 300 米处的一片高埠地带。其地今为菜园地,中间有一处东西向的断崖,断崖及地表暴露出细泥灰陶片甚多,蚁鼻钱出土于地表下 1.2 米。由此向北约 250 米,就是一处从西周春秋战国到汉代的文化遗址。1973 年,董大城村东又发现 8 枚蚁鼻钱,文字同上。1957 年,村内出土三孔石铲和陶鬲;村东有一个大土冢子,在附近发现箭镞和汉半两钱;村北的路沟崖旁发现一处窑址。

简报指出,董大城村距鲁国故城北墙约 20 公里,据出土众多箭镞来看,可能是一处鲁国郊野的驻军所在地。由于出土的是楚国的铜铸贝，说明公元前 256 年，鲁被楚灭掉后，鲁城是楚北通齐国的要道。在战国末年，董大城村一带可能为齐楚对峙的战略要地。这批蚁鼻钱的出土，为研究鲁国及楚国的经济关系提供了实物资料。

509.山东泗水县出土蚁鼻钱

作　　者：赵宗秀

出　　处：《考古与文物》1987 年第 2 期

1983 年 10 月，泗水县官元村出土了一批战国时期楚国的蚁鼻钱，共 95 枚。简报配以拓片予以介绍。

据介绍，此批钱币的大小轻重相差十分悬殊。一般每枚重 3 克左右，最大者重 3.8 克，而最小者则只有 1.5 克，两者相差 1 倍多。出现这种情况的原因，当与铸币时间的早晚有关。按照一般规律，前者要早于后者。

泗水县与曲阜县毗邻，春秋战国之际同属于鲁国。公元前 256 年鲁为楚所灭，地又随之入于楚。因此，这一地区常有楚国货币出土。这批蚁鼻钱的出土，对研究鲁、楚两国经济交流等均有价值。

510.山东济宁市发现战国钱币

作　　者：济宁市博物馆　苏延标

出　　处：《考古》1987 年第 2 期

1985 年 3 月 5 日，在济宁市军分区附近基建工地上，民工挖土至距地表 1.6 米深处，发现一批窖藏战国钱币。考古人员对出土地点进行了调查，并收回全部文物计 984 枚。简报配图予以介绍。

据介绍，这批钱币中，"安邑二釿""安邑一釿""梁夸釿金当爰""梁整尚金当爰""梁夸釿五·二十当寽""甫反一釿""晋阳一釿""虞一釿"属魏国钱币。"𣪠一釿"属韩国钱币。

511.山东嘉祥焦国故城遗址出土布币

作　　者：嘉祥县文物管理所　李卫星、吴征苏

出　　处：《文物》1989 年第 5 期

1970 年春，山东省嘉祥县纸坊公社焦城村农民在焦国故城遗址取土时，从距地

表 1.5 米深处挖出 5 枚布币，后被嘉祥县文物管理所征集。简报配以拓片予以介绍。

据介绍，5 枚布币为："梁夸釿五·二当十寽"布 1 枚、"梁正尚金当寽"布 1 枚、"安邑一釿"布 1 枚、"安邑二釿"布 2 枚。简报推断这批布币为战国时期魏国铸币。简报称，这批布币为研究战国时焦国的经济情况提供了实物资料。

512.薛国故城勘查和墓葬发掘报告

作　者：山东省济宁市文物管理局　官衍兴、解华英、胡新立等
出　处：《考古学报》1991 年第 4 期

薛国故城位于山东省滕州市城南，东北距官桥镇约 2 公里。故城址内地势较平，有 9 个村庄。城址中部为皇殿岗，地势略高于四周；东部有尤楼和狄庄；北部有渠庄、陈庄、沈仓和孟仓；西部有孙楼和杨仓。村庄之间为农田。1978 年 10 月至 12 月，考古人员采取重点调查、重点钻探、重点试掘的方法，对薛国故城址进行了调查钻探，测绘出城址平面图，并在尤楼村东的 2 号墓地发掘 9 座周代墓葬。

简报分为：一、故城址的勘查，二、墓葬的发掘，三、结语，共三个部分。有照片、拓片、手绘图。

薛城是周代庶姓封国薛的都城。这次调查和试掘表明，故城东西长约 3.3 公里，南北宽约 2.3 公里。城墙除部分残断外，大部分城垣尚存，城墙周长 10610 米。城墙外由护城壕环绕。城墙现存的 27 处豁口中，初步探明其中 12 处下有古道路遗迹，疑为当时的城门所在，即每面三个城门。城址中部有一大型建筑遗迹，疑为薛国宫殿区；同时还在城内探明手工业作坊遗址 3 处，居住遗址 3 处和墓葬区 3 处。城址内到处可见周汉陶片、瓦片，西周及以前的遗物则较少。但在城址东部紧靠铁路西侧的近代壕沟的断面上，可以清楚地看到有厚达 0.6 米的龙山文化堆积层，并且出土了黑陶杯、双系红陶大罐等典型龙山文化器物，说明至迟到龙山文化时期，这里已有人居住和生存。关于城墙的构筑年代，通过在东墙南段的 8 号豁口处试掘，可以确定该段城墙可早到东周，秦汉时期仍沿用，未发现汉代城墙。

此次发掘的周代墓葬，计 9 座，均为长方形竖穴土圹，无墓道，坑内设椁、樟等木质葬具，填土经夯筑，头向北偏东。据墓葬规模及出土物，这批墓葬可分为两类。甲类墓为大型墓，4 座（M1～M4），位于墓地的西南角。规模较大，墓壁长 6 米以上。年代简报定为春秋早中期。乙类墓为小型墓，5 座（M5～M9），年代定为春秋晚期。简报认为这 9 座墓均为薛人墓。薛人应为东夷人，既有东方夷人文化特征，又有夏夷交融的痕迹。在出土遗物中，有两点尤其值得注意：

其一，M1 出土的一件铜簋内排放着满满一盒三角形食物，出土时表面有一层白

色粉状物，风一吹即消失掉。食物虽已炭化，但当用竹签轻轻拨动时，发现三角形食物内包有屑状馅。经观察分析，认为铜簠内三角形食物，当即中国传统的美食水饺或早期馄饨。三角形食物每个的长边为 5～6 厘米，从一角到一边的中点长 3.5～4 厘米。如果观察和推断无误，那么 M1 出土的水饺要比新疆吐鲁番县阿斯塔那—哈拉和卓唐代墓中出土的水饺实物早近 1500 年。春秋时期的水饺在东夷地区薛国墓葬中的发现，说明这种作为中国饮食文化中独具特色的美食，很可能最早源于我国古代的东夷地区。

其二，M2 出土了一套迄今为止最为齐全的春秋时期的书刻工具。这套书刻工具计 30 件，其中有铜斧 1 件、锛 2 件、削刀 7 件、刻刀 4 件、凿 4 件、刻针 4 件、锯 2 件、钻 2 件以及磨石 4 件。估计原有毛笔，可能已朽毁。这套书刻工具，包括了从破竹、修正到刻字、改错组装以及磨砺利器的所有工具，为研究春秋时代的书刻用具提供了一套完整的实物资料。同时据观察，刻刀、刻针等为锻制，且刻针的尖部呈蓝灰色，似经淬火工艺处理。这又为研究春秋时代的铜器加工工艺提供了重要资料。

简报强调，薛国故城的考古工作，以往仅限于调查。这次对薛国故城的较全面的勘查，尽管是初步的，但对它有了一个大致的了解，发现了一些可贵的线索，为今后全面、细致的勘探和研究奠定了基础。这次对薛国墓葬的发掘，获得了一批重要材料，将有助于促进对薛国历史和文化的研究。

513.山东邹县发现一件吴王夫差剑

作　者：胡新立
出　处：《文物》1993 年第 8 期

1991 年 4 月，邹县城关镇朱山庄村村民在村西修整地堰时发现一件铜剑，后送交到邹县文物保管所。简报配以照片予以介绍。

据介绍，朱山庄位于县城东北 3 公里处，村西北为朱山，海拔 207 米。铜剑出土地点在山西侧的二级台地上，周围是冲沟。据观察，在沟西壁有墓坑残壁痕迹，残长 0.6 米，距地表 0.3 米，未发现其他遗物。此剑身瘦长，锋尖，隆脊，斜从而宽，前锷收狭，锷锋锐利，剑格作兽首倒"凹"字形，原嵌有绿松石，已脱落。剑柄为圆首，圆茎，双箍。从下部有铭文 2 行 10 字。

简报指出，位于邹县峄山之阳的郑国故城是邾文公的都邑。1964 年中国科学院考古研究所山东队对邾国故城进行了实地调查，认为此地即东周时期邾国故城。据文献载，春秋时期吴国曾援邾伐鲁，这件吴王夫差剑可能与此有关。

简报称，此剑是继河南辉县、洛阳，湖北襄阳吴王夫差剑后的又一发现，且保存较好，虽有断裂，尚可复原。铭文清晰，铸造精细，是国内现存吴王夫差剑中的珍品。

514.山东济宁市张山遗址的发掘

作　　者：济宁市文物考古研究室　田立振、李德渠
出　　处：《考古》1996 年第 4 期

张山遗址位于济宁市郊区长沟镇张山村北部。西北毗邻城子崖遗址，北距京杭大运河（梁山—济宁段）约 0.7 公里，西南约 0.5 公里处为张山。1993 年 2 月，张山水泥厂征地扩建厂房，考古人员配合文物勘探首次发现该遗址。因水泥厂工程已部分施工，当即对其占压部分进行了抢救性发掘。

简报分为：一、地层堆积，二、北辛文化遗存，三、东周文化遗存，四、结语，共四个部分。有手绘图等。

据介绍，北辛文化遗存中比较重要的为水井。陶豆的发现，将豆出现的年代从大汶口文化早期提前到了北辛文化时期。东周文化遗存有陶器，年代为春秋晚期至战国时期。

515.山东邹城市发现四枚古代铜印

作　　者：山东邹城市文物管理局　郑建芳
出　　处：《考古》1998 年第 12 期

山东邹城市文物管理局多年来征集了一批古代铜印，其中四枚简报配以拓片予以介绍。

枝潼都右司马（讯）信钵，邹城市文物管理局旧藏。玺为黄铜质地，正方形，每边长 3.5 厘米，厚 1.3 厘米，通高 3.9 厘米。印文为八字白文，书体为籀文。简报推断应为战国时燕国官印。

左□□车司马止（之）钵，1984 年邹城市铁合金厂后出土。印为黄铜质，正方形，每边长 4.5 厘米，厚 0.3 厘米，通高 1.1 厘米。印文为八字白文。简报初步推断为战国时楚官印。

部曲将印，郭里乡庙西村出土。印为黄铜质，正方形，每边长 2.3 厘米，厚 1 厘米，通高 2.4 厘米。印文为四字篆体白文。从印的形制和文献记载等分析，简报推断此印为东汉末到三国时期的官印。

右卢□车羽□钵，峄山镇刘庄村出土。籀为黄铜质地，长方形，长 3.5 厘米，宽 3 厘米，厚 0.5 厘米，通高 1.8 厘米。印文为七字朱文，书体似金文。根据印章造型和文字风格分析，简报推断应是战国时物。

516.山东梁山县东平湖土山战国墓

作　者：山东省文物考古研究所　邵　云
出　处：《考古》1999 年第 5 期

此战国墓位于山东省西部梁山县东北大安山乡东平湖中的一个小土山上。1958 年在山上修建水文站，削平山头，遂发现该墓。当时墓室已削去大半，残深仅五六十厘米。1963 年秋，考古人员前往清理，发掘工作从 1963 年 10 月 23 日开始，到 11 月 3 日结束。这是鲁西地区发掘的第一座先秦大墓。

简报分为：一、墓葬形制，二、随葬器物，三、结语，共三个部分。有手绘图。

该墓为"甲"字形竖穴土坑墓，棺已腐朽，人骨架残缺零乱，性别及年龄不详，出土器物有陶器、青铜器和其他石磬及各种不同质地的装饰品等。简报推断该墓年代在公元前 300 ～公元前 240 年，甚至更早；梁山战国墓的主人很可能是齐国西境某县邑的行政长官。

简报称，此墓对齐文化、齐国史和历史地理等方面的研究，都具有重要意义。

517.山东莒县西大庄西周墓葬

作　者：莒县博物馆　刘云涛、夏兆礼、张开学、王　健
出　处：《考古》1999 年第 7 期

1996 年 4 月 20 日，山东莒县店子集镇西大庄村民在窑场取土时挖出一批青铜器。考古人员将出土的几十件文物运往县博物馆收藏。随后，考古人员前往店子集镇西大庄对出土青铜器的地点进行了调查，从被破坏的墓壁观察，确定该地点是一座古代墓葬。4 月 22 日，对该残墓进行了抢救性发掘。

简报分为：一、墓葬位置，二、墓葬形制，三、随葬遗物，四、结语，共四个部分。有手绘图、照片、拓片。

西大庄墓地位于莒县城东北 12 公里处，距店子集镇西大庄村约 500 米。该墓为长方形土坑竖穴木椁墓，墓底的葬具因人为破坏，故棺椁与人骨架的详细位置不清。该墓出土和收集的青铜器、陶器、石器共计 44 件，其中主要的器物种类有礼器、生活用具、兵器、车马器等。简报推断该墓的时代为西周晚期至春秋初期，其下限不晚于春秋初期。

简报称，西大庄西周墓出土大批精美的青铜器，为研究西周至春秋时期莒国与其他诸侯国在政治、经济、文化、军事等方面的关系以及青铜器的制作工艺、当时的丧葬礼俗诸多相关问题提供了新的实物资料。

518.山东济宁市张山洼遗址发掘简报

作　者：济宁市文物考古研究室、济宁市任城区文物管理所　李德渠、夏义勇、
　　　　傅吉峰等

出　处：《考古》2007 年第 9 期

张山洼遗址位于济宁市任城区长沟镇张山村东南约 1000 米，东距京杭大运河约 500 米。1999 年 12 月，为配合济宁运河电厂工程建设，考古人员在进行文物勘探时发现该遗址，对其占压部分进行了抢救性发掘。简报分为：一、地层堆积，二、北辛文化遗存，三、商代遗存，四、东周时期遗存，五、结语，共五个部分。有手绘图。

张山洼遗址发掘成果中，有几点尤其引人注意：

其一，北辛文化的水井，以往发现甚少。

其二，商代甲骨文过去仅出土于安阳殷墟和郑州商城，济南大辛庄遗址是除此以外的首次发现。张山洼遗址出土的甲骨刻符则是又一重大发现，这一发现为甲骨学研究和济宁地区的商文化研究提供了重要资料。

其三，战国时期的石基础房址过去考古发现的较少，此次发现的石基房址为东周建筑的研究提供了新资料。

泰安市

519.山东新汶县凤凰泉东周墓发掘简报

作　者：泰安地区文物局、新汶县文教局　崔秀国

出　处：《考古》1983 年第 11 期

凤凰泉东周墓群位于山东省新汶县城东南 3.5 公里处，雨季来临，常有从古墓冲出的文物。1973 年文物复查中发现该墓地后，曾在河北侧沙滩上清理了几座残墓。1981 年考古人员对部分墓葬进行了清理发掘。

简报分为：一、墓葬形制，二、随葬器物，三、结语，共三个部分。有手绘图。

据介绍，墓葬均为长方形竖穴土坑墓。出土遗物以陶器为主。年代从春秋前期、春秋晚期到战国初期不等。简报称，该墓区原面积很大，由于常年河水冲刷，加上人为破坏，大部已经毁掉。这次发掘的区域基本属于该墓区的西边沿。凤凰泉春秋墓群不仅延续时间长，而且范围也较大，可能是一个宗族墓地。

520.山东泰安康家河村战国墓

作　者：山东省泰安市文物局　钟吉云
出　处：《考古》1988 年第 1 期

山东省泰安市康家河村，行政上隶属于泰安市徂徕办事处梨峪乡，位于泰安市区东南约 25 公里，西距徂徕镇约 6 公里，北依玉皇山（又名"猪山"）余脉。康家河村南 500 米有一高地，北高南低呈坡状。因长年取土，高地上形成了一条长约 100 米的东西向断崖。1985 年秋，当地村民取土时在断崖西段发现古墓二座（编号 TKM1、M2）。考古人员前往清理。

简报分为：一、墓葬形制，二、随葬器物，三、结语，共三个部分。有手绘图、拓片、照片。

据介绍，两墓东西并列，两者相距约 1.5 米。M1 居西，M1 居东。M1 仅存底部，随葬品已被取出。考古人员仅对 M2 进行了清理。M2，为长方形竖穴土坑，墓底有木质葬具朽痕，葬式不清。随葬品多置于墓坑东侧，出土随葬品有铜器、玉器、骨器、陶器及车马器等。这批墓葬所出土的遗物，部分虽具有中期巴蜀文化的特征，但晚期巴蜀文化遗物出现也比较多。推断这批墓葬的时代应属巴蜀文化晚期偏早，即战国中晚期。

521.山东新泰郭家泉东周墓

作　者：山东大学历史系考古专业、山东省新泰市文化局　马良民等
出　处：《考古学报》1989 年第 4 期

郭家泉东周墓地，位于新泰市小协镇郭家泉村北柴汶河的北岸，西距小协镇 1.6 公里，东北距新泰城 11.25 公里，东距凤凰泉东周墓 7.5 公里。这处墓地是在洪水冲蚀河北岸暴露出墓葬后发现的。每当洪水过后，常有冲出的椁木棺板沉于河底，许多墓葬相继被破坏。1982 年秋，山东大学考古专业 1980 级学生来此实习，对水泥桥西侧阶地的 21 座墓进行了发掘。

简报分为：一、墓葬概况，二、随葬器物，三、墓葬分期，四、结语，共四个部分。有照片、手绘图。

据介绍，21 座墓均为单棺单椁，简报重点介绍了其中的 M10、M9、M1、M15、M14、M6 等墓。随葬品以陶器为主，计 141 件。年代推测为三期：春秋中期、春秋战国之际、战国中期前段。

简报称，据《水经·洙水》郦注、《元和郡县志》等书记载，新泰县在晋武帝以前称"平阳"，原是春秋鲁宣公八年(公元前 601 年)修筑的平阳邑，汉代始置为县，《汉

书·地理志》称为东平阳,属泰山郡。平阳更名为"新泰"后,不曾迁移县治。因此,郭家泉东周墓地处鲁国境内,应是鲁人墓葬。这批墓与齐国墓葬相比,在随葬陶器方面有明显不同,齐鲁文化之差异颇为明显。这批墓葬数量虽然不多,但延续时间较长,随葬陶器变化清楚。它所提供的资料对研究山东东周墓,特别是鲁国的葬制、葬俗和墓葬分期无疑具有重要价值。

522.山东新泰出土一件战国"柴内右"铜戈

作　者:魏　国

出　处:《文物》1994 年第 3 期

1977 年 7 月,山东省新泰市翟镇崖头河岸边发现一件铜戈,由新泰市博物馆收藏。简报配以照片、拓片予以介绍。

据介绍,铜戈上有"柴内右"三字铭文。"柴"字,当指柴县。柴县汉置,为侯国,柴县故城当在今新泰市楼德镇前柴城村附近。文物普查时曾在这一带发现有战国及汉代陶片、筒瓦残片。"内右"二字,应指军队编制。据汉简记载,汉代军队编制单位名称中有"左部""右部""左官""右官"。因此,"内右"可能为右部或右官之属。此戈简报推断应属战国晚期遗物。

523.山东泰安大河水库出土青铜兵器

作　者:林　宏

出　处:《考古与文物》1996 年第 1 期

大河水库位于山东省泰安市西郊,距泰安城 5.5 公里。1972 年在清库时发现 12 件青铜兵器。简报配以手绘图、照片予以介绍。

据介绍,12 件青铜兵器为铜戈 2 件、铜剑 10 件,其形制具有明显的春秋时期的特点。简报推断这批青铜器的时代为春秋战国时期。

524.山东泰安市黄花岭村出土青铜器

作　者:泰安市博物馆　林　宏

出　处:《考古与文物》2000 年第 4 期

1956 年,泰安市徂徕乡黄花岭农民在翻地取土时发现一批青铜器,由泰安市博物馆收藏。经当地百姓回忆,器物出土时伴有人骨,当属墓葬。简报配以照片予以介绍。

据介绍，这批青铜器具有明显的时代特征。铜盨从花纹风格来看，为西周遗物。爵与洛阳北窑西周墓出土的父癸爵形制及纹饰相似，推断应属西周器。铜盘与上海博物馆收集的鲁少司寇封孙宅盘形制相近，时代应在春秋中期。铜鼎具有较典型的中原春秋中晚期的风格，时代应在春秋晚期。铜铜、车饰、马衔、戟尾、剑具有春秋时代风格。矛具有战国特点，年代约在春秋战国之交。

525.山东肥城市发现一件战国有铭铜戈

作　者：肥城市文物管理所　张　彬
出　处：《考古》2002 年第 9 期

1992 年 9 月，肥城市老城镇店子村发现一件有铭铜戈，现由市文物管理所收藏。简报配以照片予以介绍。

据介绍，戈内部有两行七字铭文，援长 17.2 厘米，内长 10 厘米，通长 27.2 厘米。铜戈形制、铭文与燕下都第 23 号遗址出土的戈相同。"郾"即"燕"。"郾王"是燕国兵器名义上的督造者。"郾王职"即燕昭王，在位 33 年（公元前 311 ～公元前 279 年）。简报称，燕国铜戈在肥城发现尚属首次。

526.山东肥城市王庄镇出土战国铜器

作　者：肥城市文物管理所　张　彬
出　处：《考古》2003 年第 6 期

1993 年 6 月，在山东省肥城市王庄镇东焦村出土铜器 5 件，现藏于肥城市文物管理所。简报配以照片予以介绍。

经调查，铜器出土地点位于东焦村东侧的高台地上。这里是一处商周时期遗址，文化堆积厚约 2.5 米，以前曾发现过陶鬲、豆、纺轮等。出土的器类包括鼎、豆、壶、匜等，这组铜器形制、种类都具有明显的战国时期铜器的特征，时代应属战国早期。

527.泰安市夏张王士店出土一批青铜器

作　者：泰安市博物馆　林　宏
出　处：《考古与文物》2008 年第 5 期

夏张王士店属泰安市郊，1963 年修水坝取土时，发现一批青铜器。当地农民及时送交泰安市博物馆。实地考察后发现这里是一处东周时期的文化遗址。出土地点在王士店旧北庄西北 200 米处，西为水坝，南为公路。出土器物简报配以拓片予以介绍。

据介绍，这批青铜器有戈 1 件、剑 2 件、车軎 2 件、车軎 7 件、豆 2 件、锏 3 件、矛 1 件、马面 1 件、搭扣 1 件等，时代为春秋早、晚期。

528.山东新泰周家庄东周墓发掘简报

作　　者：山东省文物考古研究所、新泰市博物馆　刘延常、穆红梅、张　勇、
　　　　　曲传刚、徐倩倩等
出　　处：《文物》2013 年第 4 期

周家庄墓地位于新泰市青云街道办事处周家庄东南，北距金斗山约 2 公里，东至平阳河约 2 公里，地势由西北向东南倾斜。该墓地南北长约 300 米，东西宽约 150 米，总面积近 5 万平方米。发掘区位于墓地中北部，共发现墓葬 78 座，其中 2002 年抢救发掘 4 座，2003 年发掘 66 座，2004 年清理 8 座。这些墓均为东周时期齐国中小型墓，保存较好，出土文物 2000 件，其中青铜兵器较多。

简报分三个部分予以介绍，配有彩照、拓片和手绘图。

墓葬均开口于表土层下，除了 M1 带墓道，平面呈"甲"字形外，皆为长方形土坑竖穴。排列密集有序，少见叠压和打破关系。葬具均为木质棺椁，除两座墓因破坏严重，葬具不详外，68 座墓为一棺一椁，8 座墓为一棺。人骨架大多保存较好，绝大部分为单人仰身直肢葬，个别的为屈肢葬。墓主人绝大多数为男性，年龄多在 30 ～ 45 岁。有 17 座夫妇并穴合葬墓。

简报介绍说，墓葬中流行殉狗，大狗葬于椁顶或二层台，小狗则葬于腰坑、脚坑或头坑。部分墓的椁顶随葬器物，少数墓的墓角放置陶器，个别墓葬的二层台有殉人。有 3 座墓的椁顶随葬车，车为木质独辕车，保存较差。3 座墓设有壁龛，内置陶器。棺椁间多见动物的腿骨、肋骨、肩胛骨，部分陶器和铜器内也见动物骨骼，应是随葬的动物牺肉。个别墓葬的棺椁之间放置不规则石块。椁底及四周多施青膏泥，少数骨架周围有朱砂，个别的口含海贝。墓内随葬器物多置于棺椁之间和二层台上，部分器物也放在椁顶及棺内，种类有陶器、铜器、骨角器、玉器、铁器等。铜器主要有礼器、车马器、兵器等，陶器可分为仿铜陶礼器、日常生活实用器和冥器，骨角器主要有梳、笄、簪、小盒、马镳和贝饰。

简报认定这批墓葬分为四期，即春秋晚期、春秋末期、战国早期和战国中晚期，以春秋末期和战国早期墓葬最多。

简报认为，周家庄墓地随葬大量兵器，墓主人应多为军人。兵器组合的不同，反映出墓主人至少分为 5 个等级。结合其他特征如葬具、车马器、青铜礼器等分析，

墓主人大部分应是贵族，少部分是平民。无论从兵器的数量、兵器的配备、墓主人的等级以及兵器的功能都可以看出，周家庄墓地具有浓厚的军事色彩。新泰市区及其周围应是当时齐国的军事重镇。有 10 座规格较高的墓随葬犬，个体较大，带有项圈，可能是军犬。

简报认为，墓葬出土大量吴国兵器是一个重要发现。根据文献记载，这应与吴国、齐国争霸有关。春秋末期，吴国北上争霸，在泰安东南、莱芜南境与齐国发生了一次大的战役，在博、嬴和艾陵进行了三次战斗，互有胜负。吴国虽然决战胜利，却因国内发生危机迅速撤回。周家庄墓葬随葬大量的吴国兵器，绝大部分应是战利品，有些或为交换品。

日照市

529.日照县出土两批齐国货币

作　者：刘心健、杨深赴
出　处：《文物》1980 年第 2 期

1979 年 5 月，山东日照县城关公社后山前大队出土了一批齐刀币。内有"齐建邦张法化"1 枚，"即墨法化"1 枚，"即墨之法化"1 枚，"安阳之法化"4 枚，"齐之法化"1 枚，"齐法化"10 枚。简报配以拓片予以介绍。

同时期，该县两城公社竹园大队也出土了一批齐国货币。内有刀币 197 枚（残断 59 枚）："即墨之法化"3 枚，"安阳之法化"1 枚，"齐之法化"5 枚，"齐法化"188 枚。还有圜钱 122 枚："賹四化"15 枚，每枚重 6 克；"賹六化"107 枚，每枚重 9 克。

530.山东五莲盘古城发现战国齐兵器和玺印

作　者：孙敬明、高关和、王学良
出　处：《文物》1986 年第 3 期

1964 年冬，山东省五莲县王世畎公社迟家庄大队百姓在村北盘古城边，发现战国时期铜玺 13 方，以后附近又陆续出土铜剑、戈和铜镞等。1973 年，昌潍地区和五莲县的有关人员在此进行文物普查，将这批兵器和玺印收存县图书馆。1975 年、1982 年、1984 年，考古人员再到现场进行调查。简报分为三个部分，配以照片、手绘图将调查情况和有关资料作一介绍。

据介绍，迟家庄位于五莲城东南约 25 公里，庄北 1.5 公里即盘古城遗址。此城为战国时所建。就城内外遗迹、遗物考察，其湮废时间当在秦统一之际。城东西两侧各有一排长方形土坑。每坑长 3.5 米，宽 2.5 米，深约 1.5 米。各坑间隔 10 米左右，沿山脚绵延远伸，形成一条很长的防御线。有的坑中发现铜剑、镞及人骨等。城东南隅外有一大型战国遗址，此处陶片较多，田间路侧俯拾皆是。1964 年 11 月，迟家庄农民在遗址东部地下 0.5 米深处，发现一泥质灰陶罐，罐口盖一豆盘，罐内盛铜玺 13 方。以后，在城内外及防御坑陆续出土铜剑、铜戈、铜镞等多件器物。13 方铜玺几经辗转，现仅存 8 方。

简报称，这批玺印为铜质，有齐国关卡征税所用玺印等。这些玺印既能在粮食口袋封泥上钤印，也可在其他货物上锤打戳记，应是一种具复合用途的玺印。简报推断时代为战国中晚期。

531.山东莒县大朱家村发现战国墓

作　　者：何德亮
出　　处：《考古》1991 年第 10 期

1979 年秋，在莒县大朱村遗址发掘大汶口文化墓葬时，发现了三座战国墓葬，随即进行了清理，出土鼎、豆、罐、盂、盘、匜等文化遗物 18 件。

简报分为：一、墓葬，二、出土遗物，三、小结，共三个部分。有手绘图。

据介绍，三墓均为长方形竖穴土坑墓。一座双人合葬墓，两座单人墓。墓内均放置数量不等的随葬品。其中两座墓使用木质葬具。此三墓的年代，简报推断为战国中期。

532.山东莒县出土刀币陶范

作　　者：苏兆庆
出　　处：《考古》1994 年第 5 期

1979 年春，莒县城阳镇孔家街百姓在莒国故城内平整土地时，掘出一些刀币、残陶范和铜渣。1987 年 4 月，又在莒国故城二城残垣北侧下发现一座刀币陶范窑，出土一批完整的陶范。这个陶范窑在莒国故城二城残垣的中段北侧，范窑东部已被破坏。陶范多平放，排列整齐。同时出土百多枚直径 2 ～ 3 厘米的贝壳。窑内共出陶范 64 块，完整者 13 块，面范 6 块，背范 7 块。简报配以拓片予以介绍。

莒故城内出土的陶范，观其形制和铭文，同其他地区出土之刀币及陶范相比较有很大差异，应是莒刀范。莒国远祖属东夷之地，古代文化发达，仅现在莒县就有大汶口、龙山、岳石文化遗址 200 余处，可谓相当密集。周代莒为靠近齐、鲁的小国，却能存在 600 年之久，并与齐、鲁等国抗衡，这与其发达的先民文化是不无联系的。如果是这样，莒国是不会没有自己的货币的。王献唐先生《中国古代货币通考》中提出刀币可能起源于东夷。莒地陶范的出土，为王先生这一论断增添了实物资料，当引起古钱学界的重视。

533.山东莒县大沈刘庄春秋墓

作　者：莒县博物馆　张开学、刘云涛
出　处：《考古》1999 年第 1 期

1993 年 4 月，东莞镇大沈刘庄村向上级汇报该村西南发现墓葬棺木，墓内铜剑、铜戈等已被百姓取出。考古人员即对该墓进行保护并组织人员进行了抢救性清理，共清理墓葬一座。墓葬清理情况简报配以手绘图予以介绍。

据介绍，该墓为土坑竖穴墓，墓圹平面略呈"凸"字形，圹内除有大型木椁外，其北、西另有两小棺木，但未发现人骨和随葬品。铜器能看出器形的有鼎、豆、敦、壶、扁壶等。陶器以泥质灰陶外施黑陶衣为主，个别器物为褐陶。其他有铜剑、戈、矛、镈、带钩、车舝、马衔、车伞帽等 19 件，石贝 250 枚。从墓中所出铜剑形制及出土器物组合特点观察，并与周围地区墓葬所出同类器相比较，其时代应为春秋战国之际。

简报称，墓中出土的 250 余枚石贝币，是用滑石刮磨而成，虽制作精巧，但应不是当时的实用货币。此墓的发掘，不仅利于了解这一地区春秋时期的物质文化，而且为研究莒国的历史提供了较重要的实物资料。

莱芜市

534.山东莱芜市戴鱼池战国墓

作　者：莱芜市图书馆、泰安市文物考古研究室　刘　慧、王其云、张淑静等
出　处：《文物》1989 年第 2 期

1984 年 5 月，莱芜市寨里镇戴鱼池村村民在取土时发现一座墓葬。考古人员前往进行了清理。简报配以照片、手绘图予以介绍。

据介绍，墓葬位于戴鱼池村南约 300 米处。这里原是一台地，因经常取土，在

台地的南沿形成了高 4 ~ 5 米的断崖。墓葬发现于断崖下，距台地地表 5.4 米。此墓墓室为东西向竖穴土坑，有一棺重椁。棺置于椁室的南侧，盖有髤朱漆痕。内椁和棺的北壁已朽，内外椁南壁合一。此墓因早期被盗，墓内充满淤泥，人骨无存，葬式不明。随葬品已扰乱，仅存铜器、玉器等计 24 件，大部分置于内外椁室北壁之间。该墓的年代，简报推断为战国初期。

临沂市

535.莒南大店春秋时期莒国殉人墓

作　者：山东省博物馆、临沂地区文物组、莒南县文化馆　吴文祺、张其海等
出　处：《考古学报》1978 年第 3 期

大店镇位于莒南县城（十字路）北 19 公里、莒县城南 26 公里，为大店公社所在地。北濒浔河，东依群山，西距沭河约 4 公里。1975 年春，大店公社老龙腰大队和花园大队在农田基本建设中，发现了两座莒国殉人墓（编号为莒·大·一号墓和二号墓）。同年六七月间，考古人员进行了清理。简报分为三个部分予以介绍，有照片、手绘图。

两座墓葬规模都较大，均为方形竖穴木椁墓，并明显地分为椁室和器物坑，墓道在器物坑一侧，这种形制在其他地区的墓葬中还未发现过。两座墓葬的出土器物也有许多相似之处，各有 10 人殉葬。

简报指出，莒是春秋时期鲁东南较强盛的诸侯国，它的疆域大概在今山东省安丘、诸城、沂水、莒、日照等县间地。国都在莒，即今山东省莒县。这两座墓葬均位于莒南县北部浔河南岸，距莒国故城约 37 公里，自春秋早期"莒人入向"灭其国，至战国初"楚灭莒"，均应在莒国的疆域内。两座墓葬虽遭破坏，但仍出土很多遗物，特别是二号墓出土的有铭文的钮钟，为我们推断墓葬年代及墓主人提供了重要线索。简报推断一号墓略晚于二号墓，年代均在春秋晚期。

536.介绍两件带铭文的战国铜戈

作　者：山东临沂地区文物组　刘心健
出　处：《文物》1979 年第 4 期

近年来，收集到带有铭文的铜戈两件。简报配以照片予以介绍。
铜戈一，1979 年夏临沂土产收购站拣出，是临沂县境内出土的。现存长方形穿

二，胡上有一阴文篆书字，有铭文。铜戈二，1977年春蒙阴县高都公社唐家峪出土。胡上三穿，内上有一横穿，后尾部有阴文篆书两行，每行三字，为"元阿左造徒戈"。

简报称，带有铭文的铜戈在临沂地区还是首次发现，为研究临沂地区的历史提供了资料。

537.山东费县发现"郢爰"

作　者：刘心健、王言畅
出　处：《考古》1982 年第 3 期

1980 年夏，费县石井公社农民在城后村西南角发现一件正方形金块。有阴文篆字"郢爰"戳记，重 17.5 克，含金量 94%，鉴定为楚国郢爰。简报配以照片予以介绍。

根据实地调查与文献记载，石井公社为东周古邑翼城所在地。翼城遗址南北长 109 米，东西宽 105 米，近正方形，地势较高。遗址内遍布板瓦、筒瓦碎片。据当地人介绍，以前在西南角一带曾发现一批铁杆铜镞，近几年来先后 4 次出土金块，均未保留。

简报称，过去郢爰多出土于湘、鄂、苏、皖一带。这次在山东费县出土还是首次，为研究郢爰的流通和当地的历史地理情况，提供了新的实物资料。

538.山东沂水县发现工盧王青铜剑

作　者：沂水县文物管理站　马玺伦
出　处：《文物》1983 年第 12 期

1983 年 1 月，工盧王青铜剑出土于沂水县诸葛公社略畔村西北 200 米处一座古墓，伴出有铜铆一件、戈一件、箭镞五个和陶器等。据调查得知，此处是公共用土的地方，1982 年秋就有人挖出人骨和碎陶片。简报配以拓片和照片予以介绍。

据介绍，此墓为长方形土坑竖穴墓。年代为春秋时期。

539.山东费县发现东周铜器

作　者：心　健、家　骥
出　处：《考古》1983 年第 2 期

在文物拣选、清查登记的工作中，发现铸有国号的两件东周铜器。简报配以拓片、照片予以介绍。

据介绍，春秋时期的铜鼎一件，山东省费县城北上冶公社的台子沟出土。有铭文，当为徐国祭祀泰山用器。战国时期的铜戈一件，相传出土于临沂县西乡一带，由临沂地区文物店收购。简报解读为郯国兵器。

540.山东沂水县发现战国铜器

作　者：沂水县文物管理站　马玺伦
出　处：《考古》1983 年第 9 期

1982 年沂水县文物管理站从县土产公司废品收购组拣选拣交的文物中，发现两件战国时期的青铜器。简报配以拓片予以介绍。

据介绍，计戈 1 件（残），上有一"蒙"字；剑 1 件（残），刻有图案。

从两件青铜器的形制和铭文看，应属战国时期的遗物。两件器物是农民在生产劳动中无意发现的，虽然出土地点不详，但为研究沂蒙山区战国时代文化发展的情况，提供了实物资料。

541.山东沂水刘家店子春秋墓发掘简报

作　者：山东省文物考古研究所、沂水县文物管理站　罗勋章
出　处：《文物》1984 年第 9 期

1977 年冬，沂水县院东头公社刘家店子大队在村西取土时，发现两座墓葬和一座车马坑，出土了一批青铜礼、乐器和车马器。翌年 2 月，考古人员对墓葬和车马坑进行了清理。

简报分为：一、一号墓，二、二号墓，三、车马坑，四、结语，共四个部分予以介绍，有照片、拓片、手绘图。

据介绍，刘家店子位于沂水县城西南 20 公里，地处沂蒙山区。两墓坐落在刘家店子村西一块高地的东部，一南一北，相距 8.7 米。车马坑在一号墓西侧 20 米处。一号墓残存有封土，为长方竖井墓。墓内有椁室和两个器物库，外敷青灰色膏泥，两椁一棺，尸骨已朽，有殉人 35 ~ 39 个。墓内出土铜器、陶器、金器、玉石器等 470 余件，分别陈放在椁室内和棺内、南北器物库内以及椁室西部的填土中，半数以上已经破碎。铜器包括礼器、乐器、兵器、杂器，有的有铭文。二号墓也为长方竖井墓，墓室北部为椁室，南部为器物库，随葬品有铜器 11 件，陶器、玉石器少许，全部为农民挖出，后被征回。车马坑内有殉马 4 匹及车马器等。一号墓的年代为春秋中期，为莒国墓，墓主似为莒国国君，但也不排除其他贵族僭越的可能。车马坑为一号墓陪葬坑。二号墓的时代为春秋中期后段。

542.山东临沭出土的铜器

作　者：刘心健、王　亮

出　处：《考古》1984 年第 4 期

1975 年，在临沭县收集到两件出土的铜器，介绍于下。

铜戈 1 件。全长 22 厘米，重 115 克。尾端有铭文三字，第一字似为"郯"，疑为古"郯"之俗写。此器出故郯国境内，可能是郯国遗物。

戈镦 1 件。高 9 厘米。口呈圆形，径长 2 ～ 2.5 厘米。腹部饰兽首纹，纹下有左右两圆孔。腹深 7 厘米。

金代铜印 1 件。边长 6.5 厘米，厚 1.5 厘米。长方体纽，无年款，印文"批字号行军万户所印"叠篆 9 字。

543.山东莒南小窑发现"左徒戈"

作　者：蕴　章、瑞　吉

出　处：《文物》1985 年第 10 期

1983 年 3 月，在山东省莒南县小窑大队发现了 1 件青铜戈。简报配以照片予以介绍。

简报介绍，此戈阑侧三穿，上穿呈半圆形，下两穿呈竖长方形。直内一穿，呈矛头形。铭在胡上，阴文"左徒戈"三字。"左徒"为战国时楚国官名。根据铭文和形制，简报推断此戈应为战国时期的兵器。

544.山东费县出土"陈爰"

作　者：刘家骥、刘心健

出　处：《文物》1985 年第 12 期

1982 年 5 月，费县探沂公社城子村农民建屋时挖出一块金版。版略呈方形，重 248 克，含金量 95%。版上有 11 方阴文篆字"陈爰"戳记。简报配以照片、拓片予以介绍。

据介绍，陈国受封于周，建都宛丘，即今河南淮阳县。陈潜公二十一年（公元前 481 年）为楚所灭。楚顷襄王二十一年（前 278 年），秦拔郢，楚迁都于陈。如果金版陈爰系楚都陈时所铸，时间当在公元前 278 年之后。出土陈爰的城子村是春秋时期的许田城。据当地人介绍，过去在村北的访河南岸曾不断发现铜箭头，城址内还出土过铜虎符、金砖、银块、篆文"千秋万岁"圆瓦当、半两钱和五铢钱等。这块楚金币陈爰的出土，证明此城确是东周古邑。

545.鲁南出土两件铭文铜器

作　者：枣庄市博物馆　李锦山
出　处：《考古》1985 年第 5 期

1982 年 3 月，枣庄市强劳所阎民先生送来一件残青铜剑请鉴定。此剑锷及茎部残断，仅存剑身。剑身自上而下刻两行铭文，刻划细而浅。据介绍，此剑于"文化大革命"期间出土于莒南县路镇公社，由阎氏亲戚携至枣庄，转入其手中。与剑一同出土的还有残铜镈一件，呈直筒状，色呈青黄，有光泽，径 3 厘米。关于此剑年代，黄盛璋先生据铭文推断为赵孝成王时，其时已入战国末期。战国之器见于齐楚交界地带，足见当时时局之混乱。

另一件铜器是铜泡，出土于枣庄市齐村区渴口公社刘庄东南 250 米的小河东岸山坡下的墓葬中，墓葬已经破坏。考古人员于 1979 年春到该村进行调查时从百姓手中得到，与铜泡同时出土的仅剩一件铜戈，为战国时物。其他一些共出的器物亦下落不明。据黄盛璋先生考证，铜泡应为齐国所制，铜泡内铭文记有具体年月与工师之名，是专门为铸造这批铜泡而打印的戳记。

546.山东临沭县发现战国楚币

作　者：王　亮
出　处：《考古》1985 年第 11 期

1983 年深入贯彻宣传文物法时，临沭县收到一枚楚国铜币——铲形布。通长 10.3 厘米，最宽 3.5 厘米，重 35 克。首部有穿，直径 0.6 厘米。面、背铸有阳文。钱面文应释为"旆布当忻"，背文为"十货"。简报配以拓片予以介绍。

据献币者云，该币是 1960 年在临沭县西南与郯城县交界处，为一民工在一块石板底下挖出的，共数十枚，系用一铜条穿在一起。

547.山东沂水发现两座战国墓

作　者：沂水县文物管理站　马玺伦
出　处：《文物》1986 年第 6 期

1980 年 10 月，沂水县崔家峪区上常庄群众在村西砖瓦厂推土时，挖出一些陶器和铜剑、铜戈。1981 年 4 月，在西去 19 公里的王庄区马兰村南，百姓推土垫地时，又挖出一些形制相似的陶器和铜剑、戈。考古人员到两地作了调查，认定器物出自两座墓葬。简报配以照片予以介绍。

据介绍，上常庄墓编号 M1，位于村西一高岭上。据在场百姓叙述，墓葬为土坑竖穴，已填满土。没有发现棺椁和人骨架，只是在底部发现一些板灰和白膏泥土。墓坑东西长约 2 米，南北宽约 1.3 米。陶器有鼎、豆、壶、鬲、簋、杯，放在墓穴西端，铜器有剑和戈，放在墓中间。

马兰村南墓编号 M2，位于村南一台地上。墓葬也为土坑竖穴，东西长约 2.3 米，南北宽约 1.5 米。棺和人骨架已腐朽，墓底有灰土、黑色板灰和灰色膏泥。殉葬器物大都压碎，完整的被百姓取出，陶器有鼎、豆、壶，鬲，铜器有剑、戈。陶器大都放在墓的两端，铜器在墓中间。

简报称，上述两墓出土的器物，形制大致相同。陶质细腻，表面光滑，均灰褐色。墓室结构、方向和所葬器物位置也大致相同，应为同一时期的墓葬。年代为战国时期。

在沂水发现战国墓是首次。发现的遗物为研究沂水县战国时期的历史提供了实物资料。

548.山东沂水发现一座东周墓

作　者：沂水县博物馆　马玺伦、孔繁刚、赵惠荣
出　处：《考古》1988 年第 3 期

1986 年 3 月，沂水县百姓于城西北部 40 公里的王家庄子乡石景村西岭挖土烧砖发现一些陶器。考古人员到现场调查，发现是一座早年坍塌的墓葬。墓北临路，早年修路时已挖去北壁。陶器残片大都露在外边。推土时又接着北壁向南挖，将陶器全部挖出，计有豆、鬲、盆、筒状器、盖形器等 13 件。考古人员对残墓进行了抢救清理，在墓底发现铁削、铜带钩各一件。简报配以手绘图、照片予以介绍。

据介绍，残墓东西向，无封土，墓室为竖穴土圹。墓室结构和山东沂水发现的两座战国墓基本相同，但随葬器物却不一样。前者器形大，陶质粗，厚重，多是灰陶；该墓出土的器物形制小，陶质细，火候低，还饰有细绳纹。特别是高的裆近平，足不明显。从饰纹看保持了春秋时期的特点，铜带钩、铁削，特别是铁削仿照西周和春秋时期的式样。简报推断此墓定为春秋中晚期较为合适，不会晚于战国以后。

简报称，在沂蒙山区的东周墓葬中出现铁器还是首次。这为研究沂蒙山区在东周时期铁的冶炼和应用，提供了实物资料。

549.山东沂水县出土一件"平晏左钺"铜戈

作　者：马玺伦、李玉亭、王元平

出　处：《文物》1991 年第 10 期

1987 年夏进行文物普查时，在沂水县城东北 40 公里的富官庄乡黄泥沟村征集到 1 件铜戈，戈呈深绿色。简报配以拓片予以介绍。

简报介绍，铜戈是 1983 年黄泥沟村民在村西一处龙山—春秋战国古文化遗址上取土时于距地面深 1 米处发现的，伴随出土的还有战国时期的陶片。黄泥沟村东临诸城，南靠莒县，村北 3 公里为齐国长城遗址，战国时期属齐国地域。

550.山东沂水县时密山春秋遗址调查

作　者：马玺伦

出　处：《考古》1991 年第 8 期

1978 年冬天，刘家店子村村民在时密山南麓一片高埠地推土时，发现了两座春秋时期的墓葬和一车马坑。经过清理共出土了青铜乐器、礼器、玉、石、陶器等随葬品 470 余件。在山的南麓，即两座春秋墓西去 50 米和偏西北去 1000 米处，又发现了两处遗址。

简报分为：一、地理位置与文化内涵，二、出土遗物，三、两处遗址的关系与年代，共三个部分。有手绘图。

据介绍，位于墓葬西 150 米的遗址，当地人称"西岭姑子庵"，面积约 8000 平方米；偏西北 1000 米的遗址，当地人称"牧马城"，遗址东西长 150 米，宽 20 米，似一堵倒塌的城墙。两处遗址都在时密山南麓，南临时密水，西是连绵的低山坪顶，东是平原和村庄。两处遗址的中间地带，平常生产翻地、挖渠、修路都有零散铜、陶、石器出土。两处遗址的文化内涵完全相同。在调查过程中，收集的标本有陶扁、豆、盆、罐，石纺轮、研石，铜削、镞等。怀疑此两处遗址原为一处，因山洪冲积才分为两处。时代简报推断为西周中期至春秋早至中期，有可能是《水经注》中提到的"莒人密邑"。

551.山东沂水县埠子村战国墓

作　者：沂水县博物馆　马玺伦、孔繁刚等

出　处：《文物》1992 年第 5 期

1990 年 9 月，沂水县袁家庄乡埠子村农民在村北挖地窖时，发现一些石贝和一件铜剑。考古人员赴现场勘察，认定是一座已被破坏的古墓葬。进行了抢救性清理。

简报分为地理位置及形制、出土遗物、结语三个部分并配以手绘图予以介绍。

墓葬位于沂水县城南15公里埠子村北的小树林内。据了解，此处早年挖水渠和近年挖地窖时，都有铜、陶器出土。墓葬已遭破坏，顶部是扰乱土层，据遗迹可知残墓为土圹竖穴，呈正方形，挖地窖时打破了墓室的东壁，整个墓葬扰乱严重，器物散乱残缺不全。随葬器物多在墓葬西侧，东侧墓底有散乱的板灰，未发现人骨。板灰下有一层沙、土、膏泥混合物胶结在一起，厚3厘米。中间散放着石贝，并有红、黑漆器碎片。出土器物有陶、铜器及石贝704枚。墓葬年代应属战国晚期。

简报称，此墓随葬陶器造型特殊，生活用具和装饰品基本仿铜、玉制造，一般组合都是成双成对，说明墓主人生前有一定的地位。

552.山东沂水县发现五座东周墓

作　者：沂水县博物馆　马玺伦、孔繁刚、宋桂宝

出　处：《考古》1995年第4期

1988年至1990年，在沂水县境内发现5座东周墓葬，编号为M1～M5。

简报分为：一、墓葬概况，二、出土遗物，三、结语，共三个部分。有手绘图、照片。

M1为1988年秋农民在推土时发现的。墓葬位于县城以西20公里崔家峪镇下泉村东南500米处一高土崖上。墓为长方形竖穴，四周用自然石块堆砌。骨架、殉葬器物均被百姓取出。收集到随葬陶器有鼎、豆、壶，铜器有剑、戈等。

M2为1988年春村民推土垫地时发现的，位于沂水县城西北35公里泉庄乡尹家峪村西600米处的土崖上。墓葬为长方形竖穴，四周用自然石块堆砌。人骨架和随葬品均被取出。随葬品中陶器有鼎、豆、壶、钵等，铜器有剑、戈。

M3为1989年春村民在扒土垫栏时发现的，位于沂水县城北25公里高桥镇刘家山宋村西100米处台地上。墓葬为长方形土坑竖穴，人骨架和殉葬器物全被挖出。陶器有鬲、豆、罐、钵等，铜器有剑、戈。

M4为1990年春村民深翻土地时发现的，位于沂水县城南15公里袁家庄乡埠子村西200米处。墓葬为长方形竖穴土圹，墓底有板和扰乱的人骨架。随葬器物大部分被取出。陶器有鼎、豆、盆等，铜器有剑、戈、矛等。

M5为1990年3月村民深翻土地时发现的，位于沂水县城西8公里黄山铺乡东河北村村北200米处。墓为土圹竖穴，骨架腐朽并被扰乱，墓底有板灰痕迹。随葬

器物大部分被取出。陶器有鬲、豆、罐，铜器有舟、戈。

以上 5 墓的年代，简报推断为东周时期。

553.山东郯城县二中战国墓的清理

作　者：刘一俊、冯　沂

出　处：《考古》1996 年第 3 期

1989 年，山东郯城县第二中学在校园内挖坑植树时发现古墓葬。考古人员立即前去勘察，组织抢救性发掘，共清理墓葬 3 座。

墓葬发掘情况简报分为：一、墓葬概况，二、随葬物品，三、结语，共三个部分。有手绘图、照片、

郯城县位于山东省东南部，南与江苏省接壤，东周时为古郯国。古城遗址即位于现县城东北部。三座墓葬皆为长方形土坑竖穴式，无墓道，出土器物 83 件，有铜器、陶器等。简报推断三座墓葬时代为战国早、中期。

简报称，郯国在春秋时期系鲁之附庸国。战国时期（前 414 年）被越国所灭，其境入越；后楚灭越，其地属楚。郯城二中这三座战国墓葬的发现，不仅使我们对这一地区战国时期的物质文化遗存有了一定的认识，而且为研究郯国的历史提供了一批重要的资料。

554.山东沂水发现战国时期齐国器物

作　者：马玺伦

出　处：《考古与文物》1996 年第 1 期

1992 年春，山东省沂水县黄山铺乡南小河村村民在村南 300 米处一个土岗上推土时，在距地表 1.2 米深处发现了一宗陶器和铜剑、戈、带钩各 1 件，马上送交博物馆。据村民说，出陶器的地点土有些发灰，也较松。未发现葬具和人骨，只是大体看出墓圹。陶器出在墓的北端，铜剑、戈在墓南端。陶器以 4 件高柄陶豆为主，另外有 1 件盖豆和 1 件壶。简报配以照片予以介绍。

据介绍，出土器物中陶器典型代表器物是高柄豆，在沂水县境内发现的多座战国墓中鲜见，它与山东临淄东古墓地出土的高柄豆基本相似。

简报指出，该墓应是一座战国晚期墓葬。沂水县地虽在齐国长城以南，原属鲁地；战国晚期齐攻过长城南下，沂地属齐。因此，该墓出土器物属齐国遗物。

555.山东沂水县全美官庄东周墓

作　者：沂水县博物馆　马玺伦、宋桂宝
出　处：《考古》1997年第5期

1990年8月，沂水县全美官庄村民在村北路间被雨水冲过的地方发现一些铜片。考古人员现场调查后发现，这是早年被雨水冲塌的一座墓葬。简报配以拓片予以介绍。

据介绍，全美官庄位于沂水县城北4公里，北和东两面是山，西和南两边环河，墓葬就在村北20米处。据百姓反映，早年雨后就有人在此捡到铜剑、铜戈。残墓南北向，土坑竖穴。墓内没发现人骨架，底部稍存板灰。墓葬中出土器物有铜桥形饰、铜铃、铜环、铜带钩和水晶环，此墓的年代应属东周时期。

简报称，在沂水县境内发现的东周墓中，桥形饰的出土还属首次，这为研究沂蒙地区东周文化提供了实物资料。

556.山东蒙阴发现两件铭文铜戈

作　者：蒙阴县文物管理所　孙昌盛、马　勇、蹇丽丽
出　处：《文物》1998年第11期

两戈均在蒙阴县出土，简报配以拓片、照片予以介绍。

据介绍，一号戈为春秋时期莒国遗物。据史载，襄公十八年（公元前555年），莒国参加诸侯联兵伐齐，兵至今沂源县一带，蒙阴与沂源相邻，为必经之路。二号戈从形制和铭文字体看，应属战国时齐国兵器。

557.山东沂南阳都故城出土秦代铜斧

作　者：沂南县文物管理所　赵文俊
出　处：《文物》1998年第12期

1994年12月，山东省沂南县砖埠镇任家庄村民在阳都故城遗址取土时，发现古代铜斧一件。铜斧出土于距地面1米深的用大石条垒成的石墙东侧，周围无其他遗物。简报配以照片、拓片予以介绍。

铜斧通体无锈，刃部锋利。长方形銎口，上部一圆形孔，广肩，弧形刃。身上部右侧近銎处有铭文12字，知此斧为秦始皇二十四年（公元前223年）所制。秦代文物在此出土尚属首次，特别是带有铭文的铜器，更属罕见。这为研究当时这一地区的历史提供了极其珍贵的实物资料。

558.山东沂水县近年发现的几座战国墓

作　者：山东沂水县博物馆　孔繁刚、刘洪伟等
出　处：《文物》2001 年第 10 期

自 1997 年春至 1999 年春，在山东沂水县道托、善疃、杨庄、诸葛、高庄等乡镇相继发现战国墓。考古人员作了调查和抢救清理。

简报分为：一、墓葬概况，二、出土器物，三、小结，共三个部分。有照片。

据介绍，墓葬按发现时间编为 M1～ M7，多为村民平整土地或取土时发现，出土有陶器、铜器、石璧等。有些器物如石璧和陶桥形饰（M4），在该地区以往的战国墓中较为少见。铜镦和陈发造戈（M7），在该地区是首次发现。这批墓葬的年代为战国时期。

559.山东沂水县纪王崮春秋墓

作　者：山东省文物考古研究所、临沂市文物考古队、沂水县博物馆　郝导华、
　　　　许　姗、张子晓、尹纪亮、厉建梅等
出　处：《考古》2013 年第 7 期

纪王崮春秋时期墓葬位于山东省沂水县城西北 40 公里处，隶属泉庄镇，其东北距沂河约 6 公里，东南距跋山水库约 15 公里。此区属于沂蒙地区的山崮地貌，特点是顶部平展开阔，周围峭壁如削，再向下坡度由陡至缓。纪王崮最顶部面积约 0.45 平方公里，是沂蒙七十二国中唯一常年有人居住者，因此被誉为"沂蒙七十二崮之首"。纪王崮山顶自南向北有三个大的岩丘，分别称为"擂鼓台""万寿山"和"妃子墓"，其中万寿山最大，亦为纪王崮最高点。整个纪王崮已被开发为天上王城景区，此次发掘的墓葬位于擂鼓台北部，北部紧邻景区的"天池"。2012 年 1 月初，天上王城景区管理委员会在崮顶修建水上娱乐项目时，意外发现了部分青铜器及其残片。后经考察，确认为一座古墓葬。2012 年 2～ 7 月，考古人员对墓葬进行了抢救性发掘。该墓形制特殊，为带一条墓道的岩坑竖穴木椁墓。该墓虽然遭到破坏，但主墓室保存尚好。

简报分为：一、一号墓，二、一号车马坑，三、结语，共三个部分。有彩照和手绘图。

简报认为墓葬的年代应为春秋晚期，墓主当为诸侯或其夫人之墓。简报强调，纪王崮春秋墓规模较大、规格较高、结构特殊、出土遗物丰富，是山东近几年来东周考古最重要的发现之一。其墓室与车马坑共凿建于一个岩坑中，是一种全新的埋葬类型。墓葬内出土了大量的青铜礼器、乐器、兵器、车马器及玉器等遗物，对该

区域考古学文化的研究具有重要的学术价值。这次考古新发现对揭开纪王崮历史传说的神秘面纱，对研究该地区春秋时间的政治、经济、文化以及工艺技术、墓葬制度等均有重要意义。

德州市

聊城市

560.山东阳谷县景阳岗村春秋墓

作　　者：聊城地区博物馆　刘善沂、孙怀生

出　　处：《考古》1988 年第 1 期

1979 年 4 月底，阳谷县张秋公社景阳岗村农民，在村庄西南 60 米处的沙岗上挖沙时发现一座古墓，挖出铜豆、扁壶、镞、戈，陶鼎、罐、盖豆、豆等器物，并送交阳谷县图书馆收藏。5 月初，考古人员到现场调查。这个墓葬位于沙岗北端。沙岗是灰少土堆积的龙山文化遗址，高出周围地面 2 米余。墓葬打破龙山文化层，坐落在生土上。该墓北半部分已被农民挖去，只剩下南半部分残墓。考古人员对残墓进行清理，又出土了铜镞、衔、陶匜、盘、鬲、骨贝、管、钉等器物。

简报分为：一、墓葬结构，二、随葬器物，三、结语，共三个部分。有拓片、照片、手绘图。

据介绍，墓为长方形土坑竖穴，墓口及北壁已遭破坏。墓底中部有一长方形腰坑，坑内殉狗一只，头向东。从残存的板灰看，为一棺一椁，骨架已散乱。该墓共出土陶、骨器 1770 余件。器物组合是鬲、鼎、豆、罐。从出土的陶鬲、铜铢的形制和大小类比，应是春秋晚期的遗物。

简报称，随葬器物有铜器和车马器，说明墓主并非一般平民，应该属于低级贵族，但由于此墓不是正式发掘清理的，有些遗物已被农民挖乱、遗失，所以墓主身份尚难以确知。

此墓的清理，对研究这一地区的春秋时期的考古文化具有一定的价值。

滨州市

561.山东博兴出土齐国货币

作　者：常叙政
出　处：《文物》1984 年第 10 期

1983 年 8 月，山东省博兴县陈户公社乔子村农民在田家村东挖水塘时，在距地表以下约 4 米处挖出一批齐国货币，现由惠民地区文物组收藏。简报配以拓片予以介绍。

简报介绍，这次出土的货币共有 105 枚，其中"安阳之法化"1 枚，"齐之法化"1 枚，"齐法化"99 枚（完整的 59 枚），"賹四化"方孔圆钱 4 枚。"安阳之法化""齐之法化"正面刀背之凸缘均中断于与刀柄相接处。"齐法化"数量较多，根据完整的 59 枚看，背面有 11 种文字。

562.山东博兴县出土齐国货币

作　者：李少南
出　处：《考古》1984 年第 11 期

1984 年 1 月，山东省博兴县第二砖瓦厂的职工在陈户公社东田村东南方向 100 米处取土时，于距地表 1.5 米深的地下，发现了一批齐国货币。考古人员闻讯赶到现场，对出土地点进行了初步调查、探测，结果又在原出土地点得到部分货币。货币每 12 枚一摞，整齐地摆放在一起。简报配以拓片予以介绍。

据介绍，这批货币共重 12.05 公斤，计 254 枚。其中刀币 222 枚，圜钱 32 枚，除部分刀币残断外，大部分完整。通过对这批齐国货币的清理和分析，简报认为分别是齐国早、中、晚不同时期的铸币。

"齐之法化""安阳之法化""即墨之法化"是春秋时期姜齐铸的刀币；"齐法化"是田齐威、宣时期铸的刀币；"賹四化""賹六化"是战国末年齐襄王复国后铸的圜钱。

从货币出土情况看，显然是有意识埋藏的，当属窖藏。估计其埋藏时间可能在秦灭齐之际。

563.山东邹平县大省村东周墓

作　　者：山东省惠民地区文物组、邹平县图书馆　常叙政、袁　莹
出　　处：《考古》1986 年第 7 期

邹平县苑城公社武装部于 1979 年 3 月在大省村东修筑打靶台取土时，发现古墓数座，出土一批文物。考古人员于同年 11 月进行了清理。清理的 9 座墓中包括东周墓 5 座，汉墓 4 座，简报配以手绘图，先行介绍 5 座东周墓。

据介绍，5 座墓均为长方形竖穴土坑墓，其中有腰坑的 2 座（M4、M7）。葬具均已朽，从遗迹看 M7 为一棺一椁，M4 为双棺，余为单棺。出土有青铜器等，年代从春秋中晚期（M1）到春秋晚期至战国初期（M3）不等。

564.山东无棣县出土齐刀币

作　　者：郭世云
出　　处：《考古》1988 年第 2 期

1973 年无棣县信阳乡车里村百姓在信阳城南端挖土修渠时，发现齐国刀币 17 枚（其中 3 枚断）。这些刀币出土时排列整齐，似在刀柄的圆圈中用绳索穿在一起扎紧后埋放。17 枚刀币类型相同，长 17.3 厘米，正面有三个字，刀柄部有两条竖线；背面上部有三条横线，柄部也有两条竖线。简报配有拓片。

简报称，今无棣县信阳城出土齐国刀币，说明齐国货币的流通范围曾到达此地，为史书记载齐国疆域"北至于无棣"提供了确切无疑的实物资料。

565.山东阳信城关镇西北村战国墓器物陪葬坑清理简报

作　　者：惠民地区文物普查队、阳信县文化馆　徐其忠、范玉文
出　　处：《考古》1990 年第 3 期

1988 年 10 月，山东省阳信县城关镇西北村出土一批重要文物。这批出土文物是由该村农民马端华等四人在村西洼地取土时发现的。考古人员前往现场进行抢救清理工作。简报配以手绘图、照片予以介绍。

据介绍，这批文物出土地点位于西北村西约 300 米处低于四周约 1.5 米的一片洼地中，面积约有 12 万平方米。据所出器物与已见报道的同类器对照，简报初步推断阳信县城关镇西北村发现的墓葬器物陪葬坑的年代为战国早期。

566.山东邹平小巩出土的战国陶器

作　者：言家信、许　宏
出　处：《考古》1995 年第 8 期

1990 年年初，山东省邹平县苑城乡小巩村村民在村东一沟中取土时，先后发现陶器两批共 30 余件。经现场勘察，陶器出土处西距小巩村约 500 米，水沟为南北向，宽 5～6 米，深 2 米左右。两批陶器分别出土于距地表深 1 米左右的沟壁上，二者相距 10 米许。据村民介绍，两批陶器堆放较为集中，其近旁还出有人骨。经察看，该处地表确有散乱的人骨。从陶器的出土情况及器物组合上看，两批陶器应分别出土于两座墓葬（暂编为 M1、M2）中，可惜二墓已遭破坏，形制结构等情况已不得而知。简报配以手绘图予以介绍。

据介绍，M1 出土陶器 17 件（含器盖），器物种类有鼎、豆、盖豆、壶、盘、匜等，均泥质灰陶，个别呈深灰色，器表多饰有暗纹。M2 出土有陶豆等，时代为战国中期偏晚。今邹平县地界战国时属齐国的近畿地区。这一地区战国陶器墓的材料发表不多，这两批陶器的发现，对进一步认识战国时期齐国物质文化的面貌具有一定价值。

567.山东沾化县发现一件战国铜戈

作　者：沾化县文物保护管理所　李建荣、任文銮
出　处：《考古》1996 年第 5 期

1991 年 7 月 30 日，沾化县冯家乡西堼村一村民在穿过西堼遗址的秦口河中捕鱼时打捞出青铜戈一件。简报配以照片予以介绍。

据介绍，此戈完整无损，重 350 克。根据其形制看，当为战国时期遗物。

菏泽市

568.山东成武县发现春秋铜戈

作　者：苏　鸣
出　处：《文物》1992 年第 5 期

1990 年 9 月，成武县文物管理所征集到一件有铭铜戈。据了解，铜戈 1972 年出

土于成武小台古代遗址，同时出土的还有一件铜矛，惜已失落，无处查寻。简报配以照片予以介绍。

据介绍，铜戈直内，短胡。援长 11.5 厘米，内长 5 厘米，胡长 6 厘米。内上有一"T"形穿，阑侧二半圆形穿。胡一侧有铭文"保晋戈"三字。简报推断此戈属春秋时期遗物。

河南省

569.两件战国青铜器

作　者：杨育彬

出　处：《河南文博通讯》1979 年第 4 期

简报配以照片、拓片介绍了两件战国青铜器。

1977 年 7 月，在郑州紫荆山公园南墙外东里路的北侧进行基建时，发掘了一座战国圆形灰坑。灰坑深 2.2 米，口径 1.3 米，底径 1.2 米。出土有战国细把灰陶豆、敛口素面灰陶钵、绳纹板瓦和筒瓦等，还出有一柄战国青铜剑。青铜剑较完整，剑身横剖面呈六边形。

1976 年 5 月，豫西灵宝县文底公社庙上村出土了一件战国青铜器。通高 27.5 厘米，纹饰精美。

郑州市

570.河南新郑仓城发现战国铸铁器泥范

作　者：刘东亚

出　处：《考古》1962 年第 3 期

1960 年秋考古人员在勘察郑韩故城时，曾对 1958 年前发现的仓城村的冶铁遗址进行了试掘。简报配以照片予以介绍。

据介绍，仓城村冶铁遗址位于郑韩故城外郭城内，距今新郑县东南约 8 公里，过去此地经常发现大批陶范和铁器。钻探得知这里文化堆积一般厚 2～3 米。出土遗物有陶范和铁器等。1955 年考古人员在郑州二里岗和南阳车站附近清理的战国遗址中很少见到陶瓦；而这处遗址中发现的陶瓦较多，筒瓦为粗绳纹，里面有不规正的方格纹，陶质坚硬。筒瓦则饰并排的斜绳纹，胎较筒瓦略厚。据调查在故城内分布的十余处遗址中，这里最为重要。遗址内出土的陶豆与洛阳战国墓出土的基本相同，而筒瓦和板瓦则和洛阳战国晚期的相似，因而遗址的年代应属战国晚期。

571.河南新郑出土的战国铜器

作　者：孟昭东

出　处：《考古》1964 年第 7 期

新郑县城东 4 公里新郑烟厂于 1963 年 12 月在院中平地时发现空心砖墓一座，出有铜器 3 件（敦 2、盘 1）、骨器 2 件、陶纺轮 1 件、陶弹丸 2 件。考古人员立即前往调查。据与发现者交谈，起土至 1.08 米深时即发现墓室。墓室系用空心砖砌成，墓室已不完整，但未见人骨。

1964 年 2 月下旬，考古人员再次到出土墓葬地点调查，又在上述墓的东南侧约 0.5 米处，发现铜鼎 1 件。出土时鼎的耳部已经露出地面（距原地面深约 1.88 米）。据当地人反映这一带在过去耕地时，就不断发现残陶片和绳纹陶片等。此批铜器未见铭文，简报推断其年代为战国时期。

572.新郑"郑韩故城"发现一批战国铜兵器

作　者：郝本性

出　处：《文物》1972 年第 10 期

郑韩故城位于河南省新郑县城周围，是春秋、战国时期郑国和韩国相继建都的地方，城垣分主城和外廓城两个部分。1971 年 11 月，外廓城内东南部自庙范村的村民在村北约 500 米的地方平整农田时，在距地表约 0.4 米处，发现了一个口径约 0.6 米、深约 0.36 米的不甚规则的土坑，坑内堆积着大量带有铭文的铜戈、铜矛和铜剑等兵器。考古人员对该兵器坑进行了清理。

简报分为：一、铜兵器坑的地层情况，二、铜兵器的形制，三、铜兵器上的铭文及有关问题。

据介绍，这批铜兵器大多带残，计有铜戈 80 余件、铜矛 80 余件、铜剑 2 件等，有铭文的 170 余件。简报推断此兵器坑的时代相当于战国晚期。铭文对研究韩国的地理、文字、冶铸官职、兵器形制、铸造工艺等均有价值。

今有刘正先生《青铜兵器文字》（文物出版社 2014 年版）一书，可参阅。

573.河南登封阳城遗址的调查与铸铁遗址的试掘

作　者：中国历史博物馆考古调查组、河南省博物馆登封工作站、河南省登封
县文物保管所

出　处：《文物》1977 年第 12 期

阳城是我国历史上的重要古城之一。《古本竹书纪年》说"禹居阳城"。在我国古代传说中，阳城是中国历史上第一个奴隶制国家——夏王朝最早建都的地方。关于古阳城的地理位置，许多文献记载认为就在现今的河南省登封县告成镇附近。简报认为，这座新发现的规模较大的夯土城垣就是春秋、战国时期的阳城遗址。考古人员在这座古老的城址的南部，发现了一处从战国到汉代的铸铁作坊遗址，并对这处遗址进行了小规模的试掘。春秋、战国时期的阳城的发现，为探索夏文化提供了一些重要线索。城南铸铁作坊遗址的试掘，为战国和汉代阳铸铁生产情况获得了一些重要的实物资料。

简报分为：一、关于春秋、战国阳城遗址的调查，二、铸铁遗址的时代试掘，共两个部分。有照片、手绘图。

据介绍，考古人员在告成镇东北发现有阳城古城墙遗迹、护城壕遗迹。此遗址建于春秋、战国，秦汉时继续使用，但汉代时阳城北部已废弃，居民点南移。从出土产品看，主要应是战国时韩国阳城一处铸造农业生产铁器的作坊。

574.一九七七年下半年登封告成遗址的调查发掘

作　者：河南省博物馆登封工作站

出　处：《河南文博通讯》1978 年第 1 期

介绍了龙山文化中晚期"王城岗"小城堡遗址的发掘、春秋战国时期阳城遗址的调查发掘、战国时期铸铁遗址的发掘情况。

575.新郑郑韩故城

作　者：马世之

出　处：《河南文博通讯》1978 年第 2 期

简报配以手绘图，介绍了郑、韩两国故城。

郑韩故城是东周时期郑国和韩国的都城。考古人员经十多年的工作，初步弄清了城墙建筑结构和宫城、手工业作坊、墓葬区的布局，并出土了一批重要文物和发掘出一些重要遗迹。这对研究东周的历史和我国古代社会分期问题有一定意义。

576.河南登封告城发现战国陶量

作　者：中国历史博物馆考古组、河南省博物馆登封工作站　杨文和、董　琦
出　处：《考古》1981 年第 6 期

1977 年 9 ～ 12 月，在阳城遗址内的偏北部和铸铁遗址，又进行了一些发掘工作。在发掘进程中出土了 5 件战国时期的陶量。简报配以拓片、照片予以介绍。

据介绍，计"廪"字陶量 1 件、"阳城"陶量 4 件。前者是战国早期遗物，实测容量为 1830 毫升；后者是战国晚期遗物，实测容量为 1855 ～ 1860 毫升。登封战国时属韩国，故上述遗物应为韩量。战国时期的容量单位名称繁多，很不统一。当时各国的量制差别不是太大，如齐量的升值要比秦量稍高一些，而三晋两周的升值要比秦量偏低些。虽然各国容量单位名称不统一，量制亦有些差别，但已经是比较便于换算了。

577.登封战国阳城贮水输水设施的发掘

作　者：河南省文物研究所登封工作站、中国历史博物馆考古部　李京华、安金槐、杨文和
出　处：《中原文物》1982 年第 2 期

河南省登封县告成镇一带，是古代文献记载和传说中的阳城所在地。在这一带探索夏代文化的进程中，于 1977 年春，在告成镇东北部，调查发现了春秋战国直至汉时期的古阳城遗址。1977 年秋进行了发掘。在初步发掘的近 1500 平方米范围内，除清理出一些春秋战国时期的灰坑和水井外，比较重要的是发掘出了部分战国时期的贮水和输水设施遗存，并出土了大量战国时期的陶器。特别是在有些陶器上，还印有"阳城"和其他一些文字的陶文戳记。这些发现对于研究我国古代城市建设中的贮水和输水设施，以及进一步证实春秋战国时期的阳城所在地点，都提供了重要的实物资料。

简报分为"早期文化遗存""结语"等几个部分，介绍了 1977 年下半年及 1978 年上半年的发掘材料，有照片。

据介绍，阳城是春秋战国时期郑国、韩国军事重镇。此次发掘的阳城内的贮水与输水设施，是我国目前已经发掘出来时代比较早、规模比较大，而且保存又比较完好的贮水与地下输水设备。过去多认为埋在地下的陶水管道是排水用的。以登封春秋战国阳城内发掘出来这些陶水管道来看，显然是输水用的。它有贮水池和输水管道的一整套设施，特别是为了节约用水，在贮水池和输水道管之间还设置有开关用的"阀门坑"。其结构很像现代城市中的自来水管道设计。另外，出土的陶量等陶器上的戳记，也很有史料价值。

578.新郑县出土铜剑、铜戈简报

作　者：薛文灿、崔　耕

出　处：《中原文物》1982 年第 4 期

新郑县郑韩故城东北约 2 公里能庄村社员白青科，1980 年冬在其家院内挖坑栽树时，发现铜剑、铜戈各一件，当即送交县文管会。考古人员于 1981 年春，派人到白家调查，并进行了清理。简报配以照片等予以介绍。

据介绍，该墓应是一座长方形墓葬。棺木已朽，人骨无存。经与院主详细核对，剑、戈出土位置均在棺内，戈北剑南。此外，又清理出一些长条形蚌饰，一件小玉饰，几块残铜片、陶片、兽骨等。简报重点介绍了出土的铜剑、铜戈。

铜剑 1 件，已断为 3 节，长 41 厘米，宽 5 厘米。铜戈 1 件，刃极锋利，全长 22.5 厘米。铜戈上有鸟书铭文。简报认为，此剑、戈，肯定不是当地所产，应属吴、楚某王所造，时代当在春秋晚期或战国初期。

春秋战国时期，郑、韩地处中原腹地，处于列国包围之中，与邻国战争也较频繁。吴、楚两国伐郑，史书多有记载，异国兵器散失郑地，也是会有的。但是，此器系墓葬出土，墓主是什么人，是吴、楚，还是郑、韩，是墓主人原有之物，还是有别的原因（如馈赠、战争胜利品等）而将此器随葬，都有待进一步探讨。

579.河南新郑县李家村发现春秋墓

作　者：河南省文物研究所新郑工作站　李德保

出　处：《考古》1983 年第 8 期

新郑县纤维厂，位于新郑县城东约 3 公里，车站公社常庄大队李家村生产队南约 1000 米。李家村东为南北方向的一条大深沟，村西为黄水河，与郑韩故城外廓城的东城墙相望。李家村处于一个北高南低的高岭上，这一带高岭上，在 1949 年前，不断发现过铜器墓。由此看来，李家村附近是一个古墓群。县纤维厂于 1979 年 5 月 16 日，在该厂大门外修建门市部挖地基时，距地表 0.8 米深处挖出铜器、陶器十余件。考古人员于 5 月 17 日赶到现场，该厂民工已将出土器物拿到厂办公室保存。出土器物铜器有铜鼎、铜敦、铜盘、铜匜、铜舟；陶器有陶鬲、陶罐、陶豆、陶匜，还有小鸟之类的陶器附件。通过现场调查，属于墓葬内的出土器物。墓葬被盗，墓室被挖坏，看不清楚墓室的边沿，葬具已腐朽，可看出墓底有朱砂。据民工反映，随葬品均放置在墓室北端。简报配以照片、手绘图予以介绍。

简报认为该墓葬应为春秋晚期墓葬，应为郑国遗存。

580.介绍几件韩国陶量

作　者：丘　隆、丘光明
出　处：《中原文物》1983 年第 3 期

登封阳城遗址出土的一批陶量，是研究战国量制极为重要的器物。可惜大多已残损，较完整的仅存三件。简报配以照片予以介绍。

据介绍，一为廪陶量，出自战国阳城建筑遗址方蓄水池内，容积 1670 毫升，上有阴文印三方，其中一方稍残。二为阳城陶量，容积 1690 毫升，有"阳城"阴文印三方，器腹与底部有三处刻划"X"形符号。三亦为阳城陶量，容积 1690 毫升。器口沿存"阳城"印二方，疑残缺一方，另有"三"形划刻符号。器形与上器相同。两件阳城陶量都出自铸铁作坊遗址。同时出土的几件带残陶器，经修复后测算，其中两件容量约相当于斗量的一倍，一件约相当于斗量的四分之一，与以上三件完整斗量很可能是韩国的一组量器。

581.郑州商城区域内出土的东周陶文

作　者：张松林
出　处：《文物》1985 年第 3 期

东周时期，郑国建都新郑，同时把郑州作为重镇之一，在商代故城上重修城池。故在郑州商代城址区域内出土郑国陶文甚多。1954 年，考古人员在距商城东约 200 米的白家庄地段内进行考古发掘，首次发现陶文。1956 年，在行政区金水河南岸、省合作总社工地上发现了第二批陶文。随后在黄河医院、东里路等处又多次发掘出大批陶文。简报配以拓片、手绘图予以介绍。

从出土情况看，陶文分布地点主要在郑州春秋故城北城墙外的商代宫殿区范围内，今东里路东段、白家庄、顺河路、紫荆山公园对岸的金水河畔等处。印制陶文多用方形印章，也有少量圆形印章。出土带有陶文的陶器多为残片，完整者甚少，可辨出的器形有豆盘、豆柄、罐、盆、瓮、碗等。陶文的位置往往因器物不同而异。

582.郑州市郊沟赵乡出土一批战国布币

作　者：赵新来、陈　娟
出　处：《中原文物》1985 年第 2 期

1984 年 4 月，郑州市西北郊沟赵乡第二生产队砖瓦场挖出一个战国灰陶绳纹圆底罐，罐高 29 厘米，腹径 29 厘米，罐口覆盖一陶盘，罐内满装战国时期的平首方肩方足布币（铲形币），布币文字清晰可辨。据窑场工人们讲，这批古币在罐内是用细绳捆成小捆，每捆 10 枚，出土时捆绳已腐朽。简报配图予以介绍。

据介绍，这批窖藏布币出土后已经散失一部分，现在有着落的总计是 2065 枚，其中流散到肠山县文化馆 400 枚、现存河南省博物馆 1665 枚。按不同文字或同字别体可分为 63 种，尚有 60 余枚字迹不清无法辨认的。这批窖藏战国货币，同出一罐内，多为韩、赵、魏"三晋"遗物，说明当时各国货币是可以统一使用的，货币上所铸的地名，均是今晋、冀、豫三省范围，也是当时韩、赵、魏的势力范围。这对于研究战国时期的商业经济、铸币形式和地名变迁等都有很重要的参考作用。

583.新郑县辛店许岗东周墓调查简报

作　者：河南省文物研究所新郑工作站、新郑县文物保管所　蔡全法、宋国定
出　处：《中原文物》1987 年第 4 期

许岗东周墓的调查是郑韩故城附近大型陵墓调查工作的一部分。目前已经发现十余个陵区、近 200 座墓葬（其中包括陪葬墓、坑等），这一发现是近年来郑韩故城田野考古工作的重要收获之一。1984 年文物普查中，考古人员在许岗村东发现数处夯土遗迹。经调查，初步认为这些夯筑遗迹应与古代墓葬有关。为了进一步弄清其布局，于 1985 年 11 月 25 日至 12 月 20 日对许岗 4 座大型古墓进行了调查。

简报分为：一、墓的现状，二、墓葬形制，三、"车马"，"随葬坑"及其他，结语，共四个部分。有手绘图、拓片。

通过这次调查，简报推断：许岗 4 座大墓的时代，上限不会超出战国中期，下限不会晚于战国末年，4 墓之间可能有先后关系。许岗大型战国陵墓的发现，不仅为寻找韩国国君陵墓提供了重要线索，而且也开阔了田野调查的视野，对于研究春秋战国时期反映奴隶主贵族宗法关系的公墓制度的瓦解、家族墓地制度的形成、以国君陵墓为主体的陵寝制度的确定，都具有十分重要的意义。

584.新郑县河李村东周墓葬发掘简报

作　者：河南省文物研究所新郑工作站　宋国定
出　处：《中原文物》1987 年第 4 期

河李村位于郑韩故城东城南部，距新郑县城约 4 公里。1985 年 12 月，为配合河李村民建房，考古人员对该遗址局部进行了钻探，发现 8 座东周墓葬，于 1986 年 1 月 1 日至 28 日对该批墓葬进行了清理。简报配以手绘图、照片予以介绍。

据介绍，8座墓葬的形制均属于圆角长方形，人体骨架保存不甚完好，腰坑在8座墓中也有发现，葬具均一椁一棺。8座墓葬规模较小，从出土的随葬品组合看，除M16以外，其余应为一般的平民墓葬。通过对河李墓葬的出土器物组合、形制特点诸方面的分析，简报推断河李墓葬的年代应当在春秋中期前后。其中M18时代可能稍早，当在春秋中期偏早一阶段。M15、M16中出有鼎，形制与战国墓中出土的同类器略有不同，两墓的时代可能在春秋晚期。

585.新郑县蔡庄东周墓葬发掘简报

作　者：河南省文物研究所新郑工作站　郭木森、侯　旭、王蔚波
出　处：《中原文物》1987年第4期

1984年8月，考古人员在新郑郑韩故城以南的梨河乡蔡庄西地发掘一批东周墓葬。墓葬区西邻郑禹公路，北距郑韩故城1公里。墓葬密集分布在高出地面2～3米的台地上，面积为1440平方米。于8月开始清理，10月结束，共清理出墓葬37座。其中14座由于盗扰严重，时代不明。

简报分为：一、春秋墓葬，二、战国墓，结语，共三个部分。有手绘图、照片。

据介绍，春秋墓共11座，均为长方形竖穴土坑墓。战国墓8座、西汉墓2座。这批墓几乎都受过盗扰，破坏严重。春秋墓可分为春秋中期后段、春秋晚期两个时期。战国墓可分为战国早期、战国中期、战国晚期三个时期。西汉墓应为西汉前期或稍晚。此处应为从春秋中期使用至汉代长达数百年的一处庶民墓区。此次发现，对于研究郑、韩两国庶民埋葬习俗等有一定价值。

586.新郑县发现一批战国货币

作　者：赵炳焕
出　处：《中原文物》1988年第2期

战国时期是我国金属铸币繁杂而昌盛的时期。新郑县文物保管所收藏了一批珍贵的战国货币，计有布币1029枚。其中平首平肩钱体轻薄的方足布31枚；平首圆肩厚重硕大的桥足布985枚；形状别致，布首有两尖角，跨部呈三角形的异形布13枚。另有刀币1枚。方足布多为三晋铸币，且均有铸字，这些布币造型规整，钱文书法古朴雄厚，端庄秀美。简报配以拓片予以介绍。

据介绍，这批货币共计16种，其中"公"布、"乘正尚金尚爱"布两种少见，均出土于新郑县。这些不同侯国、不同品类的货币同在韩国出土，是当时各国贸易交往的

实物见证。大量的魏币在韩国发现，也是魏国强大的一种反映。这些刀布的出现，对了解战国时期韩、赵、魏三国的疆域分布，对考释古代文字、研究书法都有很大的价值。

587.郑韩故城制骨遗址的发掘

作　者：河南省文物研究所　李德保

出　处：《华夏考古》1990 年第 2 期

1964 年秋至 1965 年 5 月底，考古人员对郑韩故城进行了大规模的文物调查和钻探工作。制骨遗址就是在这次钻探中发现的。该遗址位于郑韩故城外廓城（东城）的北部，北距张龙庄约 400 米，东距故城墙约 500 米，县城至火车站的公路由西向东穿过遗址中心。

简报分为：一、前言，二、地层堆积与分期，三、春秋中期，四、春秋晚期，五、战国早期，六、战国中期，七、战国晚期，八、结语，共八个部分。有拓片、照片、手绘图。

据介绍，出土的陶器上发现有陶文。这批陶文的发现，对研究古文字有一定的意义。绝大多数是在烧制之前刻划而成的，个别的是在烧制后刻成。制骨作坊遗址的试掘，基本上弄清了该遗址的全盛时期是战国。这批骨器所使用的原料主要有牛、羊、鹿的骨骼，还发现有鸡、鱼等动物的骨头，主要是选用肩甲骨、肋骨、腿骨等。骨料上遗留有明显的锯、刀、凿、锉、钻、磨等痕迹。根据模拟试验，制作骨器的工艺过程大体是：采集骨料——选料——锯——磨、钻、雕。

588.河南登封县肖家沟战国墓发掘简报

作　者：河南省文物研究所登封工作站　马　全

出　处：《华夏考古》1990 年第 4 期

肖家沟位于登封县东南 15 公里告成乡东 2 公里的许洛公路东。沟东是春秋战国阳城遗址城墙，当地称为"城墙捞"，东北是云孟山，与城墙捞隔沟相望。肖家沟 1 号墓就在肖家沟村北沟西约 50 米许洛公路东侧。1988 年 6 月 10 日，肖家沟农民在铲土时发现了此墓。考古人员发现该墓为几何形方格米字纹空心砖墓，初步定为战国晚期墓葬，并决定清理发掘。

简报分为：一、发掘经过，二、墓葬形制，三、随葬器物，四、结语，共四个部分。有手绘图、拓片。

据介绍，该墓为长方形空心砖墓，已遭破坏，仅出土陶器、铜璜、铜洗等计 6 件，其时代应属于战国晚期。陶瓮及陶碗上的陶文"公"字很可能表示生产者或单位。戳印的形式，是战国时期的特征。

589.郑韩故城内战国时期地下冷藏室遗迹发掘简报

作　者：河南省文物研究所　安金槐、李德保
出　处：《华夏考古》1991 年第 2 期

郑韩故城位于现今河南省新郑县城关一带，是春秋时期郑国和战国时期韩国的都城遗址。城内中部有一条南北向的夯土城墙，把郑韩故城分为东西两部分。一般把东部称为"东城"（亦称"外城"），西部称为"西城"（也称"内城"）。在郑韩故城内已经钻探发现和发掘出的春秋与战国两个时期的夯土建筑基址，比较集中地分布在西城内中部偏北和西北部地势较高的地带，即今阁老坟村周围。已钻探发现可能是战国时期的宫城遗址，就在阁老坟村南一带。

简报分为：一、发掘经过和地层关系，二、地下冷藏室遗迹的筑法、结构和设施，三、地下冷藏室的出土遗物，四、结语，共四个部分。有手绘图。

根据这处遗迹的形制结构和室内填土中的遗物，简报推见这是一处地下冷藏室，并且可能是储藏肉类为主的冷藏室。从冷藏室内填土中的遗物来看，都属于战国晚期，不见晚于战国时期的遗物，所以地下冷藏室的时代简报推断应是战国晚期。但冷藏室的东壁夯土墙显然是后来又经过修葺的，这样，冷藏室的建筑时间可能早到战国早、中期，而延续使用到战国晚期。同期同刊有安金槐先生《战国时期地下冷藏遗迹初探》一文，可参阅。

590.河南新郑郑韩故城制陶作坊遗迹发掘简报

作　者：河南省文物研究所　李德保
出　处：《华夏考古》1991 年第 3 期

1964 年下半年，考古人员在郑韩故城进行文物钻探工作。为便于开展工作，将郑韩故城遗址划分成 32 个区。通过 2 年时间的普遍钻探（1964 年下半年～ 1966 年下半年），在位于郑韩故城东部的 21 区（即外廓城东部）发现了铸铜遗址和制陶遗址。1972 年 3 月，在配合修建豫新制药厂时，在制陶遗址开探方 2 个，发掘面积为 148.5 平方米。在 T1 探方内发现一处制陶作坊遗迹，编号 F1。简报分为：一、地层叠压关系，二、F1 制陶作坊遗迹，三、制陶工具，四、陶器，五、铁器，六、建筑材料，七、结语，共七个部分。有手绘图、照片、拓片。

简报将 F1 出土陶器与曲阜鲁国故城所出陶器作比较，推断 F1 制陶作坊的大体为战国遗迹。推测该作坊以制瓦为主。在 F1 制陶作坊中发现的陶文较为重要。

简报称，对郑韩故城 F1 制陶作坊的发掘和整理，对战国时期都城内的制陶作坊的规模、布局、工艺流程和产品等情况有了一定的了解，为研究这一时期的手工业

发展史提供了重要的实物资料。

591.河南登封县八方村出土五件铜戈

作　者：河南省文物研究所　马　全
出　处：《华夏考古》1991 年第 3 期

1987 年 3 月，河南省登封县告成乡八方村农民韩战国在建房挖地基时，发现铜戈五件并将其捐献给河南省文物研究所登封工作站。八方村位于登封县东南 15 公里告成乡西 1 公里，东隔五渡河与东周阳城相望。五件铜戈出土于寨墙外东北约 20 米的二级台地中，再往东约 300 米就是夏代文化遗址王城岗。考古人员赴现场了解情况时，所挖房基已经过夯实并回填。据当事人介绍，五件铜戈堆放在一起，同出于疏松的土堆中，其中四件受到不同程度的损坏。在五件铜戈中，四件有铭文，其中两件为二次刻铭。

简报分为：一、铜戈的形制，二、铭文位置及其隶定，三、结语，共三个部分。有手绘图。

据介绍，从铭文内容得知，三、四号戈同属上郡。上郡原属魏。三、四号戈铭文格式与魏国兵器铭文格式迥异，简报推断应属秦。三、四号戈究竟为秦哪一朝王所铸造，根据李学勤先生的观点，简报认为其不早于秦昭王。四号戈胡面浅刻着"博望"两字。博望乃汉武帝封予张骞的名号，并在今方城博望一带为其划了封地。博望便由此而来，若此说不误，四戈号应一直沿用至西汉初年。

592.河南新郑新禹公路战国墓发掘简报

作　者：赵　清、王文华、刘松根
出　处：《考古》1994 年第 5 期

1988 年春，新郑县扩修县城东关至大高庄的新禹公路。在新登小铁路以南、大高庄以北的 700 米地段，考古人员先后钻探出 12 座竖穴土坑墓，并于当年 3 月和 7 月分两次进行了发掘清理。

这段路面南高北低，南北相差 3 米有余。在原路基西侧发掘 2 座墓葬，编号88XZM2 和 M3，靠近北边小铁路，属郑韩故城烈江坡墓地。原路基东侧发掘 10 座墓葬，编号 88XZM4 ~ M13，属郑韩故城蔡庄墓地。这两块墓地相连，均在郑韩故城的西南隅。M4 ~ M13 现地面高于 M2 和 M3 约 3 米，又低于 1984 年发掘的蔡庄墓地近 2.5 米。这些墓葬中有 2 座是车马坑。1987 年春，在 M4 之北几米处，百姓挖树坑时在距地表深 0.4 米左右出土铜器 5 件。考古人员认定这是一座竖穴土坑墓，铜器放在墓室北端。此墓编号 87XZM1。

简报分为：一、墓葬与出土器物，二、车马坑，三、结语，共三个部分。有手绘图、照片。

据介绍，发掘的 12 座墓葬，均为长方形竖穴土坑墓。墓室东北角竖置 1 件陶壶，盆骨上下有水晶、骨、蚌料珠 46 枚和小铜铃 10 件，放置紊乱，有的在盆骨下和两股骨间，无法看出原来面貌。左盆骨上发现玉环和骨饰各 1 件。1 号车马坑为竖穴土坑，2 号车马坑为长方形竖穴土坑，两座车马坑均未发现车马器。这批墓葬有盒无豆，所以它们稍晚于白沙等处的战国墓葬。简报推断其时代可能在战国早、中期之间，其中 M2 时代相对稍早，而 M3 出土的陶壶，已经具有战国晚期的风格了。

593.河南新郑新发现的战国钱范

作　　者：河南省文物考古研究所　马俊才
出　　处：《华夏考古》1994 年第 4 期

新郑郑韩故城为东周时期郑、韩两国相继建都的地方。郑韩故城内外东周遗存密布，文化遗物丰富。自郑韩故城发现以来，有许多重要考古发现，战国钱范的发现即为其中之一。1983 年发现有"殊钱当忻"与"四钱当忻"钱范。1992 年 8 月，为配合新郑城关玉前路扩改工程，在大吴楼铸铜遗址的南部发掘出"公"锐角布面、背陶范 7 件，"涅金"锐角布面、背陶范 3 件，"蔺"圆足布面、背陶范 32 件，"离石"大圆足布陶面范残块 1 件。1993 年 5 月，为配合新郑县高新技术开发区建设，在城关乡小高庄村西东周遗址发掘出一钱范坑，出土完整或可复原的"蔺""离石"大圆足布面、背陶范 184 件（其中 9 块范块不明），无文大圆足布残石范 1 件以及一些圆钱陶范残块。

简报分为：一、钱范的形制；二、结语，共两个部分。配以拓片、照片，介绍了 1992 年和 1993 年发现的钱范。

据介绍，大吴楼应为一处春秋战国时郑、韩两国铸铜手工业作坊遗址。应为官营。该遗址既铸铜币、铜器，也铸铁器。小高庄为韩国铸铁手工业作坊的一部分，既铸铁器，也铸铜器。

594.河南新郑出土的韩国农具范与铁农具

作　　者：河南省文物研究所　李德保
出　　处：《农业考古》1994 年第 1 期

河南新郑县铸铁作坊遗址，位于郑州市南 40 公里新郑县城东南 1.5 公里的仓城村南地。试掘发现的遗迹有残炉基底 1 座、烘范 1 座，通风道 2 个、井 3 眼，灰坑 5 个等。出土遗物有陶、石范两种。陶范占 90% 以上。在陶范中，农具范又占陶范的 60% 以上。

简报分为：一农具范，二、铁农具，三、结语，共三个部分。有照片。

据介绍，农具范出土器物 300 余件。其中镬范 168 件，占 55%。锄范 104 件，占 34%。镰范 29 件，占 10% 左右。铁农具 200 余件，占出土铁器的 63.5% 之多。郑韩故城仓城铸铁作坊遗址中，以铸造铁锄、铁镬和铁镰等农具为主要产品，铁削次之。也发现极少的戈和矛的陶范遗物。简报推断它的时代应同属战国时期的铸铁作坊遗址。农业生产工具的数量比较多，从而断定战国时期的仓城铸铁遗址是一处以铸造农业生产工具为主的铸铁手工业作坊遗址。同时，仓城铸铁遗址出土的大量铸造铁制农业生产工具陶范，表明着战国时期的铁制农具、生产工具已经得到十分普遍的应用，标志着战国时期韩都在生产力方面有了显著的提高和发展。

595.河南新郑大高庄东周墓

作　者：郑州市文物工作队、新郑县文物保管所　姜　楠、王彦民、刘松根等
出　处：《文物》1995 年第 3 期

1993 年 9 月，新郑县民政康复医院在位于县城西南约 2 公里的大高庄基建，发现一批古墓。墓葬地处双洎河南岸，西临 107 国道，东北距郑韩故城城墙 1.5 公里。考古人员进行抢救性发掘，其中清理东周时期墓葬 6 座。

简报分为：一、墓葬形制，二、随葬器物，三、结语，共三个部分。有照片、手绘图。

据介绍，大高庄 6 座东周墓（M1、M2、M7、M9 ～ M11）均为长方形竖穴土圹墓，墓口略大于墓底。仅 M9 有腰坑，中有兽骨。葬具、棺椁均严重腐朽。除 M7 外，均多次被盗，仅出土劫余的玉器、水晶饰、串珠、铜贝、金箔等。这批墓葬的年代，从春秋晚期到战国早期不等。

596.郑州市两处战国墓发掘报告

作　者：郑州市文物考古研究所　刘彦锋、于宏伟
出　处：《中原文物》1997 年第 3 期

1996 年，考古人员为配合基本建设，发掘清理了两处小型战国墓地，出土一批战国时期文物。

简报分为：一、化工部地质勘探总院战国墓，二、河南省邮电器材公司战国墓，三、结语，共三个部分。有拓片、照片、手绘图。

据介绍，化工部地质勘探总院位于郑州市陇海路与桐柏路交叉口东北角。为配合其家属楼建设，于1996年8月在此发掘清理墓葬6座，全部为土坑竖穴墓。简报推断为春秋晚期或战国早期墓。河南省邮电器材公司战国墓位于郑州市南阳路西侧的北仓中街河南省邮电器材公司院内。这一带地势较高，也是战国墓区，以往在这里曾多次进行发掘。这次配合建设家属楼，发掘清理战国墓13座。这批墓葬中，有7座为竖穴土坑墓，6座为竖穴空心砖墓。邮电公司墓为战国早期或稍晚、战国中晚期、战国晚期墓。值得注意的是，邮电公司墓中有两座墓的空心砖上带有简单的画像（M11、M12）。特别是M11，出土物较丰富，出土有大量的铜璜、玉环等。其画像主要是虎纹、柿蒂纹、树纹、三叶纹等，说明画像砖至迟在战国晚期，甚至在战国中期已经出现。

597.郑州纺织机械厂战国墓葬发掘简报

作　者：郑州市文物考古研究所　张建华、张文霞
出　处：《中原文物》1997年第3期

1996年7月，在郑州纺织机械厂生活区住宅楼施工前，钻探发现一批古墓葬，共发掘战国墓葬9座（编号9607ZFJM1—M9），出土器物38件。

简报分为：一、墓葬位置及其分布，二、墓葬形制，三、随葬器物，四、随葬器物的组合，五、结语，共五个部分。有手绘图。

据介绍，发掘地点位于郑州市区南阳路与黄河路十字交叉路口的东南隅，南与岗杜相邻。岗杜一带地势较高，是郑州市区内战国墓分布和发现较多的地区，历年来均有零星战国墓发现。本次发掘地点正位于该墓葬区东部。9座墓分别位于东西并列的两栋拟建楼房基础内，大致呈东西向排列。由于发掘范围所限，仅就所发现的这几座墓来看，往往是每两座墓成一组。M1、M9已遭施工破坏。9墓均为长方形竖穴土坑墓。9座墓中，除M9外，其余的均有随葬品出土，少者1件，多者10余件。M2出土1件铜带钩，其余的墓不见铜器。以陶器为主，陶器组合大致可分三类。第一类有腰坑，仅1座（M8），时代为战国早期。第二类有壁龛，仰身屈肢，为战国中期墓（M3、M4、M5、M6、M7）。第三类为战国晚期。除M8外，其他各墓应属同一家族。

598.郑韩故城青铜礼乐器坑与殉马坑的发掘

作　者：河南省文物考古研究所新郑工作站　蔡全法、马俊才
出　处：《华夏考古》1998年第4期

1996年9月至1997年12月，为配合中国银行新郑支行的基建工程，考古人员

对工程所在地进行了全面的发掘，发现大量东周遗存。该遗址位于郑韩故城东城西南部，北临新华路，南临新郑市实验中学，西临中华路，东靠小高庄村，面积 22000 平方米。1993 年 3 月至 5 月，曾进行过部分试掘，发现了布币范窖藏坑、大型粮仓、灰坑、殉马坑及汉、唐古墓等遗迹。此次清理灰坑 500 座、水井 84 眼、青铜礼乐器坑 16 座、烘范窑 3 座、小型墓葬 133 座、瓮棺葬 28 座、春秋中期夯土墙基 1 段、殉马坑 39 座，出土了以 334 件郑国公室青铜礼器为代表的大批珍贵文物，取得了东周考古的重大成果，被评为"1997 全国十大考古新发现"之一。

简报分为：一、地层堆积，二、遗存，三、结语，共三部分。先行介绍 15 号青铜礼器坑、4 号青铜乐器坑和 21 号殉马坑。

据介绍，新郑郑韩故城是东周时期郑、韩两国都城，地下文物极为丰富。发掘区以青铜礼乐器坑和殉马坑为主体，目前已清理礼器坑 7 座，乐器坑 11 座（其中有 4 座历史上被盗），殉马坑 40 余座。这些坑的排列多数都有一定规律，坑之间也有一些打破关系，说明这里曾被使用了较长的时间，祭祀活动曾进行过多次。因附近没有发现与其相匹配的墓，遗址又位于城内，所以，既不会是祔葬坑，也不会是郑祀天地的遗存。遗址也没有发现任何房屋建筑遗址，与庙堂林立的宗庙有别。社坛是大地的象征，故以天为穹庐，所以不设宗庙之类的建筑，周筑矮墙。这里只发现有夯筑围墙墙基，基本与文献中的社稷遗址相吻合，又有大批马匹作牺牲，故当为社祀遗址。该遗址的发现，不仅填补了周代社祀遗存的空白，对于研究周代仪礼、用牲（如马是放血后埋入的）、用鼎制度及奴隶制时代的宗教思想具有重要作用；同时对郑韩故城的城市布局、宗庙位置的确定、铜器分期断代和青铜铸造技术等研究有重要价值。出土遗物中尤以 200 余件编钟和一批钟架的发现最为难得，对研究我国音乐史、编钟发展史、古乐器学、郑国音律结构等具有重要意义。

599.河南新郑市郑韩故城郑国祭祀遗址发掘简报

作　者：河南省文物考古研究所　马俊才、蔡全法
出　处：《考古》2000 年第 2 期

1996 年 9 月至 1998 年 10 月，为配合中国银行新郑支行的基建工程，考古人员对这处东周遗址进行了全面的发掘。该遗址位于郑韩故城东城西南部，北临新华路，南临新郑市实验中学，西临中华路，东靠小高庄村，面积 22000 平方米。1993 年 3～5 月的发掘，发掘面积 8000 平方米，清理二里岗期商文化灰坑 8 个，西周灰坑 52 个，东周灰坑 731 个，两周水井 98 眼，春秋青铜礼乐器坑 17 座，马坑 45 座，战国烘范窑 3 座，两周及汉代灶坑 9 座，各时期墓葬 152 座。除数座汉墓是中型外，其余都

是小型墓葬，其中西周墓 2 座，东周墓 62 座，汉、唐、宋墓 24 座，不明时代的墓 36 座及战国时期瓮棺葬 28 座。还在遗址东部发现春秋时期郑国祭祀遗址东墙夯土墙基一段，出土了以 348 件郑国公室青铜礼乐器为代表的大批珍贵文物，取得了东周考古的重大成果，被评为"1997 全国十大考古新发现"之一。

简报分为：一、地层堆积，二、文化遗迹，三、出土铜器，四、结语，共四个部分。有手绘图、照片、拓片。

据介绍，该遗址以青铜礼乐器坑和马坑为主要内涵。目前已清理礼器坑 6 座，乐器坑 11 座（其中有 3 座历史上被盗），马坑 40 余座。简报认为此遗址为社祀祭祀遗址。此次为科学发掘，地层准确，多数礼乐器坑都直接打破春秋早期地层或灰坑。结合各种器物的风格与特征，推断其年代上限不会早于春秋早期，而下限不会晚于郑伯墓。这次共出土礼乐器 348 件，并有一批钟架等相伴出土，其礼乐器数量之多，为我国考古的又一空前发现。以鼎数论，此次共出土 5 套，合计 45 件。配合其他礼器，共计 142 件，亦为考古发现所罕见。

该遗址的发现，不仅填补了周代社祀遗存的空白，对于研究周代仪礼、用牲、用鼎制度和奴隶制时代的宗教思想具有重要作用，对研究郑韩故城的城市布局、确定宗庙位置、铜器分期断代和青铜铸造技术等也具有重要价值。尤其是 200 余件编钟和一批钟架的发现，为研究郑国编钟的钟悬规制、悬挂、演奏方法，寻觅湮没已久的"郑声"，提供了难得的实物，对我国音乐史、编钟发展史、古乐器学、郑国音律结构等研究也具有重要意义。

600.郑州纺织机械厂东周墓葬发掘简报

作　者：郑州市文物考古研究所　于宏伟、李　杨、黄　俊
出　处：《华夏考古》2000 年第 4 期

1998 年 12 月，为配合郑州纺织机械厂住宅楼的建设，考古人员在该厂南生活区发掘清理古墓葬 38 座，其中东周墓 24 座、唐墓 1 座、清代墓 13 座。简报仅介绍 24 座东周墓。

郑州纺织机械厂南生活区位于郑州市南阳路与黄河路交叉口西北，地势较高，南与岗杜相邻。岗杜一带是东周墓葬相对集中的地区。这次发掘的 24 座东周墓葬主要分布在郑州纺织机械厂南生活区 6 号、7 号、8 号、11 号楼基下。

简报分为：一、墓葬形制，二、随葬器物，三、结语，共三个部分。有手绘图。

据介绍，24 座墓葬均为长方形土坑竖穴墓，均为单棺椁墓。根据墓葬形制、随葬器物组合以及器物特征，将这批墓葬分为三期：第一期以 M43、M44 为代表，时

代大约在春秋中期；第二期以 M30、M38、M25、M53、M48、M41、M54、M8、M20、M16、M9、M27 为代表，墓葬时代为春秋晚期；第三期以 M7、M42 为代表，其时代为战国早期。

601.郑州市加气混凝土厂东周墓发掘简报

作　者：郑州市文物考古研究所　张文霞、王彦民
出　处：《华夏考古》2001 年第 4 期

1998 年 11 月，为配合郑州市加气混凝土厂的住宅楼建设，考古人员在郑州市西环道西侧、西流湖东岸钻探发现一批古墓葬。在报请上级主管部门批准后，对其进行了抢救性发掘，共清理东周墓葬 14 座。

简报分为：一、墓葬形制，二、随葬器物，三、结语，共三个部分。有手绘图。

据介绍，这批墓葬均为土坑竖穴墓，葬具为木棺椁，已朽。可辨葬式的为仰身直肢，单人葬。有随葬品的 10 座墓，多者 6 件，少者 2 件，以陶器为主，铜器仅 1 件。该批墓可分两期。第一期 9 座，时代为春秋晚期。第二期仅 1 座（M11），为战国早期。M2、M5、M7、M9 无随葬器，期别无法归属，但从墓葬形制看，也应为东周时期。

602.郑韩故城发现战国时期大型制陶作坊遗址

作　者：河南省文物考古研究所新郑工作站　马俊才、衡云花
出　处：《中原文物》2003 年第 1 期

2002 年 8 ～ 11 月，考古人员为配合道路建设，在郑韩故城发掘了一处陶作坊遗址，主要遗迹有窑址群、作坊建筑、陶洗池、捶泥池、囤泥池、陶排水管道等。发掘与钻探证明，这里是一处战国晚期韩国的大型作坊遗址，属郑城司工衙门管辖官营作坊，废弃后此地成为零星民窑区，沿用至西汉早期。简报配以手绘图予以介绍。

据介绍，现已发现的主要遗迹有保存情况很好的窑址群，约 6 座结构清晰的大小作坊建筑，15 条大小不一、形式多样的陶制排水管道，多座陶洗池、捶泥池，大型盛水器，1 条兼作坊排水等功能的大型道路，5 座灶及其他各种丰富遗迹。其中陶洗池、捶泥池、囤泥池属首次发现，多种存储类陶器形制巨大。已发现多件筒、板瓦上带有印章、戳记，每瓦上印记多为两个不同的姓氏，初步统计已有近 30 个不同的姓氏。在一片大瓮的肩部陶片上，刻有两个篆书大字"新郑"，是烧造后刻制。这是有关新郑地名来历的最早文物，可知在公元前 230 年左右，韩国陶工已将此地称为新郑了。

简报称，古代制陶业是一种重要的手工业，探索当时制陶工艺流程也是一个十分重要的课题。这次发掘的大型制陶遗址，其保存状况之良好在东周列国都城考古发掘中实属罕见，基本上可以复原当时制陶工艺的流程，不失为一次很重要的考古发现。

603.新郑市郑韩路 6 号春秋墓

作　　者：河南省文物考古研究所新郑工作站　樊温泉、徐承泰等
出　　处：《文物》2005 年第 8 期

新郑市郑韩路位于郑韩故城的西北部，东邻 107 国道。2004 年 4、5 月，为配合位于郑韩路以南市卫生防疫站的基建工程，考古人员对该基建工地进行了抢救性考古发掘，共清理东周时期的墓葬 23 座以及灰坑、水井等遗迹。其中 M6 为一座随葬有青铜礼器的中型墓葬。

简报分为：一、墓葬形制，二、随葬器物，三、结语，共三个部分。配以拓片、手绘图，先行介绍了该墓的发掘情况。

据介绍，M6 为长方形土坑竖穴，葬具为两椁一棺，人骨已朽，根据痕迹为仰身直肢葬。出土随葬器物 19 件，其中铜器 5 件，放置于两椁之间的西南角，有鼎、敦、舟、盘、匜；陶器 14 件，放置于两椁之间的东南角，有鬲、盂、罐、豆。陶器上也涂抹有朱砂。另东部两椁之间有一动物骨架。该墓年代推断为春秋晚期偏早。

简报指出，郑韩故城及其周围已经清理的东周贵族墓葬，往往被盗极为严重，因此，出土铜礼器的墓葬并不多见。M6 出土了一套包括鼎、敦、舟、盘、匜在内的青铜礼器，同时伴出生活实用器鬲、盂、罐、豆，为我们研究这一地区春秋时期的历史、文化，提供了较为重要的新资料。

604.河南新郑郑韩故城东周祭祀遗址

作　　者：河南省文物考古研究所　蔡全法、马俊才等
出　　处：《文物》2005 年第 10 期

1996 年 9 月至 1998 年 10 月，为配合中国银行新郑支行的基建工程，考古人员在郑韩故城东城的西南部进行考古发掘。这是一处郑国祭祀遗址，总面积 22000 平方米。1993 年 3 ～ 5 月，河南省文物考古研究所曾在此进行过试掘，发现了战国布币范的窖藏坑、东周大型粮仓、灰坑、水井、殉马坑以及汉、唐墓葬。1996 年的发掘清理二里岗期商文化灰坑 9 座、西周时期灰坑 53 座、东周时期灰坑 567 座、两周水井 98 眼、春秋时期青铜礼乐器坑 18 座、夯筑墙基一道、殉马坑 45 座、春秋时期

烘范窑 1 座、战国烘范窑 2 座、两周及汉代灶坑 9 座。此外还有各时期的墓葬 168 座，其中西周墓 1 座、东周墓 95 座、汉墓 12 座、宋墓 9 座、不明时代墓 22 座、战国瓮棺葬 29 座。除数座汉墓是中型外，其余都是小型墓葬。此次发掘出土了大批珍贵文物，以 348 件郑国青铜礼乐器为代表。

简报分为：一、地层堆积，二、祭祀遗存，三、结语，共三个部分。配以彩照、手绘图，先行介绍 K6 和 K15 铜礼器坑、K4 和 K16 铜乐器坑、MK1 和 MK21 殉马坑的资料。

新郑郑韩故城是东周时期郑国与韩国的都城。郑在新郑建都凡 395 年，公元前 375 年被韩所灭。早在 1923 年，新郑李家楼就发生过郑国大墓被盗事件。此次又发现如此大规模郑国遗存，足以证明此地是郑国祭祀遗址。年代简报认为上限不会早于春秋早期，下限不会晚于春秋中晚期。

简报指出，该遗址的发现不仅填补了周代社祀遗存的空白，对于研究周代的仪制、用牲、用鼎制度以及春秋时代的宗教思想，研究郑韩故城的城市布局、确定宗庙位置、铜器分期断代和青铜器铸造技术等，都具有重要价值。206 件编钟和一批钟架的发现，也为研究我国古代音乐史提供了珍贵的实物资料。

同刊同期发表有《新郑东周祭祀遗址 1、4 号坑编钟的音乐学研究》一文。对第 1、4 号坑的两套编钟加以介绍，重点在于其音响性能的分析。认为 1 号坑编钟的调音工作并未完成，钟师只是草草调试了一下，编钟便被埋入地下。相比之下，4 号坑编钟的调音工作已经完成，该编钟的音律较规范，音阶基本准确。1、4 号坑编钟的时代为春秋中期，这一发现填补了编钟发展上的一段空白，在我国音乐考古学上具有重要意义。

605.河南登封告成东周墓地三号墓

作　　者：郑州市文物考古研究所、登封市文物局　王彦民、姜　楠、焦建涛
出　　处：《文物》2006 年第 4 期

1995 年，在登封市告成镇袁窑村北的坡地上，先后发现 3 座古墓。考古人员进行了抢救发掘。墓葬南靠集山，北临颍河，隔河与古阳城相望，西北距登封城约 16 公里。三号墓的发掘始于 12 月 3 日，到 12 月 23 日结束。墓内出土带铭文铜礼器以及大量的随葬品。

简报分为：一、墓葬形制，二、随葬器物，三、结语，共三个部分。有彩照、拓片、手绘图。

据介绍，该墓土圹竖穴，平面呈长方形，墓室口略大于底。葬具为一椁重棺，已腐朽，仅余白色粉灰状痕面，但仍可看出葬具的基本情况。棺内人骨已朽，根据

残存的头骨、牙齿、盆骨及腿骨可以判定为单人葬,墓主头朝北。棺内铺有少量朱砂,头骨附近最多。墓室底下有腰坑,坑内有狗骨一具。出土器物500余件(组),其中铜礼器、兵器、车马器均放置在棺外椁内,棺内北部出土玉饰、玛瑙头饰、玉玦、玉柄形器等。椁室南部和西侧放置的器物最多。其中铜礼器有鼎5件、簋4件、方壶2件以及甗、扁壶、盘、盉、盆各1件。该墓的年代简报推断为春秋前期。从其中两件铜鼎上的铭文来看,墓主人应是郑伯公子子耳。

606.郑州市市政工程总公司战国墓葬发掘简报

作　者:郑州市文物考古研究所　信应君、张文霞
出　处:《中原文物》2006年第3期

2004年2～3月,考古人员对郑州市市政工程总公司3幢住宅楼工程区内古墓葬进行了发掘,清理战国墓葬52座,出土随葬品较为丰富,为郑州地区战国中、晚期墓葬的研究提供了新的实物资料。

简报分为:一、墓葬形制,二、随葬物品,三、随葬器物的组合,四、结语,共四个部分。有照片、手绘图。

据介绍,52座战国墓中,51座为长方形竖穴土坑墓,1座为长方形竖穴土坑墓道洞室墓。长方形竖穴土坑墓又可分为两类:一类头端设有壁龛,共19座;一类头端不设壁龛,共32座。墓葬除2座为东西向外,余皆为南北向。52座战国墓中,有16座墓没有随葬品,其余36座墓葬均有随葬物品出土,少者1件,多者10余件。计有陶器73件、铁器8件、石器5件及铜器、玉器、骨器等。时代可分三期,第一期2座(M56、M57)为战国早期或稍早,葬式均为仰身直肢葬。第二期10座(M3、M8、M10、M37、M40、M42、M44、M45、M53、M55),均为长方形竖穴土坑墓,墓葬形制与第一期相同,葬式除M3为俯身屈肢葬,其余墓葬均为仰身直肢葬,为战国中晚期墓。第三期葬式有仰身直肢、仰身屈肢两种,为战国晚期墓。简报推测此处可能是一个家族墓地。另外,根据对有骨架的墓进行鉴定,发现大部分墓主人性别为一男一女,相近的两座一组的墓为夫妻异穴合葬墓。

607.郑州市南阳路家世界购物广场战国墓葬发掘简报

作　者:郑州市文物考古研究所　信应君、张文霞
出　处:《华夏考古》2006年第2期

2003年10～12月,为配合郑州市南阳路家世界购物广场工程建设,考古人员

对工程区内古墓葬进行了抢救性考古发掘，共清理古墓葬72座，其中战国墓葬68座、汉代墓葬1座、宋代墓葬1座、清代墓葬2座。

简报分为：一、墓葬的位置及分布，二、墓葬形制，三、随葬器物，四、随葬器物的组合，五、结语，共五个部分。先行介绍了68座战国墓葬发掘情况，有手绘图。

据介绍，发掘地点位于郑州市区南阳路与黄河路交叉路口西南隅、市商业储运公司院内，南与岗杜相邻。岗杜一带地势较高，是郑州市区战国墓葬分布相对集中的地区。68座战国墓中，63座为长方形竖穴土坑墓，2座为竖穴空心砖墓，3座为长方形竖穴偏堂墓。有10座墓（M4、M5、M7、M8、M10、M17、M23、M36、M43、M46）未见随葬物品出土，其余58座墓均有随葬品出土，少者1件，多者20余件，主要为陶器。简报还讨论了这批墓葬随葬器物的7种组合方式。这批墓葬的时代有早有晚，从战国早期晚段至战国晚期不等。

608.河南新郑兴弘花园发现的两座春秋墓

作　者：河南省文物考古研究所新郑工作站　樊温泉、韩　越等
出　处：《文物》2007年第2期

新郑市兴弘花园位于郑韩故城东城区东部，距东城墙约50米，其西为溱水路，南临沈庄村，北接大吴庄村。2003年1～11月，2004年10月～2005年11月，为配合新郑市兴弘花园小区的基建工程，考古人员分两次对这一地区进行抢救性考古发掘，共清理西周至战国时期的墓葬150余座以及夯土基址、灰坑、水井、马坑等遗迹。其中M35和M42为两座随葬有青铜礼器的墓葬。简报分为三个部分予以介绍，有照片、手绘图。

据介绍，两墓均为长方形竖穴土坑墓，出土有铜器、陶器等。M42的年代为春秋早期，M35的年代为春秋晚期。

609.河南登封告成春秋墓发掘简报

作　者：郑州市文物考古研究院、登封市文物管理局　王彦民、汪　旭、焦建涛等
出　处：《文物》2009年第9期

1995年4月，登封市告成铝厂在施工时发现3座古墓，其中M1被当地村民盗挖。登封市公安局、登封市文物局随即派人追回被盗的铜鼎、簋、壶、簠等，计百余件。墓葬位于登封市告成镇袁窑村北，在顿河南岸长葛岭的坡地上。M2位于M1西侧约2米处。

简报分为：一、一号墓（M1），二、二号墓（M2），三、结语，共三个部分。有彩照、手绘图。

据介绍，两墓均为长方形竖穴土圹墓，墓底中部有平面近长方形的腰坑，坑内发现狗骨架。两座墓葬出土的礼器有鼎、簋、方壶、盘、簠等，车马器有马衔、节约、銮铃等，还有大量玉饰和骨蚌器。M1 出土一件制作精美的铜方壶，器盖、身均有"鲁侯作壶"铭文。两墓均出土大量的铜鱼棺饰，墓主应是春秋前期的郑国贵族。

610.新郑铁岭墓地 M429 发掘简报

作　者：郑州市文物考古研究院、河南省文物管理局南水北调办公室　郝红星、
　　　　王振宇、赵　兰

出　处：《中原文物》2010 年第 1 期

铁岭墓地是郑韩故城外围一处比较重要的东周墓地，考古人员自 2006 年 7 月起持续对墓地进行考古发掘，至 2009 年 9 月已发掘东周墓葬 550 余座。其中 2009 年所发掘的 130 余座墓葬中有 13 座为铜器墓，多数被盗，仅见铜鼎、铜盘、铜盏的残片，而 M429 保存完整。

简报分为：一、墓葬形制，二、出土器物，三、结语，共三个部分。有照片、手绘图。

据介绍，M429 为单椁单棺，棺下有腰坑，坑中有兽骨。棺内尸骨保存较差，但仍可看出是仰身直肢葬。墓内出土铜器 6 件、陶器 12 件、泥质器 7 件。时代简报推断为春秋晚期早段。

611.新郑铁岭墓地 M550 发掘简报

作　者：郑州市文物考古研究院、河南省文物管理局南水北调办公室　郝红星、
　　　　赵　兰、边　境

出　处：《中原文物》2010 年第 5 期

铁岭墓地是郑韩故城外围一处比较重要的东周墓地，考古人员自 2006 年 7 月起持续对墓地进行考古发掘，至 2009 年 12 月，已发掘东周墓葬 630 座。其中 2009 年所发掘的 225 座墓葬中有 14 座为铜器墓，多数被盗，仅见铜鼎、铜盘、铜盏等器的残片，而 M429、M458、M550 的铜器被保留下来。

简报分为：一、墓葬形制，二、出土器物，三、结语，共三个部分。配有照片、手绘图，先行介绍 M550 的情况。

此墓为单椁单棺墓，棺内尸骨一具，仰身直肢，未见腰坑。随葬品放在椁、棺两

挡板之间。墓内共出土铜器 5 件、车马器 9 件、兵器 1 件、陶器 10 件、泥质器 2 件、贝 530 枚，车马坑出土铜车饰 2 件、骨衡饰 1 件。该墓的时代，简报推断为春秋晚期晚段。

612.新郑市赵庄东周墓葬发掘简报

作　者：郑州市文物考古研究院、河南省文物管理局南水北调文物保护办公室　黄富成、侯新佳、李　曼

出　处：《中原文物》2011 年第 3 期

新郑市赵庄墓葬区是郑韩故城周边一处东周大型公共墓地，墓葬时代涵盖春秋中、晚期至战国早期，墓葬形制及随葬遗物体现了郑人的埋葬制度和丧葬习俗。

简报分为：一、墓葬形制，二、随葬器物，三、结语，共三个部分。有照片、手绘图。

据介绍，墓葬均为长方形，大多南北向分布，排列有序。从葬制看，有一棺一椁、单棺葬；埋藏习俗上一部分墓葬还保留有腰坑、箱，不少墓葬把随葬品置于头端的棺椁间，或置于头端的棺外侧；葬式多为仰身直肢。随葬遗物包括陶器、玉器、铜器、骨器等，陶器多为冥器，玉器、铜器、骨器等多为装饰品。由于盗扰严重，出土遗物以陶器为主。这批墓葬中具有腰坑结构的 M8、M32 大致相当于春秋中晚期；其余大致为春秋晚期至战国早期时墓葬。赵庄东周墓地是一处大型的平民阶层公共墓地，多为小型墓。随葬品中的仿铜陶礼器反映了这一时期周天子式微、礼崩乐坏的社会变动格局，墓葬形制及其随葬遗物基本反映了春秋中后期以来郑国丧葬文化的地域特点。

613.郑州四方汇泽清华·紫光园小区东周墓发掘简报

作　者：郑州市文物考古研究院　信应君、胡亚毅

出　处：《中原文物》2012 年第 2 期

2009 年 7～9 月，考古人员对河南四方汇泽清华·紫光园小区经济适用房项目工程内古文化遗迹进行了考古发掘，清理东周墓葬28座。墓葬均为长方形竖穴土坑墓，有棺椁，个别墓葬有箱和腰坑。葬式以仰身直肢为主，另有仰身屈肢和俯身直肢葬。随葬器物组合为鬲、盆、豆、罐。

简报分为：一、墓葬形制，二、随葬品，三、结语，共三个部分。有手绘图、照片。

据介绍，发掘地点位于郑州市金水区丰庆路西侧。葬具以一棺为主，共23座；一棺一椁的5座。埋葬习俗上，部分墓葬使用腰坑（3座）、头箱（3座）。葬式以仰身直肢葬为主（20座），另有仰身屈肢葬（7座）和俯身直肢葬（1座）。随葬遗物共计65件，均为陶器，发现于19座墓中。器类为鬲、盆、豆、罐四种。

614.新郑铁岭墓地 M1404、M1405 发掘简报

作　者：郑州市文物考古研究院、河南省文物管理局南水北调办公室　郝红星、
　　　　王　丽

出　处：《中原文物》2012 年第 2 期

新郑铁岭墓地 M1404、M1405 为东西向大墓，南北相距 2 米，均出土成套青铜礼器与陶器。周围大中型墓葬，也多出土有成套的陶器。其北、其西 40 米开外的墓葬极少随葬器物，说明这一带可能为一个家族墓地。

简报分为：一、M1404，二、M1405，三、墓葬年代，共三个部分。有照片、手绘图。

据介绍，M1404 为长方形竖穴土坑墓，有椁、棺，内有尸骨一具，经鉴定为中年女性，仰身直肢。出土铜器 5 件、陶器 13 件。M1405 为长方形竖穴土坑墓，有腰坑，尸骨一具，保存一般，仰身直肢，经鉴定为青年男性。墓葬出土铜器 7 件、陶器 12 件、车马器 6 件、兵器 2 件、贝 94 枚。两墓的年代，简报推断为春秋晚期晚段。

615.河南荥阳市官庄遗址春秋墓葬发掘简报

作　者：郑州大学历史学院考古系、河南省文物局南水北调文物保护办公室
出　处：《华夏考古》2012 年第 1 期

为配合南水北调中线干渠工程建设，2010 年 10 月至 2011 年 2 月，考古人员对荥阳市官庄遗址进行了考古发掘。发掘面积 4000 平方米，发现西周、春秋等多个时期遗存。

简报分为：一、墓葬形制，二、随葬器物，三、结语，共三个部分。先行介绍其中的 11 座春秋墓，有手绘图、照片。

据介绍，官庄遗址位于河南省荥阳市北部高村乡官庄村西侧。遗址北距连霍高速公路 500 米，均为长方形竖穴土坑墓。官庄遗址春秋墓葬共出土器物 29 件，其中铜器 6 件、陶器 17 件、石器 5 件、蚌器 1 件。简报称，这批墓是保存较好的春秋时期的中小型墓葬。出土随葬品以陶器为主，仅两座墓葬出土青铜器，且铜器的组合相同，均为鼎、盏、舟。葬具有一棺一椁或一棺。简报推测墓主人属平民或小贵族阶层。

616.河南新郑市华阳城遗址东周遗存的调查与发掘

作　者：郑州市文物考古研究院、新郑市旅游文物局　索全星、江　旭　张云峰等
出　处：《考古》2013 年第 9 期

2010 年 7 ~ 11 月，为配合郑新快速通道的建设，考古人员对河南新郑市华

阳城遗址进行考古发掘，发现了该城的护城河、防御墙及早期壕沟等东周时期的城防体系，还发现仰韶文化遗存、商代文化遗存、西周文化遗存。

简报分为：一、遗址概况，二、发掘布局及地层堆积，三、遗迹，四、出土遗物，五、结语，共计五个部分。对东周遗存进行了介绍，有彩照、手绘图。

简报称，东周城址平面呈束腰式长方形，周长约 2600 米，南墙西段被村庄占压，北城墙及东墙、西墙的北部保存较好，其余城墙破坏比较严重，但地下墙基尚存。四面城墙中间各有一个缺口，北缺口、南缺口、西缺口均有古代的道路连接，应与城门有关。东缺口因长期被冲刷较甚，地面已为深沟巨壑，周围遗迹也多无存，是否为城门尚需继续工作来确认。西、南两个城门的右侧有前伸的马面，左侧有城墙作环护。北城门右侧有前凸遗迹，左侧有马面拱卫，具有明显的军事防御作用。城南 200 米处有一条自西向东的深沟，俗称"城南沟"，为一古河道，古称"华水"，为潮河源头，源自郭店东南的岗地。

据《国语》等文献记载，华阳城为西周华国都邑，春秋初年郑武公东迁灭华国，称"华阳"，属郑，战国属韩。战国时期，这里地势较高，是韩国都城（今新郑市郑韩故城）的北部门户，是一处重要的军事战略要地。发掘情况显示，战国晚期华阳城有过两次修建。护城河遗址中出土不少铜镞，表明这里曾发生战争。根据《史记》记载，战国晚期，秦将白起率军打败赵魏联军的华阳之战就发生于此。华阳大战后，因"韩居中国"，国贫地削，且沦为强秦的附庸。在这样的时代背景下，韩国统治者认识到筑城固防的重要性，华阳城的增筑重修、加强城防就十分必要。

华阳城现存完整的城墙、10 个马面及北、南、西三个城门，调查发掘发现的护城河、防御墙、壕沟等遗迹，加之周围的城南沟、城东沟等天然屏障，构成一套完整的城防体系，基本反映了华阳城军事防御的情况，表明韩国确实在尽力加强防御。华阳城与韩国的宜阳城、郑韩故城设计手法十分相似，但较其他两城更完善并有所发展。其共同处有北城都较直、其余各面城墙弯折收缩，都有护城河等。不同的是，其他两城虽曾为韩国都城，仅北城墙配置了马面；华阳城的马面则扩大到城墙四面和四角，且护城河内侧新加筑了一道防御墙。华阳城防御能力与郑韩故城周围的军事重镇相比具有明显优势。此次发掘，对于研究我国古代城防及战国历史，均有重要的学术价值。

617.郑州市金水区廊桥水岸战国晚期秦墓发掘简报

作　　者：郑州市文物考古研究院　张永清、高赞岭等
出　　处：《中原文物》2013 年第 4 期

郑州市金水区廊桥水岸小区位于郑州市金水大道北侧、南阳路南段东侧、防疫

路西侧，是郑州地区战国和秦代墓葬相对集中的地区。2011 年 8 月 29 日～10 月 17 日，为配合河南省商务建设开发有限公司郑州惠济区粮食局廊桥水岸项目工程建设，考古人员对工程区内的古墓群进行了发掘，共清理墓葬 34 座、水井 3 口，其中战国晚期秦墓 22 座。

简报分为：一、墓葬形制，二、随葬品，三、结语，共三个部分。介绍了 22 座战国晚期秦墓的发掘情况，配有彩照和手绘图。

据介绍，这批墓葬包括 18 座洞室墓和 4 座竖穴墓。墓葬形制有"凸"字形洞室墓、长方形土洞墓、长方形竖穴墓，出土陶、铜、铁、骨、石器共计 158 件。根据墓葬形制、随葬品等分析，其时代应属战国晚期秦墓。该批墓葬的清理发掘，为研究战国、秦代丧葬习俗以及中原文化与秦文化的相互交流与影响提供了宝贵的实物资料。

简报认为，此墓区应为一处战国晚期秦墓，随葬品中不见仿铜陶礼器，均为日用陶器，应为一处平民家族墓地。

618.新郑郑韩故城出土春秋时期象牙车軎

作　者：河南省文物考古研究院　马俊才

出　处：《文物》2014 年第 11 期

2002 年 7 月至 2003 年 8 月，在新郑郑韩故城后端弯郑国贵族墓地，考古人员发掘了一座春秋时期"中"字形国君级大墓。简报配以彩照、手绘图予以介绍。

据介绍，该墓虽被盗严重，但仍在南北墓道中清理出 44 辆木车痕，其中北墓道残存 5 辆、南墓道残存 39 辆。在北墓道 2 号车上，发现龙形象牙车軎 1 件。

简报称，目前已发现的春秋象牙器多为梳子、装饰品和车饰等小件器物，该车軎体形硕大，是罕见的实用器。它采用圆雕、浮雕、平雕、钻孔、先钻后凿、刻纹后掏凿等雕刻技法，以及抛光、染色、填漆、镶嵌绿松石等装饰技法，并且在曲颈前端设有穿木孔，在軎身中后部设有捆绳凹槽，是春秋时期不可多得的象牙器精品。

619.新郑铁岭墓地 M308 发掘简报

作　者：郑州市文物考古研究院、河南省文物管理局南水北调办公室　郝红星、
　　　　　姜　楠、宋　歌

出　处：《中原文物》2014 年第 2 期

M308 是因现代人盗掘而在铁岭墓地发掘区外进行抢救性发掘的一座战国墓。简报分为：一、墓葬形制，二、出土器物，三、结语，共三个部分。有彩图、拓片、手绘图。

据介绍，此墓古代三次被盗，仍出土了一大批青铜器、陶器、玉器和骨器，是铁岭墓地随葬品物最为丰富的一座墓葬，M308 墓的年代为战国早期，是士级贵族墓中稍高者，墓主职业是军人。此墓丰富的随葬品对于判定铁岭墓地的性质有重要意义。

开封市

620.尉氏出土一批春秋时期青铜器

作　者：郑州市博物馆
出　处：《中原文物》1982 年第 4 期

1971 年尉氏县河东周村农民在村北平整土地时发现一批春秋时期青铜器，计有：鼎 2 件，簠 2 件、簋 4 件、盘 2 件、匜 4 件、舟 3 件、甗 3 件、戈 3 件、壶 1 件、车軎 2 件、马衔 2 件，共 28 件，已全部送到郑州市博物馆保存。据调查，铜器出土地点原是一个小土冢，当土冢被削平后，下部露出整齐的边沿，当是一座古墓葬。由于现场已经被破坏，所以关于墓葬的情况无法了解。简报配以拓片、手绘图介绍了这批铜器。

据介绍，这批青铜器主要为实用器，仅有一件铜戈为兵器。简报推断为春秋时期文物。

621.启（开）封故城遗址的初步勘探与试掘

作　者：开封文物工作队　丘　刚
出　处：《中原文物》1994 年第 2 期

启封，又称开封、南开封，位于今开封县朱仙镇东南 3 公里的古城村。1984 年全国文物普查期间，发现了故城的部分遗迹。1987 年，考古人员对故城遗址进行勘探，在初步探明四墙的基础上进行了重点试掘。

简报分为：一、故城概况，二、试掘情况，三、遗物，四、结语，共四个部分。有手绘图。

根据文献记载，启封故城始建于春秋郑庄公时期，当时取"启拓封疆"之意而名"启封"，唐代后逐渐废弃。勘测表明，故城遗址呈一东西略短、南北稍长的不规整的梯形。四墙按直线距离计算，全长 3300 米左右。联系文献记载，如按春秋郑庄公时期（前743 年～前 701 年）计算，故城距今已有 2700 年左右。故城的规模在今天看来只能算一座小型城池。然而根据西周筑城的规制"大都不过三之一，中五之一，小九之一"。列国都城的规模也不过三百雉，即九百丈而已。作为郑国边陲城堡的启封，其周长却已达千余丈，足可反映出春秋初年周王室的日渐衰微和各种传统礼制的日渐崩坏。

另外，勘探试掘过程中，考古人员在故城西南角老谭寨村一村民家征集到一方北魏墓志砖，其铭文对于确定故城遗址为启封城和西门的位置提供了有力佐证。简报录有志文全文。

洛阳市

622.洛阳烧沟附近的战国墓葬

作　者：中国科学院考古研究所　王仲殊

出　处：《考古学报》第 8 册

1953 年秋，考古人员在洛阳烧沟进行了发掘。简报分为：一、前言，二、墓地与墓葬分布、保存的情形，三、墓葬的形制，四、随葬器物，五、结论，共五个部分。有照片。

据介绍，烧沟位于洛阳城西北约 1 公里。共发掘 59 座墓，有竖穴墓与洞室墓。年代上都应属战国。

623.洛阳西郊一号战国墓发掘记

作　者：考古研究所洛阳发掘队　陈久恒

出　处：《考古》1959 年第 12 期

1957 年 5 月，考古人员在洛阳小屯村东北、汉河南县城东北城角的外面，发掘了一座比较大的战国墓葬。同样的大墓，共有 4 座，墓道都是南向，位置紧紧毗连。所发掘的是位于最东边的一座，编为第一号墓。此墓东距隋唐东都城西墙约 1500 米。若从东周城墙的范围来看，墓的位置在城内东北隅。

简报分为：一、前言，二、墓室结构，三、棺椁结构，四、出土遗物，五、结语，共五个部分。有手绘图。

据介绍，此墓经早期盗掘、扰乱极为严重，发现汉代盗坑 2 处。墓为土圹竖穴墓，出土有陶器、玉器、骨器、石器等。简报称，此墓墓室很大，虽经盗掘，但仍有不少遗物。墓主人应为贵族。

624.洛阳涧滨东周城址发掘报告

作　者：考古研究所洛阳发掘队　陈公柔等

出　处：《考古学报》1959 年第 2 期

西周初年，周王朝在洛阳一共营建了两座城堡，一座是成周，一座是王城。

从周平王迁到洛阳以后，一直到周景王共十二世都以王城为国都；到周敬王避王子朝之乱，徙于成周；至极王又迁回王城。东汉的历史学家班固和东汉晚年的经学家郑玄在他们的著作里都曾经分别指出成周在雒阳、王城在河南。他们去古未远，说的又都是洛阳当地城址变迁的事情，其说法应该是可信的。东汉的雒阳，在瀍水之东、洛河以北，即今天洛阳东郊的汉魏故城之处；而汉河南县城则在瀍水之西、隋唐东都城西墙外涧河以东的地方。1954 年以来，考古人员通过勘察，大体了解了东周城址的情况。

简报分为：一、引言，二、东周遗址的分布、堆积情况与城墙的轮廓，三、城墙构筑技术与后期修补利用情况，四、城墙的堆积断面与年代问题，五、结语，共五个部分。配以照片、折页实测图，先将有关城址与城墙的材料发表出来。

据介绍，考古发掘所见东周城址，城墙大约建于春秋中叶以前，从战国时代至秦汉之际均叠加修补，西汉后期以后逐渐荒废。当时城内重要建筑当在城址偏南或中部，城址西北部有大面积的窑场，从战国时期一直沿用到西汉初年。地下有排水设施。城市的主干道和城门，此次发掘中没有发现。

简报认为，此东周城址遗址，应该就是古文献中频频提到的东周时代的王城。

625.1959 年豫西六县调查简报

作　者：中国科学院考古研究所洛阳发掘队
出　处：《考古》1961 年第 1 期

中国科学院考古研究所洛阳发掘队在 1959 年夏季发掘工作结束后，沿着洛河、伊河的中、下游和汝河上游，进行了一次调查，历洛宁、宜阳、嵩县、伊川、汝阳、临汝 6 县。经调查或复查的有仰韶、龙山、早商和战国四个时代的遗址 46 处。简报分为：一、仰韶文化遗址，二、龙山文化遗址，三、早商文化遗址，四、战国城址，共四个部分。有手绘图、照片。

简报称仰韶文化遗址可分早、晚两期，早期的有 18 处，重点介绍了洛宁县寨子遗址、宜阳县水沟庙遗址、嵩县上瑶店遗址、伊川县土门遗址、汝阳县城东村遗址 5 处。晚期 9 处，重点介绍了伊川县古城村遗址、汝阳县上店遗址、临汝县大张遗址 3 处。龙山文化也可分早、晚两期。早期 8 处，重点介绍了洛宁县方村遗址、宜阳县仁原遗址。晚期 5 处，重点介绍了洛宁县禄地遗址、临汝县何庄遗址。早商文化遗址 5 处，重点介绍了洛宁县坡头遗址、伊川县南砦遗址、白元遗址 3 处。战国城址位于宜阳县城西北 25 公里处，简报认为是战国时韩国的宜阳城。

626.记洛阳西宫出土的几件铜器

作　者：杜迺松

出　处：《文物》1965 年第 11 期

1950 年秋，在洛阳西宫发现了战国至宋代的墓葬多座，在这些墓中发现了大批文物，计有铜、金、陶、石等多类。1950 年 10 月，这批文物在武汉展览，后来有一部分调拨北京故宫博物院。简报介绍了其中四件铜器，有照片。

这四件铜器是簋一、鼎一、壶二，出土于同一墓中，其位置都在人头骨的上部。四器中三器无铭，仅一簋的盖与器有对铭一"轨"字。简报据《说文》释"轨"字同"簋"字。字体为小篆，极难见到。简报称，洛阳西宫出土的这四件铜器，从器形特征、文字书法和出土地综合来看，可断定它们的时代属秦无疑，时间约在公元前 220 年。

627.洛阳中州路战国车马坑

作　者：洛阳博物馆　叶万松

出　处：《文物》1974 年第 3 期

1972 年 2 月 26 日至 4 月 5 日，考古人员清理了一座战国车马坑（编号东轴M19）。车马坑位于洛阳中州路（西工段）南侧 15 米，即洛阳东周王城遗址中部。西面不远就是汉河南县城遗址的东城墙。

简报分为：一、车马坑形制，二、车子结构，三、车马坑遗物，四、结语，四个部分。有照片。

车马坑作长方形竖穴，坑内埋有四马一车一犬。车子木构，已朽。简报认为这是当时的田猎之车。时代推断为战国中期。

628.河南洛阳出土"繁阳之金"剑

作　者：洛阳博物馆　赵振华、叶万松

出　处：《考古》1980 年第 6 期

1974 年 4 月，洛阳博物馆在配合城市建设工程中清理了一座战国墓葬（编号74C1M4），出土了一柄"繁阳之金"青铜剑和其他文物。

简报分为：一、墓葬形制，二、随葬器物，三、结语，共三个部分。有手绘图。

据介绍，墓葬位于洛阳市西工区凯旋路北侧，北距中州路约二三百米，亦即东周王城遗址东城墙西、汉河南县城遗址东郊。墓葬呈"甲"字形，墓室位于墓道北端，为长方形竖穴。葬具为一棺二椁，该墓曾被盗，仅出土石珠、骨器、蚌饰、海贝等少量遗物，但其中有一把青铜剑，上有铭文，知为战国时楚国兵器。上刻"繁汤"即繁阳，为今河南省新蔡县北，属楚国。该剑以雕刻精美的象牙作鞘，以珍珠为剑首垂饰，不仅在今天是一件珍贵的文物，就是在当时也是一件贵重的佩饰。至于这柄剑是如何流入洛阳的，是馈赠纳贡，或商品交换，或战争所获，则难以确定。

629.洛阳哀成叔墓清理简报

作　者：洛阳博物馆　陈长安、蔡运章等
出　处：《文物》1981 年第 7 期

1966 年 5 月，为配合洛阳玻璃厂的基建工程，考古人员发掘清理了十余座春秋战国时期的古墓葬，其中 439 号墓出土的一套青铜器较为重要。简报配以拓片、手绘图予以介绍。

简报介绍，439 号墓位于洛阳玻璃厂的东南部，南距洛阳中州路 100 多米，西距东周王城约 1 公里。墓室呈口大底小的长方形竖穴，葬具为一椁一棺，从残存灰痕看，棺椁为木板造。棺内骨架已朽，仰身直肢，双手交叉于胸前。发掘遗物有骨贝 48 枚、残玉器 6 件，有鼎、豆、鍲、勺各一件。推断此墓应属春秋晚期。

630.洛阳战国粮仓试掘纪略

作　者：洛阳博物馆　徐治亚、赵振华
出　处：《文物》1981 年第 11 期

洛阳战国粮仓遗址，在今洛阳市共青路东段、胜利路西侧，洛河以北不远，地当东周王城南城墙的北边。这里地势较高，土质坚实，缓坡东下，雨水容易流泻；南距洛河很近，清运也很方便。这样的地理环境，很适宜建造地下粮仓。粮仓遗址于 1970 年底发现。1971 年春秋两季先后试掘了两座粮窖（编号 6、28）。1973 年春进行了局部勘探。1976 年初配合基本建设工程，又发掘了一座粮窖（编号 62）。至此，共发掘粮窖 3 座，探出 74 座。所获资料表明这里是一个规模很大的战国地下粮仓遗址。

简报分为：一、地层堆积情况，二、仓窖的分布与结构，三、62 号窖出土遗物，四、结语，共四个部分。有手绘图等。

据考古发掘发现，62 号窖填土内出土有大量砖、瓦和圆木等，推测窖顶可能是一种高出地面、顶上覆瓦的圆锥形土木建筑，同战国和西汉初墓葬中出土的陶仓近似。

窖底夯打结实，把不平坦的窖底基本垫平。其上是木板层，上敷青膏泥，青膏泥上又铺一层木板。四周也为木制。年代简报推断为战国中晚期。

62 号窖还出土了一大批富有资料价值的遗物。这批遗物，从堆积情况看，是一次倾入的，时间在粮窖废弃后不久。遗物数量很大，种类繁多，其中有些属于高级奢侈品。遭到弃置，当是一次重大政治变乱的反映。遗物中有成品，也有半成品，有铜、铁等金属制品，也有玉、石、角、象牙等非金属制品。其中铜料、铅料、铜浇芯和混杂在内的炼渣、木炭等，说明粮窖附近曾设有铸造作坊。从大量手工业工具、非金属半成品、大小不等的砺石看，在不远的地方还设有其他作坊。可以想见，附近是一个作坊区。黄盛璋先生在《试论三晋兵器的国别和年代及其相关问题》一文中谈道："传统的意见，总以为府、库、仓、廪等是储藏器物之所，其实在战国也是造器之所。"此说法是能够得到印证的。这批遗物中以农业和手工业生产工具的数量最多，又以铁制生产工具为主。铁锛、铁镰等农具有大小两种形制，铁凿、铁錾、铁削等工具都有大小厚薄几种不同的类型，以前都很少见到。铜齿轮等机械零件的发现，也是此次发掘的重要收获之一。

631.河南洛阳春秋墓

作　者：洛阳博物馆　朱　亮、张　剑
出　处：《考古》1981 年第 1 期

1975 年 5 月 10 日，考古人员在汉河南县城的东北角、北距洛阳东周王城遗址的北城墙约 1 公里的地方，清理了一座东周墓葬。墓中出土青铜器十余件。

简报分为：一、墓葬形制，二、随葬器物，共两个部分。有拓片、手绘图。

此墓为长方形土圹竖穴墓。墓室长 3.70 米，宽 2.40 米，墓底距现地表深 7.10 米。葬具、人骨已朽。从痕迹看应为一椁双棺。此墓未经人为破坏，出土器物十分丰富，计有铜器、玉器、铅器及海贝等共 60 余件。尽管椁室早期塌陷，不少器物被砸损坏或变形，但随葬器物的位置基本上未经移动，除几件玉器置于棺内死者头部和身上外，其余全部都放在棺外的椁室内，北部两角最为集中，主要是青铜礼器和生活用具，西部有铜镞、盖弓帽等小件铜器，东南角竖放矛一件，西南角置马衔二副。墓主人应为春秋晚期周王室的一位身份较高的贵族。

简报称，从墓中出土铜器的情况，可以看出周王室的衰败。尽管他们在同等级的奴隶主殉葬的鼎、簋的数字上相同，但是周王室的奴隶主贵族殉葬的鼎，并非是器形相同、大小有序的列鼎，而是由两种不同形制或者是用过的鼎（鼎底有烟痕）拼凑而成。至于埋葬铜器的质量及数量就更比不上诸侯国家了。

632.洛阳附近出土的两批东周货币

作　者：蔡运章、侯鸿军

出　处：《中原文物》1981 年第 3 期

1958 年 9 月，在修建洛宜铁路的过程中，在洛阳市郊区安乐公社董村发现了一批战国时期的货币，共计 9.5 公斤。1962 年 3 月间，在宜阳县韩城公社仟佰岭村出土了 19 枚春秋时期的空首布。这两批货币出土后，考古人员到现场作了调查，对这些东周货币加以初步整理。

简报分为：一、货币的出土情况，二、货币的种类和文字，三、结语，共三个部分。有拓片。

据介绍，这两批货币共计 720 枚，绝大多数保存完好，按其形制不同，分为空首布共 19 枚、平首布共 583 枚、圜钱 116 枚，两批货币上都铸有文字。简报推断宜阳县韩城公社仟佰岭村出土的 19 枚空首布被埋藏的年代，可能在春秋中期或者稍晚。洛阳市郊区安乐公社董村出土货币埋藏的年代在战国晚期。

简报称，这些重要发现，为研究春秋战国时期的商业贸易、货币制度、货币文字等，都提供了可贵的新资料。

633.洛阳东周王城内的古窑址

作　者：洛阳市文物工作队　徐治亚、赵振华

出　处：《华夏考古》1983 年第 3 期

1974 年冬，考古人员在配合基建工程中，发现了东周王城内的两处古窑址：一处位于王城的东北部，今金谷园路中段两侧；一处位于王城西南部，今共青路西段北侧。两处古窑址以金谷园路中段的规模大（南北长 500 米，东西宽 200 米），延续时间长（东周至西汉），于此处清理古窑 22 座，其中路西 19 座、路东 3 座。在共青路东段仅发现汉窑 3 座。这些古窑，有烧造陶器的，有烧造砖瓦的，还有烧制陶俑和烘烧钱范的。由于所处时代不同，用途不同，结构亦有所差别。

简报分为：一、东周时代的古窑，二、秦汉之际的古窑，三、西汉时代的古窑，四、出土遗物，五、结语，共五个部分。有手绘图、拓片。

据介绍，东周古窑共 4 座，其中陶窑 2 座、瓦窑 1 座、砖窑 1 座，形制各具特点。秦汉之际古窑 2 座。西汉时期古窑 16 座，大部分毁于两汉之际。出土遗物有瓦当、瓦钉、印模等。

简报指出，春秋陶窑很小，窑室平面呈圆形，中间横隔窑箅，烟道开在窑的顶部

（如 Y5）。这种窑型，同河南郑州等地发现的商代陶窑相比，无多大变化。大概到战国早期便出现了台式窑床，但其初期窑室平面仍为圆形，在火膛上还没有支架式的窑箅，烟道似乎仍设在窑的顶部，显然，这是一种由箅式向台式窑床过渡的窑型。这里的 4 号战国窑为我们提供了这种窑型资料。而到了战国中、晚期以后，箅式圆窑完全弃置不用了。代之而起的是一种窑床为台式，烟道开于后壁外而以排烟孔与窑室相通，窑室平面呈椭圆形的窑型。在这里见到的有 1 号和 14 号战国窑。这种平面呈椭圆形的陶窑，沿用到西汉初，但形制越来越大，为了保证火力向后延伸，于秦汉间又在窑壁下沿窑床周边开槽直通烟道，这是椭圆形窑于这一时期的一种改进。东 1、2 号窑为我们提供了这方面的情况。在西汉前期出现了一种方形窑，以后椭圆形窑便被方形窑所取代。这种窑型出现之初，也只有一个排烟孔和一个烟道，大约在西汉中期，又出现了多烟孔和多烟道的陶窑。这次清理的此类陶窑中，烟孔和烟道有多到 5 个的。方形窑更适宜烧造砖瓦等，而多烟孔、多烟道的陶窑，点火以后则能使窑室内的火力分布得更加均匀，这就降低了废品率。新的窑型迭次出现，一次比一次进步，应与战国以后砖瓦等建筑材料的普遍使用和城市的大量兴起有关。这次发现的窑群，与东周王城以及后来在王城城圈内兴建的汉河南县城当有关系。简报怀疑此处是一处官办窑场。

634.洛阳两座东周铜器墓

作　者：洛阳市文物工作队　李德方、隋裕仁、宋云涛
出　处：《中原文物》1983 年第 4 期

1981 年，考古人员在配合洛阳市西工区的基建工程中，在东周王城附近发掘清理了一批东周墓葬，其中两座墓内出土有成组铜器。简报配以手绘图予以介绍。

据介绍，C1M4 位于洛阳地区运输公司西院，北距中州路约 50 米，西距王城约 3 公里。墓葬为长方形竖穴，葬式为仰身直肢。此墓随葬有铜器、骨器和玉器。C1M124 位于 C1M4 西北约 1.2 公里的洛阳玻璃厂东门内。葬具亦为一椁一棺，棺椁之间置青铜器一组，棺内随葬有一些玉器。从墓葬形制、铜器组合、器物作风来看，两墓基本属于同一时代，简报推断均为春秋中期。

635.洛阳市西工区 203 号战国墓清理简报

作　者：洛阳市文物工作队　孙新科
出　处：《中原文物》1984 年第 3 期

1983 年 3 月，考古人员在配合洛阳市供电局基建施工中清理了一座东周墓。

简报分为：一、墓葬形制与结构，二、随葬品，三、结语，共三个部分。有照片、手绘图。

据介绍，该墓位于东周王城城址内的东北部，系长方形竖穴土圹墓，葬具为一棺二椁，内有成人骨架一具，侧身屈肢。随葬品共 68 件，其中铜器 9 件，陶器 12 件，玉器（可知形状者）16 件，玛瑙器 3 件，水晶器和蚌片各 1 件，骨器 26 件。该墓出土的珍贵玉器、玛瑙器、水晶器等饰物，当属墓主身上的佩饰，其所在位置确切，是研究当时上层贵族服饰样式的重要资料。简报推断该墓为战国早期上大夫级贵族墓。

636.洛阳市西工区 212 号东周墓

作　　者：洛阳市文物工作队　孙新科、李德方
出　　处：《文物》1985 年第 12 期

1983 年 5 月，考古人员在洛阳市中州路西工段北侧的洛阳市供电局综合厂，清理了一座东周墓。简报配以拓片、手绘图予以介绍。

据介绍，此墓系长方形竖穴土坑墓，距地表深 8.4 米。从现存板灰痕迹来看，为一棺一椁结构。棺内葬成年男性一人，头北面东，侧身屈肢，右手压左手呈十字状叠放在下腹部。骨架下有少量的沙土。棺椁之间放置陶器和铜镞，棺内骨架左肩部顺置一柄铜剑，头部和腹部上下有一些玉质饰片。此墓的年代简报推断为战国中期。随葬陶器上带有刻画文字，在洛阳东周墓中尚属首次发现。

637.洛宁故县秦墓发掘简报

作　　者：洛阳地区文管会　张怀银、赵安杰
出　　处：《中原文物》1985 年第 4 期

1980 年 4 月，考古人员为配合洛宁故县水库工程建设，在洛宁县西南 50 公里的寻峪乡故县村东南 1 公里的洛河西岸，清理了一座秦墓。简报分为：一、墓葬形制，二、出土器物，三、结语，共三个部分。有手绘图。

据介绍，该墓为长方形土圹竖穴墓，二层台上有圆木痕迹，当是用圆木铺盖在椁顶作。椁内有一棺，棺内人骨已朽，但仍可看出是屈肢葬。随葬品放于头前棺椁之间，有铁器、陶器、漆器及牲畜遗骨等，计有铜器 2 件、铁器 1 件、陶器 7 件等。简报推断此墓时代约当秦始皇三十年（前 217 年）左右。其下限不会晚于西汉初年。

洛宁县，战国时属韩。据《史记·秦本纪》记载："秦王政十七年，内史腾攻韩，得韩王安，尽纳其地，以其地为郡，命曰颍川。"若从公元前230年灭韩算起，到公元前207年秦灭亡止，秦统治韩地的时间为23年。

638.河南宜阳花庄村出土一批空首布

作　者：洛阳地区文化局文物队　赵安杰、张怀银
出　处：《文物》1986年第10期

1980年3月，河南省宜阳县柳泉乡花庄村农民李延昭，在其住宅旁距地表0.7米处挖出一批窖藏空首布。布币摆放整齐，首部朝外，层层叠压，圈圈相套，出土时锈结成块，未见有其他容器或包装物。简报配以照片予以介绍。

据介绍，这批空首布共1789枚，均为斜肩，弧足，有楔形长銎，肩部较窄，足部较宽，四边有廓，銎上大多带有一个圆形或三角形突起点，銎的两面均有一个大致对应、不甚规则的穿孔。钱面中间皆有文字，两旁各有一道斜纹。钱背有三道线纹，正中一道竖直，两边各有一道斜纹，从銎与钱身相接处分别斜行至两足部尖端。铜质精细，造型规整，文字古朴，清晰可辨。按钱面铭文共分三种："武"布、"卢氏"布、"三川釿"布。这批货币的窖藏年代推断为战国中期。

简报称，在此出土大量货币，反映战国时期该地商业经济发展的史实。这次出土的"武""卢氏""三川釿"三种货币，其数量是已发现的窖藏中最多的一批，而且铸造版次特别多，文虽同而字形则异。这对于研究我国货币史及古文字，是一批新的实物资料。

639.洛阳发现随葬空首布的东周墓葬

作　者：余扶危、赵振华
出　处：《考古》1987年第8期

据介绍，7墓均为中小型长方形土坑竖穴墓，时代从为春秋晚期、战国早期、战国中期、战国晚期不等。墓主人或为士或为庶民，身份不高。这几座墓随葬的空首布的数量很少，只出一件的约占半数，没有几种大小不同的货币共存于一墓的情况。但这并不排除在战国时期它们存在着共同使用的关系。换句话说，至迟从战国早期开始，在以周王城为中心的王畿最内，始终存在着同时使用两种或两种以上形制、重量（或表现在面值上）等不同的空首布。在这个历史阶段，产生时代更早的大型平肩弧足空首布似乎已经被淘汰，而小型空首布成为主要的流通

货币。以"安臧"布而言，在战国早、中、晚期的四座墓中均有发现。这四枚布币在形制、尺寸、重量、文字方面没有明显的差异，可见这种货币在整个战国时期具有很强的稳定性。"安臧"一词大概不同于"鄗""卢氏"等为地名，而是吉语，为安定顺善之意。

640.洛阳孙旗屯秦国墓葬

作　者：洛阳市第二文物工作队　李　虹、梁晓景
出　处：《中原文物》1987 年第 3 期

1986 ~ 1987 年，考古人员在洛阳孙旗屯配合洛阳轴承厂宿舍楼和 89766 部队的基建工程中，发掘清理了 3 座战国晚期墓。这 3 座墓葬就分布在孙旗屯东北约 300 米的天津路两侧。1996 年 10 月，在天津路西侧配合洛阳轴承厂宿舍楼的基建工程中，为解决这里的古文化层堆积问题，开挖探沟 4 条，CM18 就是在 T1 三层下发现的。1987 年 3 月，在天津路东侧相距 CM18 约 40 米配合 89766 部队的基建工程时，发掘清理两座战国墓，编号为 CM22、CM23。

简报分为：一、地理环境，二、墓葬形制，三、随葬器物，四、结语，共四个部分。有手绘图。

据介绍，5 座墓均为洞室墓，随葬器物共 19 件，分陶器、铜器、石器三类。从随葬器物和组合特征，简报推断 5 座墓的年代在战国晚期。

这 5 座墓的发现，为解决洛阳一带的战国秦墓问题，提供了极为珍贵的新资料。

641.战国宜阳故城调查简报

作　者：赵安杰
出　处：《中原文物》1988 年第 3 期

宜阳位于河南省西部洛河中游，商山、阪山之间，素称"商阪之塞"。夏、商、西周时属豫州，春秋时归晋，战国时属韩。战国宜阳故城，位于今河南省宜阳县城西 25 公里韩城乡东关村与城角村之间。该城为战国时韩国的名城大邑，韩昭侯的封地，系韩国西部之军事重镇。它东望洛阳，西出商阪、函谷，是东西往来的要塞，且背山面水，形势险要，乃历代兵家必争之地。据《战国策》《史记》等史书记载，战国时期秦、韩、楚、东周王室及许多纵横家，均把争夺宜阳、保全宜阳视为争天下、保社稷之大业。关于该城的形制、规模、布局、筑造方法、盛衰原因等，历代文献不见记载，详情知之甚少，现状如何，更难说清。为此，在 1978 年洛阳地区文物普

查中，对该城作过实地调查，在1984年的文物普查中又作了考察。

简报分为：一、故城位置与地理环境，二、故城形制，三、出土文物，四、故城附近的历史遗存，五、结语，共六个部分。有图。

据介绍，宜阳故城城廓呈"凸"字形，南北长2220米，东西宽1810米，面积约为366万平方米。现存城墙最高处达10米，最低处约0.5米，均系夯筑，夯土坚实，夯层显明。四周有韩昭侯、楚将墓、秦王寨等遗迹。简报推断故城应建于春秋时期。战国宜阳故城之所以被破坏与废弃，大概是公元前307年的"秦拔宜阳，斩首六万"所致。

642.河南洛阳发掘一座战国墓

作　者：洛阳市文物工作队　赵振华
出　处：《考古》1989年第5期

1988年1月，在配合洛阳啤酒厂基本建设的考古工作中，发掘了一座东周墓葬（编号C1M2528）。

简报分为：一、墓葬形制，二、出土遗物，三、结语，共三个部分。有手绘图。

据介绍，墓葬位于洛阳市解放五路东侧，南临健康路，亦即东周王城遗址北中部、汉河南县城遗址北郊，西南距洛阳西郊一号积石积炭战国大墓约200米。墓葬为长方形竖穴，棺内的一具人架仰身屈肢，头朝北，双手置腹部，已腐朽成粉末状。出土遗物放置于椁内和棺内，共42件。简报推断该墓为战国初期或稍后的墓葬。铜剑等也是这一时期常见的兵器。

另据《考古》1991年第6期，1984年秋至1988年春，随着洛阳市配合基本建设考古工作的进展，又陆续发现随葬先秦钱币的东周墓葬，获得了一批资料。文章分为四个部分，对近年出土的随葬空首布、圜钱并能够利用陶器断代的六座东周墓葬作一探讨，以加深对一些先秦钱币的认识。有手绘图。

据介绍，6墓一座为春秋晚期墓，两座为战国早期墓，两座为战国中期墓，一座为战国晚期墓。6座墓葬出土的金属铸币为空首布和圜钱。空首布有大、中、小三种不同的型号和十种字。这些钱币都应是当时流通钱币。大型空首布大概主要流行于春秋时期，战国早期或为下限，其后不见。中型空首布始铸于春秋晚期，流行于战国早期，战国中期仍有。小型空首布战国早期开始使用，广泛流通于战国中期，战国晚期略有所减。与小型空首布相比较，便于铸造、携带，重量也较轻的圜钱在战国晚期进入货币流通领域。

643.1984 ～ 1986 年洛阳市区周墓发掘简报

作　者：中国社会科学院考古研究所洛阳唐城队　杨焕新、冯承泽
出　处：《考古》1989 年第 9 期

1984 年至 1986 年考古队在配合洛阳市基本建设工程中，清理了 52 座周墓。简报配以手绘图、照片予以介绍。

据介绍，52 座周墓主要分布在洛阳市老城西部向西至洛阳市委所在地的东西范围内。其 52 座墓，从墓葬形制为竖穴土坑和洞室墓，春秋墓基本为直肢葬，战国墓基本为屈肢葬；器物组合春秋墓多为鬲、盆、罐，鼎、豆、罐，战国墓早期为鼎、豆、壶，晚期为鼎、盒、壶来看，与中国科学院考古研究所编撰的《洛阳中州路》一书所述基本是一致的。因此时代的划分是相同的。简报推断大体属于春秋中晚期至战国晚期这一阶段。

简报称，这批墓均属中小型墓，系平民墓。虽出土一些铜器，均属小件器物。在桃形匜内绘蟾蜍纹饰，这种纹饰在周墓中属于首次发现。

644.洛阳 C1M3352 出土吴王夫差剑等文物

作　者：洛阳市文物工作队
出　处：《文物》1992 年第 3 期

1991 年 8 月，考古人员在洛阳市中州中路北约 100 米处，清理了一批东周墓葬。

简报分为：一、墓葬形制，二、出土遗物，三、结语，共三个部分。先行介绍其中的一座（C1M3352），有手绘图、照片。

据介绍，墓葬为长方竖穴墓，一棺一椁，人骨为仰身屈肢葬，葬具、人骨均已朽。随葬品 304 件，其中吴王夫差剑 1 把值得注意。此墓的年代，为战国早期。此剑如何流传至此地，墓主人身份为何，均不清楚。

645.洛阳市又发现一座随葬空首布的东周墓

作　者：廖子中
出　处：《文物》1992 年第 3 期

1988 年 1 月，考古人员在配合市建公司基建考古发掘工作中，清理了 1 座东周墓（编号 C1M2517）。简报配以手绘图予以介绍。

据介绍，墓葬位于洛阳市西工区唐宫西路北侧的市建公司福利区内，为长方形

竖穴土圹墓，填以五花夯土。坑底长 1.7 米，宽 0.7 米，墓底距地表 3.5 米，墓底平坦，葬具不明，人骨架已腐朽，仅能辨识葬式为侧身屈肢葬。随葬品均放在人体上部。出土器物计铜器 10 件，玉器 3 件，未发现陶器。出土的小型平肩弧足空首布证实该墓的年代为战国时期。

646.洛阳市道北锻造厂战国墓清理简报

作　者：洛阳市第二文物工作队　史家珍、王文浩等

出　处：《文物》1994 年第 7 期

1993 年 4 月，考古队为配合道北锻造厂工程建设，发掘清理了一座战国墓葬（编号 IM540）。

简报分为：一、墓葬形制，二、随葬器物，三、结语，共三个部分。配以照片。

据介绍，IM540 位于洛阳市道北部岭路西侧，北依部山。由于长年雨水冲刷，形成了北高南低的坡状地势，IM540 即坐落在这个缓坡地带上。IM540 为长方形土圹竖穴墓，墓西南部有一近代盗洞，深 5 米，未至墓底。墓内一棺一椁，内已腐朽。从残存浅灰色木痕看，棺椁均呈长方形，四隅均有榫卯连接。棺板内侧发现有红色漆皮痕迹，人骨架已朽为白色粉末，头向北，仰身直肢葬，性别、年龄不详。此墓曾被盗，但有玉璧、陶圭、银带钩、龙形玉佩饰、铜勺、铜盆、陶壶、陶鼎、铜玺等 30 件器物出土。此墓简报推断属战国晚期。

IM540 出土的玉器中，成组的龙形佩饰，做工精细，为近年来战国时期考古工作中少见。另外，铁足铜鼎的形制及铸造工艺同中原地区明显不同，具有楚器风格。这件铜鼎可能是从南方传入中原地区的。

647.洛阳西工 131 号战国墓

作　者：蔡运章、梁晓景、张长森

出　处：《文物》1994 年第 7 期

1981 年 3 月，洛阳市第二轻工业局在西工区中州路北侧的基建工程中，发现了一批春秋战国时期墓葬。考古人员对其中编号为 M131 的战国墓葬进行发掘，出土了一批珍贵文物。

简报分为：一、墓葬形制，二、随葬物品，三、结语，共三部分。配以照片。

据介绍，M131 位于洛阳市西工区中州中路北侧的东周王城遗址内，距周王城东墙约 210 米。墓口距地表 1.2 米，墓室为长方形竖穴土坑，墓室中部置棺，已经腐朽，

底部仅存少量木板灰痕。M131 出土器物有编钟、铜盘、铅桶、铜豆、铜壶、铜鼎、编磬、玉璧、玉饰、碎玉饰、铜勺、铜马衔共 61 件。简报推断洛阳西工 M131 年代当在战国中期或稍晚。

简报称，此墓位于东周王城之内，随葬器物丰富，且出有五鼎。按照周代礼制，简报推测墓主人的身份当是周王室中卿大夫一级的贵族。此墓的发现，为研究战国时期东周王畿内的墓葬制度、风俗习惯和雕塑艺术等，提供了有用的实物资料。

648.洛阳东周王城遗址发现烧造坩埚古窑址

作　者：洛阳市文物工作队　叶万松、黄吉博等
出　处：《文物》1995 年第 8 期

1992 年 7 月，为配合洛阳市王城公园觅乐宫的基建工程，在东周王城公园遗址区进行了一次考古发掘，清理出一座烧造冶炼工具的古窑址（编号 Y1）。Y1 南距中州路 65 米，东距洛阳市园林局办公楼约 110 米，它既在东周王城的中心偏西处，又在汉河南城遗址之内。

简报分为：一、地层堆积情况，二、Y1 的形制和结构，三、出土遗物，四、结语，共四个部分。有照片、拓片、手绘图。

据介绍，Y1 是一座由操作坑、火门、窑室和排烟孔四部分组成的地穴式烧窑。使用年代推断为东周晚期，废弃年代当在东周末期，保存尚好。

简报称，这次出土的坩埚，是东周王城遗址首次出土地点明确的冶炼工具。Y1 窑室所出的坩埚未见使用痕迹，且全部为完整器，推测当系该窑所烧造的产品。由此看来，这座窑址所烧造的应主要是供冶铁作坊在冶铁中使用的坩埚。

649.洛阳市中州中路东周墓

作　者：洛阳市文物工作队
出　处：《文物》1995 年第 8 期

1992 年 6 ~ 8 月，考古人员配合洛阳市工商银行营业楼基建工程，发掘清理 30 余座东周时期墓葬。此墓区位于洛阳市中州中路北侧 20 米，距西工花坛西侧 30 米，原东周王城内东部。其中编号为 C1M3750、C1M3732、C1M3729 的三座墓葬较为重要。

简报分为：一、墓葬形制，二、随葬器物，三、结语，共三个部分。配以照片、手绘图，先行介绍了这三座墓的发掘情况。

据介绍，三座墓均为南北向，长方形土圹竖穴。葬式均为侧身屈肢，头向北。

C1M3729 已被盗，C1M3750、C1M3732 保存完好。三座墓葬共出土铜、玉、陶等器 70 余件。随葬器物中，铜、陶器均集中放置于墓葬北部及西部棺外椁室内。玉器及小件随葬品大都置于棺内死者头部及身上。铜剑、戈、镞则顺置于棺内死者肩、足部。其中Ⅰ式铜戈、玉龙等造型新颖，制作精美，在洛阳地区东周墓葬中还不多见。据简报推断，C1M3729 应属春秋晚期，C1M3732、C1M3750 应属战国中期。

650.洛阳市西工区东周墓

作　者：洛阳市文物工作队　王　炬等

出　处：《文物》1995 年第 8 期

1993 年 4 月，考古人员在配合洛阳市西工区房管局基建工程的考古工作中，发掘清理了一座东周时期墓葬（编号 C1M4028）。简报配以照片、手绘图予以介绍。

据介绍，C1M4028 位于洛阳市八一路北端与唐宫西路交汇处北侧 60 米，东周王城遗址区内。为正南北向，长方形土圹竖穴，葬具为一棺一椁，葬式不清。此墓已被盗扰，出土陶器及小件玉饰。彩绘陶器均集中放置于墓葬西部南、北两端椁室内，小件玉饰均置于棺内死者头部。玉器制作较粗糙，但一组彩绘陶器保存完好，彩绘方法是以白色或朱色为地，再以红、赭、绿、紫、黄等色绘制。纹饰以红或黑色线条分组，其间加填绿、黄等色。彩绘线条流畅，图案精美，极为少见。该墓的年代，简报推断为战国中期。

651.洛阳联盟路战国墓出土的夔龙形铜带钩

作　者：洛阳市第二文物工作队　石战军等

出　处：《文物》1995 年第 11 期

1994 年 11 月，考古队配合中色六冶 1—1 号楼基建工程，发掘一座战国时期墓葬（编号 CM1951），其中出土 1 件卷云纹鎏金夔龙形铜带钩，造型精美。简报配以照片予以介绍。

据介绍，墓葬位于洛阳市联盟路小学南侧，为长方形土坑竖穴墓，四壁齐整。棺木已朽，仅留有痕迹。骨架一具，仰身直肢，面左，双臂交叉置于腹前。带钩出于死者左大腿骨下，模铸鎏金，腹扁宽。整体为一夔龙，头顶有耳，额上长角，眼鼓突，嘴唇上翘，肩、腹及臀部有爪。身上饰卷云纹，似夔龙在云中腾飞。根据此墓的形制结构，简报推断为战国早期的遗物。

652.洛阳道北战国墓

作　者：洛阳市第二文物工作队　乔　栋等
出　处：《文物》1996 年第 7 期

1996 年 1 月，考古人员为配合洛阳铁路分局客车技术整备所基建工程，在陇海铁路北侧、市木材公司南发掘了一座战国墓（编号 HM293）。简报配以彩照、手绘图予以介绍。

据介绍，HM293 为长方形竖穴土坑，墓口距地表 2.95 米，葬具及人骨架已朽。随葬器物共 10 件，其中铜器 8 件，陶器 2 件。铜镜、铜铃和铜璜置头左侧，带钩横于胸部，两陶罐嵌在壁龛内。该墓的年代，简报推断为战国时期。

653.洛阳定鼎路小学唐宋遗迹和东周墓葬发掘简报

作　者：中国社会科学院考古研究所洛阳唐城队　陈良伟
出　处：《考古》1997 年第 11 期

1985 年 8 月 2 日～9 月 12 日，考古人员为配合基建工程，对洛阳市西工区定鼎路小学唐宋遗迹和东周墓群进行了发掘。遗址位于洛阳隋唐城宫城内，南距宫城南墙约 60 米，东距宫城中轴线 119 米，西南距长乐门址约 150 米。发掘出宋代磉墩遗迹 1 处、唐代房址残基 3 座、唐代路土和隋唐水渠各 1 条以及东周墓葬 12 座。

简报分为：一、地层堆积，二、唐宋遗迹，三、东周墓葬，共三个部分。有手绘图，拓片。

据介绍，遗址内相继发掘出宋代磉墩、唐代残房基、唐代道路和隋唐之交的水渠等遗迹，出土器物有砖、瓦、瓦当、脊饰等。定鼎路小学遗址位于隋唐宫城中轴线西侧。文献记载，这里约当唐东都宫城乾元门至广运门之间，附近应有乾元门、长乐门、广运门、千秋门等。遗址内依次发现宋代磉墩遗迹和唐代残房基，表明唐宋时期这里就是有建筑的，而且与文献所载上述诸门有一定联系。

在定鼎路小学遗址还发现了 12 座东周时期的墓葬，其时代简报推断大致在战国中期至晚期之间。

654.洛阳钢厂秦墓发掘简报

作　者：洛阳市文物工作队　刘富良
出　处：《华夏考古》1997 年第 3 期

1993 年 9 月，考古人员在洛阳钢厂发掘战国晚期墓葬 10 座，其中洞室墓 6 座。

该墓葬区位于洛河与伊河之间的伊洛平原上，周围地势平坦。

简报分为：一、墓葬形制与随葬品的位置，二、随葬器物，三、结语，共三个部分。有手绘图。

据介绍，这 6 座洞室墓中，除 C7M703 为墓室形制大于墓道形制外，其余 5 座为大墓道小墓室。这种形制的墓葬在关中地区极为普遍，应为战国晚期秦人墓或秦代墓。6 座洞室墓共出土器物 32 件，分为陶器、石器、铜器及铁器几类。

655.洛阳小屯村发现东周空首布

作　者：洛阳市第二文物工作队　李　红、岳　梅
出　处：《文物》1998 年第 12 期

1991 年 3 月，洛阳市西工区小屯村西北的东涧沟村民，在涧河东岸约 150 米处挖房基时，于距地表约 0.65 米深处发现一罐空首布，共计 354 枚。钱币出土时整齐地摆放在陶罐内，陶罐当时被砸碎，部分钱币也被砸坏，后被私分。考古人员闻讯后前往调查，在公安部门的协助下将其收回，现由洛阳市第二文物工作队收藏。

简报分为：一、空首布的形制和种类，二、空首布的国别和年代，三、结语，共三个部分。有拓片。

据介绍，空首布是春秋战国时期周、晋、卫、韩地区铸行的货币。其中平肩空首布是周王畿内的铸币，斜肩空首布是晋、韩两国在黄河以南辖区的铸币。大量资料表明，大型空首布铸行于春秋中、晚期，中型空首布铸行于春秋晚期至战国早期，小型空首布铸行于战国早、中期。这批空首布里大型空首布 8 枚，约占总数的 2%；中型空首布 90 枚，约占总数的 25%；小型空首布 256 枚，约占总数的 73%。可见这批钱币窖藏入土的年代当在战国早期或者略晚。简报列有统计表，详列出土空首布类型、铭文、尺寸、重量、件数等。

656.洛阳于家营秦墓发掘简报

作　者：洛阳市第二文物工作队　王文浩、黄吉军等
出　处：《文物》1998 年第 12 期

于家营村位于洛阳市西郊辛店乡，距市区约 10 公里。这里地势逶迤，属秦岭余脉的黄土丘岭。1998 年 3 月，于家营村东一砖瓦厂在取土中发现古墓 6 座。考古人员闻讯即赶往现场，此时 6 座墓葬的上部已被铲去了近 3 米，墓道已暴露十分明显，下距墓底仅剩 0.4 ～ 1.6 米深。考古队进行了抢救性发掘。

简报分为：一、墓葬形制和葬式，二、随葬器物，三、结语，共三个部分。有照片。

据介绍，这次发掘的 6 座墓，均系单室土洞墓，由墓道和墓室两部分组成，且墓道都大于墓室。6 座墓仅有 2 座墓有随葬陶器 8 件，均为泥质灰陶，轮制，质地坚硬，简报认为是实用器。这 6 座墓的时代简报推断为公元前 221 年秦始皇统一六国前后或稍晚。这 6 座墓的发掘，为研究洛阳地区战国晚期至西汉初年竖穴墓向洞室墓的演变，提供了新的资料。

657.洛阳春秋刑徒墓发掘简报

作　者：洛阳市第二文物工作队

出　处：《中原文物》1998 年第 3 期

1994 年 3 月，洛阳市纱西路北侧糖酒公司仓库区外兴建宿舍楼一栋。在南北 17 米、东西 42 米的范围内，钻探发现古代墓葬 15 座，其中春秋墓 9 座、汉墓 6 座。考古人员为配合其基建工程进行了发掘。

简报分为：一、地理位置和环境，二、墓葬形制，三、随葬器物和年代，四、结语，共四个部分。配以照片、手绘图，先行介绍 9 座春秋墓的发掘情况。

据介绍，9 墓均为长方形竖穴土坑墓。9 座墓中人骨架保存基本完好，有 3 座墓内的骨架异常。IM661 骨架下肢足踝部错位不连，相距较远，似是受刖刑致残。IM665 骨架四肢蜷屈，长 1.0 米，宽 0.4 米，比正常人的骨架短近一半，因其骨骼不乱，似是生前装入口袋后活埋。IM705 头骨错位倒置（颌骨向上、头盖骨向下），似乎是生前被砍头后随意将头扔进墓坑。加之随葬品仅见一已残铜镜、一较小铜带钩，简报推测此处为春秋中期刑徒墓地。发掘地点离东周都城洛阳王城北墙仅 150 米，似是周王室使用刑徒留下的遗迹。

658.洛阳市 613 所东周墓

作　者：洛阳市文物工作队　王　炬等

出　处：《文物》1999 年第 8 期

1998 年 12 月，考古人员在配合洛阳市 613 研究所住宅楼基建工程中，发掘清理出 30 余座春秋、战国时期墓葬。该墓葬区位于洛阳市凯旋西路北侧 20 米、芳林路东 50 米，原东周王城内中部。其中编号为 C1M6112 的墓葬较为重要。

简报分为：一、墓葬形制，二、随葬器物，三、小结，共三个部分。有照片、手绘图。

据介绍，该墓为南北向长方形土坑竖穴墓，距现地表深 2.3 米。葬具为一椁双棺，都已朽烂。葬式为仰身直肢，头向北，骨架保存一般。在骨架上下各平铺一层厚 0.5 厘米的朱砂。随葬器物共出土 36 件。有铜、玉、漆、陶、贝币，以铜器为主。这些器物分别放置在墓室北部及西部棺外椁室内。漆器放在铜器中。陶器置于椁内东部，玉器等小件随葬器物置于棺内人骨架头、颈、胸及腹部。该墓年代简报推断为上限应不早于春秋中期，下限不晚于春秋晚期。墓主人应属士大夫。

659.洛阳市西工区 C1M3943 战国墓

作　者：洛阳市文物工作队　黄吉博等
出　处：《文物》1999 年第 8 期

1992 年 12 月，考古人员在配合洛阳市针织厂住宅楼基建工程的考古发掘中，发掘清理了 20 余座东周时期墓葬。此墓葬区位于唐宫西路与解放路交叉口东北约 150 米处，原东周王城遗址区内东北部。其中 C1M3943 随葬器物数量、种类较多，且多为精品，是洛阳以往发掘的战国墓中少见的一例。

简报分为：一、墓葬形制，二、随葬器物，三、结论，共三个部分。有彩照、拓片、手绘图。

据介绍，C1M3943 为长方形土坑竖穴墓，墓口距地表 1.8 米，棺内葬一人，骨已朽。墓内共出各类器物 63 件（组）。其中陶器 13 件置壁龛内，其他除 1 件石圭放在棺外，其余 49 件（组）置棺内。

简报称，该墓在墓壁上设有壁龛，其高度较以往发掘的众多东周墓要高。出土的随葬器物中，玉器工艺精湛、造型美观、数量较多。用铁丝串联的玉带钩、镶银饰金带钩、错金银镶绿松石铜带钩、工艺复杂的六山纹铜镜等，都具有很高的艺术价值和研究价值，是文物中的精品。陶器组合为偶数，也很少见。该墓的年代简报推断为战国中期。出土的"事君子"玉印，印文中的"君子"为合文，"事君子"多为女子用吉语；此外，该墓内出土了化妆用的粉块，也可证实墓主人是女性。简报推测这名女子的身份是大夫一级的贵族。

660.洛阳聂湾发现东周空首布

作　者：洛阳市文物工作队　邢建洛、梁　锋
出　处：《考古与文物》1999 年第 3 期

1984 年秋，洛阳市南郊安乐乡聂湾村农民在制砖场取土时，发现了大量残砖碎瓦以及陶器残片。接到报告后，考古人员即前去查看，确认是一处古代遗址。清理过程中，在碎片堆采集到一团与土锈结在一起的空首布，清理后获得空首布币 33 枚，除 1 枚残为两段、2 枚稍有残缺外，其余 30 枚均完好无损。这批空首布铸造规整精良，形制相同，尺寸、重量略有差别。33 枚空首布均有文字，分别于币身的左边或右边，

字迹清晰，种类有 25 种。简报配以拓片予以介绍。

据介绍，由于这批空首布是农民取土时挖出，故当时情景不得而知。但从空首布结团现象看，应为窖藏无疑。洛阳地区空首布窖藏时有发现，就目前已发表的资料看，已有近十处之多。这些发现于洛阳近郊及辖县的窖藏空首布，是研究洛阳地区先秦时期货币经济和空首布铸行时期、流通区域等诸多问题十分珍贵的实物资料。

661.洛阳凯旋路南东周墓发掘报告

作　　者：中国社会科学院考古研究所洛阳唐城工作队　陈良伟等
出　　处：《考古学报》2000 年第 3 期

凯旋路南东周墓位于邙山南麓第二层台地上，距东周王城遗址不远。近些年来的考古勘探和发掘表明，附近分布有许多东周时期的墓葬，很可能分属三个大的茔区：北面茔区主要分布在郎山南侧，西面茔区主要分布在周山一带，东面茔区主要分布在涧、瀍、洛三水之间。因此，凯旋路东周墓葬群应属王城东面茔区的一部分。1996 年 7 月至 1997 年 5 月，共钻探出 104 座古墓，其中东周墓 103 座、唐墓 1 座。

简报分为：一、墓葬形制，二、随葬器物，三、墓葬分期，四、余论，五、结语，共五个部分。先行介绍发掘的 62 座东周墓及 3 座马坑，有照片、手绘图。

据介绍，62 座东周墓均系长方形竖穴土坑墓。椁棺均已腐朽。根据棺板腐朽后留下的灰痕观察，62 座东周墓中，重椁单棺墓 3 座，单椁单棺墓 33 座，无椁单棺墓 16 座，无椁无棺墓 10 座。共清理出随葬器物 1930 余件。以陶礼器为主，青铜礼器较少。其时代简报分为五期：第一期属春秋早中期，第二期属春秋晚期，第三和第四期属战国早中期，第五期属战国晚期。简报推测凯旋路南东周墓葬群，很可能是某个卿大夫或士的家族墓地。随葬品中玉器较引人关注。出土的 26 套缀玉幎目，按其组合不同可分五型，虽然彼此之间有一些细微的区别，但是其具有的共同特点是不容忽视的，即所有玉幎目都是由许多不同个体的玉石片饰组合而成的。简报认为，凯旋路南东周墓葬群的发掘为揭示东周时期的社会生活，探索洛阳东周王城历史原貌，研究中原地区东周时期的丧葬习俗提供了丰富翔实的实物资料。

662.洛阳东周王城第 5239 号大墓发掘简报

作　　者：洛阳市文物工作队　邢富华、黄吉博、李德方
出　　处：《考古与文物》2000 年第 4 期

1995 年 12 月，洛阳市文物工作队为配合洛阳市公安局第 5 号宿舍楼的基建工程，

清理了一座东周时期的大型墓葬（编号 C1M5239）。该墓位于洛阳中州路西工段南侧，东邻体育场路，南依中州大渠，处于东周王城的东南部。

简报分为：一、墓葬形制与结构，二、随葬器物，结语，共三个部分。

据介绍，该墓由墓道和墓室两部分组成。清理时，共发现 6 个盗洞穿入墓内，墓底已遭严重盗劫，盗洞下部散见少许零乱成人骨架，葬具情况不明。共清理出土随葬品 126 件。该墓的年代简报推断约当春秋晚期，应属王室贵族的墓地。

近年来在这一带还清理了数座随葬 7 鼎铜器和成组石磬的较大型东周贵族墓。据此，东周王城东南部也是东周王城内王陵的一个分布区。

663.洛阳（洛界）高速公路伊川段 LJYM74 发掘简报

作　者：洛阳市第二文物工作队　王文浩、郑　卫等
出　处：《文物》2001 年第 6 期

2000 年 10 月，为配合洛阳（洛界）高速公路伊川段工程，考古人员在彭婆乡刘沟村东南约 2 公里的坡地上（即界标 K31 处），发掘清理了战国墓 5 座，其中 LJYM74 出土有青铜器。

简报分为：一、墓葬形制，二、随葬器物，三、小结，共三个部分。有照片、手绘图。

据介绍，该墓为长方形竖穴土坑墓，墓口距地表 1.2 米。墓圹东南角发现早期盗洞 1 个，盗洞口小底大，顺墓圹往下增宽，到椁上部止。盗洞内填灰褐土，盗洞口宽 0.5 米，底宽 2.5 米，深 9 米。葬具为一棺一椁。椁盖及椁上部被盗洞破坏。棺木因扰乱仅存底部，棺板厚 0.08 米，棺旁及棺底北部残存朱漆痕迹，估计为漆棺。棺内有骨架 1 具，因腐朽严重，葬式不明。出土有劫余的青铜器、石器、蚌饰等。年代简报推断为战国早期。

664.洛阳史家屯发现空首布和圜钱

作　者：洛阳市第二文物工作队　褚卫红、王遵义
出　处：《文物》2002 年第 9 期

2001 年 4 月，在洛阳道北史家屯村东南的凯瑞房地产置业有限公司基建工地距地表约 2 米处，发现战国时期钱币 102 枚，可分空首布和圜钱两种类型。简报配以拓片、统计表予以介绍。

据介绍，空首布计 42 枚，分平肩和斜肩 2 种。圜钱计 60 枚。简报推断这批空首布和圜钱的埋藏年代，上限应当在战国中晚期。简报指出，在以往洛阳地区发现

的战国钱币中，空首布和圜钱同时出土极为罕见。它们的出土为研究战国时期商品贸易和钱币文字提供了实物资料。

665.洛阳韩城战国墓发掘简报

作　者：洛阳市第二文物工作队　史家珍、周建曙等
出　处：《文物》2002 年第 11 期

宜阳故城位于洛阳市西南 60 公里处，是战国时期韩国都城。2001 年 6 月，为配合公安机关打击盗掘活动，考古人员对宜阳故城内盗掘的部分墓葬进行了抢救性发掘。

简报分为：一、墓葬形制，二、随葬器物，三、结语，共三个部分。配以照片、手绘图，先行介绍其中的 2001LYHM5 和 2001LYHM6 发掘情况。

据介绍，宜阳故城呈长方形，由大小两城组成，小城位于西北角，2001LYHM5 和 2001LYHM6 位于小城内的东部，二者直线距离相隔百余米。出土有陶器、铜器、铁器、玉器等。两墓年代简报推断为战国早、中期，两墓主人应有一定地位。

666.洛阳市纱厂路东周墓（JM32）发掘简报

作　者：洛阳市第二文物工作队　史家珍等
出　处：《文物》2002 年第 11 期

2001 年 3 月，为配合洛阳市白马集团信安花园住宅楼工程建设，考古人员发掘清理了一批东周时期墓葬。该墓葬区位于洛阳市纱厂路东侧、纱厂西路南侧，东周王城遗址内西北部。其中 JM32 保存基本完好。

简报分为：一、墓葬形制，二、随葬器物，三、结语，共三个部分。有手绘图等。

据介绍，JM32 为东西向长方形竖穴土坑墓，墓内葬具为一棺一椁，均已腐朽。棺内人骨已朽，葬式不明。JM32 随葬器物共 31 件，包括铜器 13 件及玉器等，其中玉器等置于棺内，铜器置于棺外椁内。该墓的年代应为战国中期偏晚，墓主人应为贵族。

667.洛阳市针织厂东周墓（C1M5269）的清理

作　者：洛阳市文物工作队　王　炬等
出　处：《文物》2001 年第 12 期

1996 年 9 月至 1997 年 4 月，考古人员在配合洛阳市针织厂综合楼工地基建工程中，发掘清理出一批东周时期墓葬。该墓葬区位于洛阳市唐宫西路北侧 20 米、解放

路东侧 100 米，原东周王城内东北部，其中编号为 C1M5269 的墓葬较为重要。

简报分为：一、墓葬形制，二、随葬器物，三、结语，共三个部分。有照片、拓片、手绘图。

据介绍，C1M5269 为南北向长方形竖穴土坑墓，棺内骨架已朽，据灰痕为仰身直肢葬，面向上双子交叉于腹部。随葬器物 83 件（组），其中铜鼎、壶、盏等集中放置在椁室内东部及南部，兵器散放于外棺及木椁之内，玉器集中放置于外棺内西侧。另外，此处发掘清理时泥土中有大量丝织物痕迹。此墓的主要随葬品以成套的铜礼器为主，陶器较少。铜器品种较多，造型优美，纹饰精细，工艺水平较高。其中铜灶轻巧方便，为首次发现。玉器质地较好，工艺精湛，特别是带有铭文的玉鼎为首次发现。

此墓属一椁双棺的中型墓葬，随葬铜礼器为鼎 5 件（另有玉鼎 1 件），方壶、提梁盏各 2 件等的组合，鼎中残留有羊、猪等兽骨，是周礼大牢制度的反映。墓内还出土大量的兵器，说明墓主人应是男性，生前可能是一位指挥军队的将领。再结合多件器物上的铭文"公赐鼎"，墓主人应是有较高地位的贵族。该墓的年代，简报推断为战国中期偏晚。据盗洞中的遗物，两次被盗应不晚于西晋时期。

668.河南洛阳市中州路北东周墓葬的清理

作　　者：中国社会科学院考古研究所洛阳唐城队　陈良伟、石自社
出　　处：《考古》2002 年第 1 期

1998 年 5 月，在配合洛阳市第一汽车运输公司住宅楼基本建设过程中，考古人员发现并清理了一座东周时期的墓葬（编号 98LM535）。墓葬位于洛阳市老城区西关中州路北侧第一汽车运输公司家属院内。墓中所出铜器保存基本完好，造型较为独特，纹饰繁缛华丽，具有鲜明的时代特征。

简报分为：一、墓葬形制，二、随葬器物，三、结语，共三个部分。有手绘图、拓片。

简报称，这座墓葬出土的铜器相当精美，而且体胎厚重，特别引人注目。出土铜器基本组合为鼎、豆、盘、匜和双耳杯。这座墓葬的时代简报推断约在春秋晚期至战国早期之间。

669.洛阳解放路战国陪葬坑发掘报告

作　　者：洛阳市文物工作队　程永建、赵振华等
出　　处：《考古学报》2002 年第 3 期

1982 年 8 月 9 日至 26 日，为配合市外贸局宿舍楼的建设，考古人员在解放路与

五七路交会处西北角进行考古发掘，清理了一座编号为 C1M395 的战国陪葬坑。发掘工作历时 18 天。

简报分为：一、C1M395 的地层关系，二、随葬器物，三、铜器铸造特点，四、C1M395 的时代和性质，五、主要收获，共五个方面。有拓片、手绘图等。

简报指出，洛阳西工战国陪葬坑出土的青铜器多达 130 余件，青铜礼器以及乐器之多也为仅见。它的发掘，对周代的葬制、用鼎制度以及寻找东周王陵区具有重要的研究价值。此陪葬坑为东周时期王陵或贵族墓葬区的陪葬器物坑。先秦时期的大型祭祀坑和陪葬坑多为马坑和车马坑，礼乐器坑较少。商周时期的王陵和贵族墓地用于祭祀或陪葬的马坑、车马坑以及礼乐器坑时见报道，但礼乐器陪葬坑、祭祀坑目前只发现有春秋时期的。战国时期集铜礼、乐器于一体的陪葬坑，此为首次发现，其意义不言而喻。

此次发掘还有许多重大发现：

例如：《公羊传·桓公二年》何休注："天子九鼎，诸侯七，卿大夫五，元士三。"显然，用鼎多少是反映贵族身份地位的一种标志，多年的考古成果也证明了这一点。所谓"礼器组合"即是以用鼎数量为准作相应的配置，最主要的为鼎、簋组合，如九鼎配八簋、七鼎配六簋、五鼎配四簋、三鼎配二簋等。一般认为，在礼器鼎、簋组合中以九鼎八簋的级别最高，即天子级配置。在以往的发掘材料中，有一墓同出几鼎、十几鼎、甚至二十几鼎的，如山西太原金胜村 M251 号春秋晚期大墓，一墓同出 25 鼎。这些鼎的形制多不相同，有的一墓分为二式、三式，有的则可分为五式、六式，情况十分复杂。关于我国古代的用鼎制度，20 世纪 70 年代以来，学者多有论述。然而由于考古材料的局限，这一重要问题一直悬而未决。洛阳解放路战国陪葬坑的发掘，为周代用鼎制度的研究以及东周王陵位置的确定等提供了新的考古资料。

又例如，陪葬坑中所出 I 式铜人是了解战国时期的发式、服式、肋间佩饰以及佩剑方式等不可多得的考古新资料。东周时期铜人、铅人、玉人出土不少，发式多为团髻于头顶或脑后，极个别的梳辫，而梳整齐垂至背部又回挽于头部的发饰以及头后的"匚"形头饰，目前所见的考古发掘品仅此一例。可以说，I 式铜人的发式、头饰是目前所见东周时期最奇特、最复杂的。经学者研究得知，东周佩饰皆佩戴于身体的前面。佩戴方法主要有两种，一是佩于项下垂于胸腹，一是系于腰间垂直于腹部。其组合或简单或复杂，其构成不外乎环（或璧、瑗）、璜、珠、管以及各种形状的龙形佩等，质地一般为玉石、玛瑙、水晶和料器等。I 式铜人的佩饰戴于两肋的形式是十分罕见的，其佩饰中的垂桃形饰和三角形饰也是成组佩饰中不多见的。从桃形饰的特征看，整体向外鼓起，它不是扁平体而应是立体形的。其佩剑方式也比较特别，严格讲应称为背剑为妥。

剑是东周时期的主要兵器之一，东周也是剑发展的成熟和鼎盛时期。全国各地出土的东周铜剑资料十分丰富，但有关东周时期佩剑方式的考古资料极少，也很少有人论及。目前所能见到的资料以佩戴于腰侧为主。佩戴于腰侧的剑，带子穿过剑鞘上内侧的珥悬于腰部，整个剑是活动的。为了行动和使用的方便，可以用左手握住剑鞘，不使其摆动，用右手抽剑。而佩戴于背部的剑则是带子穿过剑鞘外侧的珥捆绑于背，整个剑体是固定不动的。但秦始皇陵出土的铜车马驭手的佩剑方式比较特别，一号车驭手作站立状，腰后佩长剑；二号车驭手作跪状，腰后佩短剑。佩剑方式与前述Ⅰ式铜人背剑式相同，即剑带穿过剑鞘外侧剑珥束于腰部。从剑带可来回活动的特点看，驾车时剑在腰背，不影响驭手驾驭车辆，而使用时则可把剑移至腰左侧以便抽取。背剑式只适用于短剑，长剑是无法从肩上部把剑抽出的。腰佩剑则可长可短。从出土发现看，洛阳东周时期剑的长度极少有超过 60 厘米的，一般长度在 20 ～ 60 厘米之间。秦汉时期剑的长度大大增加，多在 100 厘米左右。这些长剑显然只适用于腰佩式，背剑式是无法抽取使用的。

再比如，陪葬坑所出土的长约 60 厘米的彩绘鹿角，在洛阳地区的东周墓中发现极少，这可能与土质不易保存有关，洛阳西工区一较大型春秋晚期铜器墓中即出土有两件彩绘鹿角，较小，出土时与铜礼器放置在一起。洛阳战国陪葬坑及东周墓出土的鹿角与楚墓有相近之处，如有彩绘，放置于青铜礼器之间等，其用途也应相同，即作为礼器之用。

670.河南偃师商城 18 号东周墓

作　者：中国社会科学院考古研究所河南第二工作队　王学荣、张良仁

出　处：《考古》2003 年第 9 期

1996 年，为配合偃师化肥厂办公楼工程，考古人员进行了发掘。发掘地点位于偃师商城东北部、商都北路北端东侧，揭露面积 1050 平方米，发现大量商周时期的文化遗迹、遗物。简报专门报道在该地点发现的一座东周墓，编号为 96YSIIM18。

简报分为：一、地层关系，二、墓葬形制及相关遗存，三、出土遗物，四、结语，共四个部分。有手绘图。

据介绍，这座墓葬是在偃师商城遗址范围内首次发现的东周墓。在偃师商城大城东北隅所发现的丰富的东周时期遗存，应该就是尸氏的文化遗存。汉魏时人记述商汤亳都在偃师县城附近，并非臆测，而是确有所据，所说商汤之亳是指位于偃师

县城附近残破的古城垣，即偃师商城遗址。

该墓的年代，应为春秋中期。

671.洛阳市西工区几座春秋墓的清理

作　　者：洛阳市文物工作队　王　炬
出　　处：《考古与文物》2003年第2期

2001年11月至2002年3月，考古人员在配合航空工业部613研究所、洛阳得天置业有限公司两个单位基建考古工作中，发掘清理出东周时期的墓葬50余座。这两处墓葬区位于西工区凯旋中路南侧300米、涧东路南头西侧60米，原东周王城遗址区内。其中C1M7226、7039、7258、7256、7257五座墓葬较为重要。

简报分为：一、墓形葬制，二、随葬器物，结语，共三个部分。有手绘图。

据介绍，这是5座保存完整的东周时期中小型墓葬。出土随葬品以铜器为主，陶器仅两件。铜器的组合基本相同，为鼎、盘、匜、舟等。葬具均一棺一椁，墓主人的身份地位为较富裕的小贵族阶层。对这5座墓葬进行排列分析，可以看出器物在器形和组合上存在明显的发展演变特征，可将五座墓分类为二组四期。第一组墓葬时代晚于春秋中期。其中一期时代为中期偏早，二期为中期偏晚。第二组墓葬从器形演变上看晚于第一组墓葬，且承继关系密切，时代应晚于春秋中期，为春秋晚期。其中一期时代为晚期偏早，二期为晚期偏晚。

简报称，这5座墓葬时代跨春秋中、晚期，器形、器物组合的发展演变序列清晰，为研究洛阳春秋时期中小墓葬形制、器物组合、器形演变提供了宝贵的资料。

672.洛阳市宜阳县元村战国墓发掘简报

作　　者：洛阳市第二文物工作队、宜阳县文物保护管理所　张应桥等
出　　处：《文物》2003年第9期

1995年6月，宜阳县柳泉镇元村东北机砖厂在取土过程中发现一批战国墓。

简报分为：一、墓葬概况，二、随葬器物，三、结语，共三个部分。有照片、手绘图。

据介绍，墓葬位于宜阳县城西25公里的柳泉镇元村东北约300米外，西距战国韩都宜阳故城16公里。1991年以来，元村机砖厂在墓葬位置取土，一批古墓葬受到破坏。1995年6月，考古人员对保存尚好的5座墓葬进行了抢救性发掘。葬具均为单棺无椁，骨架已呈粉状，葬式不明。随葬陶器大都放置棺外头部北端或左侧，车马器放置在棺外足端，带钩等置于棺内死者腰部。随葬陶器的基本组合为鼎、豆、

壶、盘、匜。鼎为每墓 1 件，豆、壶为每墓 2 件，形制基本相同。其中陶莲瓣口器盖、陶豆形器较罕见。95YLM1 ～ M5 共出土器物 80 件，其中绝大部分为陶器，另有 11 件铜器和 1 件铁器。简报推断其为战国早、中期的韩人墓葬。

673.洛阳市唐宫西路东周墓发掘报告

作　　者：洛阳市文物工作队　司马国红等
出　　处：《文物》2003 年第 12 期

2001 年 11 ～ 12 月，考古人员在配合洛阳市唐鼎公司商贸楼工地基建工程中，发掘清理了一批东周时期墓葬。该墓葬区位于洛阳市唐宫西路北侧 20 米，解放路东侧 100 米。其中编号 C1M7983 和 C1M7984 的墓葬较为重要。

简报分为：一、墓葬形制，二、C1M7984 随葬器物，三、C1M7983 随葬器物，四、结语，共四个部分。配以彩照、手绘图，先行介绍了这两座墓的资料。

据介绍，两墓均为长方形土坑竖穴墓，均曾被盗扰，两座墓葬东西相向，相距 70 米。C1M7983 葬具为一椁一棺，棺内骨架已朽，葬式不明。C1M7984 葬具为二椁一棺，全部腐朽。棺内骨架已朽，葬式不明。两墓出土有随葬器物 142 件（组）。因曾被盗，简报推测这两座墓葬的主要随葬器物应以成套的玉器、车马器、乐器为主，陶器较少，铜器较多。其中铜兽、铜马立体感强，纹饰精美，工艺水平较高，为洛阳地区少见；玉器质地较好，晶莹细润，画面栩栩如生，特别是浮雕玉板为洛阳地区首次发现。两墓墓主人应为大夫一级且具有较高地位的贵族。两墓的年代，简报推断为战国中期。

674.洛阳东周王城战国陶窑遗址发掘报告

作　　者：洛阳市文物工作队　俞凉亘等
出　　处：《考古学报》2003 年第 4 期

遗址位于沙厂西路路南，涧河东岸。其北距王城北城墙约 200 米，西距王城西城墙约 400 米，处于东周王城遗址区的西北隅，也属隋唐东都城西苑遗址区范围。在遗址北、西、南三面围墙下，均见陶窑超出探区，所以窑址的实际范围要超过这个面积。

1998 年 10 ～ 12 月，在配合河南省建三公司 12 号住宅楼的基建工程中，发现并清理了一处战国时期的陶窑遗址，发现战国陶窑 18 座（编号为 Y1 ～ Y18，其中有的未清理）、灰坑 11 个、墓葬 3 座（C21M6083 ～ C1M6085），另发现唐代沟 1 条、古河道 1 条。

简报分为：一、遗址位置及地层堆积，二、遗迹，三、出土遗物，四、遗址的分期，五、结语，共五个部分。有彩照、手绘图。

据介绍，共发掘 17 座陶窑。可分三期，第一期相当于战国早期或稍早，第二期相当于战国中期，第三期相当于战国晚期。这次发掘的窑址是东周王城内陶窑数量较多、分布较集中、时间跨度较长的一处。窑址的时代从战国早期延续到战国晚期，说明这里的烧陶业发达，持续时间长，几乎没有间断。另外，战国时期的手工业作坊区集中于东周王城的西北部，并且这种格局是长期固定不变的。这次发掘的 17 座陶窑，虽然燃料上早晚期都一样，均为柴草，但陶窑的结构却变化明显，体现了技术的进步。这批窑出土的遗物以盆、罐、瓮、豆等生活用陶为主，筒瓦、板瓦、瓦当、瓦钉等建筑用陶较少。陶窑周围的灰坑内出土大量残破陶器，与窑内的陶器相同。因此可以断定，这批陶窑是以烧制生活用陶为主的陶窑。这些遗物，早晚期不仅有形制的不同，而且陶质、陶色也有明显区别。早期陶器多呈灰黑色，陶质坚硬，火候较高，器形多棱角，略显粗糙。晚期陶器呈浅灰色，陶质较松，火候较低，而器形显得较圆润美观。这一方面反映出制陶技术在不断进步，人们的审美意识在提高；另一方面也说明随着社会需求的增加，人们更注重器物的实用美观而非牢固耐用。此外发现的一批窑具，也是以往所少见的。由于发掘条件所限，该窑址的取土地点、制作场地以及生活设施等未能发现。尽管如此，这批陶窑的发掘，仍为研究战国时期的制陶技术、陶窑的发展演变提供了新材料，同时对进一步确定东周王城的手工业区和城市布局具有一定意义。

675.洛阳东周王城内春秋车马坑发掘简报

作　者：洛阳市文物工作队　俞凉亘、田玉娥
出　处：《考古与文物》2003 年第 4 期

2001 年 11 月，为配合洛阳市公安局第 6 号家属楼的基建工程，考古人员发现并清理了一座车马坑（编号 C1M6768）。车马坑位于体育场路中段路西约 40 米处。

简报分为：一、车马坑形制，二、车子结构，三、遗物，四、结语，共四个部分。有手绘图。

据介绍，由于该车马坑发掘完成以及后期受到破坏，其内随葬品数量不详。现发掘出土遗物共 35 件（套）。C1M6767 随葬于壁龛内的陶器组合为鼎、豆、壶、盘、匜，根据洛阳中州路（西工段）东周墓葬的分期，该墓相当于其中的第四期，时代为战国早期。该车马坑的时代简报初步定为春秋晚期。

1995 年 12 月，考古队在该车马坑以西 30 米处清理一座春秋晚期的大墓。2002

年 3 月，在该车马坑的东南约 180 米处清理一座"十"字形大墓、二座"中"字形大墓、一座马坑和一座车坑，简报推断时代属春秋时期。近几年，在此附近共清理出东周时期的大墓 3 座、车坑一座，马坑六座，均在东周王城的东南部。由此可见，这里应是东周王城内一个很重要的陵墓区。

676.洛阳西工区 M7602 的清理

作　者：洛阳市文物工作队　刘建安
出　处：《文物》2004 年第 7 期

2002 年 11 月，在配合洛阳市第二十六中学基本建设工程中，考古人员清理了一座东周时期墓葬（编号 M7602）。墓葬位于洛阳市西工区解放路北段，基本保存完好。

简报分为：一、墓葬形制，二、随葬器物，三、结语，共三个部分。配以照片、手绘图，先行介绍了 M7602 的清理情况。

据介绍，M7602 为长方形土坑竖穴，墓口距今地表 3.2 米，墓底距今地表 8.2 米。葬具为两椁一棺，俱已腐朽，只存灰痕，均为长方形。人骨已朽残，呈灰白色粉状，仰身屈肢，头朝北，双手置于腹部。在两椁之间的西南角放置陶鼎、豆、壶，棺椁间放入少许玉环，人头部以玉石片覆面，胸部放置玉佩饰及料珠，脚部放置铜镜、玛瑙环及带钩。出土遗物共 45 件，分为铜器、陶器和玉料器三类。其中，铜镜、玉佩、玉环制作均十分精美。该墓的年代简报推断为战国中期。

677.洛阳唐宫路小学 C1M5560 战国墓发掘简报

作　者：洛阳市文物工作队　黄吉博等
出　处：《文物》2004 年第 7 期

1996 年 12 月下旬，在配合唐宫路小学住宅楼施工中，考古人员清理了一座战国墓（编号 C1M5560）。墓葬虽早期被盗，但还是出土了一批珍贵器物。

简报分为：一、墓葬形制，二、随葬器物，三、结语，共三个部分。有彩照、手绘图。

据介绍，该墓为长方形竖穴土坑墓，葬具为一椁一棺，棺椁俱已腐朽，已无人骨痕迹。出土器物 87 件（组），其中玉器 65 件（组），另有铜器、铁器、骨器等。玉器大多制作精湛，造型优美，有的还成双成对。该墓年代简报推断为战国中期以前。出土的一件玉戈有铭文"毕公左徒"。根据《春秋左传注·文公七年》"徒"："步卒曰徒。"玉戈铭应释为"毕公左军步卒"，因而推测墓主人为毕公左军的步卒统领。至于出土的铁锸，从出土位置和形制看，不应早于战国时期，推测为盗墓工具。

678.洛阳王城花园战国墓

作　　者：洛阳市文物工作队　霍宏伟、田玉娥等
出　　处：《文物》2004 年第 7 期

2003 年 2～6 月，考古人员配合洛阳市王城花园住宅小区基建工程，发掘清理了 49 座东周时期墓葬。该工地位于洛阳市西工区西小屯村北，即洛阳东周王城遗址西北部。其中编号为 C1M7717、C1M7722、C1M7773 的三座墓葬较为重要。

简报分为：一、墓葬形制，二、随葬器物，三、结语，共三个部分。配以照片、手绘图，先行介绍了这三座墓的清理情况。

据介绍，三座墓葬中 C1M7717 为东西向，另两座墓为南北向。均为长方形竖穴土圹墓，人骨架皆已朽成粉末状，较难辨认。葬具已朽，从遗留的痕迹来看，皆为单棺。三座墓葬保存完好，出土随葬器物共 20 件，其中 C1M7773 出土的铜剑与铜铍分别置于棺的内外侧，其余两墓出土器物多置于棺内人骨架胸部和腰部。三墓均为当地较常见的中小型东周墓葬，C1M7773 应属战国早期，其他两墓应属战国中期前后。出土遗物中铜铍形制较为特殊，有一定研究价值。

王城花园工地位于洛阳东周王城遗址的西北部，属于手工业作坊区，在其西北约 500 米的河南省第三建筑公司二处工地，1998 年曾发掘出 17 座战国时期烧窑和 3 座战国墓。这一带墓葬包括王城花园工地发掘的战国墓，其墓主人身份均较低，墓内随葬器物以陶器居多，铜器、玉器数量较少。

679.洛阳宜阳县城角村发现战国有铭铜戈

作　　者：中国科学技术大学科技考古联合重点实验室、洛阳市第二文物工作
　　　　　队　刘余力、褚卫红
出　　处：《文物》2004 年第 9 期

2002 年 3 月，洛阳市宜阳县韩城乡城角村农民在修水渠时发现战国时期有铭文铜戈一件。简报配以照片予以说明。此戈现藏洛阳市第二文物工作队。

据介绍，戈上有铭文 4 字："少府禳和"。"少府"为造戈官署名，"禳和"应为工匠名。宜阳故城战国早期为韩国都城，战事频繁，多有兵器出土。此戈出土地正位于韩国都城宜阳故城西北隅，当是当年秦、韩两国在此发生战争的遗物。

《文物》2000 年第 10 期，有洛阳市第二文物工作队蔡运章先生《论新发现的一件宜阳铜戈》一文，介绍的是城角村农民于 1999 年发现的一件铜戈。该铜戈有铭文 13 字，作者进行了释读，认为该戈为战国中晚期韩国铸造。

680.河南偃师市灰嘴遗址东周墓发掘简报

作　者：中国社会科学院考古研究所河南第一工作队　陈星灿、李永强等
出　处：《考古》2004 年第 12 期

灰嘴遗址位于河南省偃师市区南约 20 公里的灰嘴村。南面约三四公里是嵩山，西南约 500 米是馒头状的低山火焰岗。遗址东临浏涧河，隔河对岸是另一座被当地人称作"中南山"的馒头状低山。浏涧河西北流 10 多公里汇入伊河。遗址北、西两面地势平坦，土地肥沃。从裴李岗文化开始，远古人类就在这个地区生息繁衍，留下了丰富的文化遗迹。1959 年，考古人员曾对该遗址进行发掘，发现二里头文化、龙山文化、仰韶文化的三叠层，证实人类曾长期在此居住生活。2002 年 10 ～ 12 月，考古人员又试掘了灰嘴遗址，发现了丰富的二里头文化和龙山文化遗迹，初步证实灰嘴遗址在二里头和龙山时代是一处大型石器制造场，另有东周墓葬。

简报分为：一、地理位置与发掘概况，二、墓葬结构，三、随葬品，四、结语，共四个部分。先行介绍发掘的东周墓葬。有手绘图等。

据介绍，此次发掘的东周墓葬为土坑竖穴木椁墓，规模较大，棺椁的建造也比较复杂，但是随葬品很少，与它的规模颇不相称。随葬品的陶、土器组合是鼎、豆、罐、盘、盆、匜。具体年代应在春秋战国之交。

简报称，随葬陶器很可能是被人为毁坏后放入椁室的。椁室中发现的玉片、青铜圭状器等也都系人为毁坏后放入，推测用意不外是供死者在地下享用这些随葬品和辟邪。死者的年纪很轻，墓葬规模大而随葬品贫乏，还用仿铜的陶器和红土器随葬，又没有可以确定其身份地位的明确标志。简报认为，墓主人也许是东周时代的一个破落贵族。

681.洛阳中州中路东周墓发掘简报

作　者：洛阳市文物工作队　司马国红、尚巧云等
出　处：《文物》2006 年第 3 期

2004 年 6 ～ 7 月，在配合洛阳市国际贸易中心综合楼的基建工程中，考古人员发掘了一批东周时期的墓葬。该墓葬区位于洛阳市中州中路南、人民西路西侧，北距东周王城广场约 50 米，其中 C1M8371 较重要。

简报分为：一、墓葬形制，二、随葬器物，三、结语，共三个部分。配以彩照、手绘图，先行介绍该墓的发掘情况。

C1M8371 为长方形竖穴土坑墓，距现地表深约 2.1 米。棺内骨架仅存头骨和腿

骨，为仰身直肢葬。随葬器物有铜器、铁器、铅器、玉器、石器、料器、水晶珠、绿松石、骨器、陶器等。其中铜鼎、陶鼎、陶壶、陶盆、陶豆等集中放置在椁室东南部，小型铜器、小型陶器、玉器等放置在外棺内，少量玉器放置在内棺内。其中玉带钩、玉兽在洛阳地区较为少见，小型铜器和小型陶器在中原地区的东周墓葬中是首次发现。绿松石头饰，其单件小绿松石的直径不到1厘米，且有穿孔，用金丝、银丝穿缀而成，高超的切割、雕琢工艺令人叹服。该墓的年代简报推断为战国中期。该墓的发掘为研究东周时期的物质文化、社会生活和丧葬习俗提供了丰富的实物资料。

682.洛阳西工区 C1M8503 战国墓

作　者：洛阳市文物工作队　潘海民等
出　处：《文物》2006 年第 3 期

2005 年 1 月，为配合在洛阳东周王城东部、汉河南县城东北角的基建工程，考古人员清理了 200 座古墓葬。简报分为：一、墓葬形制，二、随葬器物，三、小结，共三个部分。配以照片、手绘图，先行介绍其中编号为 C1M8503 的发掘情况。

C1M8503 为长方形竖穴土坑墓，葬具为两椁一棺，均已腐朽，仅留灰白色朽痕。骨架残朽，仰身屈肢，头朝北，面朝上，两臂横置于胸前。随葬器物共计 21 件（组），有铜器、陶器、玉器、玛瑙器等。外椁的西北角出土有陶拍和陶纺轮，内椁的东北角出土有玛瑙环和串饰，其余随葬品均置于棺内南端。未见陶质和铜质容器，这在洛阳地区东周墓葬中是比较少见的。该墓年代简报推断为战国中期。

683.洛阳市西工区八一路东周车马坑

作　者：洛阳市文物工作队　薛　方、潘付生
出　处：《中原文物》2007 年第 2 期

2004 年 10 月，考古人员在洛阳市西工区八一路发现和清理了一座车马坑，出土了陶、铜、铅、玉、蚌等质地的遗物 27 件（套）。依据出土器物的形制特征，该车马坑的年代应为春秋晚期。

简报分为：一、车马坑形制，二、车子结构，三、遗物，四、结语，共四个部分。有照片、手绘图。

据介绍，车马坑已遭破坏，坑内残存两马一车。两马均头朝北，背对放置。左边的那匹马，头骨已遭破坏，四肢蜷曲；另一匹仅存一堆散骨。从整个车马坑的空间布

局上看，原应能放两驾车马，但实际发掘只有一驾车马，原因不详。车为木质，已朽。

据《考古》2007 年第 12 期，在洛阳市唐宫路也曾发现一处战国车马坑，系一车六马，马分两排，前二后四。保存较好，出土遗物档次也较高，发现地点距东周王城广场天子驾六博物馆仅 500 米，或与"天子驾六"制度有关。

684.洛阳东周王城东城墙遗址 2004 年度发掘简报

作　者：郑州大学历史学院、洛阳市文物工作队　徐昭峰、朱　磊等
出　处：《文物》2008 年第 8 期

2004 年 2 ~ 3 月，为配合基本建设，考古人员在南距唐宫路约 360 米、东距光华路约 60 米的工地内发现了东周王城东城墙的一段。此段城墙呈南北走向，长 20 米，宽 11.9 米。发掘区域内的城墙由Ⅰ、Ⅱ两期夯土组成。Ⅰ期夯土建于一条南北向的路上，路土堆积厚达 0.14 米，其上有 4 条清晰的车辙，车辙间距 1.1 米。道路的年代当在春秋至战国早期。从发掘情况看，此路使用时间较长，车辙间距规整，应非一般的民用小路，为研究东周王城的修筑、使用及布局等，提供了重要的线索。

另据《文物》2007 年第 9 期《洛阳瞿家屯东周大型夯土建筑基址发掘简报》一文，2004 年 11 月 ~ 2005 年 12 月，考古人员在瞿家屯东南东周王城南城墙外，发掘了一处特大型院落，建筑年代不早于战国早期，一直使用到西汉初期。同刊同期有徐昭峰、朱磊先生《洛阳瞿家屯东周大型夯土建筑基址的初步研究》一文，可参阅。

685.洛阳王城广场战国墓（西区 M37）发掘简报

作　者：洛阳市文物工作队　周　立等
出　处：《文物》2009 年第 11 期

2002 年 7 月 ~ 2003 年 3 月，为配合洛阳市王城广场的修建，考古人员对王城广场进行了考古发掘，共清理东周墓 200 座、陪葬坑 16 座。这处墓地位于东周王城内的东部，北距王城北墙约 1100 米，东距王城东墙约 300 米。

简报分为：一、墓葬形制，二、随葬器物，三、结语，共三个部分。配以照片、手绘图，先行介绍 M37 的发掘情况。

据介绍，该墓为长方形竖穴土坑中型墓，葬具两椁一棺。随葬器物多达 1378 件（枚），有鼎、豆、壶、盘、匜、舟等铜礼器，剑、刀、戈、镞、镦等铜兵器，軎辖、衔、铃等车马器，以及环、龙形饰、凤鸟形饰、蝉、兽面形饰等玉器。墓的时代应为战国早期。

686.河南洛阳市润阳广场 C1M9950 号东周墓葬的发掘

作　者：洛阳市文物工作队　周　立、潘海民等
出　处：《考古》2009 年第 12 期

2008 年 1～3 月，为配合洛阳润阳投资有限公司办公楼（润阳广场）的建设，考古人员在施工范围内发掘清理了 20 余座东周时期的中、小型墓葬。其中一座编号为 C1M9950 的墓葬保存较好，墓葬规模较大，出土有较多青铜礼器及其他随葬品。

简报分为：一、墓葬形制，二、随葬器物，三、结语，共三个部分。有彩照、手绘图。

据介绍，该墓为长方形竖穴土坑墓，保存较好，为一椁重棺单人葬，出土随葬器物 300 余件，包括铜礼器、兵器、车马器及各类装饰品。铜礼器中有 5 件鼎和 4 件簋，简报判断墓主应为春秋早期大夫级贵族。

根据近几十年的考古发现，洛阳东周王城的西南部为宫殿区，北部为作坊区，东部为王陵区，这种布局已基本得到公认。C1M9950 位于东周王城的中部偏西，紧邻宫殿区的北部，这为重新划分王陵区的范围提供了新的材料。

687.洛阳西工区春秋墓发掘简报

作　者：洛阳市文物工作队　程永建等
出　处：《文物》2010 年第 8 期

1991 年 11 月～1992 年 1 月，为配合洛阳康乐食品厂基建工程，考古人员清理发掘了一批东周时期的墓葬。该发掘工地位于洛阳市西工区西小屯村南、东周王城遗址内中部偏北处，北距汉代河南县城北城墙不远。其中 C1M3498、C1M3427 较为重要。

简报分为：一、C1M3498，二、C1M3427，三、结语，共三个部分。有彩照、手绘图。

据介绍，两座墓葬出土了大量铜器、骨器、玉石器等器物。从墓葬形制和出土器物来看，这两座墓葬的规格较高，应属卿大夫一级的贵族。年代应属春秋时期，其中 C1M3427 为春秋中期，C1M3498 为春秋晚期。

简报称这两座墓所处地段原来一直认为是作坊区，此次发掘为东周王城春秋时期的城市布局和墓葬分布研究提供了新的角度。

688.河南洛阳市润阳广场东周墓 C1M9934 发掘简报

作　者：山西大学历史文化学院、洛阳市文物工作队　刘　斌、潘海民等

出　处：《考古》2010 年第 12 期

2008 年 1～3 月，为配合洛阳市润阳广场基建工程，考古人员发掘清理了 20 余座东周时期墓葬。此墓区位于洛阳市中州中路南侧 20 米，王城大道西侧 30 米，东周王城遗址内中部偏西。

简报分为：一、墓葬形制，二、随葬器物，三、结语，共三个部分。介绍了其中一座春秋早期墓 C1M9934 的发掘情况，有彩照、手绘图。

据介绍，此墓为长方形土圹竖穴墓，葬具已腐朽，据灰痕观察为二椁一棺，葬式为仰身直肢，头向北。墓室东北部有 1 个盗洞，另有 3 个水泥桩打破墓室。虽然已被盗扰，但随葬器物仍存 325 件，有铜器、玉石器和蚌器。从墓中出土铜鼎铭文看，墓主应为大夫级贵族。

689.洛阳体育场路东周墓发掘简报

作　者：洛阳市文物工作队　刘富良、安亚伟等

出　处：《文物》2011 年第 5 期

2001 年 9 月，在洛阳市体育场路东侧第 27 中基建工程的考古勘探中，发现了 3 座东周时期的墓葬。此区域位于东周王城外，西距东周王城城墙约 30 米。3 座墓呈东西向排列，其中 2 座"中"字形墓位于"亚"字形墓的西边。2002 年 1～4 月，考古人员对编号为 C1M10122 和 C1M10123 的两座墓进行了发掘。

简报分为：一、C1M10122，二、C1M10123，三、结语，共三个部分。有手绘图等。

据介绍，C1M10122 为带 4 个墓道的"亚"字形墓，是目前发现的两周时期唯一的此种形制的墓葬。根据墓葬形制、出土器物及铜器铭文判断，此墓可能是周平王的墓葬。C1M10123 为带 2 个墓道的"中"字形墓，此种形制的墓葬在洛阳也为首次发现。根据晋侯墓的情况可以推断，它与另一座"中"字形墓可能是周平王夫人的墓葬。两墓均曾被盗，但仍出土有车马器、玉器等。这两座墓的年代，简报推断为春秋初期。

690.洛阳体育场路春秋车坑、马坑发掘简报

作　者：洛阳市文物工作队　安亚伟、庞海娇、刘富良等

出　处：《文物》2011 年第 5 期

2011 年 8～12 月，为配合洛阳市租赁公司住宅楼的基建工程，考古人员发现并

清理了分开埋葬的车坑（C1M8554）、马坑（C1M8555）各一座，两坑相距1米。车坑、马坑位于体育场路东约120米，九都路北约60米处。

简报分为：一、地层及形制，二、车的结构，三、出土遗物，四、结语，共四个部分。有彩照、手绘图。

车坑曾被盗，但仍出土遗物103件（套）。简报认为车坑中不仅有战车，还应有仪仗车。车坑、马坑所在地位于东周王城的东南部，应是春秋时期的王陵区。

691.洛阳体育场路东周墓（M8830）发掘简报

作　者：洛阳市文物工作队　周　立、王　炬、申建伟等

出　处：《文物》2011年第8期

2005年2～9月，为配合中航某研究院职工住宅楼基建项目，考古人员发掘了一批东周墓葬，其中M8830保存完好，未被盗掘。墓地东距体育场路约150米，南距九都路约250米，西距解放路约360米，北部紧临中州渠。

简报分为：一、墓葬形制，二、出土器物，三、结语，共三个部分。配以照片、手绘图，介绍了M8830的发掘情况。

据介绍，该墓保存完好，为长方形竖穴土坑墓，墓口南北长3.7米，东西宽2.1米。葬具为一棺一椁。随葬器物有铜器、玉器、石器、陶器等22件（套），以铜礼器为主。铜器制作精美，种类有鼎、簋、簠、方壶、罍、舟、匜等礼器及车马器。根据墓葬形制及随葬器物，初步推断此墓的年代属春秋中期，墓主为高级贵族。此墓的发掘为研究东周铜器的制作水平，提供了新资料。

692.河南洛阳市西工区M8832号东周墓

作　者：洛阳市文物工作队　周　立、王　炬、申建伟等

出　处：《考古》2011年第9期

2005年2～9月，为配合洛阳市西工区中航一集团空空导弹研究院50号、51号住宅楼的基建工程开始考古工作，考古人员发掘清理了一批东周墓葬。

其中，M8832保存较完好，出土了随葬品47件。

简报分为：一、墓葬形制，二、出土遗物，三、结语，共三个部分。有彩照、手绘图。

据介绍，该墓为长方形竖穴土坑墓，葬具为两棺一椁，年代为春秋中期。该墓未被盗扰，墓葬形制及随葬品保存较完好，器物组合主要为铜、玉器。按照西周的列鼎制度，天子用九鼎，诸侯用七鼎，卿大夫用五鼎，士用三鼎。此墓葬出土铜鼎

共八件，其中列鼎为五件组合，按周之规定，五鼎为卿大夫一级的高级贵族所用，再结合墓葬中出土的其他铜器数量较多，可以推测墓主的社会地位较高，应为不低于卿大夫一级的高级贵族。

简报指出，此墓葬规模较大，保存完整，出土了一批精美的铜、玉器。这些随葬品无论造型还是工艺技术都达到了较高水平，反映出当时手工业生产的发达程度，为研究东周时期的青铜冶铸工艺发展水平等提供了可靠的实物资料。

693.河南洛阳市汉魏故城三座东周墓的发掘

作　者：中国社会科学院考古研究所洛阳汉魏城队　陈国梁、宋江宁、郭晓涛、钱国祥

出　处：《考古》2014 年第 9 期

2007 年 2 ~ 11 月，考古人员对洛阳汉魏故城北魏宫城阊阖门遗址附近区域进行了大面积考古勘探，共发现古代墓葬 521 座以及其他各类遗迹 1361 处。已发掘的 24 座墓葬中，包括西周墓葬 9 座、东周墓葬 10 座、因无随葬品或出土物不能判定时代者 5 座。

简报分为：一、地层堆积，二、墓葬形制及随葬器物，三、结语，共三个部分。配以彩照、手绘图，着重介绍阊阖门遗址东南侧发现的一组共 3 座东周时期墓葬。

据介绍，这 3 座墓为春秋晚期至战国中期墓葬，可能属同一家族。位置基本上为东西并列，由西向东分别编号为 M134、M135、M136。这批墓葬随葬的鼎、豆、壶通常采用偶数组合。这一现象表明，春秋晚期到战国早、中期，洛阳地区墓葬基本上还遵守礼制传统。但随葬陶器残损和不完全配套的现象，又表明传统礼制并不严格。

平顶山市

694.河南省叶县旧县 1 号墓的清理

作　者：河南省文物研究所、平顶山市文物管理委员会、叶县文化馆　姜　涛
出　处：《华夏考古》1988 年第 3 期

1985 年 10 月，考古人员对河南省叶县旧县村一处东周时期大型墓葬区进行了调查，并对其中的 M1 进行了清理。

简报分为：一、墓葬形制，二、随葬器物，三、墓的国别、年代与墓主人的身份，共三个部分。有照片、拓片、手绘图。

据介绍，此墓为长方土圹竖穴墓，未见封土。随葬器物因曾被盗，仅剩 70 余件。这座墓葬的墓主享有重棺，又享有青铜礼器和珍贵的玉器随葬。其中透雕玉佩最为精美，刻有四龙、四凤、二蛇相互盘绕，纹饰细腻，兼以镂空、雕刻手法异常高超，实属一件难得的艺术珍品。其他如铜铅质马饰、编钟等均表明墓主人有一定身份。简报推断为战国早期楚国大夫级贵族墓。

另据《文物》2007 年第 9 期《河南叶县旧县 4 号春秋墓发掘简报》，2002 年，考古人员在叶县旧县乡常庄一带，针对盗墓活动进行了抢救性发掘，该墓为一长方形竖穴墓，单椁单棺，已被盗过，但仍出土礼器、乐器、兵器、车马器等 638 件，主要为青铜器，玉器次之。简报认为该墓为春秋初期许国国君许灵公之墓。

695.河南临汝出土空首布币

作　者：米士诚、郭凤娥

出　处：《文物》1990 年第 7 期

1986 年，河南省临汝县寄料乡雷湾村出土一批东周时期的铜空首布币，共 29 枚，总计重 0.7 公斤。后由洛阳市博物馆收藏。

据介绍，这批空首布基本完整，部分稍有残缺。铸造规整，均为长銎，平肩，弧裆，四周有边廓，正面和背面均有"川"字形平行竖纹，銎上有一穿孔，銎内尚遗留红色烧土，使某些币的重量差别甚大。依尺寸不同可分为三类。这批空首布铸有文字的共计 20 枚，文字多已见著录和考释，但"司""羔""匕"三字是以往未曾著录过的。

简报称，临汝县寄料乡在洛阳市南 70 余公里处，春秋时期属周畿，战国时属魏，后又归秦。1949 年后洛阳附近已出土过一些空首布币，此次发现对于研究空首布出土的地域分布、流通使用范围以及币面文字等当有一定价值。

696.平顶山应国墓地十号墓发掘简报

作　者：河南省文物考古研究所、平顶山市文物局　王龙正、王胜利、王宏伟、郑永东

出　处：《中原文物》2007 年第 4 期

1994 年 4 ~ 5 月，在平顶山应国墓地所在地滍阳岭的北段，发掘了一座较大型贵族墓葬，编为十号墓（M10）。该墓是一座长方形竖穴土坑墓，木质单棺单椁，随葬器物 135 件（颗），可分为铜、陶、玉、石、水晶、玛瑙、兽角与纺织品八类。墓葬年代界于蔡昭侯墓与侯古堆 M1 之间，在公元前 490 年 ~ 前 470 年前后，大致相当于楚惠王前期的二十几年间。墓主人享用五鼎礼制，可能为下大夫级贵族夫人。简报

分为：一、墓葬概况，二、随葬器物，三、小结，共三个部分。有拓片、照片、手绘图。

据介绍，此地为西周至春秋应国贵族墓地和春秋战国时楚国贵族墓地。共发掘墓葬357座，出土文物数千件，以青铜器、玉器为大宗。应国墓地的发现与发掘，曾被评为1996年全国十大考古新发现。M10是其中的一座楚系贵族墓。葬具、人骨已朽。此墓有盗洞，但正好位于墓底空隙处，未造成重大损失。出土随葬品中铜器多达41件。依其用途的不同，可分为礼器、车器、马器、棺饰四类。其中以礼器数量最多，其他器物则较少。

简报称，该墓葬既显现出浓厚的楚文化特征，是较为典型的楚系墓葬，同时也受到了以洛阳一带为中心的中原周晋文化的强烈影响。这是因为在春秋战国时期，平顶山一带恰处于楚国的北部边境，是楚国北部疆域"方城之外"的重要地区，是强大的楚文化向北推进的最北边缘，自然而然地就成为南北文化的结合部和两种文化交流与融合的重要桥梁。该墓与其东侧的M11应为夫妇并穴合葬墓。

697.平顶山应国墓地两座战国墓发掘简报

作　者：河南省文物考古研究所、平顶山市文物局　郑永东
出　处：《中原文物》2007年第4期

应国墓地位河南省平顶山市西部新华区滍阳镇北由村西南北向的滍阳岭上。1979年发现，1986～2004年，考古人员在此做了长达十余年的工作。2003～2004年为配合道路建设进行了抢救性发掘。此次发掘的墓葬主要集中在滍阳岭北段，共计54座，均为中小型墓。其中东周墓17座，汉代墓37座。与其他贵族墓葬相比，这些墓葬的墓主人身份大都是没落贵族或平民。

简报分为：一、墓葬概述，二、随葬器物，三、结语，共三部分。先行介绍其中的M327与M384，有照片、手绘图。

据介绍，这两座战国中期的中小型墓葬，均各出土有一套仿铜陶礼器与一件玉器。其器物组合形式既区别于单纯随葬陶质生活器皿的平民墓葬，也不同于随葬成套铜礼器的贵族墓葬。简报认为墓主人应是战国中期居住在应国故地的没落的士大夫级贵族，其国别以楚国的可能性较大。

698.河南省战国魏韩边界长城遗迹的实地考察

作　者：平顶山市历史学会　李典芳
出　处：《中原文物》2007年第5期

河南境内一些分境岭、堤岭、边墙等古代建筑遗迹，可能是战国初期魏国所筑

的魏韩边界长城。

简报分为：一、分境岭的存在状况，二、与分境岭相关的几段遗迹，三、它们是同一事物——韩魏边界长城，共三个部分。有照片。

据介绍，分境岭现存最完好的一段，位于宝丰县闪王村贺沟东，长约300米，高1.5～2米。其原貌的完整性和构造的清晰是非常少见的。通过实地观察，查阅古籍、反复对照分析，认为前面所述的分境岭、长城、边墙、魏长城、武岭、鸿沟、城墙岭、堤岭，其实都是同一事物——韩魏边界长城，是古代长城的重要遗址。它具有标志性长城（边墙）和防御性长城的双重特征，表现了长城建筑史上的过渡性，为弄清春秋末年赵魏韩三国疆域格局提供了实物证据。

699.河南平顶山应国墓地八号墓发掘简报

作　者：河南省文物考古研究所、平顶山市文物管理局
出　处：《华夏考古》2007年第1期

简报分为：一、墓葬概述，二、随葬器物，三、小结，共三个部分。配以照片、拓片、手绘图介绍了应国墓地八号墓的发掘资料，并对相关问题进行了初步研究。

墓主人是一位应国国君，墓葬的埋葬年代为春秋早期早段。所出应公鼎铭文显示周文王的庙号为"丁"，揭示了生活在商末周初的姬姓周王在死后用庙号的历史事实，填补了文献记载中的空白。墓中出土的青铜器和玉器等，为研究两周之际高级贵族阶层的丧葬制度和用鼎制度提供了一大批宝贵的实物资料。

简报称，应国墓地位于河南省平顶山市新城区滍阳镇北由村西南的滍阳岭上。应国墓地被评为1996年全国十大考古新发现之一，2000年被评为河南省20世纪十项重要考古发现之一。在发掘过程中，陆续刊发了数座应国国君墓的发掘资料，并对一些墓葬的个别器物进行了介绍。此次介绍的是一座应国国君应侯墓(M8)的资料。该墓是一座带台阶式短墓道的"凸"字形墓。墓道位于墓室北端，葬具为木质一椁一棺，已朽。人骨已朽不存。随葬器物共计624件，编为98个号。依质地的不同，可分为铜、铅、玉、石、玛瑙、陶、料、蚌、纺织品、苇席十类。其中以铜器和玉器为大宗，其他类数量较少。若依用途的不同划分，可分为礼器、兵器、车器、马器、生活器皿、佩玉、用具、棺饰、殓玉九类。其中铜器上有铭文，简报录有全文并加以释读。

该墓的入葬年代大约相当于两周之际，似以春秋早期早段为宜。M9与M8东西并列，推测二者应是夫妻并穴合葬墓。M8的墓主人是应国的一代国君，而位于其东侧的M9的墓主人则应是其夫人。

该墓并未被盗，但铜器摆放十分随意。简报推测这些铜礼器从墓主人家运到墓地，

应是采取"化整为零"的方式，即由很多送葬的人们分别承担的，因为贵重的器物如果放在木制的车上运送，恐怕会由于车的颠簸而被损坏。因而这些器物可能被包裹在用布帛做成的包袱内，其中较大的器物单独用一个包袱，而较小的器物则若干件合用一个包袱。当木棺放置在木椁内以后，人们使用绳索将随葬器物连同包袱一起，自墓口向下投放在某一个指定的位置。放入墓葬中时不免东倒西歪，并且有的上面还残留有布帛（包袱）痕迹。该墓葬的铜礼器散乱地堆放在椁室东南角，大概就出于这种原因。

700.河南平顶山春秋晚期 M301 发掘简报

作　者：河南省文物考古研究所、平顶山市文物管理局、河南大学历史文化学院　王龙正、王胜利、王宏伟等
出　处：《文物》2012 年第 4 期

应国墓地位于河南省平顶山市新城区滍阳镇北滍村西的滍阳岭上。1979 年以来，在滍阳岭上陆续出土了一批又一批的应国和邓国的青铜器，应国墓地因此被发现。1986 ~ 2007 年，考古人员对应国墓地展开了长达 21 年的考古发掘工作。

简报分为：一、墓葬形制，二、随葬器物，三、结语，共三个部分。介绍 1992 年在应国墓地发掘的一座楚国直辖时期的贵族墓葬（M301）的发掘情况，有彩照、拓片、手绘图。

据介绍，应国墓地是一处以应国墓葬为主的大型古墓群，墓葬的年代为两周时期与两汉时期。简报推断 M301 年代为春秋晚期。此墓出土的随葬器物主要有铜器、锡器、石器、漆木器、骨器等，其中铜礼器有鼎、簋、敦、盘、匜等。根据墓葬形制和出土器物，判断此墓的墓主人可能是应国王室贵族的后裔。

焦作市

701.河南温县东周盟誓遗址一号坎发掘简报

作　者：河南省文物研究所　郝本性、赵世纲
出　处：《文物》1983 年第 3 期

1979 年 3 月 12 日，河南省温县武德镇公社西张计大队农民在村西北植树时，掘出一块有墨书文字的圭形石片。考古人员前往调查，发现这里是一处东周时期的盟誓遗址。

简报分为：一、发现与发掘经过，二、一号坎出土盟书，三、盟辞释读，四、其他遗物，五、关于主盟者的判断，六、结语，共六个部分。有照片、手绘图。

据介绍，盟誓遗址位于温县城东北 12.5 公里的沁河南岸，西南是州城遗址。由于沁河泛滥，城址早被掩埋于地下，仅东城墙和东南城角小段夯土残留在地面上。城平面近正方形，南北长 1720～1780 米，东西宽 1471～1680 米。盟誓遗址位于州城东墙北段外侧的耕地里，与州城仅隔一护城河。遗址原为一土台，据当地老人回忆，曾有 2 米高。土台已夷为平地。初步考古钻探查明，台基东西宽 50 米，南北长 135 米。它的东部已被挖成大坑。1980 年 3 月至 1982 年 6 月，考古人员对这处盟誓遗址进行了发掘。发现土坑（坎）124 个，有 16 个坑出土有写盟辞的石片，其中 8 坑单出石圭，5 坑单出石简，有的坑仅见玉璧、玉兽等，有 35 个坑出土羊骨架。

简报指出，温县盟书的发现是继侯马盟书之后又一重大收获。盟誓遗址出土的写有盟辞的石片数量已超过侯马盟书一倍以上。一号坎发现了带纪年的石圭、石简，给温县盟书的断代提供了重要的依据。初步推定一号坎盟书的纪年为晋定公十五年十二月二十七日，即公元前 497 年 1 月 16 日。主盟者应为晋国六卿中的韩氏。通过调查与发掘证实，此次出土盟书的温县西张计就是 1949 年以前散见于世的所谓"沁阳盟书"出土地点。武德镇一片原属沁阳县，后才划归温县。当地人讲，1930 年秋修沁河堤时，就曾发现过朱书石片。1935 年打井时，又挖出一些墨书石片，1942 年也曾挖出过。有些被人拿到西安送人，有的就堆在路边。

通过考古发掘出土东周盟书的只有温县与侯马这两地。温县盟书为研究东周盟誓制度、古文字与书法艺术，以及东周时代的历史，提供了重要的资料。

鹤壁市

702.淇县赵沟发现两批战国铜器

作　者：淇县文物保管所　耿青岩
出　处：《中原文物》1984 年第 1 期

1981 年 11 月和 1982 年 1 月，淇县桥盟公社赵沟大队农民在村南台地上起土时，挖出两座战国土坑墓，共出土铜器 15 件。简报配以照片予以介绍。

据介绍，1 号墓出土铜器 9 件，计鼎 1 件、敦 1 件、盘 1 件、匜 1 件、铆 1 件、车舍 2 件、马衔 2 件。2 号墓出土铜器 6 件，计鼎 1 件、敦 1 件、盘 1 件、匜 1 件、车舍 2 件。均未见铭文。简报推断这批铜器的年代应属战国中期以前。淇县战国时属魏地，此次发现为研究战国时魏国历史增添了新的实物资料。

703.河南淇县发现一批战国铜币

作　者：耿青岩、李树长
出　处：《考古与文物》1985 年第 1 期

1979 年，淇县城关镇废旧物资回收站从废铜堆里拣出两枚不相同的战国铜质货币，一枚是"虞钌"圆肩布，另一枚为"梁正尚金当爰"布。1981 年春，城关镇南杨庄大队农民在村西北 50 米的台地上起土时，于距地表 0.25 米深处发现一座战国墓，出土一大批战国铜币。仅完整的就有 60 枚。这批货币形制、大小、纹饰全同，均为"公"字方肩布，长 5.8 厘米，宽 2.7 厘米。

上述三种战国货币，均为实用流通币，其发现为战国的货币史和淇县战国时期的历史提供了资料。

704.鹤壁狮跑泉窖藏战国货币

作　者：鹤壁市博物馆　刘素霞、牛晓梅、钟莉芹
出　处：《中原文物》2001 年第 3 期

1981 年底，鹤壁市石林乡狮跑泉村的村民在村西边取土时，挖掘出 3 个南北排列一致的圆底陶罐。陶罐内贮古币 4870 枚，约重 35 公斤。这批出土货币基本上没有散失。经鹤壁市博物馆收集整理，发现这批货币时间上跨战国中晚期，分锐角异形布、平首平肩方足布和"垣"字圜钱三大类，28 种币文。简报配以拓片予以介绍。

据介绍，出土地点原属赵国，公元前 361 年后归魏国。此窖藏应为魏国窖藏。这些不同侯国、不同品种的货币说明当时各国之间存在着贸易往来。

新乡市

705.辉县战国甲墓和乙墓出土青铜器选记

作　者：河南省博物馆　赵新来、韩绍诗、周　到
出　处：《文物》1965 年第 5 期

考古人员于 1936 年在辉县琉璃阁附近发掘出战国木椁墓两座，编号为甲墓和乙

墓。出土的随葬品很丰富，其中青铜器百余件，在考古资料上是比较重要的发现。未经整理，即被运至武汉又转至重庆，战争期间，资料散失殆尽，器物部分运往台湾，余下器物已混合一起，难分墓别。河南省博物馆从重庆将其接收回来，对于被破坏的器物进行了修复。近年，馆里对这批青铜器又进行了整理，编辑成图录。简报配以照片，介绍了其中较为重要的 8 件青铜器。

据介绍，这 8 件战国早期青铜器计有铜鬲 2 件、铜豆 2 件、铜匜 1 件、铜穿带壶 1 件、铜扁壶 1 件、铜方壶 1 件，均见铭文。可以看到战国早期在青铜铸造技术上，已经掌握了镶嵌、焊接、印纹技术，这对于研究我国古代的青铜铸造术和古典艺术史有一定的价值。

706.河南辉县三位营发现战国铜器

作　者：辉县百泉文物保管所　崔墨林
出　处：《文物》1975 年第 5 期

1973 年 9 月 6 日，辉县占城公社三位营学校在村北大沙岗山开荒生产，发现了战国墓群，出土了一批战国铜器和陶器。文管所前往进行调查了解。简报配以照片予以介绍。

据介绍，三位营大队在辉县西南，距辉县县城 20 公里，这次出土的文物计有铜器、陶器各 20 余件。这批文物中特别值得注意的是铜匜，上面刻划有燕乐狩猎花纹，其中有建筑物、人物、林木、鸟兽及钟磬的形象，纹细如发，线条轻快流畅，刚劲有力，反映了战国时代艺术的新风格。这两件铜匜，铜质较薄，出土时已压碎成数十块，有待修复。

707.辉县吕巷发现一座战国铜器墓

作　者：李凤兰
出　处：《中原文物》1981 年第 1 期

1980 年 6 月中旬，辉县城关公社吕巷大队在县城西北角处打机井，打至 5 米深处时，发现战国时期的铜器墓一座。

据介绍，墓葬出土了铜鼎 2 件，均有盖。大鼎通高 30 厘米，口径 28 厘米，器内外均为素面。铜豆 2 件（残），只剩两个豆盖。铜戈 1 件，刃部后端一部分转折而下，胡上有穿。沙石板两块，长 17 厘米，宽 2.5 厘米。铜凿 2 件，长 14 厘米，宽 4 厘米，中空。另外还有铜箭头 20 件，铜马饰 7 件，铜车饰 2 件，铜车辖 2 件，铜衔镳 3 件，铜泡 1 件，铜盆 1 件等，共 30 多件青铜器。

708.河南辉县市古共城战国铸铁遗址发掘简报

作　　者：新乡市文管会、辉县市博物馆　贺惠陆、张有新
出　　处：《华夏考古》1996 年第 1 期

1988 年 6 月，考古人员配合辉县市城建局建筑队在市区环城西路立交桥施工时，发现汉代墓葬 8 座、宋代墓葬 4 座，并发现古共城战国铸铁遗址，清理战国烘范窑址 1 座（编号为 HHQYI）。以铸造铁农具为主的战国铸铁遗址的发现，为研究该地区战国冶铁史和农具史提供了重要的实物资料。

简报分为：一、地理环境及地层关系，二、烘范窑形制，三、出土遗物，四、结语，共四个部分。先行介绍铸铁遗址，有手绘图。

据介绍，该遗址位于古共城西北角城墙外约 110 米处，面积约 15000 平方米，共出土遗物 113 件。简报推断，此铸铁遗址的使用年代应为战国中晚期。从窑址出土的使用过的陶范、铁器等遗物以及窑址周围出土大量的铁渣等现象看，这应是战国古共城的铸铁遗址。从出土的陶范、铁器看，所出大多为农具，种类有锄、钁、镰、锸、锛等，其中梯形板状铁器占出土铁器的 80% 以上。因此这是以铸造铁质农具为主的铸铁遗址。虽然窑内未发现铁范，但简报推测在使用陶范的同时，也已使用铁范。古共城战国铸铁遗址的发现，表明辉县固围村一号战国大墓所出土的大量铁质农具可能就是该铸铁遗址铸造的。

709.河南新乡县后高庄东周遗存发掘报告

作　　者：新乡市文物工作队　刘习祥、王春玲、李慧萍
出　　处：《华夏考古》2006 年第 3 期

2003 年 5 月，新乡市瑞丰贸易公司在距新乡市西 9 公里的新乡县后高庄村东征地建厂，经文物钻探，发现该处系一大型遗址。考古人员对其进行了发掘。发掘面积 325 平方米，发现属于龙山、西周和东周三个时期的文化遗存。

简报分为：一、地理环境和地层堆积，二、文化遗存，三、文化遗物，四、结语，共四个部分。配以手绘图，先行介绍这次发掘的东周文化遗存。

据介绍，东周文化遗迹有灰坑 3 个。遗物以陶器为主，主要为泥质灰陶、褐陶、夹砂灰陶。时代可分三期，一期为春秋早期，二期为春秋中期前后，三期为春秋晚期至战国。

710.河南辉县孙村遗址发掘简报

作　者：郑州大学历史学院考古系、河南省文物管理局"南水北调"办公室、
　　　　新乡市文物局、辉县市文物局　张国硕、魏继印、石艳艳、曹金萍、
　　　　郑璐璐、刘余力

出　处：《中原文物》2008 年第 1 期

2006 年 7～10 月，为配合南水北调中线工程建设，考古人员对孙村遗址进行了
抢救性发掘，发掘面积为 2020 平方米，发现了较为丰富的先商、殷墟、战国以及王
莽时期的文化遗存，共清理出灰坑 130 个、墓葬 8 座、灰沟 7 条、房址 1 座和水井 1
眼。该遗址的发掘为研究该地区先商至王莽时期的历史文化提供了新的资料。简报
配以手绘图予以介绍。

从考古发掘情况看，该地的先商文化遗存不多，应相当于二里头文化三期偏晚
到四期早段。商代早期很可能有铸铜作坊存在。战国时遗存或属魏国占领该地时的
遗存（战国中晚期）。在孙村遗址发现的"大泉五十"钱范和建筑用瓦，说明这里
应有一处铸钱作坊遗址，但因采集地点位于断崖中间土坝上的水渠下面，周围全被
破坏，具体情况不得而知。"大泉五十"钱范出土于此，说明此地在王莽时期地位
重要，经济发达，人口较多。

711.河南新乡市老道井墓地战国墓发掘简报

作　者：郑州大学历史学院考古系、河南省文物管理局南水北调文物保护办公
　　　　室　韩国河

出　处：《华夏考古》2008 年第 4 期

2006 年 5～10 月，为配合南水北调中线工程文物保护项目的开展，考古人员对
新乡市凤泉区老道井墓地老道井墓区所占干渠墓葬进行了发掘，清理战国墓 93 座。
简报分为：一、墓葬形制，二、随葬品，三、结语，共三个部分。有手绘图。
据介绍，93 座战国墓包括长方形竖穴土坑墓 41 座、土洞墓 52 座。出土遗物有
陶器 117 件、铁器 7 件及铜钱、泥球、石饼、骨饰等。葬式中有一定数量屈肢葬。
简报推测老道井战国墓可分两期：第一期的时代为战国晚期早段，第二期的时
代应为战国晚期晚段或稍晚。

712.河南辉县市古共城南城墙发掘简报

作　者：新乡市文物考古研究所、辉县市文物局　李慧萍
出　处：《华夏考古》2010 年第 2 期

1994 年，考古人员对辉县市古共城南城墙进行发掘，发现战国时期夯土城墙、坑道、宋金时期墓葬等，出土了筒瓦、板瓦、铜镞、铁镢、陶罐、陶豆等战国时期遗物，解决了城墙的始筑年代、废弃年代、建筑方法等问题。

简报分为：一、地理位置及环境，二、共城城墙的建筑方法，三、遗迹及出土遗物，四、结语，共四个部分。有手绘图。

共城位于辉县市市区内，因是西周晚期共国国君共伯和的封地，故称"共城"。经考古调查，城近方形，南北长 1500 米，东西宽 1100 米，现存城的西北、东北及东南三个城角，西南城角已毁，部分地段还可见护城河遗迹。经发掘，南城墙残高 9 米，残宽 20 米。发现有坑道遗迹一处，残存 3.7 米长。

初步推测此城墙的始筑年代应为战国中晚期。从城墙中发现最早为宋金时期的墓葬看，城墙可能在五代或宋初已遭到较大破坏。共城城墙的夯筑方法是两边夯打中间填土。这种筑城方法在战国城市考古中还是初次发现。简报认为，这种筑城方法在当时有两个优点：一是可以提高筑城效率，二是可以防范外敌掘洞偷袭。另外，在中原地区首次发现在夯土城墙内有坑道。据分析，此坑道应为战国时期外来势力进攻城池而挖的坑道，只是因为此城墙为两边夯打中间填土，使得坑道无法完成。从坑道内出土的铁铤、铜镞看，应为战国时期的坑道。

安阳市

713.河南林县发现春秋战国墓葬

作　者：张静安
出　处：《文物》1960 年第 7 期

林县临淇区要街农民在挖土中，发现了一处墓葬群。1958 年 5 月由新华社河南分社下放干部吕忠爽先生写信告知此信息，考古人员到达时，大部分墓葬已被挖去，仅余两个保存尚较完全。简报配以照片予以介绍。

据介绍，这群墓葬发现在临淇区东边约 4.5 公里的山半坡的一片较平的土台上。这群墓葬因表土已被挖去，墓室之高度不明。但根据保存较完整的一座墓来看，

墓室是长方形的竖井土坑。人架仰身屈肢，腰部下面有长方形的腰坑，坑中无殉葬物。墓室的四壁及底部发现用白灰面涂抹一层，与郑州商代房基中之白灰面完全相同。从遗迹看，埋葬时随葬品是放在棺内的。棺木腐朽后，棺上之彩绘坍附于器物之上。随葬器物均为陶器，多放在头部。有出鬲和盆的春秋墓，也有出鼎和豆的战国墓。

714.1971 年安阳后冈发掘简报

作　者：中国科学院考古研究所安阳发掘队
出　处：《考古》1972 年第 2 期

后冈遗址在河南省安阳市西北 1.5 公里的洹河南岸。沿河再上行 1.5 公里就是有名的殷墟所在地小屯。1961 年，由国务院公布，殷墟被列为全国重点文物保护单位。后冈遗址也被划为殷墟的重点保护区之一。

1971 年，为了配合建设工程，考古人员又一次发掘后冈遗址。发掘地点位于后冈最高点之南约 100 米，有重点地发掘了一处仰韶文化遗存，清理了 35 座殷代墓葬和 14 座东周墓葬。

据介绍，后冈的南坡，仰韶文化遗存分布范围很广，选择的一处仰韶文化的红烧土遗迹作为发掘点，没有发现仰韶、龙山的叠压关系。现在比较一致的看法是认为其是仰韶文化晚期的遗存。这批墓葬的保存情况很差，在发掘的 35 座墓葬中，被盗被扰的多达 25 座。这批殷代墓的形制与以往发掘的没有大的不同。墓葬中一个突出的现象是普遍以奴隶殉葬，且主要集中在西边的那片墓地。在 35 座墓葬中，12 座是有殉葬人的，殉葬的人数在 30 人以上。出土物有陶器 30 件、铜器 2 件、铜戈 5 件、铜工具 3 件以及其他饰物。根据以前对殷墟器物分期研究的认识，简报由此判定 M16、M29、M37、M50 等几座墓年代较晚，属于殷代晚期。后冈西边的那一片墓，多出 II 式鬲，没发现晚期的器物，年代略早，这一片遗存基本上是属于同一个时期的。

东周墓葬共发掘 14 座，其中 11 座集中在最东边。这些墓保存都很完整，没有被盗、破坏的情况。14 座东周墓都是长方形或方形的竖穴墓。比起同类的殷代墓，东周墓的墓室都比较大、深。14 座东周墓共出土陶器 44 件。简报推断这批墓葬的绝对年代相当于春秋早期至中期。

715.河南省内黄县石光村发现刀币

作　者：内黄县文化局　张毅力

出　处：《考古》1988 年第 10 期

1987 年 2 月 18 日，河南省内黄县亳城乡石光村农民刘共英在拆房时，发现两枚刀币。简报配以拓片予以介绍。

其一，"安阳之法化"刀币，重 65 克，刀身铸"安阳之法化"五字，下部铸一"曰"字，弧背凹刃，首部外展斜尖，刃凹明显。

其二，"齐建阳始结信之法化"刀币，重 60 克，刀身铸"齐建阳始结信之法化"九字，刀背面上部有三横，下部铸"明"字。

716.安阳县阜城村战国窑址发掘简报

作　者：安阳市文物工作队　李贵昌、孟宪武、贾玉俊、郭艺田

出　处：《华夏考古》1997 年第 2 期

水冶镇位于安阳市正西约 22.5 公里，阜城村在水冶镇东约 1.5 公里处。1995 年 7～8 月，为配合安阳钢铁公司水冶炼铁分厂新建住宅区的建设工程，考古人员在阜城村东发掘了 3 座窑址、1 座房址。这处古代窑址西距阜城村约 500 米，位于工程区域内的西北角。

简报分为：一、地层堆积，二、遗址分布，三、出土遗物，四、小结，共四个部分。有手绘图。

据介绍，窑址、房址均为战国时期文化遗存。从遗物看，此窑址主要生产平民百姓常用的生活器皿和一般建筑材料，应是一处规模较大的民间窑场。烧制产品主要包括民用生活器皿和一般建筑材料。该窑场的使用时间应从战国中期开始至战国晚期。

717.河南安阳张河固遗址东周墓葬的发掘

作　者：河南省文物考古研究所　赵新平

出　处：《华夏考古》2000 年第 2 期

张河固遗址位于河南省安阳县高庄乡张河固村东北近 100 米处，西北距安阳市 4 公里。这是一处东周遗址，呈缓坡状高出周围地面近 0.5 米，文化堆积不到 1 米厚。1994 年夏秋，为配合京珠高等级公路安新段的建设，考古人员在此进行了考古发掘，发掘面积近 1000 平方米，发现有房基、灰坑、道路、墓葬等遗迹，获得了一批实

物资料。其中发现东周墓葬9座，多位于遗址中部，分布不够集中。

简报分为：一、墓葬形制，二、随葬器物，三、结语，共三个部分。有手绘图。

据介绍，张河固遗址的9座东周墓中，除M2、M5外，余均随葬有陶器，少者3件，多者8件。依据墓中陶器组合关系的不同，可将随葬陶器的7座墓葬分为两大类：第一类墓葬有M6、M8；第二类墓葬有M1、M3、M4、M7、M9。从陶器器形分析，张河固第一类墓葬的年代为春秋晚期，第二类为战国早期或稍晚。M2、M5虽无陶器随葬，但其开口于第二层下，与上述多数墓葬一致，其年代亦应在东周时期。

718.河南安阳市王古道村东周墓葬发掘报告

作　者：安阳市文物考古研究所　孔德铭、刘彦军
出　处：《华夏考古》2008年第1期

2004年8～9月，考古人员为配合安林高速公路建设工程，在安阳市王古道村村南发掘两座东周时期贵族墓葬，出土一批青铜器、玉器。

简报分为：一、地理位置及地层堆积，二、墓葬形制，三、随葬器物，四、结语，共四个部分。有手绘图。

据介绍，两墓均为土坑竖穴墓，均为一棺一椁。M1为仰身直肢葬，M2葬式不清。两座墓葬出土有铜鼎、铜甗、铜壶、铜簠、铜盘、铜双耳、铜匜等礼器、明器16件，青铜戈9件，青铜鱼353件及大量的车马器、玉器、蚌器等。M1中出土了350余件铜鱼和10余件铜铃，出土时铜鱼与铜铃摆放有一定规律，串联痕迹比较明显，应是棺外帷帐上的装饰品。以铜鱼作为装饰品用于棺外帷帐的习俗至今在安阳的一些地区仍普遍流行。

濮阳市

719.戚城遗址调查记

作　者：廖永民
出　处：《河南文博通讯》1978年第4期

戚城是春秋时卫国重要城市，遗址在今濮阳市华龙区戚城遗址公园，尚残存有城垣，应筑于西周或稍晚，西汉初曾重建。

720.河南濮阳县高城遗址发掘简报

作　者：河南省文物考古研究所、首都师范大学历史学院、濮阳市文物保护管
理所　袁广阔、张相梅、张文延、南海森、阎宏斋等

出　处：《考古》2008 年第 3 期

　　高城遗址位于河南省濮阳县东南部的五星乡高城村南，在黄河故道金堤河的南岸，距离县城约 10 公里。遗址上面分布的自然村落有安寨、七王庙、冯寨、东郭集、老王庄等，区域内地势比较平坦。这里相传是五帝之一——颛顼帝的故里，也是夏代后相的都城。早在 20 世纪 60 年代，北京大学的李仰松先生就曾到濮阳对该遗址进行过实地考察，后来由于"文化大革命"中断了这项工作。1985 年，马连成和廖永民先生在对濮阳进行考古调查时，在高城村北发现了东西向的夯土墙。2002 年，考古人员对该遗址进行了考古钻探，发现北城墙及北城墙的东北、西北拐角。2005 年至 2006 年，考古人员对该遗址进行考古调查、钻探和试掘。简报分为三个部分进行了介绍，有手绘图等。

　　据介绍，遗址出土仰韶文化、龙山文化、二里头文化、殷、东周及汉代的各类遗物。该城址应是东周时期的卫国都城，大致呈长方形，面积约 916 万平方米。城址在东周之前已经存在，但始建年代还无法确定，至汉代或因洪水毁弃。

　　简报指出，此次发掘不仅为研究春秋时卫国历史提供了可靠的资料，同时也为研究五帝之一的颛顼以及夏商历史提供了重要线索。濮阳自新石器时代以来就是人类活动的理想地区，尤其是仰韶文化和龙山文化时期以来，大量人口聚集在这一地区，创造出灿烂的文化。由于该城址在汉代一次性毁于黄河洪水，故可以推测城内的汉代街道和建筑，甚至东周时期的城市结构，或许还沉睡于地下，将来对该遗址的进一步发掘和研究将为中国古代城市发展史提供更重要的资料。

许昌市

721.河南禹县白沙的战国墓葬

作　者：中国科学院考古研究所　陈公柔

出　处：《考古学报》第 7 册

　　1952 年春，在禹县白沙镇水库工地上，考古人员进行了三个月的工作。简报分为：一、引言，二、墓葬的形制，三、随葬器物，四、陶器组合及年代推断，五、结语，

共五个部分。有照片。

据介绍，共发掘 43 座小型墓，随葬器物 183 件，主要为陶器。葬式有直身、屈肢两种。年代以春秋末到战国为主。其地域应属郑国和韩国。

722.河南鄢陵县古城址的调查

作　　者：刘东亚
出　　处：《考古》1963 年第 4 期

1961 年秋，河南省文化局文物工作队复查全省文物保护单位时，在今鄢陵县城西北 9 公里前步村周围，发现古城一座。简报配以照片予以介绍。

古城附近地形平坦，洧水（双洎河）从古城北部横穿而过。城内计有前步村、前黎村、董家村等大小 15 个村庄，这些村子多聚集在古城内偏东部。古城平面呈长方形，南北长，东西短，偏西南。城墙大部保存尚好，唯西墙北段、南墙东段以及北墙西段已经断断续续或者仅突出地面隐约隆起。发现了豁口七个，东、南、西各两个，北面一个，是否为城门，还有待今后进一步探掘证实。

内城位于古城内偏东部，近正方形，东西约 148 米，南北约 184 米。内城墙大部保存，东墙与古城东墙共用。现东墙中段及北墙东段均存略宽的缺口。在古城内东南角（即前步村西侧）发现遗址一处。采集的遗物有灰陶短柄豆、灰陶敛口细绳纹鬲、素面灰陶罐、绳纹盆以及附加堆纹陶器残片等。此外，在古城南墙外及内城附近均发现较多的绳纹板瓦、筒瓦等，可能属于建筑遗址。简报推断此古城或即为春秋时代的鄢城。

723.河南襄城出土一批古代金币

作　　者：郭建邦
出　　处：《文物》1986 年第 10 期

河南省襄城县王洛公社北宋庄村，位于县城北 15 公里，村南为高约 2 米的土岗。1978 年 5 月该村第六生产队社员在村南约 100 米处平整土地时，发现一处窖藏金币。金币原装在距地表深 40 厘米的一个绳纹陶罐内，发现时陶罐已碎。窖穴周围和底部已经见到生土，在附近的地面和土层中见到少量带绳纹的筒瓦和板瓦，推断应属战国晚期遗物。简报配以照片予以介绍。

这批古代金币计 47 件，共重 4532.2 克。其中有郢爰、陈爰、斜字金、马蹄金、圆饼金等。简报附有襄城出土古代金币统计表。

据《襄城县志》，襄城在春秋战国时属郑、韩、魏之地，秦统一后隶颍川郡，不属楚国境。楚国黄金货币能在这里大批出土，当是战乱和贸易之故。

724.襄城县台王遗址试掘简报

作　者：河南省文物研究所
出　处：《中原文物》1988 年第 1 期

1986 年 7 月，襄城县范湖乡台王村在建窑场时，发现一处龙山文化遗址。考古人员进行了试掘。遗址位于村西岗地上，西距县城 20 公里。四周平整，中间隆起，遗址主要分布在岗的南坡。南北长 100 米，东西宽 70 米，面积为 7000 平方米。共发现灰坑 7 个，陶窑 1 座，墓葬 4 座，遗物主要为陶器，有少量石骨蚌器。

简报分为：一、地层堆积与分期，二、第一期文化遗存，三、第二期文化遗存，四、其他时期遗存，五、结语，共五个部分。有照片、手绘图。

据介绍，一、二期遗存应属龙山文化中期遗存。其他时期遗存，主要为战国中期的两座墓葬。

725.河南长葛出土一件战国铜铍

作　者：朱京葛
出　处：《文物》1992 年第 4 期

1972 年，长葛县官亭乡孟寨村农民在战国时的长葛故城的西北角挖得铜铍 1 件。简报配图予以介绍。

据介绍，此铜铍长 23.5 厘米，宽 3.5 厘米，厚 0.7 厘米，上有铭文 1 行。据铭文，知为韩桓惠王三十年（公元前 243 年）所造。

漯河市

726.舞阳出土的一批青铜剑

作　者：舞阳县博物馆　朱　帜
出　处：《江汉考古》1986 年第 1 期

东周时期舞阳县位于楚长城之北部边缘。这里已发现古城址 6 座，另外还有舞阳战国城在叶县境内、古柏国城在舞阳钢厂区境内，它们都与舞阳的历史有密切关系。春秋战国时期这一带处于楚、晋、郑、韩、魏、秦等诸侯国经常争夺的边缘地带。所以战争频繁。经常出土的一些兵器，特别是以青铜剑为多。1956 年以来，舞阳县已有 6 个地点出土 19 把青铜剑，简报介绍了其中的 12 把及铸剑范。

据介绍，计有空首无箍形剑 7 把（"文化大革命"中遗失 1 把）、实茎圆首有箍形剑 4 把、匕首状铜剑 1 把、铸剑范 1 件。铸剑范的发现，说明此地应有兵器作坊。

727.河南舞阳出土战国铜镜

作　者：朱　帜

出　处：《考古》1988 年第 5 期

1985 年春，舞阳城关废品站收购了一面残战国蟠螭纹铜镜，修复后基本完整。铜镜为城北郑庄村农民挖土时发现，现存舞阳县博物馆。简报配以照片予以介绍。

据介绍，铜镜直径 18 厘米，重 400 克。三弦桥形纽，有不明显、不突出的圆钮座。围绕镜纽为双线条菱形格，格内为云纹地。外为四条弦纹组成的凹面宽环带纹。再外有以菱格纹、云纹共同组成的地纹，其上有由变形四龙四凤组成的主体图案，龙、凤首尾相接，作盘绕状排列。其边缘亦为弦纹及凹面宽环带。

从镜的作风与图案看，简报推断此镜为战国时期产物。

728.河南舞阳县发现楚国金币

作　者：朱　帜

出　处：《考古》1989 年第 3 期

1986 年 3 月 23 日，舞阳县博物馆收到章华乡前古城村一百姓交献的一块楚国"郢爰"。上铸"郢爰"二字，仅一印，涂朱。背面有阴刻字。三面均有截断痕迹。简报配以照片予以介绍。

据介绍，这块金币是百姓在自己院内挖红薯窖时发现的。金币距地面约 2 米。《左传》等文献记载说明，此地就是春秋时期楚国的北方军事重镇东不羹城旧址。1949 年后，此地地下出土文物十分丰富，其中有陶涵管、金块、金粒、铜壶、朱砂、楚式铜剑、铸剑范、楚贝、半瓦当、石斧等重要遗物。这次"郢爰"的出土，更说明了这里就是楚筑东不羹城的旧址。因此，这块"郢爰"的铸造时间下限可能在公元前 530 年前的春秋中晚期。

三门峡市

729.河南三门峡市上村岭出土的几件战国铜器

作　　者：河南省博物馆
出　　处：《文物》1976 年第 3 期

1974 年冬至 1975 年 4 月，三门峡市上村岭大队第三生产队在岭西修建蓄水池工程中，发现了 8 座古墓，获得铜器百余件和陶器 50 余件。农民将出土文物按照墓坑分别放置。考古人员将出土文物运至省博物馆保存。简报配以手绘图，先行介绍了 5 号墓中出土的 4 件铜器。

据介绍，5 号墓位于上村西北，为长方形土坑竖穴墓，靠近墓底 2 米处有生土二层台，台宽 50 厘米左右。周围残留大量木板灰痕。从棺椁遗迹推断为一椁一棺的单人葬。墓底铺有一层鹅卵石。墓内填土中有少量的白膏泥，并经夯实。据挖掘者说，这座墓的随葬铜器放在棺椁之间，12 件陶器置于二层台上。该墓中出土的几件重要铜器是错金龙耳方鉴、错金蟠螭纹方罍、镶嵌羽状纹铜扁壶、铜执灯人。均无铭文。简报推断此墓年代为战国中晚期。

730.三门峡发现春秋时期陶窑遗址

作　　者：景　通、悬　宇
出　　处：《考古》1989 年第 3 期

最近，考古人员在市虢国车马坑陈列馆北侧约 200 米处的黄河水利枢纽管理局工地上，清理出一座春秋时期烧制陶器的窑址。陶窑坐西向东，由窑门、窑室和烟囱等部分组成，除窑门略有塌陷外，基本保存完好。简报配以手绘图予以介绍。

据介绍，窑门呈不规则椭圆形，在窑门和窑床之间有一略呈椭圆形的火膛。窑床为平底略呈梯形，在窑内的填土中发现有大量的绳纹夹砂陶片，其中有罐、鬲的口沿，鬲足，豆柄，豆盘等，其特征与虢国墓地所出土的器物相同。所以，此窑址年代简报推断为春秋早期。

简报称，今三门峡是西周晚期至春秋早期虢国都城上阳城之所在，但除了在 20 世纪 50 年代对虢国墓地进行了大规模发掘对墓葬有所了解外，对同时期的遗址情况了解甚少。这座窑址的发现，为研究当时的手工业生产及作坊布局提供了重要的资料。

731.三门峡市火电厂秦人墓发掘简报

作　者：三门峡市文物工作队　宁景通、杨海清、胡小龙、赵小灿
出　处：《华夏考古》1993 年第 4 期

三门峡市火电厂位于陕县大营乡黄村和南曲村之间，厂区西部的高岗上是一处秦汉墓地。1992 年春，考古人员为配合该厂的基建工程，对厂区内的古墓葬进行了抢救性发掘。其中有 8 座墓周围有围墓沟。

简报分为：一、墓葬的分布及形制，二、随葬器物，三、结语，共三个部分。有照片、拓片、手绘图。

据介绍，这 8 座墓葬分布相对集中，周围还分布有形制较小的竖穴土坑墓和洞室墓。这 8 座墓不但形制大，而且埋葬深，四周都围有窄而浅的围墓沟。有的围墓沟内埋一座墓，有的则埋两座墓。围墓沟周长 40～65 米，围墓沟宽 0.5～1.5 米，深 0.8～1.8 米。围墓沟内有竖穴土坑墓和洞室墓两种。有男女合葬墓及单人葬。一墓未见随葬品，一墓未发掘。其他 6 座共出土随葬品 85 件，以铜器最多，陶器次之，铁器最少。简报认为此处是秦末汉初秦人家族墓。

732.三门峡市司法局、刚玉砂厂秦人墓发掘简报

作　者：三门峡市文物工作队　宁景通
出　处：《华夏考古》1993 年第 4 期

1985 年冬和 1993 年 5 月，为配合三门峡市湖滨区司法局、三门峡市刚玉砂厂的基建工程，考古人员对这两地的秦人墓进行了发掘。

简报分为：一、司法局，二、刚玉砂厂，三、结语，共三个部分。有照片、手绘图。

据介绍，三门峡市湖滨区司法局位于三门峡市的西端向阳村北，甘棠路的西边，黄河路西段的南侧。1985 年冬和 1993 年 5 月，为配合司法局的基建工程，考古人员在司法局生活区内共发掘清理 54 座秦人墓。这些墓葬分布集中，但无一定规律。三门峡市刚玉砂厂位于黄河路的北侧，第二印染厂的西北部。1985 年冬，考古人员在刚玉砂厂共发掘清理 22 座秦人墓。墓葬多为东西向，分布集中，但无规律。这两处墓有竖穴土坑墓，也有洞室墓。简报认为，司法局秦墓的时代为战国晚期，而刚玉砂厂秦人墓的时代为西汉初期。

733.三门峡市机械厂车马坑的发掘

作　者：三门峡市文物工作队　宁景通
出　处：《华夏考古》1993 年第 4 期

1988 年春，考古人员在上村岭虢国墓地东南部的三门峡市机械厂院内北侧，发掘清理出一座小型车马坑。

简报分为：一、车马坑的形制及位置关系，二、车子结构，三、结语，共三个部分。有照片、手绘图。

据介绍，坑内有三车六马。放置草率，车子似也非实用车。时代为春秋早期。推测此车马坑的主墓为其西南 20 米处的 M1721。

734.三门峡市盆景园 8 号战国墓

作　者：三门峡市文物工作队　胡小龙、许海星、刘宇翔
出　处：《中原文物》2002 年第 1 期

1993 年 2 月，考古人员为配合市盆景园的基建工程，发掘清理了一批古代墓葬。

简报分为：一、地理位置，二、墓葬形制，三、随葬器物，四、结语，共四个部分。先行介绍其中规模较大的 M8 的发掘收获。

据介绍，三门峡盆景园工地位于市经济技术开发区内的原陕州老城东侧约 300 米处，东距后川村约 1000 米。M8 在该工地的中部偏北。该墓为土坑竖穴，地上无封土。总深 8.7 米。棺椁已朽，人骨一具也腐朽严重。共出土随葬器物 15 件，计有铜器、玉石器和骨器三类。铜器、玉琮等制作粗糙，似为冥器。该墓的年代简报推断为战国早期偏晚或战国中期偏早。墓主人应为元士一级。

735.河南三门峡市后川战国车马坑发掘简报

作　者：三门峡市文物考古研究所　史治民、许海星、胡小龙
出　处：《华夏考古》2003 年第 4 期

2002 年秋，考古人员为配合城市基本建设，在市区西北部的陕州城东、原后川村西侧的中国人民银行三门峡中心支行生活区工地进行了抢救性考古发掘工作，清理出一座车马坑，编号为 2002SRCHMK1。

简报分为：一、车马坑的形制结构，二、木车的放置与木车构造，三、殉葬的马与狗，四、车饰与狗饰，五、结语，共五个部分。有照片、手绘图。

据介绍，坑中共 8 匹马、3 辆车，分开放置。三车均为实用车。一号车舆内体积窄小，可能是射猎或战争用车；二号车舆内体积宽大，围栏也较高，后门窄小，结构复杂，装饰豪华，可能是躺卧用的安车；三号车舆内体积大于一号车而小于二号，装饰精美，色彩艳丽，轵、辂结构复杂，可能是御艺或仪仗用车。时代为战国早、中期，墓主人应为士一级贵族。另外此车马坑的主墓被严重盗扰，已无发掘价值。

736.河南三门峡市老城东 8 号战国墓

作　者：三门峡市文物考古研究所　胡小龙、许海星、刘宇翔等

出　处：《考古》2004 年第 2 期

8 号战国墓位于三门峡市郊原陕县老城东，东距后川村 1000 米。1993 年 2 月，为配合盆景园的基本建设工程进行了发掘。

简报分为：一、墓葬形制，二、随葬器物，三、结语，共三个部分。有手绘图等。

据介绍，该墓为竖穴土坑墓，墓深 6.3 米。墓内填略经夯打的五花土。在距墓口 4.6 米处发现紧贴墓壁的木椁痕迹，椁内有内、外双重棺。在清理内棺过程中，在棺内发现少量的红色衣物痕迹，并发现人骨架 1 具。因腐朽严重，性别不详，但从其痕迹看，墓主为头北足南，仰身直肢。该墓共随葬器物 15 件，有铜器、玉器和骨器。年代简报推断为战国早期或战国中期偏早。

737.三门峡市西苑小区战国墓（M1）发掘简报

作　者：三门峡市文物考古研究所　胡焕英、胡凤英等

出　处：《文物》2008 年第 2 期

2003 年 8 月，考古人员在三门峡市开发区西苑小区建筑工地抢救性发掘了一座战国墓葬（M1）。

简报分为：一、墓葬形制，二、随葬器物，三、结语，共三个部分。有照片、手绘图。

据介绍，M1 为长方形竖穴土坑，上部已被施工破坏，葬具为单椁双棺，均为木质，已腐朽成灰痕。内棺葬有墓主一人，骨架已腐朽成黄色粉末状，头向北，面向上，性别、年龄无法鉴别。此墓未经盗扰，随葬器物基本处于原位，绝大部分器物分布在椁与外棺之间，主要集中在东北部，从西到东依次放置玉戈、玉璜、陶壶、铜礼器、车马器和骨器。南端偏东分布小件铜饰件和兵器，内棺内出土有铜剑、带钩。此墓随葬器物共 53 件，按质地可分为铜器、陶器、玉器和骨器。

年代简报推断为战国早期或偏晚。墓主应为士大夫级贵族。

738.三门峡市西苑小区战国车马坑的发掘

作　　者：三门峡市文物考古研究所　胡小龙、郑立超等

出　　处：《文物》2008 年第 2 期

2006 年 4 ～ 7 月，为配合城市建设，考古人员对三门峡经济技术开发区西苑小区内建筑工地进行勘探，抢救性发掘清理出车马坑一座（CHMK1）。

简报分为：一、车马坑形制，二、车辆放置情况及结构，三、结语，共三个部分。有手绘图等。

据介绍，CHMK1 位于原陕州故城东北部约 500 米处，东距后川村约 1000 米，在西苑小区北侧偏西，北临商贸路，东、南、西三面均为待开发的空地。车放在车坑底部，辕东舆西依次放置，自东向西依次编为一号车、二号车、三号车，共三车六马。年代简报推断为战国早中期。墓主人应为士一级贵族。

简报指出，CHMK1 的车子为实用车，结构与三门峡上村岭虢国墓地车马坑的车子相比，设计更加合理，制作更为精细，装饰更为华丽。尤其是车门与虢国墓地车马坑的车门相比，显得比较宽大，便于乘者上下，应是战国时期车子结构不断改进的体现。因此，这座车马坑的发现，具有较高的学术价值，为进一步研究我国古代车的结构、制作工艺、用途及演变过程等提供了重要的实物资料。

南阳市

739.河南南召县二郎岗战国墓发掘简报

作　　者：河南省文化局文物工作队　刘胡兰小队

出　　处：《考古》1961 年第 6 期

1958 年 11 月，考古队在南召县二郎岗发掘了战国时代墓葬三座。皆为长方形土坑竖穴墓。墓内填土仅 M6 的经过夯打，并在墓室底部留有生土二层台，人骨架为仰身直肢葬。此三座墓中随葬品以陶器为最多，有鼎、豆、壶、罐、钵、杯、匜、盒等物，皆为泥质灰陶，多为明器。三墓的墓葬形制比较简单，随葬品多放在死者的一侧，出土物又很单纯，大致和郑州二里岗战国墓出土遗物相同，故推断其应为战国时期的墓葬。

740.西峡县出土春秋时期青铜器

作　者：谢宏亮、徐明法
出　处：《河南文博通讯》1980 年第 3 期

1980 年 1 月 17 日，西峡县回车公社花元大队吕增富在平整土地时挖出鼎、簋、盘、匜四件铜器。简报配以照片予以介绍。

据介绍，这 4 件铜器是春秋时期的器具，制作厚重，造型美观大方，工艺精湛，上有绳纹、蟠螭纹、蝉纹等精美的纹饰。这几件铜器，为研究春秋时期楚文化增添了新的实物资料。

741.桐柏钟鼓堂出土一批春秋铜器

作　者：黄运甫、曾光勋
出　处：《河南文博通讯》1980 年第 4 期

1975 年 9 月，桐柏县城郊公社毛坡大队新庄生产队，在钟鼓堂村东北约 100 米处发现一座春秋古墓，出土一批青铜器。现已将全部出土文物收藏县文化馆。简报配以照片予以介绍。

据介绍，钟鼓堂村北距桐柏县城约 3 公里。该墓为一土圹竖穴墓，墓底铺有朱砂，距地表约 5 米，出土青铜器 27 件，计有鼎 3 件、鬲 2 件、壶 2 件、簋 4 件、盘 1 件、匜 1 件、镞 3 件、戈 2 件、车軎 2 件、马衔马饰 8 件，几乎均为实用器。时代为春秋中晚期。

742.河南淅川县下寺一号墓发掘简报

作　者：河南省博物馆、淅川县文管会、南阳地区文管会　刘式今、周　到、
　　　　张逢酉
出　处：《考古》1981 年第 2 期

河南省淅川县仓房公社以东濒临丹江水库处，原有一所名叫下寺的佛教寺院，与其西北方向的上寺遥遥相望。上寺与下寺合称"香严寺"。自从丹江水库建成后，下寺已被淹没。距下寺以北约 0.5 公里的土冈上系一片分布较为密集的春秋墓地。此墓地随着丹江水库水势的涨落，时隐时现。近年来，由于雨水和丹江水的冲刷，有些墓口已经暴露。文物普查时，发现了这个墓地，并于 1978 年 5 月对其中的一号墓进行了发掘。

简报分为：一、墓葬形制，二、随葬品，三、结语，共三个部分。有手绘图。

据介绍，墓圹为长方形竖井，葬具似为一棺一椁。此墓出土随葬品分两类。一

类为玉石器，系装饰品和石编磬、石排箫。另一类为铜器，主要是生活器皿，但有一组编钟。两类共计 116 件。出土的乐器除石编磬残损较甚外，一套直钮编钟非常完整，音阶较准，且音质好，是目前所见春秋编钟中保存较好的。刻有铭文的铜器计有 18 件。据铭文，铜器似为江国之器。江国于春秋鲁文公四年（楚穆王商臣三年）即公元前 623 年为楚国所灭。一号墓出土的江国之器，应该是在江国被灭前后通过某种渠道流落到楚国的。下寺一号墓的时代，简报推断在春秋晚期。

743.河南省淅川县下寺春秋楚墓

作　者：河南省丹江库区文物发掘队　张　剑、赵世刚等
出　处：《文物》1980 年第 10 期

下寺位于河南省淅川县东南 60 公里的丹江水库西岸，它的西部丘陵起伏，丹江从东南流入河南境与淅水相汇合，然后折向南，经下寺东侧注入湖北的汉水。1976 年冬在下寺北部的土岭（又名"龙山"）上发现古墓 1 座。接着进行调查和钻探，发现古墓数十座，从而得知此地是一处古墓葬，墓群就在山脊上。1978 年夏秋之间，考古人员先后进行了两次发掘，清理大型春秋墓 3 座，发现了大批珍贵的楚国文物。1979 年考古人员对下寺古墓群进行了发掘。从 3 月初开始至 5 月 20 日止，先后发掘春秋墓 25 座、东汉墓 3 座。

简报分为：一、墓葬形制和分布，二、车马坑，三、出土遗物，四、结语，共四个部分。有照片。

据介绍，下寺楚墓均为东西向的竖穴土坑墓，计 9 座，小型墓 16 座。此外还有大型墓的 5 个陪葬车马坑。墓葬都是从南向北成组地分布在土岭之上。墓距较近而出土器物相同的是一组，共五组。每组主墓的西部 10 米以内有一个车马坑，有的还有陪葬墓。五组墓中以第三组规模最大。它的主墓是 M2，在它的南北两边有大型陪葬墓 2 座（M1、M3）和中型陪葬墓 1 座（M4），陪葬墓的西北两侧还有殉葬墓 16 座。主墓西部有一座大型车马坑。主墓 M2 为长方竖穴土坑墓。两具漆木棺全部腐烂，随葬品多青铜器。车马坑内仅见几件小型车马饰，车马器都埋在它的主人墓的椁室内。

随葬品都出于 9 座大型墓，主要是大型青铜器，还有大量小型玉饰、玛瑙、料珠、石、骨、贝等装饰品，共 7000 余件。另出土的木器总计 90 件以上，是继湖北曾侯乙墓之后又一重大发现。下寺春秋楚墓的青铜器都是用失蜡法铸造，把我国使用失蜡法的历史又提早了 120 多年。

简报称，下寺楚墓铜器多有铭文，对确定墓葬年代和主人是可靠的依据。从下寺 M2 的规模和随葬品及其升鼎铭文所显示出墓主人的身份看来，该墓墓主人可能

即令尹子庚。子庚死于楚康王七年夏（公元前 552 年）。那么此墓的绝对年代当在这一年间。下寺其他墓葬的形制和出土遗物，与 M2 比较，也基本相似。简报推断都是属于春秋中晚期，或者说公元前 6 世纪时更为恰当。但楚自文王迁都于郢，为什么公子午等贵族要葬在河南省的淅川丹江沿岸呢？这是一个值得探讨的问题。

744.南阳市西关出土一批春秋青铜器

作　者：王儒林、崔庆明
出　处：《中原文物》1982 年第 1 期

1975 年 3 月，南阳市西关煤场在施工中发现古墓一座，挖出一批青铜器。考古人员前往调查，并将出土的青铜器全部收藏馆内。煤场古墓位于南阳市西郊，东距古宛城约 1000 米。煤场拌料车间房基，深达 3.5 米，所挖地道正好从墓室中间穿过，绝大部分铜器已被取出。从残存的部分墓底、墓壁痕迹看，该墓为长方竖穴，葬具已腐朽，仅存棺灰及漆皮痕迹。漆皮绘有朱色花纹图案。墓室底部有朱砂铺底。另外，出土牙齿 11 枚，有小孩牙 4 枚、成人牙 7 枚。该墓已出土的随葬品，计有铜器、玉器、漆器 644 件，除漆器破损严重看不出器形外，铜器、玉器比较完整。

简报分为：一、铜器，二、玉器，共两个部分。有照片、拓片。

据介绍，铜器计有鼎 3 件、簋 2 件、戈 3 件、削 1 件、镞 5 件、马衔 7 件、马镳 8 对、辔饰 610 件、铜环 2 件、车饰器 2 件。玉器计有玦 2 件、饰 1 件、耳勺 1 件。铜器上铭文中有"彭宇"人名。简报认为墓主应是申国贵族彭仲爽后人，为春秋早期士大夫级墓，至迟不会晚于春秋中期。

745.淅川县毛坪楚墓发掘简报

作　者：淅川县博物馆、南阳地区文物队　黄运甫
出　处：《中原文物》1982 年第 1 期

毛坪位于河南省淅川县南 35 公里丹江库区内，西北距淅川老城 15 公里，南距下寺春秋楚墓 32 公里，毛坪三面环水，一面环山，成为一个半岛状的小山包。每当夏秋多雨季节库水上涨，毛坪南面常被库水淹没。1974 年冬，毛坪生产队村民在村南深翻改土时，发现古墓一座，后经调查，这里乃是一处墓葬群。1975 年春，考古人员清理出古墓 27 座，出土了一批春秋战国时期的陶器和青铜器。简报分为：一、墓葬分布和墓葬形制，二、随葬器物，三、结语，共三个部分。有手绘图。

据介绍，27 座古墓分二处埋葬，山坡东部为一墓群，共清理出 19 座墓，发掘时，

春秋战国卷
Chun Qiu Zhan Guo Juan

将该墓群编为第一发掘区；山坡西部的墓群，清理出 7 座，编为第二发掘区。两墓群相距 171 米。26 号墓则在两墓群之间，它与第二区墓群比较接近，仅相距 6 米。从这次发掘的 27 座墓葬规模来看，都属于中、小型的土坑竖穴墓。葬式多为仰身直肢单人葬，但也有两手交叉于胸前的。墓葬的方向，大体可以分为三种：第一种为南偏西的，共 8 座墓；第二种为南偏东的，共 12 座墓；第三种为北偏东的，共 6 座墓。葬具已经腐朽，仅存棺椁痕迹。墓室结构都是土坑竖穴式。27 座古墓中有 3 座墓没有随葬品，一座墓仅在口内含玉玦一件，其余为 2 座铜器墓和 21 座陶器墓。有的陶器墓中也随葬少量的铜兵器和玉石器。这批随葬器物中特别是陶器，破碎过甚。能看出器形的计有礼器、兵器、车马器和玉、石类的装饰品等 167 件，其中铜器 32 件、陶器 132 件、玉石器 3 件。出土时有的器物内装有小米和兽骨。简报推断这批墓葬为战国中期楚墓。

746.淅川县马川秦墓发掘简报

作　者：淅川县文管会
出　处：《中原文物》1982 年第 1 期

马川秦墓位于淅川县西南约 50 公里的宋湾公社马川大队马川村北，1981 年 8 月发掘了一座因洪水已近坍塌的秦墓。简报配以照片、手绘图予以介绍。

据介绍，该墓系土坑竖穴墓，葬具不清，尸骨头向东，仰面直肢。随葬品有陶器 1 件、铜器 7 件、铁器 1 件共 9 件。简报认为这是秦统一后的秦人墓葬。

747.河南桐柏县发现一批春秋铜器

作　者：南阳地区文物工作队　黄运甫
出　处：《考古》1983 年第 8 期

1975 年 9 月，桐柏县城郊公社毛峪大队新庄生产队，在钟鼓堂村东北约 100 余米处取土造地时，发现一座春秋古墓，出土了一批珍贵的青铜器。考古人员对该墓进行了清理和文物的征收，已将全部出土遗物收藏县文化馆。简报配以照片予以介绍。

据介绍，桐柏县地处河南省南阳地区的东南部，桐柏山脉贯穿全境，为淮河的发源之地。钟鼓堂北距桐柏县城 3 公里余，该墓位于淮河上游支流——营盘河西岸的一级台地上。墓地地处斜坡，由于年长日久的水土流失，封土堆早已消失。据在场掘墓的人讲，该墓为一土圹竖穴墓，墓圹 7 米左右。墓底距地表 5 米余。墓中出土遗物，皆为青铜器，而且多为实用器，明器极少。就其器形来看，计有鼎、鬲、豆、壶、盘、匜、车軎、衔镳、镞、戈等，凡 27 件，有的有铭文。简报推断该墓为春秋中晚期墓葬。墓主人应为士大夫一级贵族。

748.南阳市北郊出土一批申国青铜器

作　者：崔庆明
出　处：《中原文物》1984 年第 4 期

1981 年 2 月 14 日，南阳市郊砖瓦场的工人在取土时，挖出一批青铜器。考古人员进行了实地考察，认为这是一处周代墓葬。这批铜器出于距地表约 4 米的沙层中，因现场已遭破坏，墓的大小不得而知。简报配以拓片、照片予以介绍。

这批铜器计有铜马镳 2 件、铜节约 2 件、辔饰 6 件、车軎 2 件、铜鼎 1 件（有铭文）、铜盘 1 件、铜簠 2 件（有铭文）。其时代，简报认为定在西周晚期到东周早期为妥。从铭文看，古申国很可能就在今南阳附近，而不是在唐代的申州（今信阳）一带。

749.南阳市西关三座春秋楚墓发掘简报

作　者：南阳市文物工作队　王振行
出　处：《中原文物》1992 年第 2 期

1988 年 9 月，考古人员配合市商业公司八一路基建工地进行文物钻探。共钻探出古墓葬 40 座、车马坑 3 座、汉代砖井 1 眼。于同年 10 月下旬开始进行发掘，1989 年 5 月发掘工作结束。这次发掘共清理出青铜礼器、车马器、生产工具和兵器等铜器类 90 余件，玉器、陶器、石器达 180 余件。主要收获是对三座春秋楚墓和三座车马坑的发掘。

简报分为：一、墓葬形制，二、出土遗物，三、车马坑，四、三座墓的时代与墓主人的身份，共四个部分。有照片、拓片、手绘图。

据介绍，三座春秋楚墓均为长方形土坑竖穴墓，墓底均有一椭圆形腰坑，但未见遗物，椁的周围均有青膏泥。三墓均为一棺一椁，已朽，尸骨保存不好。三座墓内随葬铜器较丰富，玉、石器次之，陶器甚少。三座墓仅有陶器三件（随葬于 1 号墓和 40 号墓内），出自头箱。由于陶器火候较低，又叠压在铜器之中，故无法取回保存，可辨认出为壶、罐两类。陶器与铜器组成了鼎、簠、壶或鼎、罐、壶两类组合。三座车马坑位于三座墓西侧 8 ~ 11 米，与三座墓一一对应。仅一号车马坑保存尚好，坑内有一车两马。二、三号车马坑破坏严重。三墓中，22 号墓为春秋中期偏晚墓，1号墓、40 号墓为春秋晚期墓。墓主人应是士或下大夫一级身份。

750.上蔡砖瓦厂四号战国楚墓清理简报

作　　者：河南省文物研究所　赵志文
出　　处：《华夏考古》1992 年第 2 期

河南省上蔡县城曾经是西周和春秋时期蔡国的都城，至今地面上仍保留有较为完整的土筑城垣，规模相当庞大，地下文化遗存也相当丰富。位于上蔡县城西和西南部的芦岗，海拔近百米，高出附近地面 30 余米，南北长 20 余公里，俗称"四十五里卧龙岗"，是历史上的蔡国墓地和楚灭蔡后的贵族墓葬区。上蔡县砖瓦厂位于县城西 4 公里的卧龙岗北段，上蔡至西平的公路在砖瓦厂门前通过。近几年来，在该厂取土区内不断发现古墓葬。

简报分为：一、墓葬形制，二、随葬遗物，三、结语，共三个部分。介绍了1990 年发掘的四号墓，有照片、手绘图。

四号墓位于上蔡县砖瓦厂东侧取土区内，发掘前由于该厂冬季备土已将墓圹外四周下挖了 8 米多，给发掘工作带来了一定的困难。该墓封土已不复存在，墓口多处被毁，墓道仅留存残部，唯墓口南壁东半部和北壁东半部保存较好。墓葬平面呈"甲"字形，由墓道、墓圹、椁室、棺室、边箱组成。汉代曾被盗，棺椁被破坏，人骨为仰身直肢葬。随葬遗物包括铜、铁、陶、骨、玉器等几类。铜器主要为车马器。简报推断为略早于战国晚期的楚国高级贵族墓。

751.淅川县和尚岭春秋楚墓的发掘

作　　者：河南省文物研究所、南阳地区文物研究所、淅川县博物馆　曹桂岑、
　　　　　许天申、胡永庆
出　　处：《华夏考古》1992 年第 3 期

和尚岭楚墓位于淅川县城南约 50 公里丹江口水库西岸的龙山脚下，仓房乡陈庄行政村东沟村东南 1 公里处，西去 0.4 公里为下寺楚墓群。1989 年，丹江口水库水位下降，和尚岭楚墓被盗。淅川县公安局在仓房乡党委、县文管会的协助下，对盗墓活动进行严厉打击，并收缴了一部分文物，其中有铜编钟、铜方壶、铜簋、铜鼎等。1990 年 2 月 28 日，考古人员进行了抢救性发掘，共发掘清理古墓葬 4 座，其中 2 座为春秋楚墓，2 座为汉墓。

简报分为一号墓（编号 HXHM1）、二号墓（编号 HXHM2）和结语，共三个部分予以介绍，有照片、手绘图。

据介绍，淅川和尚岭两座楚墓出土了大批青铜器、玉器等，并且许多青铜器上

铸有铭文。一号墓虽多次被盗，但仍出土铜鼎6件，另外还有簠的碎片。二号墓未曾被盗，出土铜鼎7件，簠2件，壶2件及敦、缶、斗、匜等礼器，另外还有铜钮钟、铜镈钟等。据铭文，一号墓主人当系克黄，二号墓当为其夫人（曾国人）。克黄是楚令尹子文的孙子、楚庄王时的箴尹，曾出使齐国，归至宋国，听说楚国发生内乱，其家族若敖氏因发动叛乱被诛灭，克黄以国事为重，回国复命。楚庄王念其祖父子文治楚有功，释放克黄，改其名为生。克黄之子斗贲疾、孙斗韦龟、重孙斗成然，多居鄢地。克黄出使齐国返回楚国后，楚庄王虽赦免了他，复其箴尹之官，但由于若敖氏的叛乱，改名生后，不见史载，可能楚国不再重用他了。

752.河南省新野县发现一件战国时期青铜缶

作　者：丁　鹏
出　处：《文物》1993年第2期

1991年3月，新野汉画像砖博物馆在五星乡任集村征集到一件青铜缶。简报配以拓片、照片予以介绍。

据介绍，此青铜缶是任集村农民翻地时在距地表0.4米处发现的。呈灰褐色，通高19.5厘米，口径15厘米，底径13.5厘米。侈口，束颈，圆肩，鼓腹下收，平底。肩部有辅首衔环二个，腹下部有辅首衔环三个，部分环已残缺。三矮蹄形足，一足残缺。腿部饰窃曲纹三周，间以瓦棱纹二周。此青铜缶应是战国时期的遗物。

753.河南淅川吉岗楚墓发掘简报

作　者：河南省文物研究所、南阳地区文物研究所、淅川县博物馆
出　处：《华夏考古》1993年第3期

淅川吉岗楚墓群分布于白岗岭的岗脊上、1991年春，由于丹江水库水位下降，墓群有69座墓被盗，后又有1座墓被盗。考古人员对该墓地进行了抢救性发掘。1991年5月，共清理被盗墓葬4座，发掘1座。后来，由于丹江水库水位上升，发掘工作暂停。1992年5月，丹江水库水位下降后，又在墓地的西端发掘了4座墓葬。

简报分为：一、墓葬分布和墓葬形制，二、随葬物品，三、结论，共三个部分。有手绘图。

简报称，吉岗楚墓在长达1.5公里左右的东西向的白岗岭岗脊上呈一条直线排列着75座墓（经调查，按照墓葬排列的直线向东、向西延伸，还有墓葬分布），这些墓葬皆为东西向，等距离分布，非常有规律，且很奇特。这些墓皆为小型陶器墓，

且大多数墓中随葬有铜剑。随葬品皆为冥器，墓中没有发现棺痕及人骨架痕迹。这次发掘的 5 座墓葬，均为长方形竖穴土坑墓，皆设有生土二层台，墓底铺有青膏泥，随葬品多为陶器，多数墓中还随葬有铜剑。通过调查、发掘及研究，简报认为，吉岗墓地为楚军在战争中阵亡的军士的埋葬地。

754.河南淅川大石头山楚墓发掘报告

作　者：河南省文物研究所、淅川县博物馆　李玉山
出　处：《华夏考古》1993 年第 3 期

大石头山位于淅川县仓房乡沿江村北，距淅川县城约 80 公里。因丹江水库水冲刷，大批楚墓暴露出来，其中一些被盗。1992 年，考古人员趁水位下降之际，发掘了保存尚完整的 15 座楚墓。

简报分为：一、地理位置及概况，二、墓葬分布及其形制结构，三、出土器物，四、结语，共四个部分。有手绘图。

据介绍，大石头山遍布古墓葬，从露出地表的 51 座墓的墓口可以看出多为小型墓。已发掘的 15 座墓均为竖穴土坑，内填五花土，仰身直肢单人葬，有的两手交叉于腹前。大石头山发掘的 15 座墓共出土文物 143 件。其中陶器包括鼎、豆、壶、敦、盘、匜、罐（缶）7 种，共 137 件。鼎、壶各为 35 件，豆 28 件，敦 17 件，盘、匜各 10 件，罐（缶）2 件。铜器 6 件，其中剑 2 件、镞 4 件。简报认为此墓地规模远不止 51 座墓，其时代应在春秋战国之际。随葬品质地粗劣，反映出楚国国民生活的困苦。

755.南阳市彭营砖瓦厂战国楚墓

作　者：南阳市文物工作队　王振行
出　处：《中原文物》1994 年第 1 期

1988 年 7 月，南阳市卧龙乡彭营砖瓦厂在推土中发现一座古墓，考古人员去现场进行了调查和清理。

简报分为：一、墓葬形制，二、随葬器物，三、结语，共三个部分。有照片、手绘图。

据介绍，此墓为长方形土坑竖穴木椁墓。墓口由于取土而被破坏。椁盖板上及椁的四周有一层 5～10 厘米的青膏泥。墓圹南北长 5.5 米，东西宽 5.1 米，墓底距残顶 1.6 米。南、北、西三面皆有生土台，台高 0.5 米，宽 0.4～0.5 米，大部分陶器均放置台上。墓室保存较差，葬具、尸骨均已腐朽。从黑色痕迹上看，葬具为一椁一棺。墓室底部有明显的木棺痕迹，并能清楚看到红色漆皮和棺灰痕迹，尸骨已朽，葬式不明。

该墓出土的器物共计 50 余件。其中有陶器 24 件和铜器、玉器，还有少部分铁器、漆器。陶器多为细泥黑衣红陶。简报推断该墓为战国中期或偏晚时一座楚国墓葬。

756.河南南阳五交化储运站战国墓

作　者：南阳市文物工作队　张卓远
出　处：《江汉考古》1996 年第 5 期

1990 年 12 月，考古人员在配合南阳五交化储运站基建工程中清理发掘战国土坑墓一座。简报配以手绘图予以介绍。

该墓位于建设西路北侧约 180 米，西北距白庄约 100 米。墓葬为南北向，墓室口大底小头，墓室底部四周有熟土二层台。墓壁光滑平整，墓室填土较实，似经夯击，内含大量白色腐殖质。随葬品放于墓室西侧，共出土陶器 15 件、铜器 1 件。该墓随葬品组合以鼎、盒、壶、豆、盘、匜为主，全部施有朱彩，纹饰以几何形纹为主，这在南阳地区以往发现的战国墓葬中未见。大陶壶的盘口、球形腹，陶鼎片耳，小壶形器扁腹壁等都具有仿漆木器的形态特征。简报认为该墓的时代暂定为战国中期为宜。

757.桐柏月河一号墓发掘简报

作　者：南阳市文物研究所、桐柏县文管办　赵成甫、董全生、柴中庆、陈　峰
出　处：《中原文物》1997 年第 4 期

河南省桐柏县月河镇左庄村，曾出土过青铜器。1990 年这里再次出土青铜器并发生文物走私事件。1993 年，桐柏县天然碱开发总公司月河碱矿开始施工，考古人员对左庄村北丘陵地带实施文物钻探，发现大型墓葬 1 座、小型墓葬 3 座。发掘工作于 1993 年 11 月上旬开始，至 1994 年 2 月上旬结束，室内整理工作正在进行中。

简报分为：一、地理位置及墓葬形制，二、随葬遗物，三、小结，共三个部分。先行介绍一号墓发掘及初步整理资料，有照片、手绘图。

据介绍，桐柏月河一号春秋墓位于河南省桐柏县月河镇左庄村北约 300 米的丘陵斜坡地带。该墓为长方形竖穴土坑木椁墓，无墓道，墓壁斜直，无台阶。主室重棺重椁，椁外有熟土二层台，墓内填充大量青膏泥。南、北各有一祔葬坑。中部主室、南北祔葬坑均有随葬遗物。中部主室主要放置玉石器，另有少量青铜器。共出土玉石器近 400 件、青铜兵器 8 件（2 戈 6 镞），另有一铜盉置于椁外西北角。南祔葬坑主要放置青铜器和木漆器，其中铜器 9 件、木漆器 4 件。北祔葬坑主要放置青铜兵器、乐器及玉石器，出土各类器物 30 余件。其中玉人、铜铎等十分珍贵，对研究我国工

艺史、音乐史十分重要。该墓的时代，简报推断为春秋晚期前段。墓主人应是养国国君受。从此墓出土器物具有楚器特点看，此时养国在政治上已成为楚的附庸。

758.河南南阳市宛城遗址战国水井发掘简报

作　　者：南阳市文物考古研究所

出　　处：《华夏考古》2003 年第 3 期

1999 年 7 月，南阳市酒精总厂大门东侧，经文物钻探，发现古代水井 6 口。考古人员进行了抢救性发掘，清理了其中 3 口（另 3 口因紧靠现存房屋、院墙等无法清理），编号分别为 99NJCHJ1、99NJCHJ2、99NJCHJ3。

简报分为：一、水井的形制和结构，二、出土遗物，三、小结，共三个部分。有手绘图。

据介绍，水井位于明远顶西侧约 50 米处，北距宛城东北隅 1000 米。明远顶原系宛城遗址东墙中部一高大的地上建筑，俗称"明山"。早在 1982 年初，北京大学著名考古学家邹衡先生来宛考察此处后，亦认为明远顶是一处战国秦汉时期官府建筑遗址。水井均开口于距地表 2 米的房基基槽底部，系竖洞式井，由黄沙土壁和陶井圈两部分组成，是直接在黄沙生土上挖成坑壁放入陶圈而筑成的。此次发掘除获得部分陶井圈标本外，还有陶罐、陶壶、陶豆、铜钱等。水井的时代，简报推断为战国晚期或稍早，一直沿用至新莽时期。

759.河南淅川徐家岭一号楚墓发掘简报

作　　者：河南省文物考古研究所、南阳市文物考古研究所、淅川县博物馆　胡永庆等

出　　处：《文物》2004 年第 3 期

徐家岭楚墓位于河南省淅川县南 47 公里处，在丹江口水库西岸的仓房乡沿江村。此地南距和尚岭楚墓 3 公里，西南部为龙山。徐家岭是龙山的余脉，它东邻丹江，地势由东向西渐高。在岭上已经发现 10 座古墓。1989 年，由于丹江口水库的水位下降，徐家岭楚墓被盗。1990 年 4 月，考古人员对徐家岭一号墓进行了抢救性发掘。

简报分为：一、墓葬形制，二、随葬器物，三、结语，共三个部分。有照片、拓片、手绘图。

据介绍，该墓为一座"甲"字形墓，由墓道和墓室两部分组成。虽曾被盗，但仍出土有完整的青铜礼器、车马器、玉器、铜戈等，还有殉人 1 具。铜戈被叠放在一起，援的尖部被截掉，应是某种葬俗。

年代简报推断为战国早期晚段或战国早中期之际。墓主人为楚国贵族。

760.河南桐柏月河墓地第二次发掘

作　　者：河南省文物考古研究所、桐柏县文物管理委员会　樊温泉等
出　　处：《文物》2005 年第 8 期

月河墓地位于桐柏县月河镇左庄村北的斜坡地带，西距桐柏县城 13 公里。月河墓地在 1964 年曾经发现过有铭铜器，1993 年考古人员在该墓地发掘了 4 座春秋墓葬，其中一号墓资料已经公布。2001 年底，为配合国家重点项目宁西铁路的建设工程，考古人员对月河墓地进行了抢救性发掘。发掘工作从 2001 年 10 月开始，至 2002 年 1 月结束，共清理东周时期墓葬 22 座，出土了一批铜器和玉器。

简报分为：一、墓葬形制，二、随葬器物，三、结语，共三个部分。有彩照、手绘图。

据介绍，22 座墓葬均为土坑竖穴，填五花土，未经夯打，超过半数的墓葬（12 座）墓底有青膏泥。葬具已朽，仅存板灰痕迹。其中 5 座墓葬葬具底部有朱砂痕迹（M3、M4、M8、M17、M22）。人骨均已腐朽，从残存的痕迹看，均为单人葬。其中 15 座出土有铜器、玉器和玛瑙器等随葬器物 47 件。有 7 座墓葬随葬品，7 座墓仅出土 1 件随葬品。此次发掘的墓葬的年代，大多在春秋早期，少数则可能属战国时期。

761.河南南阳市拆迁办秦墓发掘简报

作　　者：南阳市文物考古研究所
出　　处：《华夏考古》2005 年第 3 期

南阳市拆迁办新征地位于南阳市建设东路路南，近几年来的考古发掘证明，此处是一古代墓葬相对集中的区域之一。2000 年 2 ~ 8 月，为配合市拆迁办基本建设工程，考古人员在不到 3 万平方米的范围内清理战国至明清墓葬 279 座，其中战国至汉代墓葬 269 座、明清墓葬 10 座、出土了大量的陶器、铜器、瓷器、玉器和铁器等。

简报分为：一、墓葬形制，二、随葬器物，三、结语，共三个部分。有手绘图。

据介绍，此次在南阳市拆迁办发掘的墓葬，为长方形竖穴土坑墓，均无墓道，未见封土堆，无腰坑、脚窝。墓葬保存完整，无盗掘现象，未见葬具和尸骨痕迹。从墓口平面的长度来看，长宽比为 2:1。两墓共出土随葬器物 24 件，其中铜器 15 件、铁器 3 件、玉器 6 件。铜器、玉印章比较重要。简报推断这两座为秦墓。

762.南阳市近年出土的四件春秋有铭铜器

作　者：南阳市博物馆、南阳市文物考古研究所　林丽霞、王凤剑

出　处：《中原文物》2006 年第 5 期

南阳市近年出土了 4 件有铭青铜器，据相关资料，断定其年代为春秋晚期。这批青铜器的出土为研究养国、许国特别是楚国的历史、文化、艺术以及楚文化对中原文化的影响等提供了重要的实物资料。简报配以照片予以介绍。

四件铜器为：养子曰鼎 1 件，上有铭文 25 字；许子敦 1 件，上有铭文 6 字。彭无所簠 1 件，上有铭文 16 字；楚屈喜戈 1 件，上有铭文 5 字。均为春秋晚期楚系青铜器。

763.中建七局南阳设备公司材料库 M1 发掘简报

作　者：南阳市文物考古研究所　柴中庆、梁玉坡、王凤剑

出　处：《中原文物》2007 年第 5 期

2004 年 12 月，考古人员在南阳市城区西部的麒麟岗中建七局南阳设备公司材料库拆旧建新工地上发现一批墓葬，其中的 M1 形制较大，墓西侧保存有目前南阳市城区最好的车马坑，出土了铜、玉等质地的遗物 29 件。其中，精美的铜车饰在南阳还不多见。依据墓葬形制和出土器物的特征，该墓的时代应在战国中期晚段。简报分为：一、墓葬形制，二、随葬器物，三、车马坑，四、结语，共四个部分。有拓片、手绘图。

据介绍，该墓为一"甲"字形墓，由墓道、墓室两部分组成。明清时被盗过，一棺一椁已朽。由于该墓被盗严重，墓室内器物基本被洗劫一空，在墓室的中北部残留 1 件玉璧，东南部有 1 件铜盖弓帽、2 件铜环。在盗洞底部发现有陶鼎等陶器残片。车马坑在墓室西 10 米处，长方形，内有一号、二号两车，一号车有两匹马，二号车未见马。该墓的主人，简报认为应为楚国大夫级贵族。

764.河南南阳市程庄墓地东周墓葬发掘简报

作　者：郑州大学历史学院考古系、河南省文物管理局南水北调文物保护办公室、南阳市文物考古研究所　李　锋、魏青利、程国峰、司红伟、张随芳、赫玉建、崔本信、梁玉波等

出　处：《考古》2008 年第 5 期

程庄隶属于河南省南阳市镇平县安子营乡，北距县城约 12 公里，南距安子营乡政府约 0.5 公里。墓地分布在程庄与安子营两村之间的农田中，镇平至穰东的 244

省道从墓地东侧穿过。此地原为高岗坡地，20世纪六七十年代被夷为平地，同时发现有不少砖墓，遂被定为镇平县文物保护单位。正在建设中的南水北调中线河道正好从墓地中部由西向东穿过，故被列入南水北调文物保护发掘项目。2007年7月，考古人员对程庄墓地进行了考古发掘，发现龙山、东周、汉、唐、明、清等时期的墓葬200多座。简报分为：一、墓葬概况，二、墓葬分组，三、结语，共三个部分。先行介绍东周墓葬的发掘情况，有手绘图等。

据介绍，近百座东周墓葬保存基本完整，均为长方形土坑竖穴墓，少数带斜坡墓道。葬具多为一棺。人骨保存较好，均为单人葬，多为仰身直肢。随葬品以陶器为主。

简报称，这批墓葬可分为A、B、C、D四组。随葬陶器组合之间的差别比较明显，A组以鬲为代表，B组以鼎为代表，C组则在A、B两组的基础上用敦取代了盂、罐，D组除新增盘、匜、盏、盂、罍等器物外，鬲已经基本消失，鼎、敦成为随葬品组合中的代表性器物。

多数学者认为，鬲、盂（盆）、豆、罐或鬲、壶、豆、罐组合的年代约为春秋时期，而鼎、豆、壶、盘、匜或鼎、敦、壶、豆、盘、匜组合的年代则约当战国时期。据此推测，A、B两组的墓葬年代约为春秋时期，C、D两组的墓葬年代约为战国时期。

简报指出，C、D两组中的代表性器物敦，基本不见于中原地区，但它却是荆楚地区楚国墓葬中的代表性器物。表明战国时期南阳地区的文化与湖北地区楚国的文化关系密切。

简报指出，《仪礼》中记载，鬲是煮粥之炊器，鼎则是盛牲之祭器，豆、敦为食器，壶为酒器，匜为盥洗器，故随葬有鼎的墓主在身份地位上有可能高于无鼎的墓主。值得注意的是，这批墓葬的规模都比较小，随葬品又主要是冥器，因此难以排除用鼎者的行为有主观僭越之嫌，故其所反映出的显然是礼崩乐坏的社会阶段。

简报指出，本次发掘的东周时期墓葬尽管规模较小，随葬品也不算丰富，但其保存状况却相对较好，随葬品修复率高，因而对研究当时的埋葬制度、建立南阳地区春秋战国时期考古学文化发展序列及研究楚文化与中原文化之间的交流等问题均有重要价值。

765.河南淅川县徐有岭11号楚墓

作　　者：河南省文物管理局南水北调文物保护办公室、南阳市文物考古研究
　　　　　所　赫玉建、乔保同、柴中庆等
出　　处：《考古》2008年第5期

徐家岭楚墓位于河南省淅川县南47公里处的仓房镇沿江村郭家窑小组东南。

1990～1991年，考古人员在徐家岭发掘10座楚国贵族墓葬。徐家岭墓地属南水北调中线工程淹没区的文物保护点。2006年10月29日，南阳市文物考古研究所工作人员和当地派出所干警成功地阻止了一起盗墓活动。2006年11月至2007年1月，对3座被盗的楚墓进行了清理，出土了一批珍贵文物，其中M11尤为重要。该墓虽被盗，但出土遗物仍较丰富，惜大部分青铜器破碎严重，尚需一段时间才能修复完毕。

简报分为：一、墓葬形制，二、出土遗物，三、结语，共三个部分。有彩照、手绘图。

据介绍，M11为带1条墓道的长方形土坑竖穴木椁墓。墓主葬具为重棺，椁室内还有2具陪葬棺。墓主骨骼已朽，仰身直肢。陪葬棺内的人骨也均为仰身直肢。出土遗物有陶器、青铜器、玉石器等共300余件。

该墓为战国早期楚国大夫级贵族墓，墓主简报初步判断为女性。

766.河南淅川县马川墓地东周墓葬的发掘

作　　者：河南省文物管理局南水北调文物保护办公室、河南省文物考古研究所、
　　　　　驻马店市文物考古管理所　刘文阁等
出　　处：《考古》2010年第6期

马川位于河南省南阳市淅川县盛湾镇西北，北距县城约21公里，南距盛湾镇政府约3公里。调查显示，墓地周围分布有众多古代遗迹。20世纪70、80年代，人们在翻地时发现有不少砖墓，由于江水的冲刷，又在江边的断崖处冲出多座砖室墓、积石积炭墓及土坑墓。1981年考古人员抢救性清理了一座墓葬，马川墓地遂被淅川县人民政府定为文物保护单位。马川墓地是南水北调中线工程淹没区的文物保护点。2007～2008年，考古人员对马川墓地进行了考古勘探和发掘，共分为四个发掘区。

简报分为：一、墓葬概况，二、墓葬分组，三、结语，共三个部分。先行介绍其中的东周墓葬，有彩照、手绘图。

据介绍，马川墓地已发现东周至明清时期的墓葬近300座。其中100余座东周墓保存较完整，均为长方形土坑竖穴墓，少数带台阶或墓道。葬具多为木质单棺。葬式多为单人仰身直肢葬。随葬品以陶器为主，并有少量青铜兵器和珠饰。时间从春秋至战国都有。初步比对后发现中原文化与楚文化交往密切。

简报认为，这批墓葬为建立该地区东周时期考古学文化序列提供了新资料。

767.河南南阳春秋楚彭射墓发掘简报

作　者：南阳市文物考古研究所　柴中庆、乔保同、王凤剑等

出　处：《文物》2011年第3期

2008年6月底至10月上旬，为了配合南阳市八一路与工业路交叉口西北部的住宅小区建设，考古人员对发现的墓葬进行了清理发掘。共发掘墓葬42座，其中春秋晚期墓葬15座、战国中晚期墓葬2座、汉代墓葬25座，另有车马坑2座。

简报分为：一、墓葬形制，二、随葬器物，三、结语，共三个部分。先行介绍其中的M38（彭射墓）的发掘情况，有彩照、手绘图。

据介绍，墓地位于南阳市汉宛城西城墙西约1～2公里处。M38为长方形竖穴土坑墓。葬具已腐朽塌陷，从清理的痕迹看，为一椁二棺。棺沿残存少部分朽甚的人牙齿。随葬器物主要有铜器、玉石器等。青铜礼器上基本都有铭文。据铭文，墓主人叫彭射，此墓当为彭射与其妾（不似夫人）的合葬墓。彭射当为楚国大夫级贵族。下葬年代简报推断为春秋晚期的早段。

出土遗物中有些颇有特色，如青铜制汤鼎、斗、浴缶是楚文化的特有器类，在墓葬中放在一块，说明楚国高级贵族乃至平民都有沐浴的习惯。汤鼎用来烧水，并在水中放入香料或香草，水加热后香气四溢，再用斗取水至浴缶，返至沐浴处沐浴。又如这次发现的铜铁复合铜戈时代较早，这种铜铁复合兵器在当时还不多，比较珍贵，故放于墓主人身旁。

南阳归楚国管辖时设县叫申县。结合当地其他考古发掘，知此处为彭氏家族墓地。已发掘出的彭氏家族墓涉及5代人。彭氏当是春秋时期一个显赫家族，是楚用申人治申的一个成功范例。此次发掘，为研究楚国贵族墓葬及彭氏家族历史提供了重要的实物资料。

768.河南淅川县马川墓地118号东周墓

作　者：河南省文物管理局南水北调文物保护办公室、河南省文物考古研究所、
　　　　驻马店市文物考古管理所　刘文阁、余新宏、齐雪义、李安娜等

出　处：《考古》2011年第2期

马川墓地位于河南南阳市淅川县城西南约21公里处的盛湾镇北面。墓葬分布在马川村周围及丹江边的农田中，坐落在丹江南岸的二级台地上。2007～2008年，考古人员等对马川墓地进行了考古勘探和发掘。墓地共分为四个发掘区，其中I区墓地是勘探中发现墓葬分布的密集区。考古人员对I区进行了清理，发现墓葬240

多座，其中近百座东周墓葬保存基本完整，又以 118 号墓规模较大，出土随葬品丰富，为楚文化的深入研究提供了新的重要资料。

简报分为：一、墓葬形制，二、随葬器物，三、结语，共三个部分。介绍了 118 号东周墓葬的发掘情况，有彩照、手绘图。

据介绍，该墓为带墓道的长方形多台阶竖穴土坑木椁墓，由墓道、墓室两部分组成，葬具为一椁三棺，遗骨为一男两女。随葬器物共 112 件，主要为陶器，另有青铜兵器、铜铃及料珠、玛瑙珠等。

简报认为 M118 为一合葬墓，墓主人身份应为上层贵族，绝不是一般平民，入葬时间，推测为战国早期。

769.淅川吴营遗址春秋墓发掘简报

作　者：郑州大学历史学院考古系、河南省文物管理局南水北调文物保护办公室　赵海洲

出　处：《中原文物》2011 年第 3 期

吴营遗址位于淅川县西南丹江水库区东岸。2008 年 7 ～ 8 月，为配合南水北调中线工程的建设，考古人员对该遗址进行了抢救性发掘，清理出春秋时期墓葬 6 座，为该地区西周至春秋时期考古学文化及其相关问题的研究提供了新资料。

简报分为：一、墓葬形制，二、随葬品，三、结语，共三个部分。有手绘图。

据介绍，吴营遗址所发现的 6 座春秋墓葬形制基本一致，均为长方形竖穴土圹墓，墓向大致东向。可辨葬具为单棺或一棺一椁，腐朽严重，人骨也几乎不存。随葬品一般放在死者头部。随葬品主要是陶器，陶器组合主要有鬲、盆、罐，鬲、盆、豆和鬲、盆、豆、罐三种。有的墓中还有铜戈、玉饰品或绿松石，个别墓中没有发现随葬品。简报推断这几座墓的年代为西周晚期至春秋早期。此地西周后属于楚国，因又地近中原，所以墓葬特征既有中原文化因素，又有在周文化基础上发展起来的楚文化特征。楚地器物组合起初承继了周文化因素，进入春秋时期以后，器物特征的演变逐渐显现出楚文化的风格。

770.河南南阳李八庙春秋楚墓清理简报

作　者：南阳市文物考古研究所　乔保同、高　旋

出　处：《文物》2012 年第 4 期

2004 年 5 月，南阳市李八庙村砖瓦窑场在取土时发现古墓葬一座，随葬器物被

取出。考古人员将这批铜器收藏，并对墓葬现场进行了清理。

简报分为：一、墓葬形制，二、随葬器物，三、结论，共三个部分。有彩照、拓片、手绘图。

据介绍，此墓为一座春秋中晚期小型竖穴土坑墓，出土了一批铜器，其中铜礼器有7件，包括鼎、浴缶、甗、盘、匜和盏。铜鼎有铭文"番子"。简报推断"番子"并非此墓的主人，应是番国的国君，墓主人是楚国贵族。此鼎可能是番国国君赠予墓主人的礼物，也可能是战利品。番子鼎的发现为研究古代番国的历史和地理位置提供了重要的实物资料。

771.河南淅川县阎杆岭楚墓发掘简报

作　者：河南省文物考古研究院、河南省文物局南水北调文物保护办公室　胡永庆、齐延广等

出　处：《华夏考古》2014年第4期

2005年6月至2006年12月，为配合南水北调中线丹江口水利枢纽加高工程，考古人员对淅川县阎杆岭墓群进行了发掘。

简报分为：一、墓葬简介，二、墓葬年代及墓主人身份，共两个部分。有彩照、手绘图。

据介绍，此次共发掘墓葬209座，其中楚墓30余座。楚墓皆为小型平民墓葬，出土陶器基本组合为鬲、盂、豆、罐，鬲、盂、豆、壶，鼎、敦、壶、豆或加盘、匜。简报推断时代为春秋晚期至战国中期，7座墓葬的墓主人身份应为平民。此次发掘为研究丹江流域楚国小型墓葬的葬制、葬俗等问题提供了珍贵资料。

商丘市

772.永城县出土楚国布币

作　者：张志清

出　处：《中原文物》1987年第1期

1985年5月2日，永城县条河乡鱼山村农民邵则勤在挖土时发现窖藏铜钱100余枚。简报配以图片予以介绍。

据介绍，这批窖藏铜钱为平首平肩方足布，长10.5厘米，最宽处4厘米，重

30～38克。钱面模铸"殊布当釿",背铸"十货"。铸文有两种字体,一种笔画细,字体长,重33克左右;一种笔画稍粗,字体较短,重35克左右。战国时期,永城为楚宋的交界地,其南部为楚国北境。这批钱币的发现,为研究战国时期的商品流通和永城地区的历史提供了有价值的资料。

773.河南商丘县东周城址勘查简报

作　者：中国社会科学院考古研究所、美国哈佛大学皮保德博物馆、中美联合
　　　　考古队　高天麟、慕容捷、荆志淳、牛世山
出　处：《考古》1998年第12期

商丘地区处于历史上所称的黄泛区,自北宋末至清咸丰年间黄河南泛所引起的大量泥沙堆积,导致了大部分史前和历史时代的文化遗址被深埋于黄河冲积物之下。1936年李景聃先生为探索先商和早商文化的起源和发展,曾在商丘一带作过调查。1977年考古人员曾在永城王油坊、柘城孟庄、睢县周龙岗等地进行过发掘和调查。张光直先生曾于1990年初春到商丘地区的有关县市作了短暂的实地考察,根据当地的地貌环境和自然条件,提出采用多学科的途径在商丘地区进行先商和早商文化的考古调查。同年秋,美国明尼苏达大学拉普(George Rapp, Jr.)教授和荆志淳先生曾赴商丘进行考察。1991年夏,拉普、高天麟、荆志淳先生在商丘用荷兰铲作为钻探工具正式开始了地质考古调查。1992年秋,在地质考古钻探工作的基础上,美方开始组织地球物理的调查,慕容捷(Robert Murowchick)、莫菲(Vincent Murphy)、雷根(Robert Regan)使用磁力仪对老南关地区进行了测试和调查。1993年高天麟先生等在老南关村北用洛阳铲作进一步的考古勘探。1993年秋,高天麟先生和荆志淳先生继续进行地质和考古钻探调查等前期准备和探索工作。1994年春,中美联合考古队正式组成,对商丘县潘庙遗址进行考古发掘,与此同时,由美方慕容捷、希思(David Cist)和中方王增林先生共同对潘庙遗址和商丘县老南关周围地区进行了地面穿视雷达的调查。1994年秋,在发掘虞城县马庄遗址的同时,对马庄和老南关周围地区继续进行地质考古钻探和地面雷达调查。1995年春,发掘工作转至柘城县山台寺,在老南关进行了更深入的地质考古钻探。1996年春,中美双方协商后共同决定对老南关周围地区用荷兰铲、洛阳铲和汽车冲击钻各种工具进行大规模的地质考古钻探。首先在侯庄发现了东周或更早的夯土台基,尔后又在胡楼村东发现了东周城的西墙。经过1996年秋及1997年春进一步的钻探,简报追踪发现了该东周城的四面城墙,对其性质和形成有了基本的了解。

老南关东周城发现和勘查简报分为:一、引言,二、东周城址,三、睢阳城址,

四、古河道（睢水），五、结论，共五个部分。有手绘图。

据介绍，中美联合考古队通过多学科合作，在商丘县城南老南关及附近地区发现了东周城址。根据钻探调查和发掘的材料，结合历史文献记载，可确定它是宋国都城，即宋城。在勘探宋城故址的过程中，又发现和确定了明弘治十六年前的睢阳城址。

简报称，对宋城和睢阳故址的调查只是一个开始，要弄清城址的具体性质和准确年代还有许多工作要做。

信阳市

774.河南信阳小胡庄春秋遗址

作　者：黄士斌
出　处：《考古》1964 年第 5 期

小胡庄位于信阳市西北 20 余公里，南距孙砦约 0.5 公里。遗址在孙砦与小胡庄之间，为一甚明显的岗地，地面上有不少红烧土块、鬲足、陶片等，面积约 6 万平方米。1959 年冬至 1960 年春季，考古人员进行了小规模的试掘。简报配图予以介绍。

据介绍，出土物皆为盆、豆、罐等陶器残片，以夹砂灰陶占绝大多数，少量为夹砂红陶、泥质灰陶等，能复原的很少。年代推断为春秋时期。

775.河南潢川县发现一批青铜器

作　者：郑杰祥、张亚夫
出　处：《考古》1979 年第 9 期

1978 年 1 月 6 日，潢川县彭店公社刘砦大队砖瓦窑厂院内出土铜器数件，送交县文化馆保存。考古人员对出土地点进行了发掘清理。简报配以照片予以介绍。

据介绍，刘砦大队位于潢川县西南约 20 公里。砖瓦窑厂北靠庙子岗，南临郑家冲，铜器出土地点位于庙子岗南山坡上。铜器出土于距地表约 1.5 米深的黄白色花土中，五件铜器由东向西呈"一"字形排列，计有鼎、簋、方壶（缺盖）、罍和盘各一件。铜器南边为灰白色原生土，推测此地原为一座古墓。铜器有的有铭文。据铭文，知此批青铜器应出自春秋时潘国封地。

776.固始侯固堆主墓发掘结束

作　者：固始县侯固堆大墓发掘组领导小组办公室
出　处：《河南文博通讯》1979 年第 3 期

为了弄清主墓的情况，考古人员邀请省地质局物探队采用电法和磁法对侯古堆主墓进行了科学勘测，经国家文物局批准，从 1978 年 8 月开始，对主墓进行正式发掘。下至 11.4 米发现棺、椁，墓室总深 21 米，与省地质局物探队勘测的数据基本一致。

侯古堆主墓系长方形竖穴，单棺双椁，内有墓主人骨架和随葬玉器及其装饰品。在椁室内的东部，清理出一批陶器，其中有鼎、鬲、青釉瓷陶杯、硬陶罐等。

发掘中，在墓坑的西壁和东壁分别发现盗洞三个。墓室虽然被盗，但扰乱不甚严重，所有随葬器物均放在原位，尤其 17 具排列有序的殉葬人骨架，在这一历史时期是极其少见的，对于研究我国古代社会分期提供了重要的考古资料。

777.信阳发现两批春秋早期吕国铜器

作　者：信阳地区文管会、信阳县文化馆
出　处：《河南文博通讯》1979 年第 4 期

1974 年春，信阳县长台关公社甘岸大队彭岗生产队在村西平整土地时，发现了一件铜盘和两件铜匜。其中一件有铭文，简报录有全文。出土铜器的地点，位于淮河北岸 1.5 公里许的一处高台地上。根据钻探和调查情况分析，出土的这三件铜器不是窖藏，而是墓葬的陪葬品。

1979 年 3 月，信阳县吴家店公社杨河大队坟扒生产队刘富忠在自家院内取土时，发现了两件带铭文的铜鼎。考古人员到现场调查，发现是一座土坑墓。葬具、葬式均不清楚，除了两件铜鼎外，又清理出铜盘、铜匜、铜削、陶盂、陶罐和磨石各一件。铭文简报录有全文。

简报称，据铭文，这两次发现均与春秋早期吕国有关。

778.河南信阳发现两批春秋铜器

作　者：信阳地区文管会　欧潭生、邵金宝、刘开国
出　处：《文物》1980 年第 1 期

简报配以照片、拓片、手绘图介绍了这两批春秋铜器。

1974 年春，信阳县长台关公社甘岸大队彭岗生产队农民在该村平整土地时，发现了一件铜盘和二件铜匜。经现场调查和钻探，证实是一处春秋战国时期的墓地，位于淮河北岸 1.5 公里处的高台地上。这三件铜器应是同座墓葬的随葬品。其中一件匜有铭文 17 字，简报录有全文。

1979 年 3 月，信阳县吴家店公社杨河大队坟扒生产队刘富忠在自家院内取土时，发现带铭文的铜鼎二件，把铜鼎送到信阳地区文管会。经现场调查，发现出土铜器的地方是一座土坑墓。棺椁和人骨架都已腐朽。除上述二件铜鼎和一件破碎的陶罐外，还在墓底西北角清理出铜盘、铜匜、铜削、陶盂和砺石各一件。铜器的铭文，简报均录有全文。

据铭文，这两批青铜器均为吕国遗物。吕国历史甚为古老，青铜器的年代下限应在吕国亡国之前，即楚灵王迁申于楚或稍早的时期。此次发现，为研究春秋早期古文字和诸侯小国的称谓、行文习惯提供了实物资料，也为探讨春秋吕国的地望和历史变迁提供了重要的线索。

779.河南潢川县发现黄国和蔡国铜器

作　者：信阳地区文管会、潢川县文化馆　欧潭生、杨履选、杨国善
出　处：《文物》1980 年第 1 期

潢川县陆续发现了几批春秋战国之际的铜器，其中有上油岗公社老李店磨盘山出土的黄国铜器，隆古公社高稻场出土的蔡国铜器和彭店公社刘寨出土的潘国铜器。潘国铜器已在《文物》1979 年第 9 期作了介绍。简报配以照片、拓片、手绘图，介绍了黄国铜器和蔡国铜器。

1975 年春，潢川县文化馆在上油岗公社老李店磨盘山供销社收集到盨、镭、盂 3 件铜器。经调查得知，这批铜器于老李店农民修筑磨盘山水库大坝时同出于一个土坑墓中。同时出土的还有鼎、壶等器物的破碎残片。计铜盨 1 件、铜镭 1 件，铜盂 1 件，均造型罕见，有铭文的简报录有全文。由铭文知这 3 件铜器为春秋小国黄国遗物。黄国故城在潢川县西 6 公里的隆古公社，公元前 648 年为楚所灭，此 3 件铜器时代应为春秋早期。

1966 年 4 月，潢川县隆古公社高稻场大队农民挖塘泥时，出土了 7 件蔡国铜器。经调查得知，这批铜器是在离地表约 3 米深的水塘底发现的。水塘位于春秋黄国故城西北 500 米。出土时铜器呈有规则、等距离状排列，同时发现朽残的椁木和底板。可见这批铜器是出自墓藏，不是窖藏。由于铜簠上铸造有"蔡公子义"的铭文，可以确定这 7 件铜器应是"蔡公子义"墓葬的陪葬品。计铜鼎 1 件、铜敦 1 件、铜簠 1

件、铜匜 1 件、铜盘 1 件、铜盥缶 1 件、铜盘 1 件。有铭文者简报录有全文。年代推断为春秋晚期至战国初期。蔡国公元前 447 年即为楚国所灭。"蔡公子义"应是蔡国被灭之后死的。当时黄国早就被楚国所灭，黄国故城一带已是楚国的势力范围。为何埋藏在黄国故城西北 500 米的地方？"蔡公子义"究竟是战俘，还是作为人质客居？这些有待于进一步研究。这 7 件"蔡公子义"铜器的发现，无疑对研究蔡国的历史和探讨楚蔡两国的关系，是有价值的。

780.河南罗山县发现春秋早期铜器

作　者：信阳地区文管会、罗山县文化馆　欧潭生、朱跃进
出　处：《文物》1980 年第 1 期

1972 年秋，罗山县高店公社高店大队第九生产队农民平整土地时，发现三件春秋早期铜器，其后调存河南省博物馆。考古人员对出土地点——高店公社西北的"龙埂"进行了调查，发现这里原是一处早期窖藏。"龙埂"长约 500 米，埂两侧有内、外二湖。往北 4 公里是淮河，往东 1.5 公里有狮河。铜器放在砖砌的圆坑内，匜和壶放在铜盘内。据反映，出土时坑内还可看到折叠多层的丝绸之类的残片，可能是包裹这些铜器用的。简报配以照片、手绘图予以介绍。

据介绍，铜器计铜匜一件、铜盘一件、铜壶一件。前两件有铭文，简报录有全文。三件铜器的时代应属春秋早期。

781.河南信阳市平桥春秋墓发掘简报

作　者：河南省博物馆、信阳地区文管会、信阳市文化局　王与刚、欧潭生、
　　　　蔡静远等
出　处：《文物》1981 年第 1 期

1978 年 2 月，在信阳市五星公社平西大队南山咀台地顶部出土玉器、铜匜各一件。经有关部门调查，发现两座古代墓葬，并进行了发掘清理。简报配以照片、拓片予以介绍。

这两座墓都是土圹竖穴墓，平面呈长方形，并列在一起。出土器物铜器有铜镈、铜盘、铜鬲、铜壶等，另有玉玦、玉片。考古人员前往发掘，确定此处墓主人应为樊君夔夫妇。

简报指出，樊君夔夫妇墓在今信阳市，出土铜器虽与西周中晚期中原地区所出土的器形纹饰相似，但陶器却具地方特点，与洛阳附近西周晚期至春秋早期的陶器不一样。简报认为樊君夔不属豫北沁阳附近的樊君，而属襄阳之樊。樊灭于楚，在

春秋之前。楚国的势力到达信阳一带，已是春秋早期的事，故推断樊君夔夫妇的墓葬年代也应为春秋早期至中期。

782.河南固始侯古堆一号墓发掘简报

作　　者：固始侯古堆一号墓发掘组
出　　处：《文物》1981 年第 1 期

固始县县城东南 2 公里有一个高约 50 米的土岗，当地人称"侯古堆"。一号墓就坐落在土岗的中央。1978 年 3 月，城关镇砖瓦厂工人在取土时发现这座墓的陪葬坑，并暴露出坑内的木椁。考古人员到现场进行考古调查，并进行发掘，至 4 月底结束，出土大批青铜礼器、生活用具、乐器、竹、木漆器和陶器等。其中三架漆木肩舆（即四人抬轿）尤为珍贵。

陪葬坑发掘结束后，为了搞清主墓的确切位置，于同年 8 月开始对大墓进行了正式发掘。冬季暂停，1979 年 3 月继续发掘，5 月上旬全部结束。

简报分为：一、一号墓的形制与结构，二、陪葬坑，三、出土文物，共三个部分。有照片。

据介绍，这座墓的形制是"甲"字形竖穴，双椁单棺。比较少见的是有 17 具棺木置于内外椁之间和外椁四周，应为殉葬之人。该墓早年曾被盗。陪葬坑位于主墓的北侧，为一东西向的长方形坑，出土器物有青铜礼器和生活用具、肩舆及车马饰、木漆器、陶瓷器、玉器等。据出土铜器铭文及河南医学院对尸骨的鉴定，简报认为墓主很可能是春秋时宋景公的妹妹勾敔夫人。

783.固始发现楚国郢爰

作　　者：詹汉清
出　　处：《中原文物》1981 年第 2 期

1975 年元月，固始城郊公社北关大队北小队农民唐文英劳动后回家，途经西街小队刚用推土机平整过的一块地里，发现三块有拇指盖大的郢爰。这几件古老的货币，现藏河南省博物馆。

据介绍，三枚郢爰，大小不一，略近方形，金质，重 52.3 克，每枚平均约 1.5 平方厘米。正面捶打有"郢爰"字样的方印，背面素平。四边留有分切痕迹。因是楚国郢都制造的金币，故称"郢爰"。使用时从大版上一块块切下来，以重量定其价值，是一种称量货币。当时这种金币只限于楚国上层王公贵族们使用。固始发现郢爰，并非偶然。固始战国属楚，庄王以其地封孙叔敖之子侨，是为寝丘。孙叔敖是楚国的宰相，他们父子及其家族亲友都属于楚国的上层人物，使用金币十分正常。出土"郢爰"的北关大队，处于一座西周至春秋、战国之际的大型城郭遗址的东南。该城址周长约 10 公里，大部分城垣完整，城基与夯土层清晰可辨。

784.信阳发现一块楚国金币

作　者：欧潭生、黄泽远
出　处：《中原文物》1981 年第 3 期

信阳县长台关公社苏楼大队百姓苏永斌献出了一块楚国金币。这块金币长 2.2 厘米，宽 1.4 厘米，厚 0.4 厘米，重 25 克。经信阳市人民银行有关人员鉴定，金币含金量 90% 以上。金币上铸有"郢爰""爰"三个字，显然是一块半郢爰。简报配以照片予以介绍。

据介绍，这块金币是苏永斌的次子于 1960 年在信阳县长台关公社苏楼大队苏楼小队跑马岭附近捡到的。跑马岭就在楚王城附近。《战国策·楚四》记载城阳是楚国的军事重镇，就是现在的楚王城。楚顷襄王曾经把城阳作为临时国都，这块金币很可能就是这个时期遗留在楚王城附近的。简报推断金币为楚顷襄王时铸造的郢爰金币。

785.信阳市平桥西三号春秋墓发掘简报

作　者：信阳地区文管会、信阳市文化局　欧潭生、蔡静远
出　处：《中原文物》1981 年第 4 期

1981 年 4 月，在信阳市五星公社平桥西队窑场又发现一座春秋早期墓葬。考古人员从 4 月 14 日到 4 月 20 对该墓进行了科学发掘，定名为三号墓。

简报分为：一、墓葬情况；二、出土文物，共两个部分。有手绘图、照片。

据介绍，M3 系土圹竖穴墓，单椁单棺，外有木炭、青膏泥。出土文物有铜鼎 1 件、铜壶 1 件、铜舟 1 件、玉管 3 件、玉玦 2 件、玉佩 2 件。简报推断为春秋早期墓。

786.信阳县明港发现两批春秋早期青铜器

作　者：信阳地区文管会、信阳县文化馆　欧潭生、左　超
出　处：《中原文物》1981 年第 4 期

1978 年 9 月，信阳县明港三官庙大队一位农民在段湾通往淮河的拉沙路边挖路

沟时，发现一座春秋早期墓葬，出土了一批青铜器。据现场调查，该墓位于淮河西岸段湾大队一处高台地上，往西南不远是楚王城和太子城。考古人员从当地人手中收回该墓出土的青铜器 9 件。计鼎 2 件、壶 2 件、盆 1 件、鬲 2 件、盘 1 件、勺 1 件。1981 年 3 月，信阳地区建筑二公司在明港钢铁厂施工时，发现一批青铜器，考古人员赶到现场，发现墓葬已被挖尽。出土文物现存于信阳县文化馆。计鼎 4 件、壶 3 件、鬲 2 件、盘 1 件、匜 1 件、勺 1 件、戈 1 件。

简报称，以上两批青铜器应均属春秋早期遗存。信阳地区在方圆不到 40 公里的范围内，近年来连续出土了 7 批春秋早期青铜器，应引起重视。

787.罗山县高店公社又发现一批春秋时期青铜器

作　者：信阳地区文管会、罗山县文化馆　欧潭生
出　处：《中原文物》1981 年第 4 期

1975 年，罗山县高店公社高店大队第九生产队曾经发现一批春秋时期青铜器。1979 年 10 月，高店公社高店大队第八生产队社员高文柱犁地起土坯时，又发现一批春秋时期青铜器。据考古人员现场调查，这批铜器出自一座土坑墓中。器物离地表仅 30 厘米。简报配以照片、拓片、手绘图予以介绍。

据介绍，计有铜鼎 2 件（有铭文）、铜壶 1 件（有铭文）、铜盆 1 件、铜镞 4 件等。铭文简报均录有全文。推断此批青铜器的时代为春秋早期偏晚。据铭文，高店公社附近的春秋故城和高店大队这块墓地，很可能是鄋氏奴隶主贵族的封地和墓地。

788.固始白狮子地一号和二号墓清理简报

作　者：信阳地区文管会、固始县文化局　欧潭生、詹汉清、刘开国
出　处：《中原文物》1981 年第 4 期

1980 年 1 月 13 日，固始县砖瓦厂工人在白狮子地高坡上取土时，挖出一座大型木椁墓，墓内遗物大部已被取出。考古人员对这座大型木椁墓进行了调查，定名为一号墓。

简报分为：一、墓葬形制，二、陪葬棺，三、出土文物，四、结语，共四个部分。有照片、手绘图。

据介绍，该墓为土坑竖穴木椁墓，椁室四周用麻栎树大方木垒砌。棺木已朽，人骨已朽。墓中有殉葬棺 13 具，殉葬者为 40 岁左右男性。出土文物有铜鼎 2 件、铜壶 2 件、铜匜 2 件、铜熏炉 1 件等。简报推断此墓为春秋晚期楚墓。

789.春秋早期黄君孟夫妇墓发掘报告

作　者：河南信阳地区文管会、光山县文管会　欧潭生
出　处：《考古》1984 年第 4 期

1983 年 4 月 10 日，河南光山县宝相寺上官岗砖瓦厂在动土中发现古墓一座，附近的农民将该墓靠北的一座木椁（编号 G1）破坏，并将随葬器物取出。地、县委主管部门闻讯后立即组成工作组追回全部文物，并进行了现场调查。在调查过程中，发现 G1 的南边还有一个椁室（编号 G2）。从 4 月 28 日开始，对该墓进行了抢救性发掘。前后工作历时 15 天。

简报分为：一、墓葬概况，二、随葬器物，三、结语，共三个部分。有手绘图、拓片、照片。

据介绍，这座墓位于光山县城西北宝相寺北侧，紧靠光山县第二高中北围墙外，距新县至光山公路约 350 米，海拔 58 米。春秋黄国故城就在这座墓东北 20 公里处。

G1 出土的铜器中，有 11 件铸有"黄君孟"铭文、因此，可以确定死者为黄君孟。

G2 出土的铜器中，有 14 件铸有"黄子作黄夫人孟姬"铭文。棺内人骨保存完好，经河南医学院人体解剖室鉴定为 40 岁左右的女性。因此，可以确定死者为黄夫人孟姬。简报推断，黄君孟夫妇墓的年代上限离下限（公元前 648 年）不会太远。黄君孟夫妇墓为我们提供了大批铜器、玉器、漆木器和丝织品等珍贵的春秋早期晚段的标准器物实物资料。

790.固始县发现楚国金币——郢爰

作　者：学　文、振　芳、汉　清
出　处：《江汉考古》1985 年第 4 期

1984 年初，固始县陈集乡大王村农民余保珠在挖菜园时发现一块金币，献给国家。

郢爰是春秋战国时楚国的货币。因是在楚国都城——郢铸制的，故称"郢爰"。余保珠发现的这块金币为三个半小方块，长 5.7 厘米，宽 1.6 厘米，边厚 0.3 厘米，共重 50 克。每小块的正面打有印记，印文为篆书"郢爰"二字。

791.河南固始出土战国玉佩

作　者：詹汉清
出　处：《文物》1986 年第 4 期

1982 年 12 月，固始县城关砖瓦厂工人在葛藤山工地取土时，发现龙形玉佩、素

面小玉佩、料珠各二件及锈蚀的铜器残片等。据考古人员调查，这些器物出自一座墓葬。简报配以拓片予以介绍。

据介绍，龙形玉佩质地、造型、纹饰相同。表面光洁滑润，呈叶青色，微闪黄，内含不规则的墨色斑点。龙身蜷曲，竖颈昂头，龙爪舒伸，尾部翘起，有跃起腾飞之势。玉佩两面均饰谷纹，正中部有一孔。一件龙爪及尾部略残。素面小玉佩玉质、造型、尺寸大致相同。为白玉琢成，羊脂色略闪黄，润滑细腻，有透明感。正面微凸，背面平。一件完整，另一件残，简报推断为战国时期楚国的遗物。

792.罗山天湖商周墓地

作　者：河南省信阳地区文管会、河南省罗山县文化馆　欧潭生等
出　处：《考古学报》1986 年第 2 期

1979 年 4 月中旬，河南罗山蟒张乡天湖村在修建灌渠的水利工程中，发现商代晚期青铜器 5 件。考古人员于 1979 年 8 月 27 日至 9 月 23 日进行了第一次抢救性发掘，清理和发掘了渠首南边的 6 座商代墓。其中一号墓和六号墓保存完整，其余 4 座墓已遭严重破坏，只收集到部分铜器。1980 年 7 月 29 日至 11 月 28 日，为了配合水利灌渠的扩建工程，进行了第二次抢救性发掘，在渠南又发现 3 座商代晚期墓，在渠北新发现 13 座商代晚期墓，20 座周代晚期墓。该墓地两次共发掘商周墓葬 42 座。其中商代晚期墓葬 22 座，出土商代晚期青铜器 2191 件、玉器 75 件、陶器 31 件、石器 2 件、漆木器 10 件、丝织品 1 件。其中周代晚期墓葬 20 座，出土周代晚期青铜器 33 件，陶器 157 件。

简报分为：一、墓地概况，二、典型墓葬，三、随葬器物，四、小结，共四个部分。有照片、拓片、手绘图。简报重点介绍了 M28、M11、M15、M12、M8、M41 等商墓，M32、M36、M38、M29 等周墓。

罗山蟒张天湖商周墓地共有 22 座商代晚期墓葬，其中 10 座是中型井椁墓，8 座是小型墓葬。出土遗物中有铜礼器 83 件、铜兵器 87 件和玉器、陶器及罕见的木漆器等。年代简报推断为武丁时期，属一个家族的墓地。胡厚宣先生在《武丁时五种纪事刻辞考》中认为帚息乃武丁后妃之一。丁山先生在《甲骨文所见氏族及其制度》一文中认为息是氏族徽号。根据上述考证，说明商代晚期存在着息族，而且曾经有个息族女子成为武丁的后妃，并参与了武丁的重要活动。同时，也说明了息族是商王朝的异姓方国，与商王通婚，双方关系是相当密切的。罗山蟒张天湖商代息族墓地出土了大批铜兵器，特别是象征兵权的两件铜钺，说明了该墓地的早期主人与商王武丁征伐有关。商代早期的湖北盘龙城遗址是个孤立的军事据点，周围都是荆楚文化。随着荆楚势力

的强大，商代晚期的盘龙城据点已经丢失，武丁在征伐荆楚之后，把南方屏障设在罗山一带是很有可能的。这里雄踞大别山13个关口，冥阨三关为南北要道，北临淮河，易守难攻。从武丁开始，到商王朝灭亡的200多年间，息族军事奴隶主一直守卫在南大门。罗山蟒张天湖商代息族墓地的实物资料，就是这段历史的见证。

该墓地20座周代墓中有3座是空墓，有8座是无鼎墓，有9座墓出土三鼎而且陶器组合是鼎、豆、壶、罐。陶鬲、陶钵、陶盆都出在无鼎墓中。陶器盖、陶勺都出在三鼎墓中。此批东周墓的年代，简报推断从战国早期一直延续到战国晚期，应是战国楚族墓葬。周灭商以后，息族在罗山一带保持了一段很短的时间，以后很可能占据了息县一带，变成西周姬姓息国。到了战国，楚族才开始把罗山蟒张天湖作为墓地。

793.河南信阳市平西五号春秋墓发掘简报

作　　者：信阳地区文管会、信阳市文管会　欧潭生
出　　处：《考古》1989年第1期

1986年6月26日，信阳市五星乡平西村砖瓦厂取土时发现古墓青膏泥和木炭层，考古人员于6月27日至7月2日，对该墓进行了抢救性发掘。

简报分为：一、墓葬概况，二、出土器物，三、结语，共三个部分。有手绘图。

据介绍，信阳市平西南山嘴新石器遗址是第二批重点文物保护单位，西边为京汉铁路，南边为信潢公路。信阳市平西春秋早期墓葬已发掘三座，这次五号"番叔"墓无疑也是春秋早期典型墓葬。但从素面浅腹铜鼎、素面环耳铜盆、铜牺尊、箕形器、铜鬲、铜匕等器物造型分析，推断该墓年代略早于樊君夔夫妇墓。春秋番国之谜尚无定论。可是，番或番君的青铜器，近年来不断在信阳地区发现。这次在信阳市平西又发现"番叔"壶，无疑为番国历史研究提供了新的资料。

简报称，该墓出土的铜牺尊造型奇特，特别是两个无釉硬陶碗更为少见。该墓方向为西偏南25°，与樊君夔夫妇墓的方向相反，这可能与两个台地有关，说明当时埋葬制度中有"背山面水"的习惯。

794.河南光山春秋黄季佗父墓发掘简报

作　　者：信阳地区文管会、光山县文管会　欧潭生
出　　处：《考古》1989年第1期

1988年6月18日，光山县城关镇砖瓦厂施工取土时发现一座木椁墓。6月30日至7月5日，考古人员对此墓进行了历时6天的抢救性发掘。

简报分为：一、墓葬概况，二、出土器物，三、结语，共三个部分。有手绘图、照片。

据介绍，该墓位于光山县城西北隅的宝相寺北侧，在 1983 年发现的春秋早期黄君孟夫妇墓西北 165 米处，东北距春秋黄国故城约 20 公里。墓坑近方形，主棺椁为单棺单椁。出土器物有铜锛、砺石、陶珠、玉环、玉牌、铜刮削器、金属弹簧器等。

简报称，1983 年，考古人员曾在河南光山宝相寺发掘出春秋早期黄君孟夫妇墓，这次又在天鹅墩发现黄季佗父墓，进一步证实了河南光山城郊宝相寺、天鹅墩一带是春秋早期的黄国墓地。黄季佗父墓的年代与黄君孟夫妇墓极为接近，都属于春秋早期晚段。黄季佗父墓居于黄君孟夫妇墓下首，因此黄季佗父墓的年代可能略晚于黄君孟夫妇墓。从残存尸骨观察，墓主为男性，年龄 40 岁左右。两墓之间的 165 米范围内经钻探都是生土，两墓冢相距很近，简报认为黄季佗父与黄君孟是同一族氏。

795.河南固始蝙蝠山战国楚墓

作　者：信阳地区文管会、固始县文管会　刘开国、詹汉卿
出　处：《考古》1991 年第 5 期

蝙蝠山位于固始县城东南 1.5 公里处丘陵起伏的长形岗岭上，地表无土冢。这一带是固始县国营砖瓦厂取土工地。1983 年 4 月至 5 月，该厂工人在取土中，先后发现 3 座战国楚墓。均为东西向土坑竖穴墓，未发现墓道。接近棺木都有一层厚30 ～ 40 厘米的青膏泥，棺木和人骨已腐朽。考古人员进行了发掘，按发掘前后顺序，编号 M1 ～ M3。简报配以照片、手绘图予以介绍。

M1 随葬器物有铜剑、铜矛各 1 件及陶器，其中有一造型独特的泥质灰陶鸟形器，鸟首昂起，长颈垂尾，鸟身连接在圆柱柄上端，其下为喇叭形座。M2 除铜剑 1 件外，其余均为壶、钵、盆等仿铜陶器。M1 和 M3 出土有鼎、壶、罐、豆等成套的仿铜陶礼器。大部分类泥质灰陶，火候都比较低，同一类器物形制基本相似。可以认定这 3 座墓葬是同一个时期的，推断为战国中、晚期的楚墓。

796.河南光山县黄大山战国墓发掘简报

作　者：信阳地区文管会、光山县文管会　欧潭生
出　处：《考古》1991 年第 11 期

1982 年 6 月，河南光山县砖瓦厂在黄大山用推土机取土时，发现一批战国陶器。考古人员对该墓地进行了清理并重点发掘了 M2、M4、M12 三座墓，并将其余 10 座墓的出土文物进行了整理。

简报分为：一、墓葬概况，二、出土器物，三、结语，共三个部分。有手绘图。

据介绍，黄大山位于光山县城西 2 公里的黄黏土高台地上，墓葬均为单棺单椁竖穴土坑墓，随葬品主要是陶器。另外，值得注意的是，M7 出土了铜剑首残片和漆片，M2 距墓口 3 米处的填土中发现一件铁夯，M3 填土中发现一件砾石夯。随葬品均放置在墓主人左侧。年代简报推断为战国中晚期。墓主人应为低级贵族。

797.河南固始万营山春秋墓清理简报

作　者：信阳地区文管会、固始县文管会　刘开国、詹汉清
出　处：《考古》1992 年第 3 期

万营山位于固始县东北约 2.5 公里处的岗岭上，在固始北山口春秋战国古城址外城的东南角，现为县国营农场五队砖瓦厂生产取土工地。该山是一座从北向南伸出的龟背形岗岭，因砖瓦厂生产开山取土，现已基本被夷平。

1980 年 3 月，农场民工取土时发现春秋时期的铜鼎和铜盆各一件，考古人员赶到现场进行调查，发现是一座春秋墓葬（编号 M1）。除二件铜器幸存外，其余的陶鼎、陶壶、陶豆等陶器全部被破坏。1983 年 3 月，农场职工在推土中又发现一批青铜器，其中有鼎、簠、缶、敦、盘、匜、舟和车马饰件等共 14 件。经文物部门调查，发现铜器出自一座春秋墓（编号 M2）的陪葬坑。

简报分为：一、墓葬形制，二、随葬器物，三、结语，共三个部分。有手绘图、照片。

据介绍，两墓都已遭到严重破坏。M1 已完全无法搞清其形制，只在墓底发现少量朱砂。M2 为长方形土坑竖穴墓，葬具与人骨都已无存。随葬器物 M1 有铜鼎、铜簠各 1 件。M2 有铜鼎 2 件，铜缶、盘、匜、簠、敦、舟各 1 件，铜马饰 2 件，铜马镳 4 件。

简报称，万营山 M1 出土的铜鼎和铜盆与潢川彭店番君墓出土的鼎、盆相似，应为春秋早期器物。M2 的铜鼎、缶、匜与固始侯古堆一号墓陪葬坑出土的鼎、罍、匜相似，应为春秋晚期的器物。从二座墓葬的时代看，万营山从春秋早期到春秋晚期可能是一处重要的墓地。同时，这里与固始北山口春秋战国古城址相毗邻，二者的关系如何，是一个值得探讨的问题。

798.河南新县窑岗战国墓清理简报

作　者：信阳地区文管会、新县文管会　欧潭生
出　处：《考古》1992 年第 8 期

1981 年 12 月，在新县城关窑岗山上，县计委盖房挖地基时，发现三座古墓葬（编

号 M1～M3)。考古人员到现场收回大部分陶器碎片，经地区文管会文物干部鉴定，是战国晚期墓葬出土的文物。新县人民政府于 1982 年 3 月 15 日公布窑岗战国墓地为县级重点文物保护单位。1982 年 4 月，县计委盖房挖基时又发现一座古墓葬（编号 M4)，并完整地保护好现场。5 月 14 日，对 M4 进行了科学发掘，连同城关市民程世模 1980 年挖毁的一座墓葬（编号 M5）一起进行了调查清理。该墓地共发现 5 座战国晚期墓葬。

简报分为：一、墓地概况，二、墓葬形制，三、出土遗物，四、结语，共四个部分。有手绘图。

据介绍，新县位于大别山腹地，过去一直没有先秦文物出土，这次发现战国墓群实属罕见。窑岗墓地位于县城东约 200 米的小潢河东岸、金水河北岸。除表层覆盖草皮的土层外，全部都是坚硬的风化片麻岩。5 座战国晚期岩坑墓都是在这种岩石上凿成。5 座墓均为长方形岩坑竖穴，M4 有棺有椁，但腐朽无存。5 座墓的基本情况简报有附表说明，随葬器物均为陶器。

简报称，窑岗这批战国墓与黄大山战国墓极为相似。除鼎、豆、壶、罐的组合外，仿铜陶禁、陶坩埚等是新器型。特别是岩坑填砂墓更为少见。5 座墓的方向基本朝东，鼎、豆、壶、罐的形制和组合，都反映了新县窑岗这批墓葬是典型的战国晚期中小型楚墓，其年代下限应在秦灭楚（公元前 223 年）之前。

799.信阳长台关四号楚墓的发掘

作　者：河南省文物考古研究所　郭木森、赵　清
出　处：《华夏考古》1997 年第 3 期

长台关四号楚墓位于信阳市北 20 公里长台关乡西北陈庄村西南土丘上，北距 1957～1958 年发掘的一、二号大型楚墓约 500 米，在楚墓保护区西南角外 150 米处。这里原是一座孤立土丘，面积约 3000 平方米，高 6 米。1991 年 5 月上旬，信阳县长台关乡王厂村砖厂在取土过程中发现一座木椁墓（墓葬编号 91XCM4)，考古人员于 5 月 13 日至 22 日对该墓进行了抢救性发掘清理。

简报分为：一、墓葬形制，二、随葬遗物，三、结语，共三个部分。有照片、手绘图。

据介绍，该墓为一竖穴土圹木椁墓，墓圹大而椁室小。墓中发现殉人一具。该墓被盗扰，出土物极少，仅在北侧室出土有铜镞、凿、锛、铁镢、残木瑟和铜器残片等。简报认为此墓为衣冠冢。此墓的发掘为春秋晚期至战国前期奴隶殉葬等方面的研究，增添了新的实物资料。

800.河南信阳长台关七号楚墓发掘简报

作　者：河南省文物考古研究所、信阳市文物工作队

出　处：《文物》2004 年第 3 期

长台关位于河南省信阳市北约 20 公里处，附近是一处南北向的土岗，绵延 10 余公里。淮河沿着土岗东侧蜿蜒北流。土岗的西侧分别是西周时期的太子城遗址和战国时期楚国的城阳城（楚王城）遗址，两座古城均依岗傍水而建。土岗之上分布着许多古代墓葬。1957 年，考古人员在此发掘了长台关一号、二号楚墓，长台关墓群始为学术界所知，进而被列为河南省重点文物保护单位。此后，在此又陆续进行了几次考古发掘。2002 年 10 月，因一民办砖瓦窑厂取土，长台关墓群保护区内紧邻 107 国道的一座大型墓葬遭到严重破坏，墓室内的青膏泥大部分被推土机推出，墓道和墓室台阶几乎被破坏殆尽。考古人员对此墓（编号 M7）进行了抢救性考古发掘。该墓虽屡遭盗掘和破坏，但墓室规模宏大，结构复杂，劫余文物依然有 700 余件，且出土了一组竹简。

简报分为：一、墓葬形制，二、随葬器物，三、结语，共三个部分。有彩照、手绘图。

据介绍，该墓平面呈"甲"字形，坐西向东，由墓道和墓室组成。墓道呈长方形斜坡状，大部分已被毁，仅存接近墓室的一小部分。但仍可看出与长台关一号、二号墓一样，分为主室、侧室、后室共 7 个互不相通的单元。年代也应与一号、二号墓相当，不早于战国中期。随葬品中两套造型奇特、保存完好的铜酒器，数百件华丽的漆木器尤为珍贵。

简报指出，M7 所在的长台关墓群毗邻城阳城遗址，墓葬数量多达 100 余座，且不乏规模较大、等级较高者。而大量高等级大规模墓葬的存在，应与楚顷襄王北迁城阳以及此前楚国在此的经营有关。

周口市

801.河南沈丘附近发现古代蚌壳墓

作　者：河南省文化局文物工作队　贺官保

出　处：《考古》1960 年第 10 期

1959 年 12 月，在沈丘县城南，发现了一些战国及其以后的古墓葬。其中有 3 座椁外积蚌墓，以 6 号墓保存较为完整，遗物也较丰富。简报配以拓片、手绘图，先

行介绍 6 号墓的发掘情况。

据介绍，该墓为长方形竖穴墓，木椁已朽，土圹与木椁之间填一周蚌壳。椁内西部有残木棺痕迹，棺外髹黑漆后，还施一层朱红漆，人架已朽。出土有玉印、铜剑、玉剑饰、铜镜和铜钱等，棺的南侧及东部放有陶器、铜器和铁器等。玉印上有文为"秦□"，墓主或姓秦。年代简报推断上限为战国晚期，下限可至西汉初年。

802.河南扶沟古城村出土的楚金银币

作　者：河南省博物馆、扶沟县文化馆　郝本性、郝万章等
出　处：《文物》1980 年第 10 期

1974 年 8 月，河南省扶沟县古城公社古北大队农民在西城西门内挖石灰池时，发现了两件锈结在一起的铜器，上为铜鼎，内盛银币 18 块，下为铜壶，内盛金币 392 块。他们将这些金银币上交国家，考古人员赶到现场进行了调查和清理。简报配以照片予以介绍。

古城村位于扶沟县城西南约 17.5 公里。这里是一座古城遗址，城内曾采集到春秋战国时期的遗物。出土金银币的地点在古城中部偏西，具体埋藏的层位已难确定，根据出土情况，简报判断是一处窖藏。

简报称，这次扶沟出土的金银币，数量多，种类多，特别是郢爰版和银布币还是首次发现。这些银布币是现今我们所知的最早的银币实物，可以证实我国先秦时代确实使用过白金（银）货币，并将我国使用银币的历史从汉代提前到东周时代。楚国使用黄金货币，已为大家所熟知，但是楚国曾经使用过白金货币，而且还采用铲布形、长方版形和圆饼形三种形状，则是通过这次发现得出的新认识。这批金银币对于研究我国古代货币史，研究古代使用贵金属货币的历史以及楚国货币制度等，都提供了极其重要的实物资料。

803.扶沟古城初步勘查

作　者：周口地区文化局　张志华、何景胜、郝万章
出　处：《中原文物》1983 年第 2 期

扶沟古城位于扶沟县西南隅，距县城约 17.5 公里。1974 年 8 月，古城大队农民在古城西门内挖石灰池时，发现了 11 公斤楚金银币。随后，考古人员赶到现场进行调查和清理。1978 年冬，周口地区文化局进行文物普查时，也曾对古城进行了调查，并在东城墙的内侧基部，发现了一具圆筒形地下排水管道。为了对古城的形制、性

质及时代作进一步了解，周口地区文化局又组织力量于 1981 年 10 月再次到古城进行勘探调查。这次勘查时间为一个月，试掘了三条探沟，面积为 100 平方米。通过勘查，初步弄清了古城的基本概况和城墙的结构形制。

简报分为：一、城址的规模与城墙、城壕的保存情况，二、城墙的形制及其时代，三、城内外发现的主要遗迹与遗物；四、结语，共四个部分。有手绘图、照片。

通过对古城的初步勘查，可知现存城墙局部地方虽有增补的现象，但整个城道为一次筑成。其建筑方法应是城垣和城门分别进行，然后再衔接相拼。为减少工程量和有利军事保卫，在筑城垣时利用了地形地物，对城垣必须经过的高岗和低洼地带，采用了切角及外突包进的建筑方法。这充分反映了当时郑国在城市规划和建筑技术上有着周密的考虑和计划。古城的初步勘查工作，获得了一些重要的考古资料，为研究东周城市建筑史、古代城市的发展史，特别是研究春秋时期的郑国及战国时期的楚国文化提供了重要的资料。

804.河南淮阳马鞍冢楚墓发掘简报

作　者：河南省文物研究所、周口地区文化局文物科　曹桂岑、马　全、张玉石
出　处：《文物》1984 年第 10 期

马鞍冢位于河南省淮阳县城东南 5 公里的大连公社大吕大队瓦房庄村西 100 余米。因两冢相连，形状很像马鞍子，故当地人呼之为"马鞍冢"。当地农民在马鞍冢取土时，曾经发现铜镦、带钩、错银双蛇头承弓器等文物。1980 年考古人员征集到一些文物，初步认为马鞍冢是两座大型合葬墓。1981 年春发掘工作正式开始，至 1983 年底田野发掘工作结束，历时三年。简报分为四个部分予以介绍，有手绘图等。

据介绍，马鞍冢是一座合葬墓，分南冢和北冢，每个冢下均有一座大型土坑竖穴墓，均已被盗。每座冢的西边均有一座车马陪葬坑，未被盗。北冢尚存 4 米高的封土，似在隋末已被盗，随葬品大部不存。陪葬的车马坑内有车 8 辆、马 24 匹、狗 2 只及陶制明器等。南冢残存 2 米高封土，墓平面为"中"字形。被盗时间当为东汉末年。随葬车马坑有车 23 辆、泥马 12 多匹、旌旗 6 面。从形制及随葬车数看，北冢墓主人身份当低于南冢墓主人，北冢当为南冢的陪葬墓。简报认为，南冢的墓主人应是楚王，时代应为楚国都陈时期。淮阳原名陈，春秋时陈国都于此，公元前 278 年陈城成为楚国的都城，又称"陈郢"，楚国在此建都历时 38 年。在此期间，楚国王室成员和高级官吏死亡后，要归葬已被秦国占领的湖北江陵故郢都已不可能，而葬在陈城附近才是现实的。因此，在淮阳县城附近发现楚国大墓是不奇怪的。

805.河南淮阳平粮台十六号楚墓发掘简报

作　　者：河南省文物研究所、淮阳县文物保管所　曹桂岑、张玉石
出　　处：《文物》1984 年第 10 期

平粮台位于河南省淮阳县城东南 4 公里的大朱庄西南地，台高 3 ~ 5 米，面积百余亩，当地人称其为"平粮台"。此台是一座龙山文化古城址，古城废弃后，成为战国、两汉的墓葬区。1979 年至 1980 年在平粮台清理了一批战国、两汉墓葬，其中以十六号楚墓形制最大，出土遗物也比较丰富。

简报分为：一、墓葬形制，二、随葬器物，三、结语，共三个部分。有手绘图。

据介绍，此墓系竖穴木椁墓，平面为"甲"字形，东部有斜坡墓道，未见封土。椁、棺已朽，死者经鉴定为一老年男性。出土有陶制礼器、玉器 35 件、铜镜、玻璃珠等。年代应为战国晚期楚国定都于陈（即淮阳）时。

806.河南商水县战国城址调查记

作　　者：商水县文物管理委员会　杨凤翔、秦勇军
出　　处：《考古》1983 年第 9 期

战国城址位于商水县城西南 18 公里，属舒庄公社，城址内有扶苏村，俗称"扶苏故城"。简报配以拓片、手绘图等予以介绍。

据介绍，扶苏城由内外两城组成，城墙夯土筑建。外城东北部夯土墙高出地面，共长 200 多米，其他仅间断残存。测得外城城垣东西 800 米，南北 500 米。内城（官署）坐落在外城内中部北边，平面呈方形。内城东西墙分别距外城东西城垣 270 米，北垣利用外城的北垣，每边长约 250 米。内外城墙的土色一致，应为同时所筑。城内遍布战国、秦汉时砖瓦，内城正中，至今当地人仍称"金銮殿"。发现有筒瓦、板瓦、瓦当、砖、陶器等遗物。陶器上有"扶苏司工"戳印。城外有战国铸铁遗址 1 处、西汉砖瓦窑 6 个以及汉至宋墓多座。简报推断，此城建于战国晚期。因陈涉起兵时，诈称公子扶苏，故相传为"扶苏城"。陈涉起兵到败亡的时间很短，《史记》所谓"涉筑此城"可能性不大。

807.河南西华发现一把春秋铜剑

作　　者：张志华
出　　处：《考古》1988 年第 1 期

1984 年，考古人员在县城西南 16 公里的小李庄村进行文物普查时，征集到一把

青铜剑。该剑通体为草绿色，剑刃锋利。剑长39厘米，宽4厘米，有首、宽格、双箍、圆茎半空，剑身饰一人首兽足图像。图像直立正视，双目圆睁，头裹素巾。简报配以拓片、照片予以介绍。

据介绍，河南西华出土的青铜剑（以下简称"河西剑"），其基本特征与吴越地区的青铜剑极为近似，故知它是吴越剑。鉴于河西剑的基本特征与浙长剑相距偏远，与湖衡剑则十分接近，其时代应属春秋早期。

简报称，河西剑上的人首兽足图像，可能是吴越人的图腾。春秋以前，吴越尚为部族国家，图腾则是这些部族国家的重要标记，且各个部族都有自己的图腾体系。到了春秋时期，吴越在政治和军事方面才仿效中原地区奴隶制国家的制度，图腾崇拜现象则日趋消失。河西剑上带部族图腾，进一步证明了它的时代应属春秋早期。

808.周口市博物馆藏有铭青铜器

作　者：河南省周口市博物馆　孙本书
出　处：《考古》1988年第8期

河南省周口市博物馆馆藏三件西周、春秋时期青铜器，其原为商水县练集乡杨庄村农民杨德义在取土时挖出。经调查，出土地是一处古代遗址，发现有不同时期的古代墓葬。墓坑已完全被破坏。简报配以手绘图、照片予以介绍。

簋2件，1974年出土，形制和纹饰基本相同，有铭文，简报录有全文。簠1件，1977年在簋出土处以东2米出土，有铭文，简报录有全文。简报推断簋的年代为西周晚期，簠的年代为春秋早期。其中簠的发现，为研究春秋诸国的相互吞并，特别是陈、顿两国的关系，提供了珍贵的实物资料。

809.河南淮阳发现楚国铜贝

作　者：彭柏群
出　处：《考古》1990年第12期

1984年春，淮阳县西关金楼村农民侯占阳，在取土时挖出铜贝296枚。铜贝均是扁平体，椭圆形，大小不一，说明是由几套钱范铸造而成的，每枚重2.2～3.8克。经过去锈整理，发现这些铜贝根据铭文特征大体有四式。简报配以照片予以介绍。

淮阳春秋时为陈国。公元前478年陈国为楚所灭，称陈县。公元前278年楚国郢都被秦攻破，楚顷襄王"东北保于陈城"。简报推断这些铜贝是当时流通于这一带的楚国货币。

驻马店市

810.河南泌阳秦墓

作　者：驻马店地区文管会、泌阳县文教局　李芝芳等
出　处：《文物》1980 年第 9 期

1978 年冬，配合筑路工程，在河南泌阳县城东北 1.5 公里的官庄（村）北岗，考古人员清理并发掘了 4 座墓葬。简报分为三个部分予以介绍，有照片、拓片。

据介绍，这几座墓葬由东向西编号为 M1 ～ M4。M1 和 M2 并列，M2 与 M3 相距 30 米，M3 与 M4 相距 12 米。M3 保存较好，出土器物也较多。其余三墓均遭破坏，M1 出铜鼎二件，蒜头壶一件，铜勺一件。M2 出铜鼎一件，铜壶一件，蒜头壶一件。M4 出鏊一件，蒜头壶一件。M3 为长方形竖穴土圹墓，四壁呈斜坡状，没有墓道。穴内两椁室南北并列，两棺内尸骨皆无残留，从出土物判断很可能是一座夫妇合葬墓。M3 共出随葬器物 42 件，北椁室的一件刻秦小篆对铭 4 处。盖铭 2 处，一处 10 行，共 24 字；另一处 8 行，共 17 字。腹铭两处，一处 8 行，共 19 字；另一处 7 行，共 17 字。简报均录有铭文。四处铭文，两两重复。鼎上铭文同墓主可能有关，4 座墓葬应为秦墓。

811.蔡国故城调查记

作　者：尚景熙
出　处：《河南文博通讯》1980 年第 2 期

蔡国故城位于今河南上蔡县城关一带，是我国历史上西周至春秋时期的一座名城，始建于公元前 11 世纪。西周初年，周武王姬发封其弟度为蔡叔于此地，不久，蔡叔度与管叔鲜、霍叔处三人监于殷，史称"三监"。蔡国城最初建筑的时间，大约就在蔡叔度始封或蔡仲复封于蔡的年间。春秋时期，楚国势力发展至中原。蔡灵侯十二年（鲁昭公十一年，公元前 531 年），楚灵王诱杀蔡灵侯，接着派兵灭了蔡国。三年之后，蔡平侯复国，迁都于吕，改吕为新蔡，历史上即称故都为上蔡。上蔡作为蔡国的都城，先后经历过 500 多年时间，地面上保留这个时期的遗址遗物十分丰富。1963 年 6 月，遗址被公布为河南省重点文物保护单位。从 1963 年到 1979 年间，考古人员多次对蔡国故城进行调查，初步弄清了故城的结构和布局，并搜集了一批重要文物。

简报分为：一、城墙与城门，二、遗迹与遗物，三、结语，共三个部分。有照片、

手绘图。

据介绍，蔡国故城位于上蔡县芦冈东坡。蔡国故城的平面略呈长方形，东西略短，南北稍长，各城角均为圆转角，唯西南城角稍向外突。《上蔡县志·地理志》载："蔡国故城址高一二丈，周围二十余里。"1963 年实测的结果，同县志所载基本符合。城墙高约 4 ～ 11 米，宽 15 ～ 25 米，最宽处为 70 ～ 95 米。南墙西起谢村东北约 900 米处，东到别村西北约 500 米处，长约 2700 米；东墙南与南墙东端相接，北至尚村西 800 米处，长约 2490 米；北墙与东墙北端相接，西至大李村南 400 米处，长约 2113 米；西墙长约 3187 米。总长约 10490 米。城墙系用夯土筑成。城始筑于西周初年，春秋战国时期进行过加固和复修。春秋末到战国时期，这里虽然不再作为国都，但却是楚国北方的军事重镇，蔡国故城仍然没有被废弃。城墙外面保留有城壕。城内是否有内城、宫城，尚不清楚。发现城门遗址 4 处。城内已发现有二郎台遗址，城外有墓葬区、窑址。蔡国是西周、春秋时期的十二诸侯之一，史书上有关蔡国故城的记载较多，仅据《春秋经传》一书记载，诸侯在此盟会二次，交兵八次。蔡灵公八年（公元前 535 年）发生激战，该城或在此次战争中毁弃。

812.河南新蔡县北李庄发现战国铜器

作　者：薛焕民
出　处：《考古》1983 年第 7 期

新蔡县位于河南省东南部。北李庄地处新蔡县南、距城 5 公里的汝河下游南岸，距离河岸 326 米。1962 年在北李庄遗址 A 号处，曾被水冲出一座陶器窖藏。1968 年在 C 号处起土时，又发现一墓葬，也出土了一些器物。1982 年元月在 B 号距地表 2 米深处又发现一处窖藏。坑北部出土两铜鼎，一铜勺放置在两铜鼎之间。铜鼎内有骨骸。简报配以照片予以介绍。

据介绍，这批铜器计铜鼎两件、铜勺一件，均未见铭文，另有陶豆一件、澄滤器一件及残陶片。这些器物在吕蔡故城北关外及草湖南岸均有发现，从形制上看和凤翔县高庄秦墓出土文物类同。

813.上蔡砖瓦厂战国楚墓清理简报

作　者：河南省文物研究所　张居中
出　处：《中原文物》1985 年第 1 期

上蔡县砖瓦厂位于县城西 4 公里的卧龙岗西侧，上蔡至西平公路在厂门口通过。

该厂取土区内不断发现古墓葬，1981年冬和1982年冬，考古人员曾在此清理出两座古墓；1984年夏，又清理出两座（84M1、84M2）。

简报分为：一、一号墓（84M1），二、二号墓（84M2），三、结语，共三个部分。有照片、手绘图。

据介绍，M1为"甲"字形墓，一棺一椁，人骨仅可辨出是仰身直肢葬。因被盗，随葬品仅存残陶片及石环、铜环各1件。M2亦为"甲"字形墓，墓室西部的三个盗洞均伸进椁室，棺椁腐朽并被扰乱，从残存遗迹看应为单棺单椁，棺椁内外均髹红漆。人骨不存。随葬器物被盗至椁室东部，有的被移到二号盗洞内。随葬品分陶器、铜器、骨、角器等几类。另外，当地人介绍，二号墓西十余米处曾发现车马器和马骨，推测应为二号墓车马坑所在，惜已全部破坏。两墓的年代，应在战国时期楚都迁陈之前。这两座墓虽多次被盗，但二号墓有十二层台阶，墓口面积在440平方米以上（不包括墓道），大于望山一号墓和淮阳马鞍冢楚墓，仅次于江陵天星观一号墓，规模如此之大，在已发掘的楚墓中是不多见的。这两座墓的发掘，为战国楚文化的研究提供了新的资料。

814.河南正阳苏庄楚墓发掘报告

作　者：驻马店地区文化局、正阳县文化局　黄耀丽
出　处：《华夏考古》1988年第2期

苏庄一号楚墓（M1）位于正阳县城东北30公里的寒冻乡苏庄村的西南地。这里的地势东高西低，在村西形成南北向的土岗。在土岗上从南向北分布着5座土冢，当地人称之为"五女冢"。这座古墓为其中的一座。1986年2月，该村农民在岗地取土制作土坯时，恰巧挖到这座墓的盗洞上，于是墓内积水沿盗洞口溢出，并有随葬的红地黑彩漆木器残片流出。1986年3月10日开始发掘。

简报分为：一、墓葬形制，二、随葬器物，三、结语，共三个部分。有照片、拓片、手绘图。

据介绍，此墓原有3米高封土，发掘前已不存。系土圹竖穴木椁墓，平面呈"甲"字形。有青灰泥和黄胶泥。曾两次被盗，仅出土漆器、陶器和少量玉器、铁器等。青铜器已被洗劫一空。其中漆器十分精美。墓主人应为战国晚期略早时士大夫。

815.上蔡县发现一座楚墓

作　者：驻马店地区文化局　李芳芝
出　处：《中原文物》1990年第2期

1979年冬季，上蔡县砖瓦厂在县城西4公里的土岗上挖土时发现一座楚墓，出

土随葬铜器 29 件。考古人员进行了清理与钻探。这批铜器现收藏在上蔡县文化馆。

简报分为：一、墓葬形制，二、随葬铜器，三、结语，共三个部分。有照片、手绘图。

据介绍，墓葬因破坏严重，墓室结构已损毁。该墓南北向，长约 3 米，东西宽约 2 米。漆棺已朽，仅存黑、褐色破碎的漆皮于墓土内，上有红、黄、褐三色彩绘花纹，纹饰清晰鲜艳。棺木四周的封土，均用青灰色白膏泥夯筑，厚约 50 厘米，十分坚硬。墓葬四周经钻探未发现其他遗迹。随葬品有鼎 2 件（残）、壶 2 件、敦 1 件、编钟 13 件、勺 2 件、矛 1 件、镞 3 件、马衔 1 件、盖弓帽件及铁臿 1 件等。根据所出随葬器物的组合关系、造型、纹饰分析，推断该墓的年代当在楚灭蔡之后的战国中期或偏早一些时间。

816.1988 年蔡国故城发掘纪略

作　　者：河南省文物研究所　陈彦堂、辛　革
出　　处：《华夏考古》1990 年第 2 期

为配合上蔡县筑路工程，考古人员于 1988 年 3 月至 5 月底，对蔡国故城内上黄公路所属范围内的重要遗迹进行了考古发掘，共发掘汉墓 4 座、宋墓 1 座、陶窑 2 座、灰坑 2 个，遗址面积 170 平方米。

简报分为：一、墓葬，二、灰坑，三、窑址，四、遗址部分，共四个部分。有拓片、照片、手绘图。

据介绍，在蔡国故城的南垣，大致均匀地分布着三个形制相同的缺口。在考古学上论定这三个豁口是故城城门并进一步揭示城门的形制与结构，是蔡国故城考古的重要课题之一。所以，城门遗址的发掘便成了这次发掘的重点。由于各方面的因素，这次解剖面积很小，尚不足对此城的始筑年代作出定论，还有待于以后更深入的发掘和研究。

817.河南泌阳县发现一座秦墓

作　　者：河南省文物研究所、泌阳县文化馆　王龙正、张金瑞、李世今
出　　处：《华夏考古》1990 年第 4 期

1988 年 3 月，泌阳县花园乡大曹庄农民在村南取土时发现一批青铜器。考古人员证实这批青铜器出自一座古墓葬中。除墓的西南角和西北角的铜器被挖出外，墓底其他部分的随葬品尚未遭到扰乱和破坏。

简报分为：一、墓葬形制，二、随葬遗物，三、结语，共三个部分。有照片、拓片、手绘图。

据介绍，该墓（编号 M5），位于泌阳县城西南 1.5 公里的大曹庄南边，泌阳河

支流良河北岸的高地上。M5 周围的地面上到处可见商周时代的陶片。M5 是一座长方形竖穴土坑双棺合葬墓，上部的填土早年已被挖去。墓口残长 3.17 米，宽 3.58 米，墓深 1 米。墓穴内置两棺，南北并列，紧靠墓穴西壁放置。棺木已朽，人骨不存。该墓两棺内的随葬品均以铜器为主，兼有少量陶器和玉器，除一件铜盘和一件漆盒不存外，共计 23 件（水银作一件）。简报推断该墓应为秦朝末年贵族官吏之墓，男墓主应姓姚。

818.河南确山发现春秋道国青铜器

作　者：李芳芝

出　处：《中原文物》1992 年第 2 期

1983 年，确山县修路工程队在确山县竹沟镇西 60 米处修筑确泌公路开挖边沟时，发现一批青铜器，现收藏在确山县文物保管所。简报配以照片予以介绍。

经调查，所出铜器共 3 件，计盘 1 件，匜 1 件，鬲 1 件，并列陈放于同一墓葬之一端。墓坑长约 2 米，宽 1 米，土质呈灰黑色。铜器周围土质松软，并发现有灰白色的朽木痕迹。铜匜上有 19 字铭文，铜鬲上残存 3 字铭文。简报均录有全文。从铜器的出土地点来看，确山县正是古道国的故地。道国是周灭商后，周王为了就近监视控制殷民，在淮河、汝河之间，靠近蔡国之地建立起来的一个姬姓小国，其地约方百里。由青铜器出土地向东南约 1.5 公里，便是由商周至北齐时期的古城遗址，即道国初建时的都城安昌城。古城周长约 2.5 公里，现存古城夯土墙基高出土面约 1 米，昔日古城墙上的防御设施——瞭望楼、烽火台等残迹依然可寻。从古城址所采集到的陶片、石器以及铜矛、铜戈、铜镞等遗物考察，多为春秋时期的遗存，亦有少量商和西周时期的遗物。

819.上蔡砖瓦厂四号战国楚墓清理简报

作　者：河南省文物研究所　赵志文

出　处：《华夏考古》1992 年第 2 期

河南省上蔡县城曾经是西周和春秋时期蔡国的都城，至今地面上仍保留有较为完整的土筑城垣，规模相当庞大，地下文化遗存也相当丰富。位于上蔡县城西和西南部的芦岗，海拔近百米，高出附近地面 30 余米，南北长 20 余公里，俗称"四十五里卧龙岗"，是历史上的蔡国墓地和楚灭蔡后的贵族墓葬区。上蔡县砖瓦厂位于县城西 4 公里的卧龙岗北段，上蔡至西平的公路在砖瓦厂门前通过。近几年来，在该厂取土区内不断发现古墓葬。

简报分为：一、墓葬形制，二、随葬遗物，三、结语，共三个部分。介绍了

1990 年发掘的四号墓,有照片、手绘图。

四号墓位于上蔡县砖瓦厂东侧取土区内,发掘前由于该厂冬季备土已将墓圹外四周下挖了 8 米多,给发掘工作带来了一定的困难。该墓封土已不复存在,墓口多处被毁,墓道仅留存残部,唯墓口南壁东半部和北壁东半部保存较好。墓葬平面呈"甲"字形,由墓道、墓圹、椁室、棺室、边箱组成。汉代曾被盗,椁棺被破坏,人骨为仰身直肢葬。随葬遗物包括铜、铁、陶、骨、玉器等几类。铜器主要为车马器。简报推断为略早于战国晚期的楚国高级贵族墓。

820.河南省西平县酒店冶铁遗址试掘简报

作　者:河南省文物考古研究所、西平县文物保管所
出　处:《华夏考古》1998 年第 4 期

酒店冶铁遗址位于西平县西部 38 公里的酒店乡酒店村南约 0.5 公里处。1958 年在遗址处的河段修建一座小型水库,叫潭山水库。现在的遗址被潭山水库分割为两部分,水库南岸有一座保存较好的冶铁炉和小片遗址区,小片遗址与冶铁炉隔沟相望,总面积约 28000 平方米。酒店冶铁遗址是 20 世纪 50 年代调查时发现的,后公布为国家级重点文物保护单位。早在 20 世纪 60 年代就对暴露在地面的冶铁炉盖有保护房,后来保护房倒塌,冶铁炉继续受到风雨侵蚀。为了进一步保护冶铁炉,上级决定重建保护房,在建房之前由考古人员对这处冶铁遗址进行试掘。1987 年 10 月 29 日到 11 月 7 日,先发掘水库南岸的冶铁炉,11 月 10 日到 25 日在水库北岸的遗址中心区开 2 米×7 米探沟一条,两次发掘面积为 39 平方米。简报分为三个部分予以介绍,有手绘图。

这次试掘中,没有出土陶器及陶片,只在遗址中采集了一些陶片。在调查该遗址时没有发现年代更晚的陶片,推断酒店冶铁遗址的时代约在战国中期到晚期,这座冶铁炉的时代约在战国晚期。

简报称,这次发掘的冶铁炉,为研究战国晚期冶铁炉的建造方法及冶炼技术,提供了重要材料。

821.河南新蔡平夜君成墓的发掘

作　者:河南省文物考古研究所、河南省驻马店市文化局、新蔡县文物保护管
　　　　理所　曾晓敏、宋国定、贾连敏、谢　辰、叶嘉林等
出　处:《文物》2002 年第 8 期

平夜君成墓位于河南省东南部的驻马店市新蔡县西北距县城 25 公里处的李桥镇

葛陵村东北部的一道南北向岗脊上。1992年11月，由于烧窑取土，在葛陵村东北发现平夜君成墓。因取土破坏，已挖至墓室椁盖顶板，距地表深约6.5米。由于地下水位较高，当时除对盖板上面铺垫的苇席造成局部破坏外，未伤及其他。1993年2月，该墓再次遭受盗掘。1994年5月考古人员对该墓进行了抢救性发掘。

简报分为：一、墓葬形制与结构，二、棺椁形制与结构，三、随葬器物，四、结语，共四个部分。有手绘图等。

据介绍，该墓原有高达15米的封土，1958年及20世纪80年代末、90年代初，土冢被逐渐挖掉。椁室呈"亚"字形，两棺两椁。墓葬在历史上曾多次被盗。经发掘清理，出土随葬器物有青铜、漆木、铅锡、皮革、金、玉、竹、陶器等。按用途可分为礼器、乐器、兵器、车马器、甲胄、生活用品及竹简等。其中竹简内容较为丰富，大致可分为卜筮祭祷记录和遣策两类。有6位20岁左右女性殉人，有玉器随葬，当为侍女。其中一人因长期束扎丝带，头骨前额已严重变形。

平夜君成墓是淮河流域近年发现的楚国大型封君墓葬。随葬器物种类繁多，制作精美。墓中出土铜器及竹简中有"平夜君成"铭文。墓葬年代应在战国中期楚声王以后。平夜君的封地应在今平舆一带，位于今新蔡县与平舆县交界附近的葛陵故城。平夜君成墓就是历史上平夜君的封邑和封君的陵墓。

822.河南新蔡葛陵二号楚墓发掘报告

作　者：驻马店市文物工作队、新蔡县文物保护管理所　余新宏等
出　处：《文物》2002年第8期

葛陵二号楚墓简称M2，位于河南省驻马店市新蔡县城西北约25公里的李桥镇葛陵村北500米。这里原为农田，地势较高，土呈棕褐色，洪河由西北流向东南注入淮河。1995年，葛陵村村民在此建砖瓦窑一座，因常年取土，此处变成低于原地面2米的凹地，M2就位于凹地的中部。M2因取土而被发现后，1997年，一些不法分子多次进行盗掘。为使M2免遭进一步破坏，1998年3月16~28日，考古人员对该墓进行了发掘。

简报分为：一、墓葬形制和葬具，二、随葬器物，三、结语，共三个部分。有彩照、手绘图。

据介绍，墓葬由墓道和墓室两部分、棺、头箱和边箱四部分组成。出土随葬器物60余件，以陶器、木漆器为主，亦有少量铜器。葛陵二号楚墓的年代为战国中期偏晚，墓主人为贵族，该墓距平夜君成墓仅50多米，应是平夜君成的家族墓之一。

济源市

823.河南济源市泗涧沟墓地发掘简报

作　者：河南省文物考古研究所　陈彦堂
出　处：《华夏考古》1999 年第 2 期

　　泗涧沟墓地位于济源市轵城镇西南 2 公里的泗涧村北，这是一处起伏和缓的岗地。岗地的北端与轵国故城的南垣相接，岗地东北 1 公里余则是桐花沟墓地。历史上，泗涧一带屡有秦汉文物出土。尤其是在 1969 年，为配合焦枝铁路的修筑工程，曾在泗涧清理发掘了 50 余座秦汉墓葬，所出土的桃都树、陶风车等珍贵文物一度使泗涧沟墓地为学界所重。

　　近年来，焦枝铁路进行复线电气化工程改造。考古人员借此机会，于 1991 年对四涧沟、桐花沟两墓地进行了大规模的系统而科学的发掘，获取了一批脉络清晰、内容翔实的资料。在此基础上，又对轵国故城的城垣建筑及城内遗存进行了地面踏察，使得利用考古资料对古轵国进行系统而深入的研究成为可能。

　　泗涧沟墓地共发掘出战国至东汉时期的墓葬 105 座，可分为竖穴土坑墓和洞室墓两类。各种墓葬的出土文物包括陶、铜、铁等质类，数量逾千件。

　　简报分为：一、概述，二、墓葬释制，三、小结，共三个部分。有手绘图。

　　据介绍，从这批墓葬形制和其随葬品组合、器物装饰而言，推断泗涧沟墓地的时代，上起战国晚期，下迄东汉，与轵国故城的兴废年代是相符合的。以往论者所谓的泗涧沟墓是轵国贵族墓地一说，殊可置疑。泗涧沟墓地肯定存在着不同层次的族葬制。

　　简报称，泗涧沟墓地在年代上与轵国的兴衰相始终，位置上又紧毗故城南垣，出土物丰富而序列井然，对古轵国及轵国故城的研究具有十分重要的意义。

824.河南济源出土的战国石尺

作　者：济源市博物馆　李彩霞
出　处：《中原文物》2008 年第 5 期

　　2007 年 6 月 17 日，考古人员在济源市邵原镇修建环镇北路时，抢救性发掘了 30 余座古墓葬，其中一座春秋末期至战国初期的古墓葬规模较大，随葬品也较多，器类有青铜鼎、青铜盘、青铜戈、青铜矛头、青铜镞头、青铜带钩、青铜仪仗头、青铜马衔、石圭、石尺、玛瑙和玉环、玉珠、玉管、棺罩骨缀饰等。简报配以照片主要介绍出土的这件石尺。

据介绍，该尺石质，灰白色，整体呈扁窄条形，四边比较整齐规整，器身正面上部有一条宽窄不匀的突起的边缘，正面中间有间距基本相等的数个小圆孔。圆孔的制作手法采用单面钻法，尺子上六个小孔，有的在尺的正面钻，有的在尺的背面钻。这些圆孔都应为刻度标记。简报推断该尺应为战国时期三晋地区的尺子。尺的两孔之间间距，按十进制计算，尺子的长度在 21.95 厘米到 22.55 厘米之间。

该尺由济源市文物工作队移交于济源市博物馆收藏。石尺的出土，为研究战国初期三晋地区的度量衡制度提供了重要的实物资料。